整形外科卒後研修 Q&A

改訂第8版

［解説編］

編集
日本整形外科学会Q&A委員会

南江堂

目 次

1. **基礎科学** 4
   1. 骨の生理，構造，化学 4
   2. 骨の発育，形成，再生 6
   3. 関節の構造と生化学 8
   4. 筋，神経の構造，生理，化学 10
   5. 骨，関節の病態生理 15
   6. バイオメカニクス 16

2. **診断学** 24
   1. 診断学と臨床検査 24
   2. 神経・電気生理学的診断 34
   3. X線など画像診断 38
   4. 病理組織診断 46

3. **治療学** 50
   1. 保存療法 50
      1) 消炎鎮痛薬 50
      2) 疼痛治療薬など 51
   2. 手術療法 51
      1) 骨移植，生体材料 51
      2) 麻酔，輸血 58
      3) 感染予防 63
      4) 深部静脈血栓症（DVT） 66

4. **疾患総論** 70
   1. 骨・関節の感染症 70
      1) 一般化膿性疾患 70
      2) 結 核 75
      3) MRSA，AIDS 76
      4) その他 78
   2. リウマチとその類縁疾患 79
   3. その他の関節疾患 95
   4. 四肢循環障害 102
   5. 骨端症 105
      1) 上 肢 105
      2) 下 肢 106
      3) その他 109
   6. 小 児 109
   7. 代謝性骨疾患 118
   8. 骨・軟部腫瘍 125
   9. 神経・筋疾患 139
   10. ロコモティブシンドローム 154

5. **疾患各論** 158
   1. 肩関節 158
   2. 肘関節 163
   3. 手関節・手・指 168
   4. 頚部・頚椎 182
   5. 胸椎・胸郭 192
   6. 腰椎・仙椎 195
   7. 脊椎・脊髄腫瘍 203
   8. 骨盤・股関節 207
      1) 小児股関節 207
      2) 大腿骨頭壊死 208

3）OA，他　　　　　　　　211
　9　膝関節　　　　　　　　　　219
　　　1）OA（保存，HTO，TKA）　219
　　　2）骨壊死など　　　　　　223
　　　3）その他　　　　　　　　224
　10　足関節・足・趾　　　　　226

6．外　傷　　　　　　　　　　234
　1　軟部組織損傷　　　　　　　234
　2　骨折・脱臼総論　　　　　　242
　3　骨折・脱臼各論　　　　　　254
　　　1）脊椎・脊髄損傷　　　　254
　　　2）肩甲帯〜上腕　　　　　260
　　　3）肘〜手関節・手　　　　269
　　　4）骨盤・下肢　　　　　　280

　4　末梢神経損傷　　　　　　　298
　5　スポーツ外傷・障害　　　　301
　　　1）上　肢　　　　　　　　301
　　　2）股関節・大腿　　　　　307
　　　3）膝関節　　　　　　　　309
　　　4）足部，足関節　　　　　313
　6　その他　　　　　　　　　　316

7．リハビリテーション　　　　320
　1　理学療法，作業療法，運動療法　320
　2　装具療法　　　　　　　　　323
　3　切断，義肢　　　　　　　　328
　4　その他　　　　　　　　　　331

8．関係法規・産業医・医療安全　336

索　引　　　　　　　　　　　　　349

★本書前版に掲載しておりました「症例問題」は，日本整形外科学会ホームページ会員専用ページに掲載されております．

解説編

1. 基礎科学
2. 診断学
3. 治療学
4. 疾患総論
5. 疾患各論
6. 外傷
7. リハビリテーション
8. 関係法規・産業医・医療安全

基礎科学

1 基礎科学

1 骨の生理,構造,化学
Q ▶ p.4-6

問 1-1-1
正解　a, b, d　　骨細胞,皮質骨

　皮質骨と海綿骨の構造は成長過程とともに変化する.
　ハバース管を取り囲む微小区域は皮質骨を構成する基本構造であり,オステオンまたはハバース系と呼ぶ.
　パケットは海綿骨を構成する基本構造である.
　骨幹の皮質骨は外層,内層,中間層からなる.
　ハバース管を横方向に連結する神経・血管の通路をVolkmann管と呼ぶ.
　●標準整形外科学. 第14版. 8-10.

問 1-1-2
正解　c　　骨膜

　骨膜は外側の線維層と内側の細胞層からなる.
　内側の細胞層は骨前駆細胞を含み,骨の成長に関与する.
　線維層にもわずかながら骨膜細胞が存在し,外的刺激によって骨芽細胞へ分化する.
　頭蓋骨や鎖骨の一部は膜性骨化により作られ,その他の大半の骨は軟骨内骨化によって作られる.
　骨折の修復に関わる未分化間葉系細胞の一部は,骨膜に由来する.
　●標準整形外科学. 第14版. 9, 40-42.

問 1-1-3
正解　a, d, e　　骨組織

　骨組織にはミネラル以外の基質蛋白も多く存在しており,骨の材料特性を規定している.
　骨基質蛋白でもっとも多いのはⅠ型コラーゲンであり(約90%),残りは非コラーゲン蛋白である.
　Ⅰ型コラーゲンはα(Ⅰ)鎖2本とα(Ⅱ)鎖1本の3本鎖からなるtriple helix構造をもつ.
　骨形成不全症1〜4型はⅠ型コラーゲン遺伝子の変異に由来する.
　●標準整形外科学. 第14版. 16-19, 303-304.

問 1-1-4
正解　c　　骨リモデリング,骨形成

　古い骨が新しい骨に置換される過程が骨リモデリングであり,骨組織の劣化を防ぐ役割を担う.
　破骨細胞による骨吸収相,骨芽細胞による骨形成相を経て,静止相に至る.
　リモデリングによって皮質骨の微小骨折(マイクロクラック)が修復されることは実験的にも確かめられている.
　骨形成相では,類骨が形成されたのち,石灰化骨が形成される.
　●標準整形外科学. 第14版. 12-16.

問 1-1-5

| 正解　d　骨モデリング |

成長期の外形拡大や成長完了後の形態修正など，骨の造形機能の総称が骨モデリングである．

骨モデリングにおいては，骨形成と骨吸収のバランスが変化することにより，骨の外形が変化・修正される．

力学的負荷は骨モデリングに強い影響を与える．

● 標準整形外科学．第 14 版．11-12.

問 1-1-6

| 正解　d　破骨細胞，骨吸収 |

破骨細胞は直径 20～100 μm の巨大な多角細胞であり，骨組織においては Howship（ハウシップ）窩と呼ばれる骨表面の吸収窩に存在する．

酒石酸抵抗性酸ホスファターゼ（TRAP）活性が強く，臨床的にも TRACP5b は骨吸収マーカーとして用いられている．

波状縁と呼ばれる複雑に入り組んだ刷毛状の膜構造を形成し，酸や酵素を分泌して骨吸収を行う．

● 標準整形外科学．第 14 版．16.

問 1-1-7

| 正解　b　骨細胞，骨芽細胞，骨基質 |

骨を構成する細胞は，骨細胞，骨芽細胞，破骨細胞である．骨芽細胞は骨基質を産生するが，骨芽細胞が自ら作った骨基質の中に埋没して骨基質形成能を失ったものが骨細胞である．骨細胞は骨組織では骨小腔（lacuna）に存在し，近接する骨細胞，骨芽細胞とギャップ結合により互いに連結している．

骨細胞はメカニカルストレスによる骨組織のひずみを感知するほか，リン代謝に重要な役割を果たす FGF23 や，WNT シグナルを抑制するスクレロスチンを発現する．

● 標準整形外科学．第 14 版．14-16.

問 1-1-8

| 正解　a，c，d　ビタミン D，25-ヒドロキシビタミン D |

ビタミン D は脂溶性ビタミンの 1 つであり，皮膚の細胞にて紫外線照射を経て生合成される．

体内で生合成された，あるいは食物から摂取されたビタミン D は肝臓で水酸化され，25-ヒドロキシビタミン D としてストックされるため，血中 25-ヒドロキシビタミン D 濃度はビタミン D 充足度の指標となる．

1 位も水酸化されると強い活性をもつに至り，腸管からのカルシウム吸収を促進するなど，骨量維持に重要な役割を果たす．

ビタミン D は PTH（parathyroid hormone）の産生，分泌を抑制する．

● 標準整形外科学．第 14 版．26-29.

問 1-1-9

| 正解　b，d，e　血清カルシウム濃度，PTH，ビタミン D |

血清カルシウム濃度は主に PTH とビタミン D によって調節されており，どちらも血清カルシウム濃度を増加させる作用がある．ビタミン D は PTH の産生，分泌を抑制する．

血清 25-ヒドロキシビタミン D 濃度は，30 ng/mL 以上を充足，20～30 ng/mL をビタミン D 不足，20 ng/mL 未満をビタミン D 欠乏と判断する．

ビタミン D は血清リン濃度を増加させるが，

FGF23 は低下させる．

●標準整形外科学．第 14 版．26-30, 327．

問 1-1-10

正解　b, c, d　WNTシグナル，RANKL, FGF23

原発性副甲状腺機能亢進症など，持続的に血清 PTH 濃度が持続的に高い状態では骨吸収が亢進して骨量の減少をきたすが，間欠的な PTH の投与では骨量は増加する．

WNT シグナルは骨芽細胞分化を促進するが，スクレロスチンはそれを抑制している．

RANKL は骨芽細胞や骨髄間質細胞などが産生するサイトカインであり，破骨細胞の発生分化に必須である．

FGF23 は腎でのリン排泄を促進し，過剰になると低リン血症性骨軟化症を引き起こしうる．

男性の骨ではアロマターゼによりアンドロゲンがエストロゲンに転換されている．

●標準整形外科学．第 14 版．23-32．

問 1-1-11

正解　c　骨芽細胞，RANKL

骨芽細胞は未分化間葉系細胞に由来し，骨組織表面に存在して骨基質を合成する．

骨芽細胞は上皮小体（副甲状腺）ホルモン（PTH）の受容体を発現している．

ruffled border は破骨細胞にみられるものである．

骨芽細胞は RANKL を発現し，破骨細胞およびその前駆細胞の表面に発現する受容体である RANK を介して破骨細胞の形成，機能および生存を調節する．

●標準整形外科学．第 14 版．14-16, 23-28．

問 1-1-12

正解　c, d　骨代謝マーカー，骨型アルカリホスファターゼ，デオキシピリジノリン，NTX, P1NP

血液や尿で測定される物質で骨の代謝を反映する物質を骨代謝マーカーという．

BAP（bone alkaline phosphatase），P1NP は骨形成マーカー，DPD（deoxypyridinoline），NTX, TRACP-5b は骨吸収マーカーとして用いられている．

原発性副甲状腺機能亢進症や原発性甲状腺機能亢進症では骨代謝回転が亢進するため，骨形成マーカーも骨吸収マーカーも上昇する．

●標準整形外科学．第 14 版．14-19, 325-327．

2　骨の発育，形成，再生

Q ▶ p.6-7

問 1-2-1

正解　a, d, e　軟骨原基，軟骨内骨化

骨は，結合織内（膜性）骨化と軟骨内骨化の2つの様式で形成される．

軟骨内骨化においては，凝集した間葉系細胞から軟骨細胞が発生し，増殖によって原基が増大する．

やがて中心部から肥大分化がみられ，血管誘導とともに一次骨化中心が形成される．

その後，骨端部にも二次骨化中心が出現し，2つの骨領域に挟まれた成長軟骨板が長径方向の成長を担う．

ほとんどの長管骨は軟骨内骨化を経て形成されるが，頭蓋骨は主に膜性骨化によって形成される．

●標準整形外科学．第 14 版．20-22．

問 1-2-2

> 正解　a, e　　成長軟骨板, 静止軟骨細胞層, 増殖軟骨細胞層, 肥大軟骨細胞層

　成長軟骨板は, 静止軟骨細胞層, 増殖軟骨細胞層, 肥大軟骨細胞層によって構成される. 成長軟骨板の横径成長は, 成長軟骨板周囲の軟骨膜における軟骨細胞の増殖と骨形成により生じる.
　lamina splendens は関節軟骨の最表面にある無細胞性の層の名称である.
　tidemark は関節軟骨の深層にみられるヘマトキシリン好性の青染する波状の線である.
　●標準整形外科学. 第14版. 20-22, 48-54.

問 1-2-3

> 正解　c　　副甲状腺ホルモン関連蛋白, インディアンヘッジホッグ

　成長軟骨板において, 軟骨細胞は静止層, 増殖層, 肥大層を経てアポトーシスに至る. 成長軟骨板で起きるのは軟骨内骨化である.
　PTHrP (parathyroid hormone-related protein) とインディアンヘッジホッグ (IHH) は成長軟骨板の制御因子として知られている.
　成長軟骨板の閉鎖によって長管骨の長軸方向の成長は終了する.
　●標準整形外科学. 第14版. 20-23.

問 1-2-4

> 正解　c, d, e　　軟骨内骨化, X型コラーゲン, 骨膜

　成長軟骨板では軟骨内骨化により骨の長径成長が起こる.
　肥大軟骨細胞層から一次骨化中心では血管の誘導がみられるが, 増殖細胞層内部には存在しない.
　増殖軟骨層では扁平な細胞が柱状に配列する.
　肥大軟骨細胞の特異的なマーカーとして, X型コラーゲンが知られている.
　軟骨原基の周囲の軟骨膜には成長とともに骨芽細胞が現れ, やがて骨膜へと変化していく.
　●標準整形外科学. 第14版. 20-23.

問 1-2-5

> 正解　e　　骨年齢, 骨化核

　手根骨, 中手骨, 指骨の一次骨化核や二次骨化核の出現状態を観察することで, 骨成長, 発育が年齢相応であるか, 遅延もしくは早熟であるかを知ることができる.
　生後6カ月以内で手根骨は2個 (有頭骨, 有鉤骨) 出現する.
　豆状骨は男性では5～6歳 (女性8～9歳) で出現し, 示指末節骨の骨端核癒合は男性13～14歳 (女性12歳, 初潮年齢) などが目安となる.
　●標準整形外科学. 第14版. 133.

問 1-2-6

> 正解　a, b　　膜性骨化

　頭蓋骨, 下顎骨などの扁平骨, 鎖骨の一部は膜性骨化により, 四肢の長管骨, 手根骨などの短骨は軟骨内骨化により形成される.
　●標準整形外科学. 第14版. 21.

問 1-2-7

> 正解　b, d　　骨誘導, 骨伝導, 骨形成蛋白

　骨の再生・修復は, 骨誘導と骨伝導の両者からなる.
　骨誘導とは何らかの誘導物質が局所に骨組織を分化誘導させる現象をさす.

骨伝導とは母床に存在する骨形成細胞が骨移植や人工骨内に三次元的に侵入し，内部に骨形成を生じる現象である．

骨形成蛋白（bone morphogenetic protein：BMP）は骨基質や骨肉腫内に存在し，筋肉内で異所性に骨を誘導できる生理活性物質である．

骨欠損部へ移植された人工骨のβ-リン酸三カルシウム（β-TCP）は骨へ置換される．

多孔体セラミックスは優れた骨伝導能を有する．

●標準整形外科学．第14版．43．

問 1-2-8

| 正解 c 新鮮自家骨移植，同種骨移植，骨形成細胞 |

血管柄付き骨移植以外は，一般に移植骨は壊死し，吸収されて新生骨に置換される．

新鮮自家骨移植では骨形成細胞も同時に移植しており，移植部で増殖し骨を形成できる．

同種骨では骨形成細胞は壊死し，移植免疫反応も生じ骨形成作用は自家骨より弱い．

●標準整形外科学．第14版．44．

3 関節の構造と生化学

Q ▶ p.8-10

問 1-3-1

| 正解 c，d，e 関節軟骨 |

関節軟骨の表面は，コラーゲンからなる4～8μmの厚さのlamina splendensという無細胞の薄い膜におおわれている．

成熟した関節軟骨は軟骨細胞の形態，基質の性状から大きく4つの層に分かれる．

血管，神経，リンパ管はなく，軟骨細胞と細胞外基質から構成される．

大部分は細胞外基質からなり，細胞は極めて少なく全容積の2%以下である．

成熟した正常な関節軟骨には軟骨細胞の分裂像はみられない．

●標準整形外科学．第14版．48-51．

問 1-3-2

| 正解 d，e 関節軟骨，tidemark，プロテオグリカン |

tidemarkは非石灰化軟骨層と石灰化軟骨層の境界で，それより表面側の軟骨は滑液により栄養されている．

軟骨対軟骨は自然界でももっとも摩擦係数が小さい組み合わせとされ，0℃の氷対氷の摩擦係数が約0.1であるのに対し，0.002～0.006と極めて小さい．

関節軟骨の細胞外基質の主成分は水分で湿重量の70～80%を占める．水分以外の構成物質の乾燥重量に占める割合はコラーゲンが50%であり，残りはプロテオグリカン，非コラーゲン性蛋白質と糖蛋白質で構成される．

軟骨組織層に欠損がとどまっている状態ではほとんど硝子軟骨による自然修復は起こらないが，欠損が骨髄まで達すると線維軟骨様の修復反応がみられる．

●標準整形外科学．第14版．48-53，67-69．

問 1-3-3

| 正解 d 関節軟骨，プロテオグリカン，ルブリシン |

関節軟骨は荷重を緩衝する作用を担うが，軟骨基質，とくにプロテオグリカンが関節軟骨の粘弾性に重要である．

関節軟骨の最表層にはルブリシンが存在し，潤滑能の維持を担っている．

関節軟骨には侵害受容器は存在せず，関節痛の感知には滑膜や関節包，軟骨下骨が関係する．
● 標準整形外科．第14版．48-55, 62.

問 1-3-4

| 正解　a, b, c　　コラーゲン，トロポコラーゲン |

軟骨のコラーゲンの90〜95％はⅡ型である．α鎖の3本が絡み合ってトロポコラーゲンが形成され，さらにトロポコラーゲンが平行に配列しコラーゲン細線維が作られる．

Ⅱ型の他に少量の様々なコラーゲンが存在するが，Ⅸ型とⅪ型はⅡ型コラーゲン同士の架橋に関わっている．

Ⅹ型は成長軟骨板の肥大軟骨細胞が産生し軟骨基質の石灰化に関与している．

コラーゲン線維の走行は，表層では関節表面に平行に並び，移行層では不規則となり，放射状層では垂直方向に配列している．
● 標準整形外科．第14版．48-53.

問 1-3-5

| 正解　d　　プロテオグリカン，アグリカン |

プロテオグリカンはコラーゲンに次ぐ関節軟骨の主要成分であり，その90％がアグリカンと呼ばれる軟骨特異的なプロテオグリカンである．

アグリカンは細かなコア蛋白に多数のコンドロイチン硫酸などの側鎖が結合した形態をとり，ヒアルロン酸を軸に，凝集体を形成する．

大量の陰性電荷を有し，大量の水と陽イオンを引き寄せ，膨らむ性質をもつ．
● 標準整形外科．第14版．52-53.

問 1-3-6

| 正解　a, c, e　　関節軟骨，ヒアルロン酸 |

ヒアルロン酸は軟骨基質ではプロテオグリカン凝集体の軸としての役割があるが，滑膜B細胞から分泌され，関節液中にも豊富に存在する．

関節液中の分子量は健常人では350万〜400万であるが，関節疾患を有する患者の関節では濃度，分子量とも減少する．

ヒアルロン酸の濃度の減少は，関節液の粘稠度の低下につながる．
● 標準整形外科．第14版．52-55, 61-62.

問 1-3-7

| 正解　a　　関節軟骨組織，プロテオグリカン，マトリックスメタロプロテアーゼ |

正常の軟骨基質内では軟骨細胞はほとんど分裂することはないが，変形性関節症の関節軟骨組織では活発に増殖している．

Ⅱ型コラーゲンやプロテオグリカンなどの軟骨基質を産生する一方，過度の力学的ストレスや加齢など多くの要因が重なるとマトリックスメタロプロテアーゼ(MMP)やアグリカン分解酵素などの蛋白分解酵素や，炎症性サイトカインを分泌するようになる．
● 標準整形外科．第14版．59-66.

問 1-3-8

| 正解　e　　関節液 |

関節液は関節腔に貯留する液体で，血漿成分の滲出液にヒアルロン酸や糖蛋白質などが加わったものである．

関節の潤滑効果のほか，栄養共有を担っている．電解質や低分子量の物質の濃度は血液とほぼ同じであるが，高分子量の物質は血液より低

濃度である．

正常で赤血球はみられない．

正常な関節液は粘稠性が高いが，これはヒアルロン酸の濃度に比例する．

一般に蛋白質分解酵素が高濃度になるような炎症性疾患では粘稠性は低下する．

● 標準整形外科学．第14版．56．

問 1-3-9

| 正解　d　　滑膜 |

滑膜は関節包の内層の結合組織であり，最表層の内膜と，深層の滑膜下層からなる．

内膜には，マクロファージ様のA細胞と線維芽細胞様のB細胞が存在する．

B細胞はヒアルロン酸などを産生して関節液の産生に関わるが，各種の刺激や環境の変化に応答して増殖や形態変化をみせる．

関節リウマチでは滑膜炎が生じ，様々な免疫細胞がみられる．

● 標準整形外科学．第14版．55-56, 63-65．

問 1-3-10

| 正解　d, e　　膝半月 |

半月は膝関節内に存在する白色で半透明の線維軟骨である．

血管は外側10〜30%にみられ，神経も外側に多くみられる．

水分含量は湿重量の70%以上を占める．

外1/3はⅠ型コラーゲンが主体であるが，内側にいくに従ってⅡ型コラーゲンの比率が高くなる．

荷重の分散，関節の安定化のほか，固有感覚の受容器としての役割も担っている．

● 標準整形外科学．第14版．57．

問 1-3-11

| 正解　c, e　　椎間板 |

椎間板は中心部の髄核とこれを取り囲む線維輪，そして上下椎体の軟骨終板から構成される．

線維輪は同心円状に配列した層板と呼ばれるコラーゲン線維層から構成され，中心部の髄核を取り囲む．

血管はなく，周囲からの拡散によって栄養される．

髄核では水分が湿重量の70〜90%を占める．

MRI T2強調像では，線維輪は低信号，髄核は高信号となる．

● 標準整形外科学．第14版．58, 138-139．

4 筋，神経の構造，生理，化学

問 1-4-1

| 正解　e　　骨格筋 |

骨格筋細胞(筋線維)は長い核を多数もつ大きな細胞である．

筋細胞では細胞膜を特に筋線維鞘(sarcolemma)と呼び，細胞質には筋原線維を有する．

筋原線維にはA帯とI帯が交互に横紋構造を呈している．A帯はミオシンフィラメントとアクチンフィラメントの重なりで，その長さはミオシンフィラメントを表している．

これらの蛋白質は，筋肉内では筋原線維としてミオシンとアクチンが規則正しく配列して骨格筋に特徴的な横紋構造を示す．

I帯はアクチンフィラメントのみからなる．I帯は暗いZ帯で分けられ，A帯の中央にはいくらか明いH帯がみられる．2つの隣り合ったZ帯の間を筋節(sarcomere)と呼ぶ．筋原線維はこの小さな収縮単位である筋節の連鎖であ

る．筋収縮するとⅠ帯，H帯の長さは短くなるが，A帯の長さは変わらない．

- Marieb EN．林正健二ほか訳．人体の構造と機能．医学書院．1997：143．
- 貴邑冨久子ほか．シンプル生理学．第4版．南江堂．1999：20-23．
- 標準整形外科学．第14版．73-75．

問 1-4-2

| 正解　e　　筋の微細構造 |

1本の骨格筋線維には数百〜数千本の筋原線維が含まれる．筋原線維の長さは細胞の全長に及び，その直径は1〜2μmである．

筋細胞膜が落ち込んでできた管状構造をT管(transverse tube)と呼ぶ．電気刺激は筋細胞膜とT管によって伝えられ，筋収縮を引き起こす．

筋小胞体は筋原線維を網目状に取り巻く一種の滑面小胞体で，内胞にCa^{2+}を蓄えている．T細管とこれに接する終末槽において膜電位の変化に伴うCa^{2+}放出が引き起こされ，筋収縮の引き金となる．

筋の収縮は，トロポミオシンと他の蛋白質のもとでアクチンとミオシンの相互作用によって行われる．ミオシンはアデノシントリホスファターゼ(ATP)を含むエネルギー産生蛋白質であり，アクチンは収縮性蛋白質である．ミオシン頭部にはATPase活性があり，ATPを分解して収縮エネルギーを発生させアクトミオシンを生じる．

ATPは，①クレアチンリン酸とADPから産生されるもの，②細胞質内の無酸素性解糖によるもの，③ミトコンドリア内での酸化的リン酸化の過程(TCAサイクル)で産生されるもの，の3つの過程がある．無酸素解糖では酸化的リン酸化に比べ，ごく少量のATPしか産生しない．

- 標準整形外科学．第14版．74-77．

問 1-4-3

| 正解　a，b，e　　筋線維タイプ |

筋線維は形態学的および組織学的にⅠ型，ⅡA型，ⅡB型に分類される．筋線維の直径は，ⅡB型がもっとも大きく，以下Ⅰ型，ⅡA型の順である．外観上の筋の赤さは構成する筋細胞の性質による．

赤筋では筋細胞の大部分がⅠ型線維からなる．

Ⅰ型線維はslow and tonicな収縮をし，ミトコンドリアが豊富である．ヒトではⅡA型線維の比率は極めて低い．ⅡB型線維はphasic and fastな収縮をする白筋であり，解糖系酵素が多い．

これらの筋線維タイプの割合は筋により異なっており，モザイクパターンを示す．筋線維は遺伝子からの転写の段階だけでなく，転写後にも制御され，支配神経，力学的環境，内分泌環境などにより変化する．

- 標準整形外科学．第14版．73-75．

問 1-4-4

| 正解　a，c　　遅筋 |

遅筋(Ⅰ型線維)はミオグロビンの存在で色調が赤く，これが多く含まれる筋は赤筋とも呼ばれる．

ミトコンドリアに富み，主に酸化系代謝によってエネルギーを得る．

ミオシンイソ酵素ATPase反応速度は，Ⅰ型が遅く，ⅡA，ⅡB型は速い．

遅筋は持久力があり，抗重力筋，姿勢保持筋としての機能が重要である．

- 標準整形外科学．第14版．75．

問 1-4-5

| 正解 a, c 筋収縮機構 |

　神経終末のシナプス小胞から分泌されるアセチルコリンが受容体と結合するとNa⁺チャネルが開き、Na⁺が筋細胞に流入して脱分極が生じる。これを終板電位という。

　アセチルコリンは筋線維鞘に存在する酵素により分解され、次の神経刺激でアセチルコリンが放出するまで筋細胞は休息する。

　筋細胞膜に活動電位が生じ、筋収縮が生じるまでの過程を興奮収縮連関という。

　膜の電気的興奮は横行小管系に沿って筋の深部まで伝達され、筋小胞体端末槽からのカルシウム(Ca)の放出を引き起こす。

　筋収縮は、ATPを利用してミオシンの側枝がアクチンと結合したり離れたりすることで生ずる。細胞内に取り込まれたクレアチンはクレアチンキナーゼ(CK)によりクレアチンリン酸として蓄えられる。細胞内でATPが消費されADPが増加するとCKによってADPの再リン酸化が生じ、ATPを合成して筋収縮を持続させる。

　一方、嫌気性解糖ではグリコーゲンが分解されグルコースを生じた後、解糖系によってピルビン酸に分解され、2分子のATPが合成される。

- Marieb EN. 林正健二ほか訳. 人体の構造と機能. 医学書院, 1997：150-152.
- 標準整形外科学. 第14版. 75-78.

問 1-4-6

| 正解 c, d 感覚伝導路 |

　頸部以下の体性感覚は脊髄後根から脊髄に入った後、2つの経路に分かれる。触覚、圧覚、深部感覚を伝える線維はそのまま後索を上行して延髄に達し、ここの薄束核と楔状束核に終わる。

　一方、痛覚刺激と温度感覚(温覚、冷覚)は後根を通り、後角の膠様質でニューロンを変える。ここから出た二次ニューロンは脊髄中心管の腹側を通って、反対側の前側索に移り上行し、内側毛帯を経由して視床の腹側基底核群に終わる。

- 越智隆弘ほか総編. 最新整形外科学大系第10巻脊椎・脊髄. 中山書店, 2008：108-111.

問 1-4-7

| 正解 b, c 反射 |

　骨格筋の中に存在する感覚器である筋紡錘は、筋の感覚情報を中枢神経系に送ることで運動の調整に寄与している。

　筋紡錘は、結合線維の被膜に包まれた筋線維と、これを支配する感覚性および運動性の神経線維から構成される。骨格筋を伸長すると筋紡錘も伸長されて、感覚線維に活動電位が発生する。この求心性線維は後根より脊髄に入って起始筋の支配ニューロンにシナプスを形成し、興奮作用を及ぼす。

　伸展反射の主要成分はこの回路によって起こる単シナプス性反射であり、遠心路は前根を通過するα線維である。

　クローヌスはこの伸展反射が亢進したときに生じる。一方、皮膚、筋、深部組織の障害を起こすような刺激が加わると、痛みの感覚の他に屈筋に反射性収縮が現れ、関節が屈曲する。これを屈曲反射という。

- 貴邑冨久子ほか. シンプル生理学. 第4版. 南江堂, 1999：49-52.

問 1-4-8

正解　c　　運動器の痛み

　炎症性疼痛は，組織の損傷・変性・感染などに起因する炎症に伴って放出される内因性発痛物質が侵害受容器を刺激して発生する．

　侵害受容器には，機械的侵害刺激のみに反応する高閾値機械受容器と，機械的刺激のほか，化学的刺激や熱刺激も感知するポリモーダル受容器がある．

　また，侵害受容器に存在する TRPV1(transient receptor potential vanilloid subfamily 1) などのイオンチャネルが活性化すると痛みに対する感受性が亢進する．神経障害性疼痛とは，神経組織自体の損傷や遷延する侵害刺激により疼痛伝達に関わる神経システム自体に異常をきたして生じる痛みであり，複合性局所疼痛症候群（CRPS）や脊損後疼痛，幻肢痛，医原性神経障害などが含まれる．

　短い鋭い痛みである一次痛の信号は一次求心性ニューロンを通り，脊髄後角から反対側の脊髄視床路を上行し，視床を経由して大脳皮質の体性感覚野に送られる．

　遷延性で鈍い痛みである二次痛の信号はポリモーダル受容器の活動から始まり，C線維を介して求心性に伝達され，延髄，橋，中脳，視床下部などの脳幹部に入力し，さらに島，前帯状回，扁桃体など大脳辺縁系にも中継される．

- 標準整形外科学. 第14版. 82-85.

問 1-4-9

正解　a，d　　シナプス

　ニューロンのシグナルはシナプスと呼ばれる特別な接続構造で細胞から細胞へ伝達されるが，神経接合部はシナプスの典型的なモデルである．2個の細胞はシナプスの間隙によって電気的に隔てられており，その間の伝達は直接的な電気的伝達ではなく，神経伝達物質による化学的伝達である．

　神経接合部では，神経伝達物質であるアセチルコリンはシナプス前膜に隣接したシナプス小胞内に蓄えられており，Ca^{2+} が流入するとエキソサイトーシスによって放出される．

　放出された神経伝達物質はシナプス後膜に電気的変化を引き起こす．したがって，シナプスにおける興奮の伝達は一方向性である．

　微小管やニューロフィラメント，アクチンフィラメントといった細胞骨格蛋白質は細胞体から運び出され，遅い軸索輸送によって1日当たり1〜5 mm の速度で軸索内を運ばれる．一方，シナプスで用いられる分泌蛋白質や膜結合分子などの非細胞質物質は，最大1日当たり400 mm という速い軸索輸送で運ばれていく．

　損傷神経幹を軽く叩打圧迫すると，その神経の支配域に限局して末梢方向に放散する痛みが生じる現象を Tinel 様徴候という．これは神経損傷後まもなく出現し，損傷部位の診断に重要であるが，神経再生が起こると，その再生の程度に一致して末梢側に移動していく．したがって，Tinel 様徴候の移動は，神経再生の状態を知り，予後を判定するうえでも重要である．

- 津下健哉. 手の外科の実際. 第6版. 南江堂, 1985：354.
- Alberts Bほか. 中村桂子ほか監訳. 細胞の分子生物学. 第2版. 教育社, 1990：1062-1075.

問 1-4-10

正解　a，d，e　　電気生理

　神経線維の興奮伝導速度は太い線維ほど速く，一般に直径(μm)×6＝伝導速度(m/秒)とされている．

　末梢神経伝導速度は温度の影響を受け，室温20℃付近では1℃の上昇により1.8 m/秒ずつ速

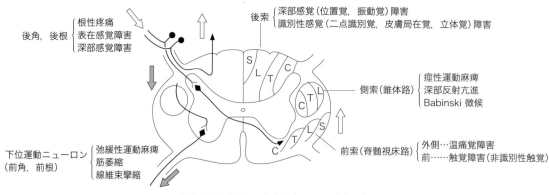

問1-4-11／図1　病変局在とその臨床症候

度を増す．しかし30℃以上では温度の影響も少なくなり，ほぼ一定となる．したがって，末梢神経伝導速度検査は30℃以上の室温で行う必要がある．また検査にあたっては，最大筋収縮がみられる刺激で計測しなければならない．

末梢神経損傷に対する針筋電図検査では，随意収縮時にみられる異常の他に，安静時における異常放電の有無も診断上有用である．随意収縮時の陽性鋭波，多相性電位の出現，安静時の線維自発電位の出現は，Waller変性を示唆する所見として重要である．

正常の強さ時間曲線は，神経損傷時には変性の程度と相関して閾値の上昇が通電時間の短いところから始まり，カーブは全体として右側に偏位し，かつ急上昇曲線を描く．

● 津下健哉．手の外科の実際．第6版．南江堂，1985：355-357．

問1-4-11

| 正解　d　　脊髄伝導路 |

図1の脊髄伝導路を参照図として解説する．脊髄白質の神経伝導路は前から前索，側索，後索の3つに分かれている．

前索は脊髄視床路で内側から頚髄(C)，胸髄(T)，腰髄(L)，仙髄路(S)の順に並んでおり，脊髄内で交叉する求心性神経線維である表在感覚(温痛覚，非識別性触覚)の伝導路で，外側脊髄視床路は温痛覚，前脊髄視床路は非識別性触覚の伝導路である．

側索は錐体路で内側から頚髄，胸髄，腰髄，仙髄路の順に並んでいる遠心性の運動神経伝導路である．

後索は深部感覚(位置覚，振動覚)と識別性感覚(二点識別覚，皮膚局在覚，立体覚)の求心性神経線維伝導路で，錐体路や脊髄視床路とは逆に，内側から仙髄，腰髄，胸髄，頚髄路の順に並んでいる．

● 森健躬ほか編．脊椎・脊髄疾患—診断と治療．医歯薬出版，1981：6-34．

問1-4-12

| 正解　b，c　　痛覚神経 |

速い痛みはAδ線維，遅い痛みはC線維と，痛みは比較的細い神経線維で伝えられる．

径の細い神経線維ほど局所麻酔薬で遮断されやすく，運動神経の機能を残し痛覚神経のみを選択的に遮断できる．

電気刺激に対しては径の太い神経線維ほど興奮しやすいので，痛み治療として弱電流による通電療法が行われる．

オピオイドレセプターは脊髄では後角に多い．下行性痛覚抑制系の主な伝達物質はセロトニンとノルアドレナリンである．B線維は有髄の交感神経節前線維であり，痛みの伝達には関与していない．

　●標準整形外科学．第14版．83-85．

問 1-4-13

| 正解　d　　運動器慢性疼痛 |

　一般に3〜6カ月以上続く痛みは慢性痛と呼ばれる．

　神経障害性疼痛に対する薬物療法では，プレガバリン・ミロガバリン（Ca^{2+}チャネルα2δリガンド），デュロキセチン（セロトニン・ノルアドレナリン再取り込み阻害薬）などが第一選択薬である．

　下行性抑制系の活性化で鎮痛が得られ，炎症が侵害受容器に対し感作作用を及ぼすことが，痛みの慢性化の原因となる．

　侵害受容性疼痛，神経障害性疼痛などの慢性疼痛症例においては，心理社会的要因が関与する場合があり，病態を複雑化・難治化する．

　●標準整形外科学．第14版．82-87．

5　骨，関節の病態生理
　　　　　　　　　　　　Q▶ p.12-13

問 1-5-1

| 正解　c　　関節の病理，病態 |

　健常者の関節液はヒアルロン酸の存在により高い粘弾性を有するが，変形性関節症や関節リウマチでは，関節液中のヒアルロン酸は分子量とともに濃度も低下する．

　軟骨細胞ではガスメディエーターの1つである一酸化窒素（NO）が炎症性サイトカインの働きにより過剰産生されており，潜在型MMPの活性化を誘導する．

　変形性関節症では，力学的ストレスやNOなど種々の炎症性メディエーターにより一部の軟骨細胞はアポトーシスを起こしており，表層やクラスター形成部に多くみられる．

　tidemarkはしばしば二重，三重となり，radial zone側へ突出する像を呈する．

　軟骨破壊によって衝撃吸収能が低下すると，軟骨下骨には過大な力学的ストレスが負荷される．微小骨折やリモデリングの亢進が生じ，骨形成が促進された結果，軟骨下骨が硬化する．

　●標準整形外科学．第14版．59-66．

問 1-5-2

| 正解　b，e　　骨折の修復 |

　骨折直後には出血によって血腫が生じるが，そこから様々な成長因子が放出され，未分化間葉系細胞の誘導を促進する．

　その後の修復においては，軟骨内骨化と膜性骨化の両方の過程が重要な役割を果たす．

　初期の仮骨は軟骨，線維性骨が主体で，軟性仮骨と呼ばれるが，骨化が進むと硬性仮骨と呼ばれる．

　仮骨をはじめとする骨折部の組織は，その後のリモデリングによって元来の骨構造に復元していく．

　力学的に安定した骨折では仮骨量は少なくなり，不安定な骨折では仮骨量は多くなる．

　●標準整形外科学．第14版．40-43．

問 1-5-3

| 正解　b，d　　骨折治癒 |

　骨折の修復においては，軟骨内骨化と膜性骨化の両方の過程が重要な役割を果たす．

硬性仮骨は，年齢や骨折の種類によるが，通常は骨折後6～8週で形成される．その後のリモデリングは破骨細胞，骨芽細胞によってなされる．

小児では，回旋変形を除いて，リモデリングによる自然矯正が旺盛に起きる．

低出力超音波パルスには骨折治癒促進効果があり，難治性骨折などに用いられている．

● 標準整形外科学. 第14版. 40-43.

問 1-5-4

| 正解 d 関節軟骨の修復 |

成人以降の関節軟骨は自然修復能に乏しく，軟骨下骨に達しない部分損傷は，自然修復することは少ない．

軟骨下骨に達する全層損傷では，骨髄からの出血や間葉系細胞の遊走がみられ，線維軟骨として修復されるが，その後，自然に硝子軟骨に置換されることは期待できない．

線維軟骨細胞はⅠ型，硝子軟骨細胞はⅡ，Ⅸ，Ⅺ型コラーゲンを，それぞれ産生する．

● 標準整形外科学. 第14版. 67-69.

問 1-5-5

| 正解 c, d 変形性関節症，病態 |

変形性関節症の病態には，軟骨や滑膜細胞から産生されるマトリックスメタロプロテアーゼ（matrix metalloproteinase：MMP）や，ADAMTS-4，5などのプロテオグリカン分解酵素が重要な役割を果たしている．

関節液ではヒアルロン酸の濃度，分子量が減少する．

硝子軟骨には神経終末線維は存在しない．

修復過程で軟骨細胞は増殖し，クラスター形成もみられるが，Ⅰ型コラーゲン主体の線維性軟骨として修復される．

● 標準整形外科学. 第14版. 59-64.

問 1-5-6

| 正解 a, d 椎間板 |

線維輪の弾性力が減少し，後方線維輪に亀裂が生じると椎間板ヘルニアにつながりうる．

線維輪の緩みや支持性の低下は，脊椎すべりなどの原因にもなりうる．

椎間板が変性するとプロテオグリカンと水分含有量が低下し，MRI T2強調像で高信号であった髄核は低信号となる．

● 標準整形外科学. 第14版. 58, 138-139, 552-560.

問 1-6-1

| 正解 e 応力，ひずみ，関節潤滑 |

応力は単位面積あたりの力と定義され，荷重の方向により，圧縮（compression），引っぱり（tension），剪断（shear）に分類される．

ひずみ［strain（ε）］は長さの変化率をいう．骨の長さが変化する際にはその幅もまた変化するが，長さ方向のひずみに対する幅方向のひずみの比をPoisson比と呼ぶ．

構造物に与えられた荷重と，生じた変形との関係は，荷重-変形曲線に示すことができる．荷重-変形曲線は，降伏点により弾性変形領域と塑性変形領域の2つの領域に分けられ，前者では変形は荷重に対して線形に増加し，除荷された後は，元の形状に戻る．応力とひずみの関係は，応力-ひずみ曲線で表され，弾性変形領域の応力-ひずみ曲線の傾きは弾性係数，またはYoung率と呼ばれる．

関節の潤滑は境界潤滑と流体潤滑によって説明される．このうち境界潤滑は潤滑面の表面に潤滑物質が吸着してこの分子間で滑り合う潤滑様式で，流体潤滑は潤滑面間に流体膜が形成され，この膜が双方の関節面にかかる負担を受けることで直接接触を避ける潤滑様式である．

- 神中整形外科学．改訂23版．上巻．344-345．
- 標準整形外科学．第14版．55．

問 1-6-2

| 正解　a，b　　骨組織の力学的特性 |

骨の外殻は多孔度5〜30％の皮質骨からなり，内部は多孔度30〜90％の海綿骨より構成される．

皮質骨は海綿骨に比較してより剛性度があり，皮質骨は応力に対しては強いが，ひずみに対しては弱い．皮質骨は2％以上のひずみが加わると骨折を惹起するが，海綿骨は7％を超えるまで骨折を惹起しない．

皮質骨の破断応力は圧縮，引っぱり，剪断負荷の状態下で異なる．皮質骨は引っぱりよりも圧縮に対して，また剪断よりも引っぱりに対してより強い応力に耐えられる．

異方性（anisotropy）とは，方向により力学的特性が異なる性質をいい，皮質骨も海綿骨も異方性をもつ．骨の強度と剛性は，通常負荷がもっともかかる方向において最高値を示すと考えられている．

Wolffは，骨の機械的ストレス環境が変化した場合に，新しい環境に合わせて骨梁構造も再構築されるという骨の変形法則を提案し，Wolff'sの法則と呼ばれている．

- Frankel VHほか．山本真ほか監訳．整形外科バイオメカニクス入門．南江堂，1982；19-27．
- 神中整形外科学．改訂23版．上巻．344-346．

問 1-6-3

| 正解　a，b，c　　関節軟骨の力学的特性 |

関節軟骨は弾性的性質とともに，変形や応力が時間に依存する粘性的性質をもち，このような材料を粘弾性体と呼ぶ．粘弾性体は，一定の圧縮負荷を受けると変形はプラトーに達するまで時間とともに増加するが，その変化速度は次第に緩徐となる．これをクリープと呼ぶ．一方，一定の変形を与える場合，負荷は時間とともに減少していく．これを負荷緩和と呼ぶ．

関節軟骨の力学的特性は基質の構造に大きく依存しており，プロテオグリカンの陰性電荷と対イオンの存在により基質内に水分が保持され，0.35 MPaの浸透性膨張圧を生じている．

軟骨における組織間液の透過性は圧縮ひずみと負荷した圧の大きさに依存して低下する．また，関節面には，体重，筋肉，靱帯，外部から作用する力などの合力として関節反力が作用する．

流体潤滑は，摩擦面に加わる荷重を流体膜の圧で支える潤滑で，固体接触が避けられるため摩耗はほとんどゼロとなり，摩擦係数も極めて低い．境界潤滑は，接触表面への潤滑剤の化学的吸着による潤滑であり，生体では糖蛋白質複合体，リン脂質，あるいは蛋白質成分などの関与が指摘されている．

- 神中整形外科学．改訂23版．上巻．459-462．

問 1-6-4

| 正解　d，e　　関節，バイオメカニクス |

主動筋と拮抗筋が同時に収縮することを共収縮（co-contraction）と呼ぶ．肘屈曲においては，主動筋である上腕二頭筋と拮抗筋である上腕三頭筋の共収縮が認められる．

共収縮の短所としては，余分なエネルギーの

消失や主動筋トルクの低下，また関節反力の増大が危惧されるが，長所として接触圧分布の均等化による最大接触応力の減少，巧緻性の向上，関節の動的安定性の向上が期待できる．逆に主動筋のみの収縮では偏心性負荷増大による関節軟骨損傷の危険がある．

● 神中整形外科．改訂23版．上巻．462-464．

問 1-6-5

正解　a, c, e　　筋，腱，バイオメカニクス

長期の関節固定は腱の剛性の低下をきたす．

大腿四頭筋と膝蓋腱の張力は異なり，50°以上の屈曲では，膝蓋腱の張力は大腿四頭筋の張力よりも低い．

筋力トレーニングには大別して開放的運動連鎖[open kinetic chain(OKC) exercise]と閉鎖的運動連鎖[closed kinetic chain(CKC) exercise]がある．OKC exerciseとは関節の遠位のセグメントが自由に動ける状態での運動を指し，膝関節では坐位での膝伸展運動などが含まれる．一方，CKC exerciseは遠位のセグメントが拘束された状態での運動で，スクワットなどが相当する．

筋収縮時に筋線維の長さが一定であれば，等尺性収縮と呼び，逆に筋の張力が一定の場合，等張性収縮と呼ぶ．

遠心性収縮(eccentric contraction)は，筋が伸展されながら張力を発揮する場合で，より強い筋力が期待できる．減速や着地時の衝撃吸収などの役割を果たす．一方，筋が短縮しながら張力を発揮する場合を求心性収縮(concentric contraction)と呼ぶ．

● 神中整形外科．改訂23版．上巻．462．
● 神中整形外科．改訂23版．下巻．1012．

問 1-6-6

正解　a, b　　肩，バイオメカニクス

上肢挙上時に上腕骨と肩甲骨の動きが2：1で起こることをCodmanは明らかにし，この連動した動きを肩甲上腕リズムと呼んだ．

外転にあたっては肩甲上腕関節で120°外転するが，このとき上腕の外旋を伴う．この外旋運動がないと上腕骨大結節に停止する腱板と関節窩との衝突が関節内で生じるため外転が不可能になる．

肩関節外転の主力筋は三角筋と棘上筋であるが，外転に際し，腱板により上腕骨頭を関節窩に引きつける力が必要である．

僧帽筋は上，中，下の3つの筋線維からなり，3つの筋線維の協同作用は肩甲骨を内後方に引くとともに，上方に20°回旋させ，肩甲骨を胸郭に固定する作用をもつ．

● 神中整形外科．改訂23版．下巻．352-357．

問 1-6-7

正解　a, b　　肘関節，バイオメカニクス

上腕二頭筋は肘屈曲の主要筋であるが，前腕が回外位のときにもっとも強い屈曲力を発揮する．また回外機能としての役割も担う．

腕橈骨筋は肘中間位でもっとも強い筋力を発揮する．

回内筋は肘直角位に保持した際に前腕回内筋としてもっとも強く働く．なお回外筋は肢位に関係なく前腕回外機能を有する．

主動筋と拮抗筋は同時収縮(共収縮)することにより，接触圧分布の均等化による最大接触応力の減少，巧緻性の向上，関節の動的安定性の向上が期待できる．

● 神中整形外科．改訂23版．下巻．352-357．

問 1-6-8

| 正解　b, c　　手, バイオメカニクス |

　手指屈筋は腱鞘内を通るためレバーアームが長いが，伸筋腱は関節表面を通るためレバーアームが短く，関節運動を起こすのに強い力が必要となる．このことにより，単位角度の動きを生じるには，屈筋腱のほうが大きな腱滑走が必要である．

　また，屈筋腱の腱癒着のほうが，伸筋腱よりも大きな関節運動制限を生じることになる．

　母指の動きについては，掌側外転するに従って回内し，他の指と対向面を形成する．小指と対向面をつくる最大対立位では，母指は 90°回内する．MP 関節では中手骨骨頭が左右対称ではなく，橈側側副靱帯の索状部（cord-like portion）の緊張が尺側よりも弱い．

　そのために，関節リウマチのように関節が腫脹することで橈側側副靱帯が弛緩し，尺側偏位を生じる．IP 関節は典型的な蝶番関節であり，伸展屈曲運動のみを行い，ほとんど過伸展はできない．

　一方，MP 関節は球関節であり伸展屈曲運動のほか，伸展位では内外転とある程度の分回しも可能である．

　　●神中整形外科. 改訂 23 版, 下巻. 581-586.

問 1-6-9

| 正解　c, d　　股関節, バイオメカニクス |

　大腿骨頸部内側には Adams 弓と呼ばれる肥厚した骨皮質が存在し，荷重時の圧縮負荷に適応している．さらに海綿骨内には一定の配向性をもつ骨梁構造が認められ，Adams 弓と骨頭荷重部を結ぶ縦走骨梁，大転子下部から骨頭中央に弓状に斜走する骨梁，さらに大転子と内側骨梁を結ぶ骨梁などがあり，これらは有限要素法解析での主応力曲線の走行に一致している．

　大腿四頭筋およびハムストリングなどの二関節筋の存在により，膝関節の肢位が股関節の可動域に影響を与える．すなわち，膝屈曲位では大腿四頭筋は緊張し，股関節伸展域は減少する．逆にハムストリングは弛緩するため，股関節屈曲域は増加する．一方，膝関節伸展位ではハムストリングの緊張により股関節屈曲は 90°程度に制限される．

　正常な股関節肢位では，立位側面において重心は股関節回転中心の後方を通過し，伸展方向のトルクを生じる．これは前方の関節包や靱帯によって対抗可能であり，エネルギー損失の少ない肢位といえる．一方，屈曲拘縮が存在すると，立位において重心は股関節回転中心の前方を通過するため，股関節を屈曲方向のトルクが生じる．したがって，大殿筋などの伸展筋群が作用しバランスをとる必要があり，エネルギー効率が悪い．

　免荷目的で杖を処方する場合があるが，杖は健側につくことにより通常歩行の約 60％に骨頭合力を軽減できる．また，重量物のもち方に関しては，体重の 20％の重量物を一側にもった場合，対側の外転筋活動量が 2 倍となることから，患側の手でもつほうがよい．

　大転子高位や種々の要因により外転筋機能不全が存在すると，骨盤の位置を水平に維持できないために片脚起立した際に対側の骨盤の位置が低下する．この現象を Trendelenburg 徴候と呼ぶ．

　　●神中整形外科. 改訂 23 版, 下巻. 835-837.

問 1-6-10

| 正解　d　　股関節, バイオメカニクス |

　Bergmann らのグループは股関節のリハビリテーション訓練中に股関節にかかる力を測定し

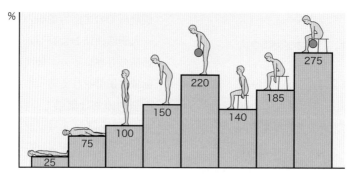

問1-6-12／図1　日常生活における種々の姿勢でのL3/L4椎間板にかかる荷重の比較変化(直立位姿勢を100とした場合の比較)

(Nachemson AL. Spine 1976；1：59より引用)

ている．仰臥位で膝関節を伸展して下肢を持ち上げた場合は体重の1.5倍程度，側臥位で股関節を外転した場合も体重の1.5倍程度の負荷がかかっていると報告している．

- 標準整形外科学．第14版．596-597．

問1-6-11

| 正解　a　歩行解析 |

歩行周期は立脚相と遊脚相に大別され，立脚相は踵接地から足底接地，踵離地を経て，爪先離地までの時間で，全体の約60％を占める．

膝屈曲角は遊脚相において最大となり，膝押さえ歩行は大腿神経麻痺で生じやすい．

Trendelenburg歩行は中殿筋機能不全で生じる．

- 標準整形外科学．第14版．905-906．

問1-6-12

| 正解　c　腰痛，姿勢 |

日常生活における様々な姿勢でのL3/L4椎間板にかかる荷重の比較(直立位姿勢を100とした場合)を行った．データは図1のごとくである．

- Nachemson AL. J Bone Joint Surg 1964；46-A：1077-1092．

問1-6-13

| 正解　c, d　腰痛予防，メカニズム |

腰椎牽引が椎間板内圧を低下させるという根拠はない．

腰痛治療には体幹の筋力訓練が有効とされている．しかし，腰椎伸筋群と屈筋群の筋力訓練の有効性については両群に差がない．

Williams体操は腰椎の前弯が腰痛の原因として，前弯を減らすことを目的としたストレッチや筋力強化を図るものである．

股関節伸展筋群の強化も有用である．

脊椎の可動域訓練による腰痛予防効果は体幹の筋力訓練と同等である．

- 日本整形外科学会ほか監．腰痛診療ガイドライン．南江堂，2012：48-50．
- 標準整形外科学．第14版．915．

問1-6-14

| 正解　b　脊椎，バイオメカニクス |

隣接する2個の椎体とそれを連結する椎間板・靱帯は脊柱運動の基本的単位であり，機能的運動単位と呼ばれ，三次元的運動性を有する．

前方後方の荷重分担率は前方要素は腰椎では軸荷重の約80%，頚椎では50〜60%を担う．

椎間板は圧縮，剪断，ねじれのすべての荷重に抵抗力を示す．髄核は液体としての性質を有し，圧力下に変形し，すべての方向に圧力を伝達する．層状構造をなす線維輪は高い張力を呈し，髄核とともに荷重を支持する．

椎間の前後屈の瞬間回旋軸(IAR)は椎間板の後方部分の椎体上部に存在するが，後方安定要素が損傷されると前方に移動し，前方安定要素が損傷されると後方に移動する．

第2〜第9肋骨頭関節は椎間板高位で上下2椎にまたがって存在し，胸椎の椎間安定性に寄与する．

● 神中整形外科．改訂23版．下巻．37-50．

問 1-6-15

| 正解　a　　頚椎，バイオメカニクス |

前方後方の荷重分担率は，前方要素は腰椎では軸荷重の約80%，頚椎では50〜60%を担う．

上位頚椎部は大きな可動性を有し，環軸椎間で左右それぞれ40°の回旋可動域があり，全頚椎回旋可動域の50%以上を占めるとされる．

環椎横靱帯は環椎の前方転位を制御するもっとも重要な靱帯である．

中・下位頚椎の可動域は，前後屈がもっとも大きく，脊柱管前後径が12〜13 mm以下になると脊髄症を起こしやすくなる．

● 標準整形外科学．第14版．508-513．

問 1-6-16

| 正解　c, e　　膝関節，半月，靱帯 |

半月の機能は荷重の伝達，分散，膝関節安定性の向上，潤滑の促進などである．特に荷重分散機能は重要で，全切除により接触圧は増大する．

内側側副靱帯の外反に対する制動力は，伸展位よりも軽度屈曲位において大きい．

膝関節の前方安定性に関しては，前十字靱帯がいわゆる主要支持機構(primary restraint)であり，Butlerらによると，前十字靱帯は5 mmの脛骨前方移動に対する制動力の85%を占めていたと報告している．

また後十字靱帯は5 mmの脛骨後方移動に対する制動力の94%を占めていた．

● 小林晶ほか編．ヴォアラ膝I．南江堂，1994：4-18．

問 1-6-17

| 正解　d　　膝運動中心，瞬間回転中心 |

膝関節は回旋を伴う三次元運動を行うが，矢状面での二次元運動に単純化して観察してみると，大腿骨顆部は脛骨プラトー上において，純ころがりや純すべりではなく，両者が種々の程度に混在した動きを示しており，伸展から屈曲するにつれ，大腿脛骨関節面の接触点は後方へ移動する(femoral rollback)．

生体膝矢状断面での各屈曲角での瞬間回転中心は，常に移動しており，後方凸の円弧を描く．

膝関節は完全伸展位ではほとんど回旋できないが，屈曲位では外旋は最大40°，内旋は最大30°まで回旋を許容する．

膝伸展の終末において，関節面形状と靱帯の作用により下腿の外旋が発生し，これはねじ込み運動(screw-home movement)と呼ばれる．

● 神中整形外科．改訂23版．下巻．1010-1011．

問 1-6-18

| 正解　a, c, e　　抜釘後再骨折，骨欠損孔，骨の強さ |

抜釘後の再骨折を予防するために必要な知識

である．理論的には，孔に接する部分のひずみは孔のない場合と比べて2倍以上となる．

欠損部周辺骨組織のひずみ増加により，この部位ではより小さなねじり荷重や曲げ荷重で骨折が起こり，欠損孔のある骨の強さは正常骨より1桁低下し，骨折しやすい．一般に，欠損孔が大きいほど骨の強さも低下する．また孔の数が多いほど全体的な骨の強さは低下する．

欠損孔による骨の強さの低下は孔の大きさのみならず，その欠損部位によっても左右される．

たとえば，関節面に近い脛骨近位部に孔があっても，脛骨のねじり強さは低下しない．これは脛骨では中下1/3に比べ，近位部の断面二次モーメントが大きいことによるものである．

骨の強さは骨の長軸方向に沿った垂直圧縮荷重だけではなく，むしろねじり荷重や曲げ荷重に十分注意しなければならない．

なお，骨孔による骨のねじり強さの低下が完全回復するには8〜12週を要する．

● 島津晃ほか編．バイオメカニクスよりみた整形外科．第2版．金原出版，1993．

問 1-6-19

正解 b 　足関節・足部のバイオメカニクス

中足趾節（MTP）関節の背屈時には足底筋腱膜が緊張し足の縦アーチが増加して（巻き上げ機現象），体重移動を円滑にする．

足関節背屈時には腓骨は外旋して上方に移動し，底屈時には内旋して下方へ移動する．

背屈時には前距腓靱帯が弛緩し，踵腓靱帯や後距腓靱帯が緊張する．

足関節には歩行時に体重の最大5倍の荷重がかかる．

足部は足関節機能軸を中心に底背屈，距骨下関節機能軸を中心に内外反に動いて，両者で自由継ぎ手を形成する．

● 神中整形外科学．改訂23版，下巻．1151-1152．
● 標準整形外科学．第14版．688-690．

診断学

2 診断学

1 診断学と臨床検査
Q ▶ p.20-26

問 2-1-1

| 正解 | d | 小児股関節 |

　Y軟骨が完全に消失するのは女子では11～13歳，男子では14～16歳である．

　大腿骨骨頭核は遅くとも生後10カ月までには出現する．大腿骨頚体角は，新生児では130°前後であるが，乳児期にはやや大きくなり，その後，再び減少して成人の平均は125～130°程度となる．

　大腿骨前捻角はかなりの個体差を示すが，1～3歳では20～50°であり成長とともに徐々に減少する．

　乳幼児期の臼蓋角が30°以上の場合に臼蓋形成不全とされる．

- 標準整形外科学．第14版．133，591-592，607．
- 神中整形外科学．改訂23版，下巻．825-828，851-881．

問 2-1-2

| 正解 | d | 成人股関節 |

　Sharp角は成人の臼蓋角の指標であり，40°以上で臼蓋形成不全とされる．

　CE(center-edge)角は寛骨臼と大腿骨頭の相対的な位置関係を示す指標で，成人では25°以上が基準値とされている．

　成人の大腿骨頚体角は平均126°で，140°以上で外反股，115°以下では内反股という．上支帯動脈は内側大腿回旋動脈から分岐し，後上部の軟骨縁近傍の骨孔から骨頭内に進入する．骨頭栄養にもっとも重要な血管である．

　大腿骨頭靱帯動脈の栄養血管としての役割は低い．

　股関節の静水圧は仰臥位で屈伸，内外転および内外旋中間位では0 mmHgあるいはわずかに陰圧で，関節水症をきたしている場合には陽圧となる．また関節の運動により上昇，陽圧となり，肢位により変動する．

- 標準整形外科学．第14版．591-595，623．
- 神中整形外科学．改訂23版，下巻．825-842．

問 2-1-3

| 正解 | b, c | 診断，股関節疾患・徴候 |

　Capener徴候とは大腿骨頭すべり症患者において認められる．この徴候は大腿骨近位側面像において，大腿骨近位骨幹端後方部分が寛骨臼の外にはみ出していると陽性である．

　Drehmann徴候とは大腿骨頭すべり症患者やペルテス病において認められる．この徴候は仰臥位で股関節を屈曲していくと，患肢が外転，外旋する現象をいう．

　Ortolaniクリック徴候とは発育性股関節形成不全において認められる．この徴候は患児を仰臥位とし，両股関節を屈曲90°，膝関節最大屈曲位に保持して，股関節を開排して骨頭の整復感を触知すると陽性である．

　Trendelenburg徴候とは股関節外転筋の機能

不全で生じる．患肢で片側立位になると反対側に骨盤が傾くと陽性である．

　Trethowan 徴候とは大腿骨頭すべり症患者において認められる．この徴候は大腿骨近位正面像において，大腿骨頭の外側縁が頚部外側縁に引いた延長線より内側にある場合に陽性と判断する．

- 標準整形外科学．第14版．597-598，605-606，617-618．
- 越智隆弘総編．最新整形外科学大系．16巻 骨盤・股関節．中山書店，2006：112-114．

問 2-1-4

| 正解 | c，e | 側弯症，チェックポイント |

　脊柱側弯症のチェックポイントは①肩の高さ，②肩甲骨の位置異常，③ウエストライン（脇線）の左右差，④肋骨隆起である．特に，肋骨隆起については前屈テストによって左右差が 1.5 cm 以上あれば脊柱側弯が強く疑われる．

- 標準整形外科学．第14版．114，546-547．

問 2-1-5

| 正解 | b，e | 跛行 |

　膝離断性骨軟骨炎では病巣部に荷重が加わり疼痛が生じるのを回避する疼痛回避歩行を呈する．

　脊髄癆性歩行は酩酊状態にあるかのように上体が前後，左右に揺れる失調性歩行を呈する．

　総腓骨神経麻痺では麻痺側の足が背屈できないために，膝関節を高く挙げ，足を投げ出すようにして足全体を接地させる歩行，鶏歩を呈する．

　脳性麻痺では一方の下肢を他方の下肢と交互に交差させて歩く，はさみ脚歩行を呈し，痙性跛行となる．

- 標準整形外科学．第14版．112．

問 2-1-6

| 正解 | c | 足関節の解剖 |

　Lisfranc 関節とは足根骨と中足骨とのなす関節で足根中足関節ともいう．Chopart 関節は横足根関節とも呼ばれ，距舟関節と踵立方関節からなる．

　前足部において母趾にかかる荷重は足全体の 40％を占め，もっとも重要である．

　中足部において底側距舟靱帯（ばね靱帯）は足の内側縦アーチの形成に重要である．

　後足部において距骨には腱の停止がまったくなく，そのため血流も乏しく，虚血性の壊死が生じやすい．

　足の内在筋は足趾のMTP関節を屈曲し，PIP関節とDIP関節を伸展させる．母趾外転筋は母趾を，小趾外転筋は小趾を外転させる．

- 標準整形外科学．第14版．688-691．

問 2-1-7

| 正解 | b，c，d | 下垂足 |

　脛骨神経ではなく総腓骨神経の障害で下垂足が生じる．総腓骨神経麻痺は膝の靱帯損傷やギプスや安静臥床時に腓骨頭の部位で圧迫されて生じることが多い．尖足変形にならないように装具をつけて，理学療法を行いながら回復を待つ．

　前脛骨区画症候群は区画症候群の1つであり，前脛骨筋，長母趾伸筋の機能障害と深腓骨神経領域の感覚障害をきたす．

　馬尾症候群では下肢に多根性の感覚障害と排尿・排便障害をきたし，下垂足をきたすことも多い．

　Charcot-Marie-Tooth 病は遺伝性運動感覚性神経障害とも呼ばれ，緩徐に進行する左右対称性の下肢遠位筋の萎縮，四肢腱反射の低下を

特徴とする遺伝性疾患群である.
　糖尿病性神経障害は代謝性の末梢神経障害の代表的疾患であるが，本症では下垂足をきたすことはまれである．整形外科的疾患では糖尿病性足部障害が有名である．
- 標準整形外科学. 第14版. 410-411, 558, 768, 874.

明の非炎症性肋軟骨疾患であり，第1～4肋軟骨の肋骨に近い部分に好発する．同部の多発性の腫脹，疼痛，圧痛がみられる．
　腫瘍状石灰化症は，股関節，肩関節などの大関節周囲の軟部組織に結節性腫瘤を形成する，原因不明の石灰沈着症である．
- 神中整形外科学. 改訂23版. 上巻. 703-704, 737.
- 神中整形外科学. 改訂23版. 下巻. 320, 324, 346.

問 2-1-8

| 正解　a, e　　関節可動域 |

　手の母指の外転は橈側外転，掌側外転の2種類がある．
　手指の内転・外転の測定の基本軸は，第3中手骨延長線である．
　前腕の回内・回外の測定の基本軸は上腕骨である．
　肩関節の屈曲とは前方挙上のことである．
　股関節の内旋・外旋の測定は，背臥位で股関節・膝関節を90°屈曲させた肢位で行う．
- 標準整形外科学. 第14版. 936-943.

問 2-1-9

| 正解　a, b　　外傷 |

　骨化性筋炎は，若年者の大腿部筋内に好発する，骨化を主体とする反応性増殖性病変であり，外傷の既往があることが多い．脳卒中，脊髄損傷，人工股関節手術後に生じることもある．
　脊髄空洞症の原因としては，Chiari 奇形，脊髄・脊椎損傷，脊髄腫瘍，癒着性くも膜炎などが知られている．
　脊髄係留症候群は，何らかの原因で胎生期の脊髄の上昇が妨げられ脊髄円錐が低位にとどまり，脊髄に牽引力がかかった状態となって神経組織に変性を起こす疾患である．
　Tietze 症候群は，若い女性に好発する原因不

問 2-1-10

| 正解　a, e　　上肢の神経 |

　橈骨神経は肘関節の高位で浅枝（感覚枝）と深枝（運動枝，後骨間神経）に分枝している．深枝は主に運動神経からなり，麻痺を起こしても感覚障害は伴わない．回外筋入口部（Frohse のアーケード）における絞扼性神経障害が有名である．
　Saturday night palsy は橈骨神経高位麻痺のことで，感覚障害を伴う下垂手を呈する．
　Allen テストは橈骨動脈と尺骨動脈の閉塞の有無を調べるテストである．
　正中神経は肘関節遠位で円回内筋を貫通した後に前骨間神経を分枝する．前骨間神経は純運動神経であり，麻痺を起こしても感覚障害は伴わない．
- 神中整形外科学. 改訂23版. 下巻. 683-687.
- 標準整形外科学. 第14版. 480, 497-498.

問 2-1-11

| 正解　b, d　　反射 |

　回内筋反射は健常でも認められる．
　指屈曲反射は Wartenberg 徴候とも呼ばれ，病的反射の1つである．手指の掌側をハンマーで叩き4指および母指が屈曲すれば陽性である．
　挙睾筋反射は，大腿の内側をこすり上げると

同側の睾丸が挙睾筋の収縮により片側のみ拳上すると陽性となる．この反射は健常者で認められるが，これは脊損患者が脊髄ショック期を脱しているかどうかを仙髄の機能の正常化をもって判断する場合に有用である．

　足底反射はBabinski反射とも呼ばれ，病的反射の1つである．この反射は，足底外縁を踵のほうから足趾の方向にこすると母趾が緩徐に背屈すると陽性と判断する．

　肛門反射は表在反射の1つで健常者に認められ，肛門周囲の皮膚粘膜移行部に刺激を与えて肛門括約筋の収縮をみる反射である．

●標準整形外科学．第14版．127．

問2-1-12

| 正解　d，e　　四肢の測定法 |

　上肢長は肩峰から橈骨茎状突起までの距離である．

　上腕周径は上腕二頭筋筋腹での最大周径を測定する．

　下肢長は，上前腸骨棘と足関節内果の距離，または大腿骨大転子から足関節外果までの距離で測定する．

　大腿周径は，膝蓋骨上縁から10 cm近位で測定するが，小児では膝蓋骨上縁から10 cm近位では近位すぎるため，5 cm近位で測定することもある．

　下腿周径は，腓腹筋筋腹での最大周径を測定する．

●標準整形外科学．第14版．120-121．

問2-1-13

| 正解　b　　身体所見 |

　皮膚のカフェオレ斑は，神経線維腫症やAlbright症候群で認められる．Albright症候群は，多発性の線維性骨異形成，皮膚のカフェオレ斑，思春期早発症を3徴候とする症候群である．

　腰殿部の異常発毛が認められれば，脊椎披裂（二分脊椎）を疑う．末梢神経麻痺があれば，麻痺領域の皮膚は萎縮し，発汗減少のため乾燥する．

　関節弛緩は，Marfan症候群やEhlers-Danlos症候群などで認められる．

　創部局所の握雪感や悪臭が認められる場合は，ガス壊疽を疑う．

●標準整形外科学．第14版．115, 221-222, 353．

問2-1-14

| 正解　b，d　　身体所見 |

　Bragardテストは，仰臥位で下肢を伸展挙上し痛みが出る直前に足関節を背屈すると，坐骨神経に沿った疼痛が生じるもので，下部腰神経根障害でみられる．

　Eichhoffテストは，母指を握り込んだ状態での手関節の他動的尺屈により，第1伸筋腱区画部に疼痛が誘発されるもので，de Quervain病に特徴的である．

　Patrickテストは，仰臥位で患肢にあぐらをかかせ，踵を健側の膝蓋骨上に乗せ，患側の膝を圧迫した際の疼痛の誘発をみるもので，各種の股関節・仙腸関節疾患で陽性となる．

　Phalenテストは手根管症候群でみられ，手関節屈曲位保持で正中神経領域のしびれを誘発するものである．

　Thompson-Simmondsスクイーズテストは，アキレス腱断裂の際に，下腿三頭筋をつかむと，健側では足関節が底屈するのに対し患側では動かないというものである．

●標準整形外科学．第14版．493．

問 2-1-15

| 正解　a，e　　身体所見，徴候，テスト |

Allis徴候は，患児を仰臥位として膝立てをさせて，脱臼側の膝の高さが低くなるかどうかを確認する．脱臼側では股関節の後方に脱臼するため見かけ上，患側の大腿が短くなる．

Patrickテストとは，患者を仰臥位として股関節を屈曲・外転・外旋して，膝を曲げ，足関節を伸展した反対側の大腿部に乗せる．この状態から膝を垂直方向に押し下げて股関節周囲に何らかの痛みがあれば陽性と判断する．このテストは通常は股関節，仙腸関節の疾患で陽性になる．

Froment徴候は，被検者に患側の母指示指間にサイドピンチで紙を保持させ，引き抜かれないよう指示し，検者が紙を引き抜く力を加えて評価する．母指の内転の機能不全があると母指IP関節が屈曲すると陽性と判定するが，尺骨神経麻痺の診断に有用である．

Homans徴候は，膝伸展位で足関節の背屈を他動的に強制し，腓腹部に疼痛を訴える場合に陽性と判断する．この徴候が陽性の場合は下肢の深部静脈血栓症の可能性を示唆する．

Kanavel徴候は，化膿性屈筋腱腱鞘炎の場合に陽性となる4つの徴候のことをいう．すなわち患指の屈筋腱鞘に沿った圧痛，罹患指全体の腫脹，患指が軽度屈曲する，患指の強制伸展による激痛である．

- 標準整形外科．第14版．223，286，479，601，604-605．

問 2-1-16

| 正解　a，b，e　　リウマトイド因子 |

リウマトイド因子(RF)はIgGのFc部分に対する自己抗体であり，IgM，IgG，IgAクラスがあり，通常の検査で検出されるのはIgMクラスである．関節リウマチ(RA)における陽性率は80〜90%であるが，健常者でも1〜5%に，肝疾患，腫瘍，心内膜炎，他のリウマチ性疾患でも陽性に出ることがある．

リウマチ性疾患のうちRF陽性頻度の高い疾患は，RA以外にSjögren症候群，全身性エリテマトーデス(SLE)，強皮症，アレルギー性肉芽腫性血管炎などと，RAの亜型である悪性関節リウマチ，Felty症候群，Caplan症候群，若年性関節リウマチ(多関節型)などがある．

リウマチ熱は溶血性連鎖球菌感染に伴うリウマチ性疾患であり，リウマチ性多発筋痛症は高齢者に特異なリウマチ性疾患であり，基本的にはRF陰性である．

- 神中整形外科学．改訂23版．上巻．490，501．
- 井上一編．新図説臨床整形外科講座第11巻．リウマチとその周辺疾患．メジカルビュー社，1994：20．

問 2-1-17

| 正解　b　　検体検査 |

リウマトイド因子(RF)はIgGのFcに対する自己抗体で主としてIgMに属する．RFは関節リウマチ(RA)に特徴的ではなく，他のリウマチ性疾患(全身性エリテマトーデス，Sjögren症候群，混合結合織疾患，強皮症)，感染症(細菌感染，ウイルス感染)，肝疾患(ウイルス性肝炎，慢性肝炎)，肺疾患(結核，間質性肺炎，サルコイドーシス)でも陽性になる．RFはRAの病態に関与していると考えられているが，その病因的役割は不明である．

悪性関節リウマチではRFが高値であり，RAHAは2,560倍以上となる．

抗環状シトルリン化ペプチド抗体(抗CCP抗体)は関節炎発症早期RA患者によく検出される．

細菌感染では血清プロカルシトニンが陽性となるが，ウイルス感染では上昇しない．

強直性脊椎炎では90％にHLA-B27が陽性となる．血栓が形成される過程でフィブリンがプラスミンによって分解される際にDダイマーが形成される．

血清中のDダイマーは血栓形成の指標となり，深部静脈血栓症の補助診断に用いられる．

癌の骨転移では血清Ⅰ型プロコラーゲンC末端や尿中デオキシピリジノリンが上昇する．

- 相川直樹．炎症マーカーと感染症．アボット感染症アワー<http://medical.radionikkei.jp/medical/abbott/final/pdf/060505.pdf>[2021年4月閲覧]．
- 標準整形外科学．第14版．148-149，249-251．

問 2-1-18

| 正解 | e | 関節液 |

関節疾患の診断に関節液の所見は重要である．関節液検査としては，外観，顕微鏡検査，細菌学的検査，生化学検査がある．そのうち細胞数，細胞分画によって非炎症性，炎症性，感染性などに分類される．

細胞分画は，関節リウマチ(RA)，結晶誘発性関節炎，化膿性関節炎では好中球，ウイルス性関節炎では単核細胞が主体である．結晶構造を認めた場合，尿酸塩結晶，ピロリン酸カルシウム(CPPD)結晶は，偏光顕微鏡の複屈折性および結晶の形から区別が可能である．炎症性関節炎ではヒアルロン酸が減少し，粘稠度が低下する．

関節内骨折では脂肪滴が認められる．

色素性絨毛結節性滑膜炎では褐色調となる．

変形性関節症のような非炎症性疾患でもヒアルロン酸濃度は減少している．

RAでは正常より白血球は増加する．

- 井上一編．新図説臨床整形外科講座第11巻．リウマチとその周辺疾患．メジカルビュー社，1994：33．
- 標準整形外科学．第14版．153-154．

問 2-1-19

| 正解 | b，d | 検体検査，血清検査値 |

偽痛風では組織にピロリン酸カルシウム二水和物が沈着し，痛風に類似した急性関節炎を生じるが，血清値は高値にはならない．

多発性骨髄腫では腫瘍性形質細胞(plasma cell)の異常増加により，モノクローナルな異常γグロブリン(M蛋白)を産生される．これにより通常は血清グロブリン高値となる．

原発性上皮小体(副甲状腺)機能亢進症では過剰に副甲状腺ホルモン(PTH)が分泌されることにより，高カルシウム血症，低リン血症および血清PTH濃度の上昇，石灰沈着，ALPの上昇などの所見を呈する．

多発筋炎では四肢の近位筋の炎症性破壊により，筋の酵素であるクレアチンキナーゼなどの筋原性酵素が血清で上昇する．

深部静脈血栓症は主として下肢の深部静脈に生じ，場合によって肺塞栓をきたし，最悪は死に至ることもある．この疾患では血清Dダイマーは高値となる．

- 井上一編．新図説臨床整形外科講座第11巻．リウマチとその周辺疾患．メジカルビュー社，1994：184．
- 標準整形外科学．第14版．151，275，335，413-414，746-747．

問 2-1-20

| 正解 | a，b，e | クレアチンキナーゼ[CK(CPK)] |

クレアチンキナーゼ[CK(CPK)]は横紋筋由来の逸脱酵素であり，骨格筋，心筋疾患で血清中に増加する．骨格筋病変の関与はCKアイソザイムにてCK-MM成分が増加し，CK-MBが

増加しないことから鑑別できる．また骨格筋病変ではアルドラーゼ，ミオグロビンなども上昇する．

CK 値の増加は，一過性には痙攣発作後，筋注後，筋運動後，一部の神経原性ミオパシーなどでみられるが，持続的な場合は筋ジストロフィーの Duchenne 型でもっとも顕著であり，他に，その他の筋ジストロフィー，多発性筋炎，皮膚筋炎，萎縮性筋強直症，甲状腺機能低下症などにみられ，すべて骨格筋由来の CK 増加である．

- SRL 臨床検査ハンドブック．SRL, 1999：107．
- 標準整形外科学．第 14 版．149．

問 2-1-21

| 正解　d　アルカリホスファターゼ(ALP) |

ALP はアルカリ性の条件化でリン酸エステルを加水分解し，リンを放出させる酵素であるが，まだ人体での基質がわかっていない．遺伝子のレベルでは肝・骨型，小腸型，胎盤型に分類されるが，肝・骨型は糖鎖によって修飾されアイソザイムとなる．

ALP3（BAP）が骨由来の ALP である．

骨組織では骨芽細胞によって産生される．

骨肉腫，転移性骨腫瘍，骨 Paget 病などで血清 ALP が高値となるが，甲状腺機能亢進症でも高値となる．甲状腺機能低下症では高値とはならない．

軟骨肉腫では通常 ALP は上昇しない．

- 病院検査の基礎知識．ALP（アルカリホスファターゼ）<http://medical-checkup.info/article/47088979.html>［2021 年 4 月閲覧］．

問 2-1-22

| 正解　a, b, e　高尿酸血症 |

血清中の尿酸は核酸の生合成の過程で形成されるプリン体の異化によって作られ，2/3 は腎臓から排泄される．

腎機能が障害されると尿酸の排泄が低下し高尿酸血症をきたす．

また高尿酸血症をきたす薬剤としてサイアザイド系利尿薬（トリクロルメチアジドなど），ループ利尿薬（フロセミドなど），抗結核薬のピラジナミド（PZA）が挙げられる．

コルヒチンは痛風発作の初期に関節炎を抑制するが尿酸代謝には影響しない．コルヒチンは中毒症状や重い副作用をきたすことがあり使用するタイミングも難しいため，第 1 選択の薬剤ではなくなっている．

尿酸生成抑制薬としてアロプリノール，尿酸排泄促進薬としてベンズブロマロン，プロベネシドが用いられる．これらの薬はワルファリンやテオフィリンなどと相互作用があり，作用を増強する恐れがあるので注意が必要である．

- 標準整形外科学．第 14 版．271-275．

問 2-1-23

| 正解　d, e　腫瘍マーカー，骨転移 |

癌の骨転移における原発巣検索に腫瘍マーカーが有用な場合がある．

乳癌の腫瘍マーカーとして CEA（carcinoembryonic antigen），CA15-3，NCC-ST-439，肝細胞癌のマーカーとして PIVKA-II（protein induced by vitamin K absence or antagonists-II），α-フェトプロテイン，前立腺癌のマーカーとして PSA（prostate specific antigen）が挙げられる．

また，CEA は乳癌の他に，消化器癌，肺の腺

癌などでも上昇する．
● 神中整形外科学．改訂 23 版．上巻．671．

問 2-1-24

| 正解　b, d, e　　骨代謝, 骨吸収 |

血清酒石酸抵抗性酸ホスファターゼ（TRAP）は破骨細胞に多く局在し，骨吸収機能に関係はないが骨吸収活性を反映するので骨吸収マーカーとして利用される．

破骨細胞のカテプシン K により切断された I 型コラーゲンの断片の N 末端が I 型コラーゲン架橋 N 末端テロペプチド（NTx），C 末端が I 型コラーゲン C 末端テロペプチド（CTx）であり尿中で測定される．

ピリジノリン（Pyr）とデオキシピリジノリン（DPD）はコラーゲン線維の分子間架橋物質でありコラーゲンの破壊産物として尿中に排泄される．

血清骨型アルカリホスファターゼと血清 I 型プロコラーゲン C 末端プロペプチドは骨形成マーカーである．
● 標準整形外科学．第 14 版．325-327．

問 2-1-25

| 正解　a, d　　神経麻痺の診断 |

徒手筋力テストでは測定肢位は可能な限り全過程において抗重力運動となるように行う．

上腕二頭筋では背臥位で行うと屈曲中期以降重力方向の運動となるため，坐位をとらせる必要がある．

逆に，上腕三頭筋は坐位であると伸展中期以降が重力方向となるため，背臥位，肩関節屈曲 90° で肘最大屈曲位から徐々に伸展させて測定する．

長・短橈側手根伸筋，尺側手根伸筋など手関節伸展のすべての筋の同時テストは，総指伸筋の影響を除外するため手指を屈曲位で行う．

MMT 0 か MMT 1 かの区別では，隣接する筋の収縮や代償運動のため筋収縮が触知できないことがあるので，筋電図による評価が必要となることがある．

橈骨神経麻痺では手関節掌屈位では総指伸筋腱が牽引され，MP 関節の伸展ができたかのようにみえる（ごまかし運動）．
● 標準整形外科学．第 14 版．120-121．

問 2-1-26

| 正解　b　　徒手筋力テスト |

徒手筋力テストで筋力 2 は重力を除けば，筋力 3 は重力に抗して，正常な関節可動域いっぱいに関節を動かす筋力をそれぞれ意味する．

徒手筋力テストで足関節の底屈は片脚立位で踵を 20 回以上床から持ち上げることができれば 5 と判定する．

徒手筋力テストで 3，4 と判断される筋力は筋張力測定器により測定された最大筋力のそれぞれ 5%，5〜83% に相当する．

関節リウマチなどで筋力が著しく低下している場合は握力計でなく，20 mmHg に加圧した水銀血圧計のカフを握ることで測定する．これを 3 回行ってその最高値が関節リウマチの Lansbury 活動指数を求めるときに必要である．
● 標準整形外科学．第 14 版．120-122，904，944-945．

問 2-1-27

| 正解　a, b, d　　正中神経 |

手根管症候群では内在筋（intrinsic muscle）が障害される．内在筋の中で正中神経支配の筋は，母指対立筋，短母指外転筋，短母指屈筋（浅頭），虫様筋（示指，中指）のみである．他はすべ

て尺骨神経支配となる．橈骨神経支配の内在筋は存在しない．

- 標準整形外科学．第14版．475-476．
- 森於菟ほか．分担 解剖学1．総説・骨学・靱帯学・筋学．第11版．金原出版，1990：363．

問 2-1-28

| 正解 a, d | 関節鏡検査，腱，肩・膝関節，解剖 |

肩関節鏡で観察するポイントは上腕骨頭，関節窩，関節唇，関節包，肩甲下筋腱，棘上筋腱，棘下筋腱，上腕二頭筋腱である．通常ポータルは前方と後方の2カ所に作製する．

膝関節鏡で観察するポイントは膝蓋上嚢と膝蓋大腿関節，内側谷と内側コンパートメント，顆間窩（ACL，PCL），外側谷と外側コンパートメントである．外側コンパートメントでは外側半月，膝窩筋腱孔を観察する．

- 越智光夫監．スキル関節鏡下手術アトラス．肩関節鏡下手術．文光堂，2010：10-15，64-77．
- 越智光夫監．スキル関節鏡下手術アトラス．膝関節鏡下手術．文光堂，2010：2-9，18-23．

問 2-1-29

| 正解 d | 関節鏡検査，膝半月 |

外側円板状半月は外側脛骨プラトーの被覆度により，完全型と不完全型に分けられ，外側半月の後方の冠靱帯（coronary ligament）による付着部がなく，大腿骨内側顆後内側に伸びるWrisberg靱帯のみで固定されているものをWrisberg型と呼ぶ．膝の屈伸によりWrisberg靱帯により牽引されて異常可動性を示し，インピンジメントを生じることがある．

外側半月には膝窩筋腱溝が存在し，関節内遊離体などが嵌頓しやすい．

半月の前角および後角部は滑膜におおわれ，血行は豊富である．

WeissやTalleyらの報告によると，半月と滑膜の境界から3 mm以内のred-red zoneからred-white zoneにおける7 mm以下の縦断裂では，ラスピングのみで治癒する可能性が高くよい適応とされる．

- 標準整形外科学．第14版．666-668．
- 神中整形外科学．改訂23版，下巻．1008．
- Canale ST(ed). Campbell's Operative Orthopaedics. 10th ed. Mosby, 2003：2544-2545.

問 2-1-30

| 正解 a, e | 肩関節鏡，反復性肩関節脱臼 |

肩関節前方脱臼の際に前下方の関節唇や関節包-関節上腕靱帯複合体が関節窩から剥離されている病変をBankart損傷と呼び，関節窩に損傷が及ぶ場合もある．

上腕骨頭外側後方の圧挫痕をHill-Sachs損傷と呼び，反復性の前方不安定性の存在を示唆する．

反復性肩関節前方脱臼では前方関節唇の中部から下方にかけての損傷がみられる場合が多い．スーチャーアンカーを用いた鏡視下修復術も行われており，良好な成績が報告されている．

上方関節唇の上腕二頭筋腱長頭付着部における損傷はSLAP（superior labrum anterior and posterior）損傷と呼ばれ，投球動作や転倒時に手をつくことにより，上腕骨が上腕二頭筋-関節唇複合体を上方へ牽引することによって生ずる．

中関節上腕靱帯は付着部の変異が多く，欠損している場合もある．

- Canale ST(ed). Campbell's Operative Orthopaedics. 10th ed. Mosby, 2003：2624, 2642.

問 2-1-31

| 正解 a, e　　肩関節鏡 |

　PaulosとFranklinは牽引を使用した肩関節鏡の施行後，上肢における一過性感覚麻痺の発生率が30％であったと報告し，Kleinらは10％であったと報告した．

　烏口上腕靱帯は関節外構成体であり，通常関節鏡視下には観察できない．

　肩峰下滑液包の下方は腱板で肩関節と隔てられており，腱板の断裂がない限り，肩関節内の構成体である上腕二頭筋長頭腱は観察されない．

　関節上腕靱帯は，前方に上関節上腕靱帯（SGHL），中関節上腕靱帯（MGHL），前下関節上腕靱帯（AIGHL），後方に後下関節上腕靱帯（PIGHL）が観察され，それぞれ様々な肢位での関節の安定性に重要な役割を演じている．

　肩関節唇上方の上腕二頭筋長頭腱が付着する部位は解剖学的変異が多く，損傷などの病的変化との鑑別が必要である．

- Canale ST（ed）. Campbell's Operative Orthopaedics. 10th ed. Mosby, 2003：2614, 2621.

問 2-1-32

| 正解 e　　視診 |

　身体所見をとる場合はまず視診，次いで触診の順に行う．体型では肥満の男児の股関節痛では大腿骨頭すべり症が多く，低身長は軟骨形成不全症を念頭に置く．

　体幹の変形はScheuermann病や老人性の円背，カリエスによる亀背，側弯症がある．

　皮膚の異常には皮疹はリウマチ性疾患の診断に有用であり，カフェオレ斑はAlbright症候群と神経線維腫症1型に認められる．

　また異常発毛は二分脊椎の存在を示唆する所見である．

Maffucci症候群では血管腫に加えて多発性の内軟骨腫を認める疾患である．

- 標準整形外科学. 第14版. 112-116.

問 2-1-33

| 正解 a, c　　診断，股関節疾患・徴候 |

a．○　Allis徴候：発育性股関節形成不全では仰臥位で両膝を屈曲させ両下腿をそろえると，脱臼側で膝の位置が低くなる．

b．×　Capener徴候：大腿骨頭すべり症では骨端核は後下方へすべるため，側面像にて骨端核後方部分が寛骨臼の外にはみ出している．

c．○　Drehmann徴候：仰臥位で股関節を他動的に屈曲すると同時に外転・外旋が生じる場合に陽性とする．大腿骨頭すべり症に特徴的である．

d．×　Trendelenburg徴候：中殿筋不全があると遊脚期に骨盤が傾く．

e．×　Trethowan徴候：大腿骨頭すべり症では骨端核は頚部外側の延長線（Klein線）より内側にある．

- 標準整形外科学. 第14版. 601, 605, 606, 615, 617, 618.

問 2-1-34

| 正解 b, c, d　　解剖，二関節筋 |

a．×　上腕筋：起始は上腕骨遠位，停止は尺骨鈎状突起，尺骨粗面である．

b．○　上腕二頭筋長頭：起始は肩甲骨，停止は橈骨粗面である．

c．○　薄筋：起始は恥骨，停止は脛骨粗面である．

d．○　半膜様筋：起始は坐骨結節，停止は脛骨である．

e．×　ヒラメ筋：起始は脛骨・腓骨，停止は

踵骨である．

- 野村嶬監．骨格筋ハンドブック．原書第3版．南江堂，2018：166, 168, 221, 226, 244.
- 長野昭編．整形外科手術のための解剖学-上肢．メジカルビュー社，2000：7.
- 腰野富久編．整形外科手術のための解剖学-下肢．メジカルビュー社，1999：5-6.

問 2-1-35

| 正解　a, b, e　　動脈拍動の減弱 |

a．○　Adson test：坐位で橈骨動脈を触知しながら頸椎を患側に回旋させ深呼吸させたとき拍動の消失・減弱をみる．

b．○　Eden test：坐位で橈骨動脈を触知しながら，胸を張らせ両上肢を後下方に引いたときの拍動の消失・減弱をみる．

c．×　Morley test：鎖骨上窩（胸鎖乳突筋停止部外側）を圧迫する．

d．×　Roos test：患者に坐位をとらせ，両肩外転90°外旋90°，肘屈曲90°とし，この状態で手指の握り開きを3分間行わせる．

e．○　Wright test：坐位で橈骨動脈を触知しながら，肩関節を過外転させたときの拍動の消失・減弱をみる．

- 標準整形外科．第14版．523.
- 越智隆弘総編．最新整形外科学大系．第13巻 肩関節・肩甲帯．中山書店，2006：285.

問 2-1-36

| 正解　a, e　　反射 |

a．×　指屈曲反射：Wartenbergとも呼ばれ病的反射である．

b．○　腹壁反射：表在反射である．

c．○　挙睾筋反射：表在反射である．

d．○　肛門反射：表在反射である．

e．×　足底反射：Babinskiとも呼ばれ病的反射である．

- 標準整形外科．第14版．126-127.

問 2-1-37

| 正解　c　　血清アルカリホスファターゼ（ALP） |

a．○　高値を示すことがある．

b．○　いずれの病態の骨軟化症でも著明高値である．

c．×　内軟骨腫では上昇しない．

d．○　高値～高度高値である．

e．○　多発骨転移の場合ALPの上昇や高カルシウム血症となることがある．

- 標準整形外科．第14版．333, 339, 341, 355, 370.

問 2-1-38

| 正解　e　　二関節筋 |

大腿直筋（a），大腿二頭筋（b），半膜様筋（c），半腱様筋，腓腹筋（d）は二関節筋である．

ヒラメ筋（e）は一関節筋である．

- 標準整形外科．第14版．593-594.

2　神経・電気生理学的診断

Q▶p.26-28

問 2-2-1

| 正解　c　　神経伝導速度，H波，F波，M波 |

運動神経伝導速度測定では刺激強度は最大上刺激であり，刺激の時間幅は通常0.2 msecである．

また太い直径の有髄線維ほど刺激閾値は低く，伝導速度は速い．

H波とは筋紡錘由来のIa線維を介した脊髄

反射弓の活動をみるための誘発波であり，下肢でよく出現し，上肢では出現しにくい．脛骨神経を経皮的に刺激し下腿三頭筋より表面電極にて導出する．下腿三頭筋では，H波は主にS1神経根由来で潜時は約30 msecである．上位運動ニューロン障害の場合には臨床的には腱反射の亢進がみられるが，H波の閾値は低く振幅も増大する．下位運動ニューロン障害ではH波の閾値は上昇し，振幅は減少する．末梢神経障害の場合も同様の傾向がみられる．

F波は運動神経の逆行性伝導による誘発波で，運動神経の順行性伝導による誘発波であるM波に比べて潜時のばらつきが大きい．手関節部における正中神経刺激を行い短母指外転筋よりF波を導出した場合，F波潜時の基準値は約26 msecである．

- 藤原哲司．筋電図・誘発電位マニュアル．第4版．金芳堂，2004．
- 千野直一編．現代リハビリテーション医学．第3版．金原出版，2009．

問 2-2-2

| 正解　b, d　脊髄誘発電位，脊髄モニタリング |

脊髄誘発電位を用いた脊椎・脊髄手術時の脊髄モニタリングでは，脊髄の感覚機能ばかりでなく運動機能をモニターする必要がある．1つの電位でその両者をモニターすることはできないので，2つ以上の電位を同時に用いる必要がある(multimodality monitoring)．

感覚機能をモニターできる電位には，脊髄刺激・脊髄硬膜外記録電位，末梢神経電気刺激・脊髄硬膜外記録電位，脊髄刺激・末梢神経記録電位などがある．運動電位としては，経頭蓋電位あるいは磁気刺激・筋電位，経頭蓋電気刺激・脊髄硬膜外記録電位などがある．

wake-up testは現在でもしばしば使用され，その価値は否定されていない．

- 玉置哲也ほか．整・災外 1993；36：959-965．
- 里見和彦編．脊髄誘発電位．三輪書店，1995：126-159．

問 2-2-3

| 正解　b, c　末梢神経，神経伝導速度 |

末梢神経伝導速度が影響を受ける因子は，神経圧迫症候群，脱髄性疾患，代謝性ニューロパシー，脊髄前角細胞の変性といった疾病の他に，①圧迫，②温度，③年齢などがある．

特に，1℃の温度変化により1.8〜2.2 m/秒の伝導速度の変化があるとされ，実際の測定は，室温30℃で20〜30分経過した状態，あるいは皮膚温が30℃前後に保たれた状態で行うべきである．圧迫により髄鞘内腔がせばめられ，太い径の神経がまず障害される．

年齢に関しては4歳までにほぼ成人の値に等しくなり，60歳以上になると伝導速度は徐々に低下する．

局所麻酔薬により細い径の線維がまず障害を受け，刺激閾値の上昇，伝導遅延，遮断といった所見がみられる．また，1カ所の障害のみに目を奪われず，二重神経圧迫症候群(double crush syndrome)などの存在にも注意が必要である．

- 辻陽雄ほか編．整形外科診断学．第3版．金原出版，1999：773-779．

問 2-2-4

| 正解　d　針筋電図検査 |

針筋電図検査は針電極を用いて運動単位の状態を調べる検査である．運動単位の主な病的状態は神経原性変化と筋原性変化に分類される．前者では最大収縮時に干渉不十分で高振幅，多

相化となり，後者では振幅が低下する．

　脱神経を生じた筋を知ることでその分布からある程度は損傷された神経の同定が可能である．

　最大筋力の測定は針筋電図検査では不可能である．

　筋緊張性ジストロフィーでは刺入時電位の持続時間が特に長くなり（ミオトニー放電），急降下爆撃音と呼ばれる特異的な音を聴取する．

● 標準整形外科学．第 14 版．155-156, 864-866.

問 2-2-5

| 正解 | e | 前骨間神経，筋電図 |

　前骨間神経は運動神経のみである．正中神経の分枝である前骨間神経は深指屈筋（示指，中指），長母指屈筋，方形回内筋を支配する．したがって正中神経のさらに中枢側で支配を受ける橈側手根屈筋，浅指屈筋，円回内筋などでは筋電図検査上の異常はみられない．短母指外転筋の M 波の振幅低下は通常手根管症候群でみられる所見である．

● 藤原哲司．筋電図・誘発電位マニュアル．第 3 版．金芳堂，1999：53-67.

問 2-2-6

| 正解 | e | 徒手筋力テスト，脊髄損傷の高位，脊髄損傷 |

　一般に脊髄損傷の損傷高位の表示は障害高位の表示ではなく，残存している脊髄神経節のもっとも低い高位が表示される．したがって，本問における損傷高位は，筋力が MMT 4, MMT 5 に温存されている筋が支配される脊髄の高位となる．

　徒手筋力テストの表示は MMT 0（zero）から，MMT 1（trace），MMT 2（poor），MMT 3（fair），MMT 4（good），MMT 5（normal）までの 6 段階で表示され，MMT 3 以下は "motor useless" とされている．各筋の運動は，それぞれの関節の運動方向に基づいて評価され，この評価を用いて各筋の運動を支配する脊髄・神経の障害の程度を把握することが重要となる．すなわち脊髄損傷や末梢神経障害の程度，損傷高位の判断は筋力テストに委ねられる．

　肩関節は C5，肘関節屈曲は C5，伸展は C7，手関節背屈は C6，掌屈は C7，手指屈曲は C8 などが一応の目安になる．

● 標準整形外科学．第 14 版．120, 512.

問 2-2-7

| 正解 | b | 徒手筋力テスト |

　肩の屈曲・肘の屈曲は C5，手関節の背屈は C6，肘関節の伸展・手関節の屈曲・指の伸展は C7，指の屈曲は C8，指の外転・内転は T1 である．

● 標準整形外科学．第 14 版．846.

問 2-2-8

| 正解 | b, c | 脊髄運動機能の術中モニタリング |

　誘発電位による脊髄運動機能の術中モニタリングは，一般に，頭皮上から大脳運動野を電気刺激し下肢筋から導出する．吸入麻酔はこの刺激・伝導系を抑制するので，静脈麻酔がよく選択される．筋弛緩薬は麻酔導入時の気管挿管に際して使用されるが，麻酔維持期は最小限に抑え筋弛緩の程度をモニタリングする．

a．× 経頭蓋刺激を行い，硬膜外電極より記録する．

b．○ 麻酔薬は濃度依存性に MEP を減衰させるため，麻酔深度モニターや呼気麻酔薬濃度によって麻酔深度を一定に保つ．

c．○　モニタリングにおいて第1選択となる麻酔維持方法はプロポフォールとオピオイド（レミフェンタニル，フェンタニル）による静脈麻酔である．
d．×　MEPモニタリングに関して，吸入麻酔薬が静脈麻酔薬に比べて優れているという報告はない．
e．×　筋弛緩薬はMEPを容易に減衰させるため，筋弛緩モニターを使用し，筋弛緩レベルを一定に保つ．

- 日本麻酔科学会ほか．MEPモニタリング時の麻酔管理のためのプラクティカルガイド．2018：11-15＜https://anesth.or.jp/files/pdf/mep_monitoring_practical_guide.pdf＞［2021年4月閲覧］．

問 2-2-9

| 正解　a　術後末梢神経麻痺，術後合併症 |

a．×　術中に障害を受ける神経の中で，もっとも頻度が高いのは尺骨神経である．
b．○　腕神経叢麻痺は頸部と上肢の間が過度に伸展されることによって生じることが多く，上肢を過外転することによって生じる上腕骨頭での圧迫や腋窩の外部からの圧迫などで発生する可能性がある．
c．○　正中神経麻痺は肘の過伸展により生じることがある．
d．○　外側大腿皮神経は鼠径靱帯と筋膜で固定されているので圧迫，牽引が加わりやすい．
e．○　腓骨神経麻痺は砕石位の足台による圧迫で生じることが多く，下垂足を呈する．また，術後の体位による圧迫で生じることがあり，注意が必要である．

- 岩崎寛編．麻酔科診療プラクティス．14 麻酔偶発症・合併症．文光堂，2004：192-199．
- 弓削孟文編．麻酔科診療プラクティス．17 麻酔科トラブルシューティング．文光堂，2005：310-312．

問 2-2-10

| 正解　b　脊髄円錐部神経障害 |

a．○　脊髄円錐にはS3-5髄節が含まれるため膀胱直腸障害が生じ，肛門反射は消失する．
b．×　錐体路は障害されない．
c．○　aと同じ理由．
d．○　L1-5神経根とS1神経根は障害されないため下肢深部腱反射は正常である．
e．○　S3-5髄節障害により会陰部，肛門周囲にサドル型感覚障害が生じる．

- 標準整形外科学．第14版．506．

問 2-2-11

| 正解　a, e　神経麻痺，異常肢位 |

a．○
b．×　尺骨神経麻痺では環指と小指が鉤爪指変形を呈する．
c．×　正中神経麻痺では母指対立運動ができず，猿手を呈する．
d．×　前骨間神経麻痺では母指と示指のDIP関節の屈曲ができなくなる．ボタン穴変形は関節リウマチなどで起こることの多い変形である．
e．○

- 標準整形外科学．第14版．477．

問 2-2-12

| 正解　a, b, e　脊髄モニタリング法 |

感覚機能をモニターする方法には，体性感覚誘発電位（a），脊髄電気刺激・脊髄硬膜外記録電位（b），末梢神経電気刺激・脊髄硬膜外記録電位（e）などがある．

一方，運動機能をモニターする方法には，経頭蓋電位あるいは磁気刺激・筋電位や経頭蓋電気刺・脊髄硬膜外記録電位がある．

3 X線など画像診断

Q ▶ p.29-34

問 2-3-1

| 正解　d　　診断, 股関節 |

　Shenton 線は閉鎖孔の内縁をなす曲線と大腿骨頚部の内縁を結ぶ線であり，Calvé 線は腸骨外縁をなす曲線と大腿骨頚部の外縁を結ぶ線である．股関節脱臼では両者とも乱れを生じ，直感的に求心位の異常を判断できる．
　Wollenberg 線 (Hilgenreiner 線) は両側の Y 軟骨を結ぶ線であり，正常では骨頭はこの線より下方に位置する．
　Capener 徴候は，大腿骨頭すべり症において骨頭骨端核後方部が側面像で寛骨臼の外にはみ出ているというものである．
　crescent sign は大腿骨頭壊死症の診断基準に含まれており，骨頭軟骨下の骨折線である．

- 標準整形外科学．第14版．606-608, 610, 617-618．
- 神中整形外科学．改訂23版，下巻．865-867, 893-899, 933-934．

問 2-3-2

| 正解　c, e　　診断学 |

　距踵角 (talocalcaneal angle) は，先天性内反足における内反の指標として用いられるものであり，内反変形に伴い減少する．踵骨骨折では Böhler 角の減少をきたす．
　肘外偏角 (carrying angle) は前腕回外位，肘関節伸展位での肘外反角であるが，上腕骨外側顆部の成長障害などで肘外偏角が病的に増大すれば遅発性尺骨神経麻痺をきたすことがある．
　第1・第2中足骨角 (1st-2nd intermetatarsal angle) は，第1および第2中足骨長軸のなす角であり，この角の増大が外反母趾の一因である．
　大腿脛骨角 (femorotibial angle：FTA) は，下肢正面像で大腿骨長軸と脛骨長軸のなす外側角であり，内反膝変形 (いわゆる O 脚) で増大する．外側円板状半月では外側関節裂隙の開大を認めることはあるが，下肢アライメントの変化まではきたさない．
　Q角は，膝蓋骨中心と上前腸骨棘を結ぶ線と膝蓋骨中心と脛骨粗面を結ぶ線のなす角であり，膝蓋骨のトラッキングに大きな影響を与える．膝蓋大腿関節不安定症ではQ角が増大する．

- 整形外科クルズス．第4版．603-605．
- 神中整形外科学．改訂23版，下巻．443, 1003, 1013, 1191, 1210-1211．

問 2-3-3

| 正解　b, e　　CT |

　水を基準とした組織のX線減衰率をCT値として表現する．CT値は Hounsfield unit とも表現される．空気は −1,000，脂肪は水よりも低く −100〜−50 程度である．凝血血液は 60〜80，筋組織は 20〜40 である．

- 長野昭ほか編．ゴールドスタンダード整形外科．診察・検査・画像診断．南江堂，2003：375-376．

問 2-3-4

| 正解　a　　CT |

　脂肪と水のCT値はそれぞれ −100〜−50 と 0 である．開発当時のX線CTは体軸に直角な横断面しか得られなかったが，ヘリカルCTや最近の機種ではコンピュータ再構築により三次元の生体情報を得られ立体表示できる．
　基本的にCTは骨病変の描出に優れており，特に多断層再構築 (multi-planar reconstruction：MPR) 像は骨折の診断には有用である．
　軟部腫瘍は造影剤を用いることで，腫瘍への

血流や周囲血管との位置関係を正確に知ることができるが，組織診断ではMRIと比較すると得られる情報は少ない．

三次元CTは先天性側弯症の半椎，癒合椎の立体的描出は骨切り手術の術前計画に極めて重要な情報を供与する．

ウインドウ幅をウインドウウィドゥス，その中央値をウインドウレベルという．

- 標準整形外科．第14版．141-143，379，545．
- 長野昭ほか編．ゴールドスタンダード整形外科．診察・検査・画像診断．南江堂，2003：375-376．

問 2-3-5

| 正解 | e | MRI |

磁性体の体内人工物があるとMRIによって局所熱が発生する．日本では，米国の安全基準に準じて磁場強度やラジオ波による熱エネルギーの蓄積について，0.4 W/kg以下ないし体温の上昇が1℃以内であるという制限があるので，通常の検査において問題となる障害は生じないと考えられている．

磁性体の人工物周囲に像のゆがみや欠損を生じるため，人工物周囲の変化を観察することはできない．

小さな撮像野を用いた薄いスライス厚での撮像を行うと微細な変化がとらえられるが，データ積算回数を増やす必要がある．

コントラストの強い境界面ではアーティファクトが発生する(truncation artifact)．たとえば脳脊髄液と脊髄のコントラストにより起こり，脊髄の中心に線状の縦走する異常信号(T1強調像で低信号，T2強調像で高信号)としてみられることがある．

造影剤Gd-DTPAは常磁性体物質で，主に水素プロトンのT1緩和時間を短縮させることにより，信号強度の増加をもたらす．

- 長野昭ほか編．ゴールドスタンダード整形外科．診察・検査・画像診断．南江堂，2003：394-396．

問 2-3-6

| 正解 | a | MRI |

血腫ではメトヘモグロビンの増加に伴いT1強調像では高信号を示すようになる．

炎症や腫瘍性病変では水分を多く有するので，T2強調像で高信号を示す．

石灰化は水分子が少ないのでT2強調像で低信号となる．

線維化も同様な理由のためにT2強調像で低信号を示す．

- 神中整形外科．改訂23版．上巻．37．

問 2-3-7

| 正解 | c, e | MRI |

骨皮質や骨硬化では，T1強調像およびT2強調像とも低信号を示し，腸腰筋内の膿瘍形成では，T1低信号，T2高信号の液体貯留がみられる．

- 標準整形外科．第14版．139-141．

問 2-3-8

| 正解 | b, e | MRI |

MRI T1強調像で高信号を示すものとして，亜急性期出血，皮下脂肪，骨髄脂肪，蛋白質に富む液体などがある．亜急性期出血では，メトヘモグロビンのT1短縮効果によって高信号となる．また浮腫，液体，硝子軟骨，骨皮質，靱帯，壊死部などはT1強調像で低信号を示す．

- 神中整形外科．改訂23版．上巻．37．

問 2-3-9

> 正解　b, c　　MRI

　T2強調像における骨・軟部の相対的信号強度は，関節液・水＞硝子軟骨＞黄色骨髄・脂肪＞筋＞骨皮質・靱帯・腱・線維軟骨である．また，T1強調像における骨・軟部の相対的信号強度は，黄色骨髄・脂肪＞硝子軟骨＞筋＞関節液・水＞骨皮質・靱帯・腱・線維軟骨である．

　骨皮質，膠原線維が主成分である靱帯・腱・筋膜・関節包や線維軟骨からなる半月などは，T1，T2強調像ともに低信号を示す．大血管は流速が早いため，T1，T2強調像ともに無信号となる．

- 神中整形外科学．改訂23版．上巻．37．
- 標準整形外科学．第14版．138-141．

問 2-3-10

> 正解　c　　MRI

　Gd-DTPAは血流のある部位が造影される．また，血流が直接に到達しない部位でも，拡散によって増強される．

　関節腔は関節滑膜から流れる関節液で満たされており，ここには造影剤が拡散によって入り込み，スキャン時間が少し長引くと造影される．

- 標準整形外科学．第14版．138-141．

問 2-3-11

> 正解　a　　膝関節外傷，MRI

　骨挫傷（bone bruise）は従来のX線撮影やCTではとらえられなかった骨髄の浮腫性変化と考えられ，T1強調像では低信号，T2強調像で等〜高信号を示す．

　関節内血腫はT1強調像で高信号，T2強調像でも高信号を示すが，時間の経過などにより信号パターンが変化するため注意を要することもある．血腫のヘモグロビンは，時間がたつと酸化型ヘモグロビン，還元型ヘモグロビン（デオキシヘモグロビン），メトヘモグロビンとなる．デオキシヘモグロビンはT2強調像で低信号となる．一方，メトヘモグロビンはT1強調像では高信号を示す．さらにヘモジデリン沈着するとT2強調像にて低信号となる．

　膠原線維が主成分である靱帯，線維軟骨からなる半月は，正常ではT1，T2強調像ともに低信号を示すが，損傷がある場合，信号は上昇，特にT2強調像あるいはgradient echo T2（T2＊）強調像にて明瞭となる．

　前十字靱帯の損傷は靱帯の不連続性・たわみにより確実な診断が可能となるが，正常でもやや高い信号を呈するため信号強度のみでの診断は困難なことがある．MRIや単純X線像では小さな骨片や骨欠損の同定が困難なことが多く，CTは骨基質の変化や微細な石灰化をよく描出できるため，骨片や骨欠損の同定に有用である．

- 辻陽雄ほか編．整形外科診断学．第3版．金原出版．1999：680-681．

問 2-3-12

> 正解　a　　骨・関節炎，MRI

　MRIは組織コントラスト分解能が高く，炎症が波及している範囲の同定に優れている．また，造影MRIでは膿瘍周囲が増強され，病変がより明瞭化する．しかし信号強度だけでは，骨髄炎と腫瘍，術後変化の鑑別は困難である．

- 神中整形外科学．改訂23版．上巻．475．
- 標準整形外科学．第14版．226．

問 2-3-13

| 正解 | a | 脊椎・脊髄腫瘍，MRI |

　上衣腫(myxopapillary ependymoma)はT1，T2強調像ともに等信号で，造影剤使用により強い増強効果を示す．

　血管芽腫はvon Hippel Lindau病に合併することが知られているが，MRIでは造影剤使用により結節が強く増強され，囊胞形成を伴うものがある．

　神経鞘腫はT2強調像で高信号を示し，より高信号の囊胞成分が認められることが多い．

　髄膜腫は，造影T1強調像では一般に強く均一な増強を示す．

　椎体内の悪性腫瘍転移はT1強調像で正常脂肪髄と区別することができる．造影MRIでは脂肪抑制法の併用が有用となる．

● 神中整形外科学．改訂23版，下巻．273-285．

問 2-3-14

| 正解 | a | 骨・軟部腫瘍，MRI |

　MRIは濃度分解能に優れ，また断層面を任意に決めることが可能であり，骨・軟部腫瘍の病期診断や治療計画には有効な検査方法である．しかし，石灰化はMRIで無信号となる場合がほとんどであり，CTのほうが検出能は高い．

● Sartoris DJ. 大澤忠ほか監訳．必修　骨軟部の画像診断．メディカル・サイエンス・インターナショナル，1999：200-201．

問 2-3-15

| 正解 | b | 骨・軟部腫瘍，CT，MRI |

　CTは，骨基質の変化や腫瘍内の微細な石灰化をよく描出し，特に体幹骨や扁平骨などの単純X線像による診断が困難な部位において，その威力を発揮する．

　MRIは，軟部組織に対する優れたコントラスト分解能をもち，加えて任意の断面像を選択できることなどから，骨内外での腫瘍の進展範囲をより正確に把握できる．

　腫瘍内の脂肪は，CTでは水よりも低吸収値を示し描出可能であり，MRIではT1強調像では高信号を示し，T2強調像では軽度高信号を示すため同定することが可能である．

● 辻陽雄ほか編．整形外科診断学．第3版．金原出版，1999：663．

問 2-3-16

| 正解 | b | MRI |

　Gd-DTPAを用いたMRIで増強を認める疾患は腫瘍だけでなく，多種の病態に及んでいる血流が比較的豊富な腫瘍は造影効果があり，神経鞘腫，血管芽細胞腫は造影される．また炎症性疾患もその血流増加により，多発性硬化症や他の炎症性疾患でも造影効果が認められる．

　しかし単発性骨囊腫はその内容は血流に乏しく，造影効果は認められない．

● 標準整形外科学．第14版．138-141，352-353，386-387，410-411，580-581．

問 2-3-17

| 正解 | b, c, e | 発育性股関節形成不全，画像検査 |

　発育性股関節脱臼(DDH)は以前には先天性股関節脱臼(CDH)と呼ばれていたが，奇形性脱臼以外は周産期および出生後の発育過程で脱臼が生じることがわかってきたため，現在このように称される．DDHはX線撮影にて先天性股関節脱臼の診断は可能である．しかし，整復障害因子の診断には特殊検査法を行う．

単純CTは軟部組織の描出にはやや難点がある．

単純MRIは軟部組織の描出に優れ整復障害因子の診断が可能であるが，時間が長いため麻酔下に行う必要がある．

股関節造影は整復障害因子の診断に有用であるが，MRIより侵襲のある検査である．

近年，非侵襲的で簡便に脱臼および整復障害因子の状態が可能である超音波診断法（エコー）が行われている．

● 標準整形外科学．第14版．604-612．

問 2-3-18

| 正解 b, e 造影法 |

脊髄造影法（ミエログラフィー），椎間板造影法，神経根造影法には，非イオン性の水溶性造影剤（オムニパーク®240あるいは300，イソビスト®240）を用いるべきである．尿路血管造影剤であるウログラフィン®や関節造影用であるイソビスト®300を絶対に用いてはならない．

● 標準整形外科学．第14版．143-145．

問 2-3-19

| 正解 c, d 骨シンチグラフィー |

骨粗鬆症を背景とした不顕性骨折の検索には，骨シンチグラフィーが有用である．

多発性骨髄腫では骨皮質への浸潤，破壊あるいは病的骨折が生じていない病変では集積が起きない．

椎間を挟む集積像がある場合，化膿性椎間板炎や椎体炎では両椎体全体に集積のみられることが多く，終板に限局するものではむしろ変形性脊椎症などを考える．症状・身体所見との照合が必要である．多発性の集積は転移性腫瘍を疑わせる．

● 辻陽雄ほか編．整形外科診断学．第3版．金原出版．1999：757-760．

問 2-3-20

| 正解 a, d, e FDG-PET/CT |

生理的集積として脳神経，心筋など，多くの正常組織で生体活動エネルギー源としてグルコースが消費され，FDGが集積する．

検査に際しては血糖のコントロールが重要でFDG静注の5時間前より絶食とする．また筋肉を使うことにより筋肉へのFDGの集積があるので，検査前日，当日は運動を禁止し骨格筋に集積がないようにする．

悪性腫瘍において腫瘍の増殖速度の速いものほど集積が高く，増殖の遅いものは低いという特徴がある．FDGの非特異的集積としては炎症を起こしている組織，肺炎，結核，その他の感染症，膿瘍，サルコイドーシス，珪肺症，慢性甲状腺炎などが代表的である．

FDG-PET/CTは原発性悪性腫瘍や転移性骨腫瘍の診断，治療効果判定に極めて有用である．

FDGはグルコースに^{18}Fを標識した薬剤で，現在もっとも多く臨床使用されている．脳，心筋および癌などのグルコース代謝の診断に使用される．グルコースは，生体エネルギー源であり集積の多寡が細胞の生体活性の指標となる．

● 日下部きよ子編．必携！ がん診療のためのPET/CT読影までの完全ガイド．金原出版，2006：20-29，102-106．

問 2-3-21

| 正解 e 腫瘍シンチグラフィー |

^{67}Gaクエン酸塩は血中内に投与されると，肝や骨髄，骨，その他の軟部組織に分布する．その7割近くは腎から排泄されるが，残りは消化

管から排泄されるため，投与早期では腎や膀胱が描出され，また通常の撮影日（投与3日目）では腸管が描出される．

なお3日目では正常の腎機能の人では腎の描出はみられず，もし腎が描出されていれば，腎機能の低下あるいは異常集積を意味する．正常でも涙腺，唾液腺，鼻腔部，さらに肺門部にはしばしば生理的な集積がみられ，異常集積との鑑別が困難なことが多い．

● 長野昭ほか編．ゴールドスタンダード整形外科．診察・検査・画像診断．南江堂，2003：414-416．

問 2-3-22

| 正解 d | RIシンチグラフィー，ポジトロンエミッション断層撮影法（PET） |

^{201}Tl（塩化タリウム）は血流量に応じて組織に到達し，Na-Kポンプにより組織内に取り込まれ，その後，血中濃度の減少とともに組織より次第に洗い出されてくる．薬剤投与後5〜30分の像は主として血流量およびNa-Kポンプの活性によると考えられている．一般に悪性腫瘍のほうが血流豊富であり，集積が強い傾向があるが，集積のみでは良性，悪性の鑑別ができない．3時間後の集積残存により悪性の可能性を示唆できる．

甲状腺癌の骨転移では^{131}Iが特異的に集積する．

^{67}Gaは骨基質にも集積するので，新生骨のみられる骨折部も異常集積を示す．

^{18}F-FDGは生体内でグルコースと類似した動きを示す．悪性腫瘍において糖代謝が亢進していることは従来から知られており，それゆえグルコースに類似したFDGは悪性腫瘍に強く集積する．悪性腫瘍の治療効果判定，再発，残存腫瘍の診断などに非常に有用である．

● 長野昭ほか編．ゴールドスタンダード整形外科．診察・検査・画像診断．南江堂，2003：414-418．
● 神中整形外科学．改訂23版．上巻．42-43．

問 2-3-23

| 正解 a | 乳幼児股関節，造影 |

正常股関節では，骨頭は平滑で球状を呈し軟骨性臼蓋により十分被覆され，寛骨臼底には造影剤の貯留はみられない．

関節造影では，脱臼股の整復状態や安定度を動的に把握できる．

関節造影では，股関節脱臼の整復を妨げる関節内介在物（上方から後方にかけて関節唇の内反，大腿骨頭靱帯の肥厚・延長）や関節包の狭窄（砂時計状関節包）がみられる．

● 中川正ほか編．小児整形外科学．南江堂，1983：120-162．

問 2-3-24

| 正解 a，d | 腱板完全断裂，腱板不全断裂 |

肩関節造影には，陽性造影法，陰性造影法および二重造影法がある．適応疾患および造影法の選択としては，腱板断裂および肩関節拘縮に対しては陽性造影法が用いられ，肩関節不安定症には二重造影後CTが行われる．肩関節内遊離体およびヨード過敏症には陰性造影法が適応となる．腱板完全断裂では，肩関節内に注入された造影剤が肩峰下滑液包内へ流出する．腱板不全断裂のうち，関節包側断裂では腱板内へ造影剤が貯留する．

腱内断裂および滑液包側断裂では病変は描出できない．石灰沈着性腱炎は症状およびX線撮影で診断可能で，補助診断法として肩関節造影の適応にはならない．

● 山内裕雄ほか編．今日の整形外科治療指針．第3版．医学書院，1995：326．

問 2-3-25

| 正解　c　　X線所見，診断 |

X線撮影は整形外科の診療において必要不可欠の検査である．

大理石骨病では全身的に骨硬化陰影を呈し，脊椎はラガージャージ(rugger-jersey)像あるいはサンドイッチ脊椎と呼ばれる．

骨肉腫ではCodman三角，針状骨膜陰影(spicula appearance)，玉ねぎ様骨膜反応(onion-peel appearance)が有名である．

クレチン病では骨化核の出現の遅れがみられ，大腿骨頭壊死症では骨頭圧潰に陥った部分の軟骨下骨に三日月透過陰影(crescent sign)が認められる．

副甲状腺機能亢進症では細胞外液のカルシウムとリンの上昇によって異所性石灰化をきたす．

●標準整形外科学．第14版．133-137．

問 2-3-26

| 正解　a，e　　股関節造影 |

股関節の関節造影は股関節疾患すべてに適応がある．特に股関節内の関節軟骨の形態学的病態評価や動態撮影による適合性の評価，関節内の整復阻害因子の評価などに優れている．造影剤の注入は成人であれば前方法または外側法が選択され，乳幼児では開排位での内転筋下穿刺が用いられることが多い．

正常像では関節包や関節唇，横靱帯，骨頭窩，臼窩，頸部窩などが描出されるが，円靱帯は描出されないことが多い．

股関節脱臼では骨頭により関節唇が押し下げられ内反していることが多く，関節包が引き伸ばされ峡部を形成する．また，関節内には円靱帯の肥厚や軟部組織の増殖がみられ，整復阻害因子となっている．

股関節造影の特徴である動態撮影では関節適合性の評価が可能で，Perthes病における骨頭軟骨の肥厚，hinge abductionの状態や亜脱臼や臼蓋形成不全による関節不安定性などが評価できる．

●辻陽雄ほか編．整形外科診断学．第3版．金原出版，1999：278-286, 599-601．
●石井良章ほか編．股関節の外科．医学書院，1998：55-58．

問 2-3-27

| 正解　a，d　　手関節造影 |

手関節を30～40°掌屈して，関節裂隙を透視台に垂直にして背側より刺入する．

一般に手関節腔は三角線維軟骨複合体(TFCC)により遠位橈尺関節腔と，手根骨間靱帯により手根中央関節腔と分離している．しかし，中年以後は加齢による軟部組織の変性により，いわゆる健常者でも年齢とともに各関節腔相互の交通が高率にみられるようになる．

関節リウマチでは滑膜増殖による辺縁不整像と，遠位橈尺関節，手根中央関節，手根中手関節および伸筋腱腱鞘などとの交通やリンパ管の描出などがみられる．

●辻陽雄ほか編．整形外科診断学．第3版．金原出版，1999：595-596．

問 2-3-28

| 正解　a　　二次骨化核 |

a．上腕骨近位骨頭：3カ月ごろから
b．上腕骨小頭：1歳ごろから
c．橈骨遠位骨端：1歳ごろから
d．大腿骨大転子：3歳ごろから
e．膝蓋骨：4歳ごろから

●標準整形外科学．第14版．133．

問 2-3-29

| 正解　a, c, e　　超音波検査 |

a．○　筋の評価に有用である．
b．×　骨表面で照射した超音波の大部分が反射されるので，骨の内部は描出できない．
c．○　椎弓切除など骨の切除後に脊髄内を観察できる．
d．×　脛骨側付着部は観察できるが，大腿骨側は鮮明に描出できない．
e．○　圧迫を加えても，血栓の存在により，血管の虚脱を認めない．
　●標準整形外科学．第14版．146．

問 2-3-30

| 正解　a　　脊髄造影 |

a．○　てんかんや痙攣の既往のある患者には禁忌である．
b．×　major complication の頻度は激減したが，血管確保は必須である．
c．×　脊髄自体や椎骨動脈など重要血管を穿刺する危険があるので，下位腰椎，後頭下などから行うべきである．
d．×　イソビスト®注240，脳槽・脊髄・関節造影剤を用いるべきで，イソビスト®注300子宮卵管・関節造影剤を用いてはならない．
e．×　用いることはできない．
　●標準整形外科学．第14版．143-144，553．
　●長野昭ほか編．ゴールドスタンダード整形外科．診察・検査・画像診断．南江堂，2003：341-351．

問 2-3-31

| 正解　a, b　　傍関節骨萎縮 |

a．○　軟骨下骨の骨吸収が亢進する．関節周囲の骨萎縮を認める．
b．○　感染により関節周囲の骨が萎縮する．
c．×　変化はない．進行例では関節破壊・抜き打ち像・虫食い像を認める．
d．×　増骨性変化．関節裂隙狭小化・関節破壊像を認める．
e．×　皮質骨の骨粗鬆化が生じる．骨膜下骨吸収像を認める．

問 2-3-32

| 正解　a, c　　MRI |

a．○
b．×　硝子軟骨
c．○
d．×　脂肪
e．×　骨皮質
　●標準整形外科学．第14版．138-141．

問 2-3-33

| 正解　a, d, e　　超音波検査 |

　超音波の透過するものは低エコー像，反射体となるものは高エコー像に描出される．
a．○　骨は超音波をほとんど通さないため，輪郭は鮮明に描出される．骨折では段差がみられる．
b．×　半月板は異なる走行の膠原線維で，超音波の反射体となるので，高エコー像となる．
c．×　関節軟骨は均質な媒質で超音波を反射しないため，低エコー像となる．
d．○　ガングリオンは低エコー像を示す．
e．○
　●皆川洋至．超音波でわかる運動器疾患—診断のテクニック．メディカルビュー，2010．

4 病理組織診断

Q ▶ p.35-36

問 2-4-1

| 正解 | c, e | 免疫組織化学的マーカー, 免疫染色 |

S-100蛋白質は神経・軟骨・脂肪系腫瘍に陽性である.

サイトケラチン(cytokeratin), EMA(epithelial membrane antigen)は上皮細胞マーカーで, 滑膜肉腫や類上皮肉腫など上皮性の性格を有する腫瘍で陽性となる.

デスミン(desmin)やアクチン(actin)は筋原性腫瘍で陽性となる.

血管系腫瘍のマーカーとしては, 第8因子関連抗原(factor VIII-related antigen), CD31, CD34などがある.

- 牛込新一郎ほか編. 取扱い規約に沿った腫瘍鑑別診断アトラス—軟部. 文光堂, 1993：16-23.
- Enzinger FM et al(ed). Soft Tissue Tumors. 4th ed. Mosby, 2001：200.

問 2-4-2

| 正解 | a, b, d | 免疫染色 |

CD99(MIC2)は, 特異性は低いがEwing肉腫で陽性となる.

CD34は隆起性皮膚線維肉腫のほか, 孤立性線維性腫瘍, 類上皮肉腫などで陽性となる.

S-100蛋白質は, 神経系の他に軟骨系腫瘍や脂肪系腫瘍でも陽性となるが骨巨細胞腫では陰性である.

ミオゲニンは骨格筋細胞で陽性となり, 腫瘍では横紋筋肉腫で陽性となる.

EMAは上皮細胞に陽性で, 腫瘍では類上皮肉腫, 滑膜肉腫などで陽性である.

- 石川栄世ほか編. 軟部腫瘍アトラス. 文光堂,

1989：35-40.
- 越智隆弘ほか総編. 最新整形外科学大系第20巻. 骨・軟部腫瘍および関連疾患. 中山書店, 2007：31-32, 57-60.

問 2-4-3

| 正解 | b, c, e | 軟部腫瘍, 開放生検 |

a. × 進入経路を筋間にすると2つの筋を汚染することになるため, 筋内に設定する.

b. ○ 腫瘍細胞による汚染を避けるために, 重要な神経血管は避けて進入する.

c. ○ 広範切除後の皮膚や軟部組織の再建を容易にするために, 四肢の長軸に沿って皮膚を切開する.

d. × 腫瘍細胞による汚染を避けるために, 皮下や筋組織の剥離は最小限にとどめる.

e. ○ サンプリングエラーを避けるために, 画像所見をもとに壊死や血腫が予想される部位からの採取を避ける.

- 日本整形外科学会監. 軟部腫瘍診療ガイドライン2020. 第3版. 南江堂, 2020：43-44.

問 2-4-4

| 正解 | c | 骨・軟部腫瘍, 免疫染色 |

a. ○ S-100蛋白は神経系マーカーであり, schwannoma, malignant melanomaなどで陽性となる.

b. ○ 横紋筋肉腫ではデスミン, ミオグロビンなど筋原性マーカーが陽性となる.

c. × 滑膜肉腫においては, cytokeratinやEMA(epithelial membrane antigen)などが陽性になる. 免疫組織学的マーカーとしてhyaluronidaseを用いることはない.

d. ○ 血管肉腫では血管内皮細胞のマーカーであるCD31, CD34および第VIII因子抗原で染色される.

e. ○ CD99はMIC2としても知られ，Ewing肉腫で高率に陽性になる．
- 日本整形外科学会監．軟部腫瘍診療ガイドライン2020．第3版．南江堂．2020：25．
- 標準整形外科学．第14版．382．

問 2-4-5

| 正解　b，c　　Ewing肉腫，病理組織診断 |

a．○
b．× 多核巨細胞はみられない．
c．× 小円形細胞が増殖する．
d．○
e．○
- 標準整形外科学．第14版．362-363．

問 2-4-6

| 正解　a　　骨・軟部腫瘍，免疫組織化学的マーカー |

a．× CD31は血管系のマーカーで，血管系腫瘍で陽性となる．
b～e．○
- 標準整形外科学．第14版．382．

問 2-4-7

| 正解　a，b，e　　嚢腫様変化 |

a．○ MRIにおけるT2強調像で高信号の部分は，細胞密度が疎で粘液腫状である．
b．○ 骨端～骨幹端部に嚢胞状の骨透明巣として認められる．
c．×
d．×
e．○ 時に嚢腫状の変化をきたすことがある．
- 標準整形外科学．第14版．347-368，384-398．

治療学

3 治療学

1 保存療法
Q▶ p.38-39

1）消炎鎮痛薬

問 3-1-1

| 正解 | c, d, e | 鎮痛薬, 作用機序 |

a．×　オピオイドは神経系に分布するオピオイド受容体に作用して下行性抑制系を賦活する．
b．×　アセトアミノフェンは中枢神経系に作用し鎮痛効果を発現する．
c．○　抗うつ薬は中枢神経系のセロトニン，ノルアドレナリン再取り込みを阻害し，下行性抑制系を賦活することによって鎮痛効果を発揮する．うつ病の治療量よりも低用量で鎮痛効果が認められる．
d．○　非ステロイド性抗炎症薬（nonsteroidal anti-inflammatory drugs：NSAIDs）はシクロオキシゲナーゼ-1とシクロオキシゲナーゼ-2の働きを阻害しプロスタグランジンとトロンボキサンの産生を抑制することで効果を発揮する．
e．○　オピオイドはアヘン［オピウム（opium）］が結合する受容体に親和性を示す化合物の総称である．

●標準整形外科学．第14版．169-171．

問 3-1-2

| 正解 | a, c, e | NSAIDs, 相互作用 |

a．○
b．×
c．○
d．×
e．○

ワルファリン，アスピリンとの併用は，NSAIDsの血小板凝集抑制作用が加わるので，出血リスクが高まる．
　ニューロキノン系抗菌薬とアスピリンを除くNSAIDsとの併用はまれではあるが，痙攣発症のリスクとなる．特にフェニル系酢酸とプロピオン酸系のNSAIDsとの併用は併用注意が必要（禁忌ではない）である．
　NSAIDsは，腎機能障害が発生することがあり，特にジゴキシン，メトトレキサートの併用は腎臓での排泄が抑制され注意すべき相互作用として挙げられる．

●中村耕三総編．運動器のペインマネジメント．整形外科臨床パサージュ 8．中山書店，2011：172-181．

問 3-1-3

| 正解 | e | 鎮痛薬 |

a．×　アセトアミノフェンに抗炎症作用はない．
b．×　ほとんどは酸性薬剤である．
c．×　完全な選択性はなく，COX-1も阻害するため，軽度ではあるが消化管障害がある．
d．×　強オピオイドより軽度ではあるが，悪心・嘔吐・傾眠の副作用が生じる．
e．○　頻用されるケトプロフェン貼付薬の重要な副作用として光線過敏症がある．

- 標準整形外科. 第14版. 169-171.

2）疼痛治療薬など

問 3-1-4

| 正解　d　　局所麻酔薬 |

局所麻酔薬を使用した後の全身性痙攣は，局所麻酔薬の中毒症状である．

リドカイン60 mg程度では静脈内注入しても全身性痙攣発生まで血中濃度は上昇しない．

脊髄くも膜下腔に誤注されると，呼吸停止，意識消失をみるが全身性痙攣は生じない．

胸腔内局所麻酔薬注入は開胸手術後の鎮痛に用いられることがある．

星状神経節に近い位置にある椎骨動脈内に誤注された結果，脳内濃度が一気に上昇したものと考えられる．

神経鞘内注入では神経ブロック同様に当該神経の麻痺を生じるだけである．

問 3-1-5

| 正解　b，c，e　　トラマドール塩酸塩 |

a．× 第2選択薬である．
b．○ μオピオイド受容体作動作用とSNRIの両方の作用で鎮痛作用を発揮する．
c．○
d．× 副作用は悪心・嘔吐，便秘，傾眠などである．
e．○

トラマドール塩酸塩はオピオイド系の鎮痛薬の1つである．1996年のWHO方式がん疼痛治療法の3段階中の2段階目で用いられる弱オピオイドである．トラマドールには主な2つの機序があり，μオピオイド受容体の部分的なアゴニストとしての作用と，セロトニン・ノルアドレナリンの再取り込み阻害作用を併せ持ち，下行性疼痛抑制系を賦活し，神経因性疼痛への鎮痛効果を発揮する特異なオピオイドである．μ受容体に対しては中等度の親和性をもつが，κ，δ受容体にはほとんど親和性をもたない．μ受容体に対する親和性は，コデインの1/10，モルヒネの1/6,000となっている．

- 標準整形外科. 第14版. 169-171.
- 日本ペインクリニック学会神経障害性疼痛薬物療法ガイドライン改訂版作成ワーキンググループ編. 神経障害性疼痛薬物療法ガイドライン. 第2版. 真興交易医書出版部, 2016：66-67.

2　手術療法

Q ▶ p.39-49

1）骨移植，生体材料

問 3-2-1

| 正解　b，c，d　　骨侵入 |

骨セメント非使用型（セメントレス型）人工関節は，コンポーネントの表面に多孔性コーティング（porous coating）を施して，その多孔（pore）表面とその孔内に骨侵入（bone ingrowth）を促す．

骨侵入に適当な孔径は50〜400 μmである．骨侵入は，X線照射，エチドロン酸ナトリウム，インドメタシンなどの非ステロイド性抗炎症薬，シスプラチンなどの抗癌剤によって抑制される．

コンポーネント表面へのハイドロキシアパタイトコーティング（hydroxyapatite coating）は骨組織の固定をよくする．

- Callaghan JJ et al(ed). The Adult Hip. 2nd ed. Lippincott Williams & Wilkins, 2007：195-206.

問 3-2-2

| 正解　a, b, c　　生体材料, 生体活性 |

選択肢のうち骨組織と直接結合する bioactive な生体材料は a, b, c のみである (bioactive ceramics).

PLLA は生体内吸収性材料であり, PMMA は人工関節などの固定や腫瘍切除後の補填に使用されるが, この2つはあくまで骨補填剤であり接着力はない.

● 神中整形外科学. 改訂 23 版, 上巻. 176-181.

問 3-2-3

| 正解　a　　人工骨頭置換術, 手術適応 |

大腿骨頸部骨折の Garden 分類 stage III に対しては, 患者の年齢, 活動性, 合併症の有無により骨接合術または人工骨頭置換術が一般的である.

強直性脊椎炎では股関節はもっとも機能障害をきたしやすい関節の1つであり, 機能再建として人工股関節全置換術が行われる.

急速破壊型股関節症は変形性股関節症や大腿骨頭壊死の末期の治療法に相当し, 人工股関節全置換術の適応となる.

関節リウマチで股関節破壊が存在すれば, 全身合併症を考慮しながら人工股関節全置換術の適応となる.

大腿骨頭壊死症の治療法は壊死の範囲, 存在部位, stage に合わせて, 骨頭穿孔術, 骨移植術, 大腿骨骨切り術, 人工骨頭置換術, 人工股関節全置換術などが適応となる. 臼蓋側に変化がない大腿骨頭壊死症の病期分類 stage 3A, 3B [厚生省 (現厚生労働省) 特定疾患特発性大腿骨頭壊死症調査研究班] では骨切り術の適応がないとき, 人工骨頭置換術, 人工股関節全置換術のいずれが適応となるかについて結論は出ていない. 年齢が若く活動性の高い本症では, 人工骨頭は骨頭の中心性移動とポリエチレン摩耗粉による骨溶解が生じやすく, 適応は少ないとの意見があるが, アウターヘッド辺縁とネックのインピンジメントを少なくした最近の人工骨頭には期待する意見もある. stage 4 では人工股関節全置換術が適応となる.

● 標準整形外科学. 第14版. 644-645.

問 3-2-4

| 正解　a, b, c　　人工骨頭セメント固定 |

大腿骨骨髄腔に人工骨頭のステムを骨セメントで固定するときに勧められることは, 以下の点である.

リーマー, ラスプ, 鋭匙で骨髄腔の海綿骨を十分に除去する. 遺残した骨粉をブラシや洗浄で取り除く (特に近位部内側の海綿骨を内骨膜面まで除去する). ステムの先端から 1~2 cm 遠位のところに骨栓やポリエチレン製の栓を設置する. ステムは内反しないように, 中間位になるよう挿入して設置する. 骨セメントは手袋に粘着しない程度に硬化したときにセメントインジェクターで充填し, 硬化の程度とセメント圧を考慮して挿入固定する.

● 松野丈夫監. 人工股関節全置換術 [THA] のすべて. 第2版. メジカルビュー社, 2015.

問 3-2-5

| 正解　c　　人工股関節全置換術 |

術後の弛みは単純 X 線像上, 骨・金属間 (セメントレス), 骨・セメント間 (セメント使用) に認められるもので, この原因として超高分子量ポリエチレン (UHMWPE) の摩耗粉が問題視されている.

骨セメントを使用する際, 特に大腿骨コン

ポーネントを挿入するときに血圧の低下を生じやすく，注意を要する．

術後の後方脱臼は屈曲・内転・内旋で生じやすい．

また骨性被覆が不良であれば臼蓋コンポーネントの弛みが生じやすく，設置位置，骨移植などを考慮する必要がある．

- Canale ST(ed). Campbell's Operative Orthopaedics. 10th ed. Mosby, 2003：396.

問 3-2-6

| 正解　b，c，d　　人工股関節全置換術，ポリエチレン摩耗 |

摺動面から発生する摩耗粉は人工関節の弛みの原因となるため，様々な工夫がなされている．

ポリエチレンの厚さが薄いと容易にクリープ変形が発生して摩耗が進行するため，厚いほうがよい．

近年，ポリエチレンの耐摩耗性を改良するためにγ線を照射したクロスリンク・ポリエチレンがよく用いられている．

骨頭の材質に関してはコバルトクロム合金の他に高純度・高強度のアルミナなどのセラミックが用いられる．セラミック骨頭と対するソケット側には，ポリエチレンあるいはセラミックが用いられる．

金属対金属も摺動による摩耗が少ないため用いられている．

チタンは摩耗量が多いため，摺動面には用いられない．

- Bozic KJ et al. J Bone Joint Surg Am 2009；91：1614-1620.

問 3-2-7

| 正解　a　　人工股関節，腐食防止対策 |

a．○　セラミックは絶縁体であり，ステム金属との電位差がないため腐食の重症化を防ぐ．

b．×　モデュラー型ステム使用時は，嵌合部が2カ所となるため，通常型(モノブロック型)ステムに比べて腐食リスクが高まる．さらにCoCr合金同士の嵌合では固定性が悪く，フレッティング腐食を起こしやすい．

c．×　金属製骨頭では大径ほど，嵌合部の回旋トルクが強く作用し，フレッティング腐食が起きやすい．

d．×　嵌合部に水分が入った状態では隙間腐食が起きやすい．

e．×　チタン合金(Ti-4Al-6V)製ステムにおけるインパクション時の変形は，嵌合力を高めるため，フレッティング腐食が起こりにくい．

- Australian Orthopaedic Association National Joint Replacement Registry. Annual Report. Adelaide：AOA：2015-Hip and Knee Arthroplasty. <https://aoanjrr.sahmri.com/documents/10180/217745/Hip+and+Knee+Arthroplasty>［2021年4月閲覧］.
- Kop AM et al. Clin Orthop Relat Res 2012；470：1885-1894.
- 山本謙吾編．人工股関節のバイオマテリアル―材料選択からデザインまで．メジカルビュー社，2017：205-215.

問 3-2-8

| 正解　e　　セラミック骨頭 |

a．×　セラミック骨頭は金属骨頭よりも低靱性で破損しやすいため誤り．

b．×　セラミック骨頭は金属骨頭よりも耐蝕性が高く腐食しにくいため誤り．

c．×　セラミック骨頭は金属よりも表面粗さが低く低摩擦であるため誤り．

d．×　セラミック骨頭はbioinertであり，金

属骨頭のように腐食等によるイオン放出がほとんど生じないため免疫系や術後感染に影響ないことから誤り（近年，セラミックオンセラミックは，むしろ感染率を低下させる効果があるとしたレジストリレベルの報告も存在する）．

e．○　セラミック骨頭は大径であるほど体内破損率が低いことから正解（大径化するほど外部応力が分散されるためと考えられる）．

- 岡正典編．図説整形外科診断治療講座．15 人工関節・バイオマテリアル．メジカルビュー社，1999：196-203．
- 菅野伸彦ほか編．人工股関節全置換術．金芳堂，2012：10-17．
- 山本謙吾編．人工股関節のバイオマテリアル—材料選択からデザインまで．メジカルビュー社，2017：9-21．
- Rahaman MN et al. J Am Ceram Soc 2007；90：1965-1988．
- Pitto RP et al. Clin Orthop Relat Res 2016；474：2213-2218．
- Lee GC et al. J Arthroplasty 2017；32：546-551．

問 3-2-9

正解　d　　金属対金属人工股関節置換術，ARMD，ALVAL

金属対金属人工股関節置換術は，ポリエチレン摩耗に起因する問題を回避でき，大骨頭径による脱臼防止や摩耗量低減が期待できるため，活動性の高い若年者症例に対して適用されてきた．しかし，近年，金属摩耗粉に対する種々の有害反応（adverse reactions to metal debris：ARMD）が生じることが指摘されている．

偽腫瘍の形成や aseptic lymphocyte-dominated vasculitis-associated lesion（ALVAL），関節液貯留が金属摩耗粉に対する生体反応として起こり，新たなタイプの osteolysis を起こすことが示唆されている．

ARMD では術後早期から，血中・尿中の金属イオン濃度の高値を認め，早期の再置換症例の報告もある．原因として，金属アレルギーや金属摩耗粉による細胞毒性などが考えられており，術後3カ月以降の血中金属イオン濃度の計測が望ましい．

- 標準整形外科学．第14版．157-158．
- 神中整形外科学．改訂23版．下巻．926．

問 3-2-10

正解　c　　人工股関節全置換術の合併症，血管損傷

人工股関節全置換術の手術中に発生する主要血管損傷はまれで，その発生頻度は 0.2～0.3% とされている．一般に，初回人工股関節全置換術に比して再置換手術時での発生が多いとされ，術野前方での大腿動静脈・神経の損傷，寛骨臼下縁での閉鎖動静脈の損傷などが挙げられる．

セメントレス人工股関節全置換術において，ソケット金属シェルのスクリュー固定の際に骨盤腔内の血管を損傷する危険性について，Wasielewski は寛骨臼を以下のように4分画し，骨盤内の血管や神経を損傷する危険性を検討している．すなわち上前腸骨棘と寛骨臼の中央を通る線と，同中央を通る垂直な2線で4区画に分画して，前・上 1/4 では外腸骨動静脈，前・下 1/4 では閉鎖動静脈・神経を損傷する危険性がある．

したがってスクリュー刺入は後方分画に刺入するのが安全ではあるが，後・上 1/4 では上殿動静脈や坐骨神経を損傷する危険性が否定できないので，坐骨切痕から指を挿入して，ドリルやスクリュー先から骨盤内腔の血管や神経を保護することを推奨する．

- Canale ST（ed）．Campbell's Operative Orthopaedics. 10th ed. Mosby, 2003：398．
- Wasielewski RC et al. J Bone Joint Surg 1990；72A：501-508．

問 3-2-11

| 正解　c，d，e　　人工股関節全置換術の合併症，坐骨神経麻痺 |

　一般的には，後方進入路で人工股関節全置換術を行う際に，坐骨神経を確認して保護する必要性は低い．しかし，股関節の解剖学的異常が高度な症例，すなわち，① 外旋拘縮例，② 寛骨臼嵌入例，③ 高度の短頚股関節症（coxa breva），④ 再置換例，⑤ 先天性股関節脱臼が挙げられる．

　これらの症例では坐骨神経の走行に異変をきたし，寛骨臼の後面の瘢痕組織内に神経が存在する可能性がある．したがって，坐骨神経を確認し，その可動性を回復させて，保護することが推奨される．

- Canale ST (ed). Campbell's Operative Orthopaedics. 10th ed. Mosby, 2003：397.

問 3-2-12

| 正解　b，c，e　　人工関節，術後感染症 |

　初回人工関節全置換術における術後感染発生率は 0.2〜2.9% 程度と報告されており，膝関節のほうが感染率はやや高い．

　バイオフィルム（biofilm）は細菌の病巣への固着性を増し，物理的な除菌が困難になる．

　遅発性感染は術後 3 カ月以上経過してから発症するもので血行性感染が多く，褥瘡など他部位の開放創，化膿性歯髄炎，尿路感染などの臓器感染によることが多い．

- 日本整形外科学会ほか監．骨・関節術後感染予防ガイドライン．南江堂，2006：11-14.
- 松野丈夫監．人工股関節全置換術［THA］のすべて．第 2 版．メジカルビュー社，2015.

問 3-2-13

| 正解　a，c　　骨溶解，人工関節全置換術 |

　人工関節全置換術後に骨溶解がみられても，必ず症状があるとはいえないが，ないとまではいえない．骨溶解（osteolysis）の原因はセメントによるものとされていたが，セメントレス人工股関節でも出現し，解決すべき問題となっている．日本よりも欧米で特に問題となっている．

　10 μm 以下のポリエチレン摩耗粉を貪食したマクロファージは各種サイトカイン（IL-1，IL-6，TNF-α など）を放出し，破骨細胞が活性化され，骨吸収に関与すると考えられている．その解決方法として，摺動面からの摩耗粉を少なくするような人工関節の改良や選択も行われているが，局所の骨吸収を抑制するためにビスフォスフォネートの投与も試みられている．

- Harris WH. Clin Orthop 1995；311：46.
- 神中整形外科．改訂 23 版．下巻．923-926.

問 3-2-14

| 正解　a，c，e　　人工膝関節全置換術，ポリエチレン摩耗 |

　ポリエチレン厚が薄いと摩耗量は増加し，最小厚でも 6 mm 以上確保することが望ましい．

　γ線照射により分子間の架橋（cross-link）が進むと摩耗量が著しく減少する．

　空気中でのγ線滅菌ではポリエチレンの酸化による劣化をきたし，摩耗増加につながる．これに対し，不活性ガス下でのγ線滅菌やエチレンオキサイドガスによる滅菌では，比較的劣化は少ないといわれている．

　またビタミン E の添加によりポリエチレン摩耗量は減少する．

　摩擦面の温度上昇によりポリエチレン摩耗量は増加する．

- Koval KJ(ed). Orthopaedic Knowledge Update 7. Home Study Syllabus. AAOS, 2002：520.
- 神中整形外科学. 改訂23版. 上巻. 178.

問 3-2-15

| 正解　b　モバイルベアリング人工膝関節全置換術 |

モバイルベアリング人工膝関節全置換術（mobile bearing TKA）のデザインコンセプトは，大腿骨コンポーネントとポリエチレンインサートとの適合性を高め，接触面圧の減少により摩耗の低減を図る一方で，脛骨ベースプレートとポリエチレンインサートとの間に可動性をもたせることによりインプラントと骨界面でのストレスを軽減させようというものである．

インサートは通常，回旋，もしくは回旋に加え前後運動を許容されている．

ベースプレートはインサートとの間に可動性をもつため，耐摩耗性に劣るチタン合金は使用しにくい．

- 神中整形外科学. 改訂23版. 下巻. 1086-1087.

問 3-2-16

| 正解　a, b, d　人工関節, 生体材料 |

人工関節用の金属材料に求められる性質は，生体親和性，強度，耐食性などであり，特に摺動面においては耐摩耗性が要求される．チタン合金は耐摩耗性に劣っており，摺動面にはコバルトクロム合金が用いられることが多い．

- 神中整形外科学. 改訂23版. 上巻. 175-176.

問 3-2-17

| 正解　a, c　生体材料, セラミック |

生体不活性セラミック（bioinert ceramics）は，一般に圧縮に強く硬いが，引っぱりに弱く脆い．

金属，プラスチックおよび骨は比較的大きな塑性変形を示す延性材料であるのに対し，セラミックは弾性限界内で破壊を起こす脆弱性材料である．

セラミックは化学的に安定であり，強い耐食性を示し，耐摩耗性は優れている．

ジルコニアはアルミナより強度に優れ，高靱性のセラミックである．

骨と化学的に結合するのは生体活性セラミック（bioactive ceramics）である．

- 神中整形外科学. 改訂23版. 上巻. 176-178.

問 3-2-18

| 正解　a, d, e　吸収性材料 |

ポリグリコール酸やポリ乳酸が使用されているが，分子量を変えることによって吸収速度を調整することが可能である．

強度的には金属よりも弱い．

吸収性材料では，分解が速すぎると，分解産物や層状に剥離した材料により異物反応が起こり，遅発性の無菌性腫脹をきたすことがある．

生体内で加水分解を受け，分解産物は二酸化炭素と水になって排泄される．

縫合糸と骨接合材が主な用途であるが，骨接合材としての利点は抜釘の必要性がないこと，および金属腐食の心配がないことである．

- 神中整形外科学. 改訂23版. 上巻. 180-181.

問 3-2-19

| 正解　e　生体材料, リン酸三カルシウム |

β-TCP は緻密焼結体の場合で圧縮強度はハイドロキシアパタイト（HA）と同程度であり，破壊靱性は HA よりも高い．

1カ月で骨組織と直接結合し，良好な生体親和性を示す．

気孔の連通性がよく，周囲正常骨からの新生骨形成能が旺盛である．

その後，早期に吸収され，骨と置換される．
- 神中整形外科．改訂23版．上巻．177．
- 標準整形外科．第14版．198．

問 3-2-20

| 正解 b, c 骨セメント, 生体材料 |

a. ×　骨と化学的に結合しない．
b. ○　引っぱり強度より圧縮強度が高い．
c. ○　気泡の混入は力学的強度を低下させる．
d. ×　使用するものは，メチルメタクリレートの液体モノマーとメチルメタクリレートの粉末ポリマーである．
e. ×　モノマーとポリマーの温度が高いほど硬化時間は短くなる．

PMMA(ポリメタクリル酸メチル，poly-methyl methacrylate)を主成分とする骨セメントは整形外科領域で広く使用され，半世紀にも及ぶ長い歴史をもつ．メチルメタクリレートの液体モノマーとポリマー粉末を混合すると過酸化ベンゾイルが触媒として作用し，重合反応が開始する．重合の進んだ骨セメントが人工関節と骨との間で完全に硬化することで両者を機械的に結合する．

PMMA骨セメントのほかにガラスイオン共有結合性セメント，リン酸カルシウムとPMMAからなる生体活性ガラスセメント，リン酸カルシウムやポリプロピレン-フマル酸からなる吸収性セメントなどが開発された．現在，人工関節手術でインプラントや骨との境界面の過酷な生体力学負荷に長期にわたって十分耐えうることが示されているのはPMMA骨セメントのみである．人工関節手術で骨セメントの果たす役割は大きく，インプラントの固定や骨インプラント間の充填剤として用いられ，インプラントから伝達される応力をうまく周囲の骨に伝え，さらに適度な応力分布や応力の緩和によって，安定した関節機能の維持と人工関節周囲の骨のリモデリングに貢献する．骨セメント使用時は，操作に習熟することと合わせて，骨セメントの物理化学的性状を理解することが大切である．
- 高木理彰ほか．臨床整形外科 2007；42：623-630．

問 3-2-21

| 正解 a, c チタン合金 |

チタン合金の弾性率は110 GPaであり，ステンレスやコバルトクロム合金の約半分である．

生体親和性に優れ，アルカリ化処理により生体と化学的に結合する．

ただし耐摩耗性に劣るため，摺動面への使用には適しない．

耐食性にも極めて安定している．

チタン合金はステンレスやコバルトクロムと比較すると軽量でありながら，強度的には遜色がない．
- 神中整形外科．改訂23版．上巻．176．

問 3-2-22

| 正解 e 人工関節, 金属アレルギー |

金属アレルギーとは，金属から溶出した金属イオンをハプテンとするIV型アレルギー反応である．

発生頻度はニッケル，コバルト，クロムなどによるものが高く，チタン合金によるものは低い．ただし，チタン合金に含まれるアルミニウムやバナジウムに対して，アレルギーの報告がある．

パッチテストの感度と特異度は 70〜80％であり，偽陽性，偽陰性が多くなる可能性がある．

また，リンパ球幼若化反応をみるリンパ球刺激試験が有用である．

- 標準整形外科学．第14版．157-158．

問 3-2-23

| 正解 e | 生体材料，引っぱり強度 |

海綿骨 12 MPa，皮質骨 120 MPa，骨セメント 25 MPa，コバルトクロム合金 700 MPa，チタン合金 950 MPa．

- 神中整形外科学．改訂23版，上巻．174-181．

問 3-2-24

| 正解 d，e | 人工肘関節全置換術の合併症 |

人工肘関節全置換術では尺骨神経を露出するため，尺骨神経麻痺を生じやすい．また，術後の人工関節の脱臼は気をつけなければならない合併症である．

- Canale ST(ed). Campbell's Operative Orthopaedics. 10th ed. Mosby, 2003：517.

問 3-2-25

| 正解 b，c | 血管柄付き骨移植 |

腸骨は 10 cm 以上採取すると，腸骨の弯曲により，長管骨に移植・固定する手技が煩雑になる．したがって，血管柄付き腸骨移植の適応は 6〜8 cm 前後の骨欠損例である．

また骨採取にあたっては，腸骨の全層および軟部組織を採取することから腹壁ヘルニアの対策が必要であり，同時に大腿外側皮神経にも注意を払う必要がある．

肩甲骨の最大の特徴は，広背筋や成人で長径 30 cm 以上の肩甲皮弁を採取できることであり，血行のよい軟部組織が感染を沈静化させるのに役立つ．

また肩甲骨外側縁は海綿骨を含んだ長管骨に近い形態をしており，腓骨と同様に用いることもある．

肋骨のもっともよい適応といわれているのが，下顎の再建である．

- Canale ST(ed). Campbell's Operative Orthopaedics. 10th ed. Mosby, 2003：3335-3343.
- 標準整形外科学．第14版．211．
- 神中整形外科学．改訂23版，上巻．102-103．

2）麻酔，輸血

問 3-2-26

| 正解 d | 局所麻酔薬の血中濃度 |

a．局所麻酔薬の血液への移行は，投与量(mg)と投与部位の血流分布に依存する．同種同量の局所麻酔薬を注入して比較すると，血中濃度がもっとも高くなるのは肋間神経ブロックで，次いで仙骨硬膜外麻酔，硬膜外麻酔，腕神経叢ブロック，坐骨神経ブロック，皮下注射の順となる．肋間神経ブロック後の血中濃度は，腕神経叢ブロックの2倍以上になる．硬膜外麻酔による血中濃度に関しては，頚部，胸部，および腰部での違いはない．

b，d．臨床使用量の範囲では投与量(mg)と血中濃度の間には直線的関係があるが，使用した局所麻酔薬濃度とは相関しない．

c．エピネフリンの添加により吸収速度が低下し，血中局所麻酔薬濃度の上昇を抑えられる．ただし，硬膜外腔に2時間以上持続注入すると，血中局所麻酔薬濃度は，エピネフリン添加の有無による有意差がなくなることに注意したい．

e．局所投与された局所麻酔薬は，血中へ移行し，血漿蛋白質あるいは組織蛋白質と結合し，一部は肝臓で代謝される．患者の体重を考慮せ

ずに，一律に投与量を決めれば，低体重患者では，相対的に過量投与となり，血中局所麻酔薬濃度は高くなる危険性がある．

その他の決定因子として，薬剤の種類（個々の薬剤により吸収速度・代謝速度・分布用量が異なり，このため血中濃度に差異が生じる），注入速度（硬膜外投与では迅速な1回投与のほうが緩徐な投与よりも血中濃度上昇は速い），全身状態（心拍出量低下あるいは肝硬変の重症度と血中濃度は正の相関を示す）が挙げられる．

- 釘宮豊城ほか編著．図解局所麻酔ハンドブック．中外医学社，1996：13-19．
- Cousins MJ et al(ed). Neural Brockade in Clinical Anesthesia and Management of Pain. JB Lippincott, 1998：55-95．

問 3-2-27

| 正解 | a, c, e | 局所麻酔，中毒 |

局所麻酔中毒の中枢神経系の作用は初期には大脳皮質の抑制系の遮断に伴う刺激症状から生じ，舌，口唇のしびれ，金属用の味覚，多弁，呂律困難，興奮，めまい，視力・聴力障害，ふらつき，痙攣などが生じる．

その後，興奮経路の遮断が生じると抑制症状としてのせん妄，意識消失，呼吸停止などが引き続く．

リドカインの極量は500 mgである．1％リドカインの場合は50 mLである．

エピネフリンを添加すると局所の血管は収縮し，局所麻酔薬の吸収遷延，作用時間の延長，血中濃度上昇の抑制がみられる．

痙攣の治療としてはベンゾジアゼピン系薬が推奨されている．

- 武田純三ほか編．麻酔実践テキスト．南江堂，2008：204-214．
- 日本麻酔科学会ほか．局所麻酔薬中毒への対応プラクティカルガイド．2017<https://anesth.or.jp/files/pdf/practical_localanesthesia.pdf>［2021年4月閲覧］．

問 3-2-28

| 正解 | d | 局所麻酔，副作用 |

Naチャネルブロッカーである局所麻酔薬は，Naチャネルの存在する中枢神経や心筋に作用し，副作用を発現する．

まず中枢神経系の症状が出現し，次いで心・循環器系の症状が出現する．

局所麻酔薬中毒は用量依存性に，初期抑制期，興奮期，後期抑制期，痙攣の順に，4相性の中枢神経系変化が起こる．興奮期ではγアミノ酪酸（gamma-aminobutyric acid：GABA）作動性ニューロンの抑制により，抑制性ニューロンの抑制による興奮作用が生じる．

さらに局所麻酔薬が過量になると興奮性ニューロンの抑制によって鎮静や意識消失を生じ，心収縮が抑制される．

- 弓削孟文監．標準麻酔学．第6版．医学書院，2011：47-48．

問 3-2-29

| 正解 | c | 脊髄くも膜下麻酔 |

通常，脊髄くも膜下麻酔には髄液より比重を高くした局所麻酔薬が使用されるので，血圧が下がってただちに頭低位とすると，神経遮断域が頭側に広がりいっそうの血圧低下を招く可能性がある．

小児では成人に比べ脊髄下端がより尾側にあるので，くも膜下穿刺はL4/L5で実施する．

低比重液を用いるときは患側を上にする．

患肢のみ片側麻酔を目指す場合は，注入後少なくとも15分間はそのまま側臥位を保つ必要がある．

下肢に生じるターニケットペインの防止に

は，無痛域がT4デルマトーム付近まで広がる必要がある．

問 3-2-30

| 正解 e 脊髄くも膜下穿刺後の合併症 |

できるだけ径の細い針を使うが，それでも頭痛が発生することはある．

脊髄くも膜下穿刺後の頭痛は，髄液の漏れ，髄液圧の低下と関連するといわれている．したがって，この頭痛は坐位・立位で増強し，臥位で軽減する．若い女性に多くみられる．

脊髄くも膜下穿刺後に頭痛を訴える患者のCTに頭部くも膜下に流入した空泡が認められ，頭痛の原因の1つとして疑われている．

複視は髄液圧の低下に起因した一過性の動眼神経麻痺と考えられている．

問 3-2-31

| 正解 e 脊髄くも膜下麻酔 |

成人の脊髄円錐はL1またはL2上縁付近のため，穿刺はL2より尾側で行う．

水平仰臥位のときは，一般にL3がもっとも高く，T5がもっとも低い位置にある．

交感神経節前線維はT1からL2の側角から出る．

心臓交感神経（T1～T4）がブロックされると心拍数は減少し，心収縮力は抑制される．

肋間神経のT5～T12がブロックされて腹直筋が麻痺しても分時換気量はほとんど影響を受けないが，T1～T12がブロックされ肋間筋が麻痺すると，胸腔内圧を高めることができず咳をすることが困難となる．

横隔神経（C4）がブロックされて横隔膜が麻痺すると，人工呼吸が必要になる．

- 弓削孟文監．標準麻酔学．第6版．医学書院，2011：105-107．

問 3-2-32

| 正解 a，e 硬膜外麻酔 |

a．○ 硬膜外麻酔は脊髄くも膜下麻酔に比べ分節麻酔ができる利点がある

b．× 筋弛緩効果は弱い．

c．× 硬膜外は静脈叢に富み，局所麻酔薬中毒になりやすい．

d．× 必要な局所麻酔薬の量は体重より身長とよく相関する．

e．○ 胸部硬膜外麻酔下では心臓を支配する交感神経は遮断されるが，迷走神経は遮断されないので，相対的に副交感神経優位となり徐脈になりやすい．

問 3-2-33

| 正解 a，b，e 硬膜外麻酔 |

硬膜外麻酔では，麻酔の発現が緩徐であるため血圧低下も徐々に起こり，また通常用いられる量・濃度では，肋間筋・横隔膜の麻痺をもたらすことはなく呼吸抑制も強くはない．

合併症や後遺症が少ないとされている一方で，筋弛緩が不十分で手技がやや難しく，局所麻酔薬の投与量も多いため，脊椎麻酔よりも局所麻酔中毒を起こしやすいなどの欠点がある．

麻酔効果は脊椎麻酔に劣るものの持続時間は長い．

- 武田純三監．ミラー麻酔科学．第6版．メディカル・サイエンス・インターナショナル，2007：1287，1291-1292．
- 武田純三ほか編．麻酔実践テキスト．南江堂，2008：229．

問 3-2-34

| 正解　c, d　　低酸素血症 |

　低酸素血症とは，動脈血酸素分圧の低下を意味する．酸素分圧は，血液の液体成分に溶存している酸素濃度であり，必ずしも，酸素運搬量を意味するものではない．

　気管内チューブが一側の気管支内に入ると，片肺換気になるので酸素分圧が低下する．

　大腿骨頭置換の骨セメント挿入時，髄内の高温・高圧閉鎖空間から空気や脂肪滴などが血中に入りやすくなり，肺血栓塞栓症を招く可能性が指摘されている．

　大量出血に対する輸液で血液希釈が起こっても，血液に物理的に溶解している酸素（酸素分圧）は低下しない．ただし，血中のヘモグロビン（Hb）濃度が低下するので，Hbと化学的に結合している酸素（酸素含量）は低下する．

　側臥位では，分泌物の流入により下側肺に無気肺が発生するなど酸素分圧が低下することがあるが，腹臥位では起こりにくく，腹臥位で，残気量と酸素化が改善することを示した報告が多い．ただし，これらは腹部の動きを妨げないように，適切な腹臥位がとられていることが前提である．

　手術操作により横隔膜が圧迫されると肺胞低換気を招き，酸素分圧が低下する．

- 花岡一雄編著．臨床麻酔のコツと落とし穴．Part 1．中山書店，1996：184．
- Pelosi P et al. Minerva Anestesiol 2001；67：238-247.
- Rehder K. Acta Anaesthesiol Scand 1998；113[Suppl]：13-16.
- Pelosi P et al. Anesth Analg 1995；80：955-960.
- 花岡一雄ほか編．臨床麻酔学全書．上巻．真興交易医書出版部，2002：873-886．

問 3-2-35

| 正解　d　　麻酔薬，鎮痛薬 |

　静脈麻酔薬のプロポフォールは，鎮静後に乳酸アシドーシスを発症し，治療抵抗性の徐脈の発現と不全収縮，心静止に至る症例があり（プロポフォール症候群），小児への長期大量投与は禁忌とされている．

　フェンタニル，モルヒネなどのオピオイドには呼吸抑制，悪心・嘔吐，便秘，掻痒感などの副作用がある．

　フルルビプロフェン（ロピオン）はNSAIDsであり，呼吸抑制はきたさない．

　ペンタゾシンの呼吸抑制は強くはないが，悪心・嘔吐の頻度は高い．

- 日本麻酔科学会編．麻酔薬および麻酔関連薬使用ガイドライン．第3版．2012：427-429．
- 弓削孟文監．標準麻酔学．第6版．医学書院，2011：39-42，58．

問 3-2-36

| 正解　e　　脊椎手術の麻酔 |

　頚椎患者では，麻酔導入時の頭頚部後屈により神経症状が悪化することがあるので，術前回診時に十分評価しておく．頚椎不安定性があったり頚部の前後屈により神経症状が出現するようであれば意識下にファイバースコープのガイド下に気管挿管を行う．

　神経症状が出現しなければ原則急速導入が可能であるが，主治医とよく相談することが重要である．

　麻痺のある患者にサクシニルコリンを使用すると，筋細胞から大量のカリウムイオンが遊離し，心停止をきたす恐れがあるので使用は避けるべきである．

　腹臥位手術の場合，体位変換時の血圧低下，気管内チューブの事故抜去，換気不全などに十

分注意する．

頸椎手術患者での緊急再挿管は困難であるため，抜管は十分に覚醒してから行う．ただし骨移植術を施行した場合，激しいバッキングによる移植骨の脱転の可能性があるため，吸引操作を麻酔の深い時期に行ったり，主治医に頸部を保持させるなどの工夫が望ましい．

- 小栗顕二編著．麻酔の研修ハンドブック．第2版．金芳堂，1993：393-394．

問 3-2-37

正解　b　　術中輸血

赤血球補充の第一義的な目的は，末梢循環系へ十分な酸素を供給することであるが，循環血液量を維持するという目的もある．急速な出血ではHb値低下（貧血）と循環血液量の低下が発生する．

循環血液量の15％の出血（class I）では，軽い末梢血管収縮あるいは頻脈を除くと循環動態にはほとんど変化は生じない．15～30％の出血（class II）で頻脈や脈圧の狭小化がみられ，患者は不安感を呈するようになる．30～40％の出血（class III）では，その症状はさらに顕著となり，血圧も低下し，精神状態も錯乱する場合もある．40％を超える出血（class IV）では，嗜眠傾向となり，生命的にも危険な状態とされている．

赤血球濃厚液と新鮮凍結血漿を併用して，全血の代替とすべきではない．実際に凝固異常を認める症例は極めて限られており，また，このような併用では輸血単位数が増加し，感染症の伝播や同種免疫反応の危険性が増大するからである．

通常Hb値が7～8 g/dLあれば十分な酸素の供給が可能であり，10 g/dLを超える場合は輸血を必要とすることはないが，6 g/dL以下では輸血はほぼ必須とされている．

循環血液量（mL）は体重（kg）×70 mL/kgで換算される．

- 厚生労働省医薬食品局血液対策課編．血液製剤の使用指針（改訂版）．2012：18-25．

問 3-2-38

正解　a，c　　自己血輸血

a．○

b．×　術中回収洗浄式では血漿成分は温存されない．

c．○

d．×　貯血式自己血の濃厚赤血球液の使用期限は42日以内（MAP保存液の場合）である．

e．×　悪性腫瘍手術時の回収式自己血の利用は腫瘍を播種する可能性があることから控えられる．

- 日本自己血輸血・周術期輸血学会．貯血式自己血輸血の概要と実際＜http://www.jsat.jp/jsat_web/jissai/cyoshiki.html＞［2021年4月閲覧］．
- 標準整形外科学．第14版．185．

問 3-2-39

正解　a，c，e　　貯血式自己血輸血

a．○　年齢制限はないが高齢者は合併症に，若年者は血管迷走神経反射に注意する．

b．×　抗凝固薬内服患者には20～30分の圧迫止血を行う．

c．○　菌血症の恐れのある細菌感染患者，不安定狭心症患者，中等度以上の大動脈弁狭窄症患者，NYHA IV度以上の患者からは採血をしない．

d．×　体重制限はないが，50 kg以下の患者は400 mL×体重/50 kgを参考とする．

e．○　Hb値は11 g/dL以上を原則とする．

- 土屋弘之ほか編．今日の整形外科治療指針．第7版．医学書院，2016：18-19．

- 国分正一ほか編．今日の整形外科治療指針．第6版．医学書院，2010：33-35．
- 日本自己血輸血学会．貯血式自己血輸血実施指針 (2014)＜http://www.jsat.jp/jsat_web/down_load/pdf/cyoketsushikijikoketsu_shishin2014_05.pdf＞[2021年4月閲覧]．

3）感染予防

問 3-2-40

| 正解　a，d，e　　手術室感染対策 |

ヒト免疫不全ウイルス(HIV)感染症患者からの血液または体液の経皮的曝露によるHIV感染のリスクは0.3％とされ，抗体をもたない医療従事者においてHBe抗原陽性患者からの針刺し事故によるB型肝炎ウイルス(HBV)感染のリスクは37％とされる．

感染患者用手術室は手術室外に微生物などの感染源をまき散らさないように周囲に対して陰圧に保つ．

エチレンオキサイド滅菌では滅菌物にガスが残留するため十分なエアレーションが必要である．

クリーンルームの清浄度は単位体積あたりの塵埃数と細菌数で示され，NASA基準のクラス100が層流型無菌手術室に，クラス10,000が通常手術室に適する．

HBVで汚染された器材の中で，加熱できないものは塩素系消毒薬，2％グルタールアルデヒド，ホルムアルデヒドまたはエチレンオキサイドガスで滅菌処理する．

- 麻酔科専門医試験対策研究会編．第47回(2008年度)麻酔科専門医認定筆記試験問題解説集．克誠堂出版，2009：103，105．

問 3-2-41

| 正解　a，d，e　　感染防止，手術部位感染 |

手術部位感染(surgical site infection：SSI)については，迷信的な思い込みや根拠のない習慣が多く存在し，EBMとしての指針がなかった．1999年に発表されたCDC(Center for Disease Control and Prevention)のガイドラインは，文献より当時最新のエビデンスを集積，分析して作成されたものであり，日本でもこのガイドラインが推奨されている．本ガイドラインは2017年に改訂された．

SSIを低下させるためには，病棟での剃毛を行わないこと(表在菌，常在菌の増加)，周術期の血糖値を200 mg/dL以下にコントロールすること，少なくとも手術前30日から禁煙させること，インサイズドレープの使用などが推奨されている．

医療法施行規則の改定により，手洗い水は水道水でもよいことになった．

清潔な手術用サンダルなどに履き替える必要もない．

- 針原康．日手術医会誌 2008；29[Suppl]：S47-S59．
- Mangram AJ et al. Infect Control Hosp Epidemiol 1999；20：247-280．
- Sandra I et al. JAMA Surg 2017；152(8)：784-791．

問 3-2-42

| 正解　a，e　　手術部位感染 |

a．○
b．×　抗菌薬の2剤投与が，単剤投与より術後SSIを減少させるというエビデンスはない．
c．×　第一および第二世代セフェム系薬が推奨されている．
d．×　駆血帯は抗菌薬を投与してから10〜20分後に使用を開始する．

e．○
- 日本整形外科学会ほか監．骨・関節術後感染予防ガイドライン2015．第2版．南江堂．2015：18，66-95．
- 標準整形外科学．第14版．185．

問3-2-43

| 正解　d，e　　感染防止，手術部位感染 |

a．×　病棟での剃毛は表在菌・常在菌を増加させる．特にカミソリによる剃毛は皮膚を損傷する可能性が高いため，行うべきではない．
b．×　少なくとも手術前30日から禁煙させることが推奨されている．
c．×　手洗い水は水道水でもよい．
d．○　周術期の血糖値を，200 mg/dL以下にコントロールすることが推奨されている．
　周術期血糖コントロール：高血糖状態が持続すると，免疫学的防御機構が低下し感染のリスクが上昇する．高血糖による好中球の遊走能や貪食能の低下は，手術により発生する創部への感染リスクや創傷治癒遷延のきっかけとなる．また，全身麻酔や手術侵襲によるストレスから，副腎皮質刺激ホルモン，コルチゾール，グルカゴン，カテコラミンなどのインスリン拮抗ホルモンが過剰となり，血糖は上昇する．手術後の高カロリー輸液などでも容易に高血糖に陥る可能性があり，高血糖による利尿過多による脱水，インスリン欠乏状態から脂肪やタンパクの異化が亢進し，糖尿病性ケトアシドーシスなどの深刻な状態に陥ることもある．
e．○　人工関節置換術後のSSI発生予防のための抗菌薬の投与期間は，術後48時間以内が適切である．
　術後抗菌薬投与に関して：術後の予防抗菌薬は，耐性菌選択予防の観点から，長期投与と比較し同等のSSI予防効果が得られる短期投与期間の設定が必要となってくる．しかし必ずしもすべての術式でRCTによる適切な予防抗菌薬の投与期間が証明されているわけではない．
　SSIは術中の細菌による汚染が原因であり，手術終了後数時間適切な抗菌薬濃度が維持されれば，術後の投与は必要がないとする報告が多い．実際多くのRCTやメタ解析で術前1回投与は，より長期投与と比較しSSI発症率において非劣性が証明されている．
　人工関節置換術において，同じ抗菌薬の単回投与と複数回投与の効果の比較したRCTのメタ解析では，単回投与は推奨できないとの報告がある．また，どのくらいの期間投与すると耐性菌によるSSIなどの有害事象が増加するかの，人工関節置換術における報告はみられず，脊椎インストゥルメンテーション手術においての報告においては，長期投与群では耐性菌による深部SSI発生率が有意に高かったとされている．心臓外科の手術では24時間投与で胸骨創感染などが高率となることが報告されており，48時間投与が推奨されている．また，日本で広く実施されている侵襲度が高く，かつSSIが高率な術式においては，RCTで短期投与の妥当性が証明されていない限りは，現状を鑑み48〜72時間の勧告が行われている．ただし，72時間以上の予防抗菌薬使用は，耐性菌による術後感染のリスクとなることは知られている．

- 日本整形外科学会ほか監．骨・関節術後感染予防ガイドライン2015．第2版．南江堂，2015：39-80．
- 標準整形外科学．第14版．185．
- 品川長夫．日化療会誌2002；50：313-318．

問3-2-44

| 正解　a，b　　手術部位感染，感染予防，抗菌薬 |

a．×　整形外科領域の清潔手術においてSSI発生予防のために適した抗菌薬として第一および第二世代セフェム系薬が推奨される．

b. × 抗菌薬の2剤投与が，単剤投与より術後SSIを減少させるというエビデンスはない．
c. ○ 患肢が駆血されるために抗菌薬投与後10～20分あけてから駆血帯を使用する．
d. ○ 人工関節置換術では第一あるいは第二世代セフェム系薬を術後24～48時間まで6～8時間ごとに投与する方法が広く用いられている．
e. ○

- 日本整形外科学会ほか監．骨・関節術後感染予防ガイドライン2015．第2版．南江堂，2015．
- 標準整形外科．第14版．185．

問 3-2-45

| 正解　b, e | 手術部位感染，感染予防 |

a. × 減少は明らかでない．
b. ○
c. × 減少するという明確なエビデンスはない．
d. × 減少するというエビデンスはない．
e. ○

- 日本整形外科学会ほか監．骨・関節術後感染予防ガイドライン2015．第2版．南江堂，2015：43，52-53，55，57．

問 3-2-46

| 正解　b | 人工関節，深部感染 |

人工関節置換術後の感染が疑われる場合，もっとも大切なことは，穿刺液や手術的に組織を採取して細菌学的な検査を行うことである．
細菌の検索前に安易に抗菌薬を投与することは，細菌を検出しにくくするので控えるべきである．
術後早期の感染では，単純X線像で特に所見はないことが多い．
骨シンチグラムでは取り込みがみられるが，必ずしも正確ではない．

- 整形外科クルズス．第4版．840-841．

問 3-2-47

| 正解　a, b, d | 脊椎手術の周術期管理と合併症 |

術後血腫は脊髄を圧迫し麻痺を生じることがあるので注意を要する．術後血腫を予防する目的でドレーンを留置する．硬膜切開を行った患者では，縫合しても術後に髄液の漏出により脳脊髄圧が低下し，頭痛が生じることがある．
脊椎手術で腹臥位により後方アプローチする場合，長時間の眼球圧迫は失明の原因となり麻酔科医と協力して常に眼球圧迫が起こらないように注意しなければならない．
静脈造影を行うと，脊椎手術後にも約15％の症例で深部静脈血栓が発生している．
低アルブミン血症や低ヘモグロビン血症では，褥瘡の発生が増す．
インストゥルメンテーション手術では，感染予防に極力努めなければならないが，抗菌薬の予防投与は48～72時間で十分である．

- 神中整形外科．改訂23版．下巻．136-147．

問 3-2-48

| 正解　a, d, e | 抗菌薬 |

アンピシリンはペニシリン系薬剤である．
オフロキサシンはニューキノロン系抗菌薬であり，作用機序はDNA合成阻害薬である．
ゲンタマイシンなどのアミノグリコシド系抗菌薬は蛋白質合成阻害薬であり，細菌の30Sリボソームサブユニットに不可逆的に結合し蛋白質合成を阻害する．
βラクタム薬であるペニシリンとセファロスポリンは細胞壁の架橋反応を阻害し細胞壁を脆

弱化させる．

バンコマイシンは細胞壁の構成要素であるムレインモノマーと結合して細胞壁の合成を阻害する．

ホスホマイシンはムレインモノマー産生を阻害する．

4）深部静脈血栓症（DVT）

問 3-2-49

正解　c　　静脈血栓塞栓症の予防，リスクの階層化

静脈血栓塞栓症予防ガイドラインでは，脊椎手術は中リスク，股関節骨折手術は高リスクに属する．

予防策として低リスクには早期離床あるいは積極的下肢運動，中リスクには弾性ストッキングあるいは間欠的空気圧迫法，高リスクには間欠的空気圧迫法あるいは抗凝固療法，最高リスクには抗凝固療法が推奨されている．

- 日本整形外科学会肺血栓塞栓症/深部静脈血栓症予防ガイドライン改訂委員会編．日本整形外科学会 静脈血栓塞栓症予防ガイドライン．南江堂，2004：23，46．

問 3-2-50

正解　a，b　　深部静脈血栓症

a．× 性別は，深部静脈血栓症のリスク因子として挙げられていない．

b．× 深部静脈血栓症のリスク因子として，肥満が挙げられている．

c．○ 下肢の麻痺では下腿筋の自動運動低下により静脈血流の停滞を生じるため，深部静脈血栓症のリスク因子になる．

d．○ 臥床により下腿筋の自動運動が低下することにより，静脈血流の停滞が生じるため，深部静脈血栓症のリスク因子になる．

e．○ ギプス固定による運動制限のため，静脈血流量が低下して血流の停滞を生じる．さらに外傷による侵襲で，血液凝固能の亢進を生じることから，リスク因子になる．

- 日本整形外科学会監．日本整形外科学会 症候性静脈血栓塞栓症予防ガイドライン2017．南江堂，2017：14-17．

問 3-2-51

正解　a，d　　深部静脈血栓症

a．○ 高齢，肥満，心疾患などがDVTの危険因子であり，また下肢人工関節術後や股関節骨折術後に多発する．

b．× 症状を呈するのは10%程度である．

c．× 薬剤によっても異なるが，通常術後24時間を経過して開始する．

d．○

e．× DVTを認めたときにはフットポンプの使用は禁忌である．

- 標準整形外科学．第14版．288，746-747．
- 日本循環器学会ほか．肺血栓塞栓症および深部静脈血栓症の診断，治療，予防に関するガイドライン（2017年改訂版）＜https://j-circ.or.jp/cms/wp-content/uploads/2017/09/JCS2017_ito_h.pdf＞[2021年4月閲覧]．

問 3-2-52

正解　d，e　　人工股関節全置換術の合併症，深部静脈血栓症

人工股関節全置換術後の深部静脈血栓症は骨盤内，大腿，下腿の静脈に発生することが知られている．一般的には下腿後面の深部静脈に初期発生し，大腿や骨盤内の静脈に拡大するとされるが，骨盤内や大腿深部静脈に分離して初発することもある．血栓塞栓症を発症する危険因

子として，①血栓塞栓症の既往者，②静脈手術や静脈瘤の保有者，③同側股関節の手術既往者，④高齢者，⑤担癌者，⑥うっ血性心不全患者や下肢の有腫脹者，⑦長期の不動，⑧肥満，⑨経口避妊薬やホルモン薬の服用者，⑩大量輸血者，が挙げられる．

人工股関節全置換術後の深部静脈血栓症の臨床診断は基本的には，①下腿後面や大腿部の疼痛ならびに圧痛，②Homans徴候，③下肢の腫脹と発赤，④軽度の発熱，⑤脈拍促進，でなされる．膝を屈曲位にして足関節を背屈させることにより腓腹部に疼痛が出現するのをHomans徴候という．下肢の深部静脈血栓症に特異的な検査ではない．

- Canale ST (ed). Campbell's Operative Orthopaedics. 10th ed. Mosby, 2003：408.

問3-2-53

| 正解　d, e | 脊椎手術，深部静脈血栓症の予防 |

肺血栓塞栓症/深部静脈血栓症予防ガイドラインによれば，脊椎手術は中リスクであり，弾性ストッキングあるいは間欠的空気圧迫法や術後の積極的な下肢自動運動，早期離床が予防法として推奨されている．脊椎手術は血腫による神経麻痺が発生する可能性があり，予防的な抗凝固療法は現状では推奨されない．

- 日本整形外科学会監．症候性静脈血栓塞栓症予防ガイドライン2017．南江堂，2017：55.

問3-2-54

| 正解　b | 人工股関節全置換術の合併症，深部静脈血栓症 |

下肢深部静脈血栓症は，人工股関節全置換術の合併症として日本でも増加傾向にあると考えられる．

抗凝固療法を行わなかった際の下肢深部静脈血栓症の発生率は全体で42～57%と高率である．

脊椎麻酔や硬膜外麻酔は交感神経遮断効果により全身麻酔より発生頻度を低下させると考えられているが，抗凝固療法併用時には硬膜外血腫の危険性が高まる．

人工股関節全置換術は高リスク群として，間欠的空気圧迫法を含む複数の理学的療法あるいは抗凝固療法（ワルファリン，未分画ヘパリン，ファオンダパリヌクス，エノキサパリン）が推奨されている．

深部静脈血栓症の既往あるいは血栓性素因の存在がある最高リスク群には，抗凝固療法が推奨されている．

- 日本整形外科学会監．症候性静脈血栓塞栓症予防ガイドライン2017．南江堂，2017：45-48.

問3-2-55

| 正解　c | 人工股関節全置換術の合併症，肺血栓塞栓症 |

人工股関節全置換術後の致死性肺血栓塞栓症の発症は，Johnsonらの集計では，術後1週目が9.7%，2週目が54.2%，3週目が22.9%，4週目が8.4%であったとしている．欧米における複数の報告では術後2～3週目がもっとも危険な時期とされている．

- Johnson R et al. Clin Orthop 1978；132：24-30.
- Fredin HO et al. Acta Orthop Scand 1982；53：407-411.
- Canale ST (ed). Campbell's Operative Orthopaedics. 10th ed. Mosby, 2003：408.

疾患総論

4 疾患総論

1 骨・関節の感染症
Q ▶ p.52-57

1）一般化膿性疾患

問 4-1-1

| 正解 | a, b, e | 化膿性股関節炎 |

化膿性股関節炎はいずれの年齢にも発症するが，乳児，特に新生児に発症することが多い．
90％以上は片側性で黄色ブドウ球菌がもっとも多い．
血行性感染がほとんどで，大腿骨頚部骨幹端部の血行性骨髄炎が直接関節内に波及して化膿性関節炎を生じたものが主である．
初期にはX線像にて，大体骨骨幹端部，骨端核の側方化および軟部組織の腫脹が認められる．
診断や適切な処置が遅れると大腿骨頭が破壊され脱臼や脚長差を生じるため，ただちに関節包切開による排膿を行うべきである．
● 標準整形外科学．第14版．231-232．

問 4-1-2

| 正解 | a, c | 急性化膿性骨髄炎，腐骨 |

罹患部の骨組織は壊死に陥り腐骨を形成する．腐骨周辺の生きている骨や持ち上がった骨膜から反応性の骨形成が起こり，腐骨を囲む．これを骨柩（involucrum）と呼ぶ．
急性骨髄炎は主として学童期の小児に多く，黄色ブドウ球菌の感染によるものがもっとも多い．
骨髄内の炎症と骨髄内圧の上昇のため局所の疼痛が起こるが，新生児や乳児では痛みのため患肢を動かさないので，あたかも運動麻痺が起こったような症状を呈する．これを仮性麻痺と呼ぶ．
大腿骨，脛骨の骨幹端部に多く，扁平骨に起こるものはまれである．小児の骨幹端部では，毛細血管係蹄の類洞（sinusoid）で血流が停滞し，細菌が増殖しやすいといわれている．
単純X線像で骨膜反応や骨萎縮，吸収像が出現するには時間を要するため，早期診断にはMRIが有用である．
● 神中整形外科学．改訂23版．上巻．424-428．
● 標準整形外科学．第14版．226-228．

問 4-1-3

| 正解 | c, d, e | 慢性化膿性骨髄炎，腐骨 |

急性化膿性骨髄炎の診断遅延や不適切な治療により，腐骨が残って慢性骨髄炎になる．
急性期のような高熱を呈することは少ないが，局所に瘻孔を伴い排膿をみる．
感染の骨破壊による局所の骨脆弱性が起こり，軽微な外力でも病的骨折を起こすことがある．
過労や体調不良時に感染が再燃・増悪する場合が多い．
腐骨が残っている限り完治しないため，外科的には腐骨摘出術と病巣掻爬を行う．生じた死腔に抗菌薬入りセメントビーズを留置する場合

や，持続洗浄を行うこともある．

手術に際しては単純X線像，CT，MRI，骨シンチグラム，瘻孔造影像などから病巣の範囲をあらかじめ把握しておく．

- 神中整形外科学．改訂23版．上巻．429-434．
- 標準整形外科学．第14版．228．

問 4-1-4

| 正解 | b, e | 化膿性脊椎炎 |

化膿性脊椎炎の多くは血行性感染であり，易感染性宿主など中高齢者で報告が多い．このため，高齢化に伴い近年増加傾向である．

椎間板手術や造影検査の合併症として細菌の直接侵入により発生するものもある．起炎菌は黄色ブドウ球菌が多い．血行性には骨盤内臓から側副血行路である Batson 静脈叢（椎骨静脈叢）を経由して感染が起こる．また脊椎の静脈系は壁が薄く静脈弁を有さないため，血流が停滞しやすいとされている．

感染は椎体終板付近から起こり早期に椎間板へと波及する．

頸椎罹患例のほうが腰椎罹患例よりも神経麻痺の危険は高い．

- 標準整形外科学．第14版．229-231．
- 伊藤達雄ほか編．臨床脊椎脊髄医学．三輪書店，1996：410-413．

問 4-1-5

| 正解 | a, b, e | 硬膜外膿瘍 |

敗血症を併発しやすく高熱と罹患部の激しい疼痛で発症する．

この時期に診断と治療が行われないと麻痺症状をきたすこととなる．

持続硬膜外ブロックに合併する硬膜外膿瘍はまれとされていたが，報告例が相次いでおり注意を要する．

化膿性脊椎炎では膿が脊柱管内に波及し，硬膜外膿瘍を形成することもしばしば認められる．

罹患部の穿刺は膿の採取という目的では診断に有用であるが，髄液採取は硬膜内に感染を進展させる危険があり禁忌である．

- 標準整形外科学．第14版．229-231．
- 伊藤達雄ほか編．臨床脊椎脊髄医学．三輪書店，1996：467．

問 4-1-6

| 正解 | a, c, d | 腸腰筋膿瘍 |

黄色ブドウ球菌がもっとも多い起炎菌である．

発熱，股関節の屈曲拘縮，下腹部・殿部の疼痛などが症状として挙げられる．

単純X線像で腸腰筋陰影の膨隆または消失，石灰化陰影，ガス像などが特徴的所見である．

CTまたはMRIでは膿瘍部位や範囲などより有用な情報が得られる．治療は抗菌薬投与と原因となった一次感染病巣に対する治療に加えて，膿瘍に対するCTガイド下または超音波ガイド下での穿刺排膿が最近では多く行われる．

化膿性脊椎炎が代表的であるが，隣接の炎症が波及することにより腸腰筋に膿瘍が形成される．近年では，易感染性宿主や高齢者などで化膿性脊椎炎が増加しているため，これに付随して腸腰筋膿瘍も増加傾向にある．

- 標準整形外科学．第14版．224．

問 4-1-7

| 正解 | b, e | ガス壊疽 |

ガス壊疽は *Clostridium* の他に大腸菌や *Klebsiella*，連鎖球菌によるもの（非 *Clostridium*）がある．

その診断のポイントは，局所の握雪感と単純

X線像におけるガス像である．

急速に進行するため，化学療法に加え，多くの症例では切開排膿などの外科処置が必要となり，治療が遅れれば血圧低下や意識障害などの全身症状も出現し，死亡することもある．

- ●標準整形外科学．第14版．219-222

問 4-1-8

| 正解　b, c, e　溶連菌感染 |

壊死性筋膜炎は嫌気性菌を含む複数菌の共同作用による発症が一般的であるが，毒力の強いA群連鎖球菌単独でも発症し予後不良である．

A群連鎖球菌感染症の早期診断には組織や末梢血のグラム染色が有用である．

A群連鎖球菌は fibrinolysin や hyaluronidase などの菌体外酵素により，組織内に限局することなくびまん性に進展する．

連鎖球菌に対してはA群連鎖球菌に耐性化が起きていないペニシリン系抗菌薬が選択され，欧米ではペニシリンGが第1選択となっている．

streptococcal toxic shock syndrome (STSS) は突然発症する敗血症性ショックであり死亡率が高い．

- ●土屋弘行ほか編．今日の整形外科治療指針．第7版．医学書院，2016：134-135．

問 4-1-9

| 正解　c　ネコひっかき病 |

主な病原菌は *Bartonella henselae* といわれており，肘，腋窩の単発性，または系統的リンパ節腫大をきたすことが多い．このため軟部腫瘍，リンパ腫との鑑別が必要である．

ネコ以外にイヌや病原菌に感染したノミに咬まれて発症することもある．

感染から発症までは3～10日と幅がある．

局所の炎症症状は通常乏しい．

通常手術は必要なく，アジスロマイシンの投与にて治癒する．

- ●標準整形外科学．第14版．224-225．

問 4-1-10

| 正解　a　化膿性脊椎炎 |

黄色ブドウ球菌は，現在でも起炎菌の40％を占めている．次いでグラム陰性桿菌で，特に大腸菌が多いと報告されている．しかし，様々な細菌が原因菌となりうるため，抗菌薬選択には正確な細菌検査結果が必要となる．赤沈値は症状発症時90％以上に亢進を示しており，治療効果をみるためにも主要な指標となる．疼痛の程度は病期により様々であるが，一般に体動で疼痛を覚え，安静により軽快する．脊柱支持性は骨新生があり，骨萎縮が少ないためカリエスほど脊椎の動きは制限されない．抗菌薬投与が無効の場合，診断は正確か，起炎菌に感受性のある抗菌薬が投与されているか再確認が必要である．化膿性脊椎炎は，単純X線像上椎体椎間板炎の形をとる．

問 4-1-11 の解説も参照．

- ●整形外科クルズス．第4版．292-293．
- ●標準整形外科学．第14版．229-230．

問 4-1-11

| 正解　e　化膿性脊椎炎 |

化膿性脊椎炎は腰椎にもっとも多く，頚椎はまれである．

病変は2椎体罹患が90％ともっとも多いが，まれに1椎体罹患があり，これらでは転移性脊椎腫瘍，骨粗鬆症性骨折との鑑別を要する．

発生部位はほとんどが椎体であるが，医原性

(局所注射後の感染)に椎間関節部の感染をみることがまれにある．近年，易感染性宿主(compromised host)の日和見感染が増加し，これらでは重症化しやすい．

近年，前方病巣郭清に加えて，変形を矯正するために後方から金属で固定する方法の好結果が報告されており，症例を選べばインストゥルメンテーション手術は禁忌ではない．

病巣が腸腰筋に及ぶ場合，psoas position をとる．

- ●神中整形外科学．改訂23版．下巻．258-263．
- ●標準整形外科学．第14版．229-230．

問 4-1-12

| 正解　a，c，d　　急性化膿性関節炎 |

a．○
b．×　早期から強力な治療を必要とし，関節切開術や関節鏡視下の関節腔洗浄を行う．
c．○
d．○
e．×　早期は軟部腫脹のみで進行すれば関節裂隙狭小化などがみられる．

滑膜関節に細菌が侵入した場合に起こる．小児期の急性化膿性股関節炎は急性化膿性骨髄炎から波及することが多い．

もっとも多い起炎菌は年齢を問わず黄色ブドウ球菌である．

副腎皮質ステロイドや免疫抑制薬などによる長期の薬物療法，糖尿病などが危険因子である．

感染は進行性でその速度は急である．細菌と遊走した多核白血球由来の蛋白分解酵素によって関節軟骨器質の破壊が急速に進行するために適切な治療が行われなければ重篤な関節破壊をもたらす．治療が遅れると関節腔内は膿や充血した滑膜でみたされ，関節包は伸張されるために病的脱臼が発生する．

治療はただちに関節切開術や関節鏡視下に関節洗浄を行う．検体である関節液を採取後に抗菌薬の静脈内投与を行う．

乳幼児期の特徴的な所見は患肢を動かすことを嫌がってまるで麻痺しているかのようにみえ，偽性麻痺と呼ぶ．関節周囲の蜂窩織炎が否定されれば関節穿刺を行ってもよい．濁った膿様の液体が引ければ診断は確実であり，白血球数算定やグラム染色，細菌培養を行う．

白血球算定数は 100,000/μL 以上である．

X 線学的には初期には変化はみられない．股関節では大腿骨頭の外方偏位がみられる．

- ●標準整形外科学．第14版．231-232．

問 4-1-13

| 正解　a，b，c　　化膿性関節炎 |

a．○　黄色ブドウ球菌が多い
b．○　関節内膿腫による関節包拡張で骨頭が外方化し，著しい場合には病的脱臼を生じる．
c．○　肺炎，中耳炎，臍帯炎など遠隔部からの血行性感染がほとんどである．
d．×　乳児，特に生後1カ月以内の新生児に発症することが多い．
e．×　発症初期には大腿骨骨幹端部あるいは骨端核の側方化および股関節周囲軟部組織の腫脹がみられ，骨病変はすぐにはみられない．

問 4-1-12 の解説も参照．

- ●標準整形外科学．第14版．231-232．

問 4-1-14

| 正解　a，b　　壊死性筋膜炎 |

a．○　壊死性筋膜炎は，筋膜や軟部組織に細菌感染が急激に拡大する軟部組織感染症である．早期の抗菌薬全身投与が必要である．
b．○　進行性の皮膚軟部組織の感染により高

熱をきたし，意識障害，頻脈，血圧低下を認め，敗血症の症状を呈している．壊死が進行した場合は救命のため患肢切断が必要になる．

c．× 帯状疱疹を疑ったときに行うが，水疱，帯状疱疹ウイルス感染症であり，神経の支配領域に沿って帯状に水疱が生じる．

d．× 癌患者の痛み増強時に使用することが多い．本例では，意識障害を助長する恐れがある．

e．× 破傷風は，破傷風菌に感染することにより発症するが，症状は痙性，呼吸困難が特徴的である．

　壊死性筋膜炎は筋膜と皮下脂肪組織の感染症で筋膜に沿って急速に拡大し，広範な壊死と毒素性ショックによって重篤な全身症状を引き起こす．致死率は30～40%とも報告され，予後不良で，四肢とくに下肢に多い．易感染性宿主に発症しやすいが，基礎疾患が特になくても発生しうる．起炎菌は通常の壊死性筋膜炎としてA群溶血性連鎖球菌，嫌気性溶血性連鎖球菌，黄色ブドウ球菌，バクテロイデス属菌などがある．

　臨床症状は蜂窩織炎に類似し，局所には境界不鮮明な発赤や腫脹，著明な圧痛がみられ，3～5日で皮膚に水疱が発生する．水疱内の液は濃ピンクもしくは紫色を示す．進行すると局所は神経障害のために無痛となり，皮膚や皮下組織の壊死をきたす．壊死性筋膜炎では通常は筋組織は侵されない．本症を疑った場合には局所試験切開を行い，筋膜の正常を観察しなければならない．筋膜に変性所見があり，ゾンデが抵抗なく刺入可能な場合には本症と診断して差し支えない．また，劇症型A群溶血性連鎖球菌による壊死性筋膜炎は突発的に発症する四肢の疼痛，急速に多臓器不全に進行する敗血性ショック病態が合併することがある．予後は極めて不良である．

　治療は，感染または壊死した領域のデブリドマンと感受性のある抗菌薬の全身的投与を行う．救命のために下肢などの切断を要することもある．

●標準整形外科．第14版．220-221．

問 4-1-15

| 正解 | a, b, d | Brodie 骨膿瘍 |

a．○
b．○
c．× 急性期症状を欠く慢性骨髄炎である．
d．○
e．× 単発性骨透亮像を特徴とする．

　Brodie骨膿瘍は急性期症状を欠く慢性骨髄炎である．

　大腿骨や脛骨などの長管骨の骨幹端部に好発する．

　起炎菌は黄色ブドウ球菌が多く，小児期や青年期に好発する．

　血行性化膿性骨髄炎の特殊型で，何らかの原因で急性骨髄炎の初期病層の段階で停止し，進行しなかったものと考えられている．

　単純X線像は円形ないし楕円形の単発性骨透亮像を特徴とし，辺縁に骨硬化を伴う．

　抗菌薬の全身投与で症状は改善するが，病巣掻爬術を要することが多い．

●標準整形外科．第14版．229．

問 4-1-16

| 正解 | a, b | 化膿性骨髄炎 |

　化膿性骨髄炎は運動器のもっとも重篤な炎症性疾患で，初期にはリウマチ熱や蜂窩織炎，疲労骨折などの骨外傷との鑑別を要する．

　小児の場合には骨肉腫やEwing肉腫，好酸球性肉芽腫との鑑別を要し，成人の場合には骨肉腫を含めた原発性骨腫瘍や転移性骨腫瘍の可能

性も念頭に入れて鑑別診断を進める．
● 標準整形外科．第14版．226-228．

2）結　核

問 4-1-17

| 正解　a　　結核 |

外来治療では，患者負担のおおむね半額が公費負担となる（結核予防法34条）．

保健所による患者管理，サーベイランス（発生動向調査），接触者への検診などのために結核を診断したら必ず保健所に「発生届け」を提出する（結核予防法により2日以内に届け出）．

結核予防法29条および35条により，喀痰塗抹陽性肺結核患者は感染源隔離の目的で入院する（命令入所といわれる）．

感染源隔離の目的で入院する患者には，一部負担金を除きほぼ全額医療費の公費負担が行われる．

入院期間は菌陰性化までが原則で，結核予防法では菌陰性化を連続4カ月培養で証明するまで入院させることができる．

● 標準整形外科．第14版．233-235．
● 日本医師会感染症危機管理対策室ほか監．感染症の診断・治療ガイドライン2004．日医師会誌 2004；132（臨時増刊）：312-317．
● 日本結核病学会教育委員会．結核症の基礎知識（改訂第4版）．結核 2014；89：521-545．

問 4-1-18

| 正解　b，d，e　　結核性骨関節炎 |

日本においては，以前は30～40歳代を中心に好発していたが，最近では60歳以後に多くみられる傾向にある．

結核性骨関節炎の半数は脊椎に起こる．次いで股関節，膝関節の順に多い．

長管骨に起こる場合には骨端部および骨幹端部が好発部位である．

結核結節の中央に生じる壊死は肉眼的に黄色を帯びた灰白色，弾性軟であり，ちょうどチーズ様にみえることから乾酪壊死と呼ばれる．

確定診断には全血のインターフェロンγ応答測定，PCR法による結核菌遺伝子の確認，抗酸菌染色ならびに培養，Ziehl-Neelsen染色などを用いる．

ツベルクリン反応は一般的に陽性となるが，陰性の場合でも否定することはできない．

● 標準整形外科．第14版．233-235．

問 4-1-19

| 正解　b　　結核性脊椎炎 |

結核性脊椎炎は上位腰椎と下位胸椎に多い．肺結核や尿路結核に続発し，椎骨静脈叢の血行を介して感染する．初発巣は軟骨板下骨層にみられ，膿瘍が前方の腸腰筋筋膜下に流れる（流注膿瘍）と，腸腰筋の反射性収縮で，股関節は軽度屈曲位をとる．

脊椎の骨破壊が進行すると後弯変形が進行し，亀背（gibbus deformity）を呈する．

Pott麻痺と呼ばれる下肢麻痺が生じることがある．

治癒期には罹患椎は癒合して塊椎（block vertebra）を形成する．

魚椎変形は骨粗鬆症に認められる椎体変形である．

● 標準整形外科．第14版．233-235．

問 4-1-20

| 正解　c，d　　結核性脊椎炎 |

単純X線像の初期像として罹患椎体の骨萎縮像がみられる．

進行すると椎体終板が不鮮明となり，椎間腔が狭小化して破壊像がみられるようになる．

さらに進行すると椎間腔は消失して，圧潰した椎体が楔状化する．

治癒することにより椎体は癒合して塊椎を形成する．

owl winked sign(winking owl sign)はフクロウの片目徴候といい，転移性脊椎腫瘍を疑うサインである．

●標準整形外科学．第14版．233-235．

問 4-1-21

| 正解 a, e 多剤耐性結核菌 |

肺結核に準じた化学療法が一般的であり，WHOではイソニアジド(INH)，リファンピシン(RFP)，エタンブトール(EB)，ピラジナミド(PZA)を2カ月投与した後，INHとRFPを4カ月投与する方法を推奨している．

INHとRFPの両者に耐性となった結核菌を，他の薬剤に対する耐性の有無とは関係なく「多剤耐性結核菌」として取り扱う．

●標準整形外科学．第14版．233-235．

問 4-1-22

| 正解 a, c, d 結核性脊椎炎 |

a．○
b．× 上位腰椎と下位胸椎に多い．
c．○ 初期症状の1つである．
d．○ 熱感や疼痛のない膿瘍を冷膿瘍という．
e．× 少なくとも1年は続ける必要がある．

結核性骨関節炎の半数は脊椎に起こり，中・下位胸椎から腰椎に好発する．早期に椎間板炎に進展するので，単純X線像で椎間の狭小化を認める．また骨には萎縮，破壊が起こり椎体の圧潰がみられる(亀背の原因)．

罹患部に疼痛，叩打痛が認められる．

膿が骨外に出て軟部に冷膿瘍を形成する．

化学療法は肺結核に準じて多剤併用を行い，6カ月以上できれば1年の長期治療が必要である．

●標準整形外科学．第14版．233-235．

問 4-1-23

| 正解 d, e 結核性関節炎 |

a．○ 結核性脊椎炎は血行性に結核菌が骨端の軟骨下骨に感染して結核性骨髄炎を形成した後，関節腔内に波及して発症する．股関節と膝関節に多い．
b．○ 結核菌培養は時間がかかるため，PCR法が菌の検出に有用である．
c．○ 関節液はクリーム様でさらさらしていることが，化膿性関節炎との鑑別に有用である．
d．× 早期には単純X線像で骨の萎縮を認めるだけで関節裂隙は保たれている．
e．× 二次感染症であるため診断後はただちに保健所へ届け出ることが義務づけられている．

●標準整形外科学．第14版．233-235．

3）MRSA，AIDS

問 4-1-24

| 正解 a, b, d 感染症，MRSA |

院内感染でMRSAは重視される．長期入院患者はMRSA保菌者となる確率が高い．

MRSAはヒトの鼻腔や腸管，皮膚に定着しやすい．

免疫低下患者や術後患者を抱える病院内では，病院全体として院内感染対策の組織化を図り，総合的な予防活動を行う必要がある．

鼻腔内保菌者の治療対象は免疫不全状態の患

者，侵襲度の大きい手術療法を行う患者，重篤な易感染状態にある患者に接する医療従事者である．近年，鼻腔から培養された菌と，術後感染創からの菌の遺伝子検査から同一菌と報告されたことから，鼻腔培養陽性患者の内因性感染の予防も重要であるといわれている．

MRSA による骨髄炎，関節炎の治療薬としては保険で承認されているのはバンコマイシンであり第 1 選択薬となるが，MRSA 感染症の治療ガイドラインでは MRSA 骨関節感染症では，ダプトマイシンも第 1 選択薬に記載されている．ダプトマイシンを使用する場合は，適応症でないため医師の裁量によるので注意が必要である．他にテイコプラニン（タゴシッド®），アルベカシン（ハベカシン®），リネゾリド（ザイボックス®），テジゾリド（シベクトロ®）などがある．

- 山口徹ほか総編．今日の治療指針．2009 年版．医学書院，2009：165-166．
- 日本化学療法学会・日本感染症学会 MRSA 感染症の治療ガイドライン作成委員会編．MRSA 感染症の治療ガイドライン改訂版．2019：22-24．

問 4-1-25

| 正解　a　　感染症，MRSA |

ムピロシンは局所使用を目的とした抗菌薬で，鼻粘膜における MRSA の除菌に効果が証明されている．

抗 MRSA 薬はリネゾリドを除き腎機能障害などの副作用が現れやすい．

Red man syndrome は，バンコマイシンを静脈内投与する際にヒスタミンが遊離されて起こるとされている．これを予防するには，バンコマイシンを 60 分以上かけて静脈内投与する．

バンコマイシン耐性腸球菌の院内感染が問題となっている．

バンコマイシンは腎臓で排泄されるので，血中濃度モニタリングが必要である．

- 標準整形外科学．第 14 版．237-238．
- 浦部晶夫ほか編．今日の治療薬 2021．南江堂，2021：60．
- 山口徹ほか総編．今日の治療指針．2009 年版．医学書院，2009：165-166．

問 4-1-26

| 正解　b，d　　MRSA |

a．×　近年は病院外での健常者の感染起炎菌としてもみつかることがある．
b．○
c．×
d．○
e．×　実際には多くの抗菌薬に耐性を示す多剤耐性菌である．

抗菌薬のメチシリンに対する耐性を獲得した黄色ブドウ球菌をメチシリン耐性黄色ブドウ球菌（MRSA）と呼ぶ．実際にはメチシリンだけでなく，多くの抗菌薬に耐性を示す多剤耐性菌である．広域抗菌薬の適正使用が行われず，抗菌薬の使用が多い施設で検出されることが多く，抗菌薬の乱用により出現するともいわれている．

MRSA を保菌した医療従事者から院内感染の原因になることがあるため，手指衛生は感染予防として重要である．

近年は，院内感染だけでなく病院外で健常者の感染原因菌（市中感染）としてもみつかることがあるため注意が必要である．

- 標準整形外科学．第 14 版．237-238．

問 4-1-27

| 正解　b，e　　MRSA |

わが国で保険適用上使用が認められている抗 MRSA 薬はアルベカシン，ダプトマイシン，テイコプラニン，バンコマイシン，リネゾリド，

テジゾリドの6種類である．感受性によってはミノマイシン，クリンダマイシン，レボフロキサシン，ST 合剤などが有効なこともあり，耐性菌であっても薬剤感受性試験を行うことが重要である．

MRSA 感染は，医療従事者を介した接触性感染であるため，80%エタノール消毒や手指衛生の励行や個人防護具の使用などの接触感染予防を講じることが重要である．

- 標準整形外科学．第14版．237-238．

4) その他

問 4-1-28

| 正解 | a | 手術部位感染 |

日本整形外科学会の『骨・関節術後感染予防ガイドライン』では手術部位感染(surgical site infection：SSI)は皮膚・皮下組織までの表層切開創 SSI と筋膜を越えて深部まで到達する深層切開創 SSI とに分類されている．

表層感染は手術から30日以内のものをさし，人工関節などのインプラントを使用したものは術後90日以内に感染が発生したものをさす．

剃毛は術後 SSI の発生率が減少するという信頼できるレベルの報告はない．むしろ皮膚を損傷する可能性の高いカミソリによる剃毛は，行わないことが勧められる．

- 標準整形外科学．第14版．236-237．
- 日本整形外科学会ほか監．骨・関節術後感染予防ガイドライン2015．第2版．南江堂，2015：13-14，41-42．

問 4-1-29

| 正解 | b, e | 人工関節置換術，手術部位感染 |

人工関節置換術後の手術部位感染(SSI)の診断には赤沈，CRP は有用で，これらが高値となれば関節穿刺による培養検査が有効である．

人工関節術後の深部 SSI では，術後4週間以内ではデブリドマンなどによりインプラントの温存を試みることがある．

術中検査としてグラム染色による感染の否定は困難で，迅速凍結切片による診断が行われる．

X線学的には，早期感染では変化はみられない．晩期感染では人工材料の弛みや骨溶解，骨萎縮の像がみられることもあるが，感染に特異的な変化はない．

- 標準整形外科学．第14版．236-237．
- 日本整形外科学会ほか監．骨・関節術後感染予防ガイドライン．第2版．南江堂，2015．
- AAOS Guideline Work Group. Guideline on the Diagnosis of Periprosthetic Joint Infections of the Hip and Knee. 2010.

問 4-1-30

| 正解 | c | 破傷風 |

外傷創面から破傷風菌が侵入し，破傷風菌の産生する強力な抗神経作用をもつ外毒素によって発症する．潜伏期間は3日から2〜3週間といわれ，短いほど予後不良である．致死率は15〜30%と高い．

抗神経性の毒素による開口障害が初発になることが多い．筋硬直が進行し，痙攣，嚥下困難，項部硬直を呈する．これらは，音や光などのわずかな刺激に反射的に誘発される．

交感神経過緊張のため，頻脈，血圧上昇，発汗過多が認められる場合もある．最終的に全身痙攣のために弓なり緊張(後弓反張)となり，呼吸筋痙攣のため呼吸停止をきたす．

- 標準整形外科学．第14版．222-223，744-745．
- 山内裕雄ほか編．今日の整形外科治療指針．第6版．医学書院，2010：137-138．
- 神中整形外科学．改訂23版．上巻．200．

2 リウマチとその類縁疾患

Q ▶ p.57-69

問 4-2-1

| 正解　a，c，e　　自己抗体 |

関節リウマチ(RA)患者のIgGではガラクトース鎖の欠損が多く認められることがわかった．

抗好中球細胞質抗体(p-ANCA, c-ANCA)は血管炎を伴う自己免疫疾患での陽性率が高い．

HLA-DR4はクラスⅡ MHC分子に属しコーカサス人種のRA患者では60〜70%が陽性である(健常者では30%が陽性)．日本人ではDR4のサブタイプのうちDRB1*0405が関連している．

抗リン脂質抗体は血栓症のリスクと相関する．臨床的には動静脈血栓症，胎盤機能不全，およびその結果として習慣性流産などが認められる．

抗環状シトルリン化ペプチド抗体(anti-cyclic citrullinated peptide antibody：抗CCP抗体)はRAに特異性が高い抗体である．

- 神中整形外科．改訂23版．上巻．489-490, 501．
- 江口勝美．リウマチ科 2004；31：379-386．

問 4-2-2

| 正解　b　　関節リウマチ，関節外症候 |

関節リウマチの関節外症候は，①微熱を主体とする全身症状，②肘，後頭部，手指に好発するリウマトイド結節，③上強膜炎，強膜炎などの眼症状，④貧血，白血球減少といった血液障害，⑤アミロイドーシス，⑥腎障害，⑦間質性肺炎による呼吸器症状，⑧リンパ管炎によるリンパ浮腫，⑨手根管症候群や多発神経炎などの神経症状，⑩骨粗鬆症，⑪腱鞘滑膜炎，などが挙げられる．

腎障害は続発性アミロイドーシスによる場合と薬剤性腎障害による場合が多く，糸球体病変はまれである．

- 標準整形外科．14版．246-248．

問 4-2-3

| 正解　b，c，d　　関節リウマチ，滑膜病理所見 |

典型的な滑膜病変は，絨毛状の滑膜増殖，滑膜表層細胞の増生とフィブリノイドの沈着，リンパ球や形質細胞を主体とする炎症細胞の浸潤，リンパ濾胞の形成などである．

モノクローナル抗体を用いた検索では，滑膜に浸潤しているリンパ球の多くはCD4陽性のヘルパーT細胞であり，リンパ濾胞の中心を占める細胞は主としてB細胞である．

関節リウマチの滑膜細胞の一部は腫瘍性の増殖性を有しているが，ある程度骨破壊が進むと線維化を起こし炎症自体は収まってくることが多い．

異物巨細胞の出現は人工関節再置換術時の滑膜などで認められるが，活動性滑膜炎の特徴的所見ではない．

- 神中整形外科．改訂23版．上巻．491-492．
- 標準整形外科．第14版．239-243．

問 4-2-4

| 正解　c，d　　関節リウマチ |

HLA-B27は血清反応陰性脊椎関節症で陽性となる．重症化とは関係ない．日本人の強直性脊椎炎では54%に陽性との報告があり，欧米では90%前後陽性との報告がある．

関節リウマチ(RA)におけるリウマトイド因子(RF)の陽性率は約85%である．発症初期で

は陰性のことが多く，偽陽性を示すことも少なくないので特異的ではない．

関節液は一般に中等度の混濁を示すことが多いが，時に著明な混濁をみることもある．感染や偽痛風でも著明な混濁をみることがあるので留意する．悪性関節リウマチはRAの1%以下である．RAと比べ皮下結節の頻度が高い，RFが高値，血清補体価が低いなどの違いがある．

- 神中整形外科．改訂23版．上巻．501, 533, 549.
- 神中整形外科．改訂23版．下巻．1098-1099.
- 標準整形外科．第14版．153-154, 239-263.
- 日本リウマチ学会生涯教育委員会ほか編．リウマチ病学テキスト．診断と治療社，2010：14-15, 132-136, 156-162.

問 4-2-5

正解　c　関節炎，関節液

正常関節液は無色〜淡黄色で透明であるが，炎症性関節炎では白色がかった混濁を認め，含まれる白血球数に比例して混濁度を増す．

関節リウマチ(RA)では関節液中のヒアルロン酸濃度が低下し，粘稠度は著しく低下している．

変形性関節症などの非炎症性疾患では白血球数が10,000/μLを超えることはなく，糖濃度も血液に類似する．RAでは3,000〜5,000/μLに増加し，好中球が70〜80%を占め，リンパ球は10〜20%にすぎない．

感染症では白血球数は50,000/μL以上に増加する．関節液に白血球数の増加を伴うRAや偽痛風，また白血球数の増加と菌体成分の増殖を伴う感染では糖濃度が低下する．

- 神中整形外科．改訂23版．上巻．501.
- 神中整形外科．改訂23版．下巻．1098-1099.
- 標準整形外科．第14版．153-154, 267-271.

問 4-2-6

正解　a, d, e　関節リウマチの滑膜病変

病理学的には，関節リウマチ(RA)の滑膜病変は炎症性細胞浸潤を伴う増殖性滑膜炎と定義される．

リウマチ滑膜細胞が，蛋白質分解酵素のみならずIL-1β，TNF-αなどをはじめとする各種サイトカインを分泌し積極的に関節破壊に関わることが明らかとなっている．滑膜組織に浸潤した炎症細胞(マクロファージ，リンパ球，好中球)もこれらサイトカイン，酵素を放出する．これらのサイトカインが滑膜線維芽細胞に破骨細胞分化誘導因子(RANKL)の発現を誘導し，これにより破骨細胞が活性化され骨吸収や破壊の進行に関与する．

CD68はマクロファージ・単球のマーカーであり，RAの滑膜組織に認められるTリンパ球はCD4陽性である．

滑膜細胞に浸潤したB細胞(形質細胞)も抗体産生を行う．

- 日本リウマチ学会生涯教育委員会ほか編．リウマチ病学テキスト．診断と治療社，2010：22-23, 90-93.
- 標準整形外科．第14版．239-263.

問 4-2-7

正解　b　関節リウマチの画像

関節リウマチの単純X線像は軟部組織の腫脹によるX線透過性の低下，関節周囲の骨萎縮，関節辺縁のびらん，骨洞，関節裂隙狭小化，関節面の破壊，関節亜脱臼，脱臼を認める．

Larsen分類のgrade Ⅱは初期変化であり，びらんと関節裂隙狭小化を認めるが，びらんは非荷重関節に必須である．

modified Sharpスコアの対象となる足趾関節は母趾のIP関節とすべてのMTP関節である．

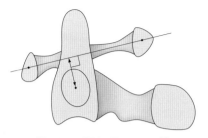

問 4-2-8／図 1　Ranawat 法

　CT は骨・関節破壊の描出を立体的に診断するのに有用である．

　MRI を用いると滑膜，骨髄，関節軟骨，靱帯，腱などの描出が可能となり，炎症性滑膜の描出にはガドリニウム（gadolinium-diethylene-triamine penta-acetic acid：Gd-DTPA）を用いた造影 MRI が有用である．

- 標準整形外科学．第 14 版．249-250．

問 4-2-8

正解　a　　関節リウマチの画像

　関節リウマチでは，特に上位頸椎の病変が問題となる．水平方向，垂直方向とも前屈位で不安定性がもっとも大きくなる．Ranawat 法は頭蓋底陥入の計測法の 1 つで，前後屈中間位において，環椎前弓の中心と後弓の中心を結ぶ線と軸椎の椎弓根影の中心との距離を計測する（図 1）．日本人では男性 13 mm 以下，女性 12 mm 以下は異常とされている．

　環椎歯突起間距離（atlantodental interval：ADI）は環椎の水平方向での脱臼や不安定性の計測法である．環椎前弓後縁中央から歯突起前縁までの距離で，成人では 3 mm 以上が異常とされている．

- 神中整形外科学．改訂 23 版．上巻．507-509．
- 標準整形外科学．第 14 版．529-531．

問 4-2-9

正解　b，c，d　　関節リウマチの画像

　関節リウマチの単純 X 線所見の分類には主に，Steinbrocker 分類と Larsen 分類が用いられる．前者は stage Ⅰ～Ⅳの 4 段階で，Ⅰは骨破壊を認めない，Ⅱは骨萎縮はあるが関節変形はない，Ⅲは骨軟骨破壊を認め，亜脱臼や尺側偏位などの関節変形を認める．Ⅳは関節強直を認める．後者は grade 0～Ⅴまでの 6 段階で，standard film を参考に各関節ごとに進行度を grade で判定する．grade 0 は正常，grade Ⅰは軽度の異常，grade Ⅱは初期変化，grade Ⅲは中等度の破壊，grade Ⅳは高度の破壊，grade Ⅴはムチランス変形である．

　単純 X 線像で関節の基質病変がほとんど認められない時期でも，MRI は関節液貯留，滑膜炎，骨びらんが描出でき，早期診断に有用である．

　通常の MRI では T1 強調像で滑膜は低信号となり，関節液との区別は困難である．滑膜の描出にはガドリニウム（Gd-DTPA）造影が有用である．

- 標準整形外科学．第 14 版．249-251．
- 神中整形外科学．改訂 23 版．上巻．501-506．

問 4-2-10

正解　a，c　　関節リウマチ分類基準（診断基準）

　関節リウマチ分類基準（診断基準）［米国リウマチ学会（ACR）／欧州リウマチ学会（EULAR），2010 年］において，2 点以上のスコアとなる腫脹または関節点数の項目は，1 個以上の小関節（MCP，PIP，MTP2-5，1st IP，手関節を含み，DIP，1st CMC，1st MTP を除外）か，少なくとも 1 つは小関節を含む 11 関節以上である．2～

10個の大関節(肩,肘,膝,股関節,足関節を含む)は1点となる.

血清学的検査の項目では,RFか抗CCP抗体のいずれかが陽性であれば2点以上となる.滑膜炎の期間が6週以上とCRPかESRが異常値はいずれも1点と算定される.

- 標準整形外科学.第14版.250-254.

問 4-2-11

| 正解　a, e　関節リウマチ分類基準(診断基準) |

関節リウマチ分類基準(診断基準)[米国リウマチ学会(ACR)/欧州リウマチ学会(EULAR),2010年]を表1に示す.

大関節には肩,肘,股,膝,足関節が,小関節にはMCP,PIP,MTP(第2～第5),母指IP,手関節の計30関節が含まれる.

- Aletaha D et al. Ann Rheum Dis 2010;69:1580-1588.
- Aletaha D et al. Arthris Rheum 2010;62:2569-2581.

問 4-2-12

| 正解　c, e　関節リウマチ,MRI画像診断 |

単純X線像上,明らかな関節の構造変化を認めない時期にも,MRIでは関節液貯留,滑膜炎,関節包の拡大,骨びらんが描出可能で,早期診断に有用である.

炎症性滑膜はT1強調像で低信号,T2強調像で中程度の信号領域として描出される.

ガドリニウムを用いた造影後T1強調像では,炎症性滑膜は明瞭な高信号領域として描出することができ,関節液や周囲の組織との区別が容易となる.

骨洞(geode)はT1強調像で全体的に低信号として描出されるが,Gd造影T1強調像では骨洞内の炎症性滑膜の部分のみが高信号域として区別できる.

- 標準整形外科学.第14版.248,251.

問 4-2-11／表 1

1関節以上の腫脹あり,RA以外の疾患では説明が不可能である場合,各項目のスコアの合計が6点以上をRAと診断する

		スコア
A	関節病変(圧痛または腫脹関節数)	
	大関節　1個以下	0
	大関節　2～10個	1
	小関節　1～3個	2
	小関節　4～10個	3
	小関節を含む関節　11個以上	5
B	血清学的検査	
	RF,抗CCP抗体　両方陰性	0
	どちらかが低値陽性(正常の3倍まで)	2
	どちらかが高値陽性(正常の3倍を超える)	3
C	急性炎症反応	
	CRPと赤沈値がともに正常	0
	CRPまたは赤沈値が異常	1
D	滑膜炎の期間	
	6週未満	0
	6週以上	1

問 4-2-13

| 正解　b, e　DAS(disease activity score) |

関節リウマチの疾患活動性の指標としてよく用いられているスコアに,欧州リウマチ学会で作成されたDASがある.DASはoriginal DASとDAS28に分類され,それぞれに赤沈(ESR)版とC反応性蛋白(CRP)版がある.original DASでは観察対象関節は44関節であったが,煩雑になるため上肢を中心とした28関節に絞り込みDAS28が提唱された.

DAS28は28関節の圧痛および腫脹関節点数,ESR値または血清CRP値,患者自身による全般的健康状態(visual analog scale:VAS)から計算され,0～10の範囲で示される.

DAS28-ESRを用いて3.2未満を低疾患活動性，3.2～5.1を中疾患活動性，5.1を超えると高疾患活動性，2.6未満を寛解と評価する．DAS28-CRPでは，各々2.7未満，2.7～4.1，4.1を超える，2.3未満である．

薬物投与前後のスコアの改善幅と投与後のスコアから，薬物の反応性を，良好，中等度，なしの3段階に分けて判定できる．

スコアの計算に含まれる28関節は主に上肢関節（第2～5PIP関節，母指IP関節，MCP関節，手関節，肘関節，肩関節）で，下肢は膝関節のみである．

スコアの計算にはリウマトイド因子または抗環状シトルリン化ペプチド抗体の値は含まれない．

- van der Heidje DM et al. Ann Rheum Dis 1990；49：916-920.
- Disease Activity Score in Rheumatoid Arthritis ＜http://www.das-score.nl/nl-nl/＞［2021年4月閲覧］．

問 4-2-14

| 正解　　a, d, e　　関節リウマチ，手根管症候群 |

環軸関節の亜脱臼により脊髄圧迫症状があると，手指のしびれが生じる．

尺側偏位やスワンネック変形では，手指のしびれは生じない．

関節リウマチでの手根管症候群は滑膜により正中神経が圧迫されるために発症し，手指のしびれをしばしば生じる．

悪性関節リウマチの神経血管炎も手指のしびれの原因となる．

- 標準整形外科学．第14版．243-244, 497-498.

問 4-2-15

| 正解　　a, c, d　　サイトカイン |

サイトカインは多彩で強力な生理活性を有するペプチドである．1つのサイトカインが広範な作用をもつとともに，異なったサイトカインは作用の類似性と相反性，効果の増強などの複雑な相互作用を示す．生体においては，多様なサイトカインが複雑なネットワークを形成しながら活性を発揮すると考えられる．

関節リウマチ（RA）において炎症および骨関節破壊に深く関与しているのは，インターロイキン-1β（interleukin 1-β：IL-1β）と腫瘍壊死因子α（tumor necrosis factor-α：TNF-α）である．この2つのサイトカインは，他のサイトカインや低分子炎症メディエーターの誘導，線維芽細胞の増殖や活性化，血管内皮細胞の活性化と接着分子誘導，軟骨・骨基質の変性，骨芽細胞の活性化と破骨細胞の誘導などの作用をもつ．いずれもRA患者血清中にも検出され，全身性の炎症反応にも関与している．両者の作用は相乗的であることが多い．

インターロイキン-6（IL-6）は基質の代謝，関節周囲の骨の粗鬆化，線維芽細胞の増殖，B細胞の形質細胞への分化に関与し，CRPなどの急性反応性蛋白質の産生増加，血小板増加，発熱などの全身性炎症反応を惹起する．

線維芽細胞増殖因子（fibroblast growth factor：FGF），血小板由来増殖因子（platelet-derived growth factor：PDGF）は組織増殖性の因子であり，滑膜増殖に関与している．

- 日本リウマチ学会編．リウマチ入門—日本語版．第12版．萬有製薬，2003：66-76．
- 標準整形外科学．第14版．239-242．

問 4-2-16

正解　a, d　　関節リウマチ

　肺線維症をはじめとする肺合併症が関節リウマチ(RA)の生命予後に大きく関与する.

　悪性関節リウマチは, RA患者の経過中に血管炎症状を伴ってくる病態を指すものである. 関節外症状がなければ, 関節症状がいかに高度で難治性であろうとも, 悪性関節リウマチとは呼ばない.

　リウマトイド因子の陽性率は, 老齢化に伴い上昇することが知られている.

　RAに合併する二次性アミロイドーシスは消化管, 腎臓に起こることが多い. この場合, 二次性腎アミロイドーシスは蛋白尿の出現を初発症状とすることが多い. 確定診断には胃十二指腸生検, 腎生検によるアミロイド沈着の証明が必要である.

　RAに合併する難治性皮膚潰瘍では血管炎による血流障害を疑い, 悪性関節リウマチの発症を前提に検索を進める必要がある.

- 標準整形外科学. 第14版. 246-248, 263-264.
- 日本リウマチ学会生涯教育委員会ほか編. リウマチ病学テキスト. 診断と治療社, 2010：95-97, 132-134, 374-378.

問 4-2-17

正解　a, d　　関節リウマチ

　悪性関節リウマチは, 関節リウマチの中で血管炎由来の高度な全身性の関節外症状が出現し, 生命予後が不良なものである. 血管炎は全身性動脈炎型と末梢性動脈炎型があり, 前者は内臓を系統的に侵し生命予後も不良である. 後者は四肢末端および皮膚を侵し, 皮膚潰瘍, 指趾壊疽などの症状を呈する.

　環軸関節亜脱臼の患者には頸椎カラーによる固定を勧める.

　尺骨遠位端の背側亜脱臼による摩耗と腱鞘滑膜炎により中・環・小指の伸筋腱断裂を引き起こす.

　CTは関節面の破壊や骨髄内への肉芽の侵蝕状態がよく描写できるが, 増殖滑膜の描出にはMRIが有用である. Gd-DTPAの静脈内投与によりT1強調像を撮影すると, 滑膜と関節液を明確に区別できる.

　変形と不安定性があって疼痛が著しい関節には関節固定術が考慮される. 固定しても障害の少ない足関節, 手関節はよい適応であるが, 膝関節には人工関節置換術が行われる.

- 神中整形外科学. 改訂23版, 上巻. 488-535.

問 4-2-18

正解　b　　関節リウマチ, 貧血

　関節リウマチ(RA)では貧血が高頻度にみられ, 多くは正球性または小球性貧血のかたちをとる.

　貧血の成因は慢性疾患の貧血(anemia of chronic disease：ACD)が60%, 鉄欠乏性貧血が20%である.

　ACDは正球性で, ① 血清鉄が低値, ② 鉄結合能は正常〜低値, ③ 血清フェリチン値の著増が特徴である.

　鉄剤による治療には反応しないことが多く, その程度はRAの活動性と相関を示すことが多い. 一方, 慢性失血性貧血による鉄欠乏性貧血では, 小球性となる.

　高度の貧血や急激な貧血の進行があるときは, 非ステロイド性抗炎症薬(NSAIDs)や副腎皮質ステロイドなどの副作用による消化管出血も考えられるため, 内視鏡などの内科的精査が必要である.

- 塩沢俊一. 膠原病学. 第2版. 丸善出版, 2005：273.

- 標準整形外科学. 第14版. 247.

問 4-2-19

| 正解 | d | アミロイドーシス |

　関節リウマチ(RA)の疾患活動性が長期間にわたって高いとき，炎症関節において発現されたサイトカインが，肝臓を刺激してアミロイドA蛋白質の先駆物質であるSAA(serum amyloid A)蛋白質を大量に産生し，これが腎臓，消化管などのターゲット臓器に沈着する.

　この診断に際して胃十二指腸生検の有用性は高い．この物質を根本的に除去する方法はいまだなく，原病であるRAの活動性をできるだけ抑えることしか，現在のところ方策はない．

- 日本リウマチ学会生涯教育委員会ほか編. リウマチ病学テキスト. 診断と治療社, 2010：374-378.

問 4-2-20

| 正解 | d | 続発性アミロイドーシス |

　関節リウマチ(RA)発病後長期を経過し，かつ長期間にわたり活動性の高い症例において，設問のような消化器症状を呈してきたときには，まずアミロイドーシスの合併を考えて検索を進めるべきである．そして消化器内科に精査を依頼する際に，所見の有無にかかわらず，胃ならびに十二指腸粘膜の生検を行い，コンゴーレッド染色で偏光顕微鏡下での緑色複屈折性の有無を確認するようメモを付しておきたい．なぜなら，十二指腸粘膜からのアミロイド陽性頻度が極めて高いからである．

　RAに伴う続発性アミロイドーシスは予後不良で，死因として腎不全，感染症が多い．もちろん，金製剤(経口，非経口)の使用でこのような消化器症状が生じうることも念頭に置いておくべきである．

- 日本リウマチ学会生涯教育委員会ほか編. リウマチ病学テキスト. 診断と治療社, 2010：374-378.
- 標準整形外科学. 第14版. 247.

問 4-2-21

| 正解 | a, c, e | 関節リウマチの手の障害 |

　MP関節の滑膜炎が持続すると関節包が拡張し，側副靱帯は引き伸ばされて関節の安定性は低下する．指伸筋腱と指屈筋腱の牽引力によって，MP関節は掌側および尺側に亜脱臼する．母指のCM関節に滑膜炎が長期間存在する場合，橈側への亜脱臼が発生し，中手骨は屈曲・内転位となり，この状態で拘縮が生じるとMP関節は過伸展位となる．

　長母指伸筋腱の走行距離が短縮するために弛みが出て，IP関節は屈曲位をとりスワンネック変形となる．

　PIP関節の滑膜炎が持続すると，関節の直上を走っている伸筋腱が弛むか断裂する．この結果，側索(lateral band)が掌側に落ち込み，PIP関節は屈曲位となる．掌側に偏位した側索の作用によりDIP関節は過伸展し，ボタン穴変形となる．

　皮下断裂が生じた場合，腱は摩耗して断裂するので端端縫合は不可能であり，腱移行術や遊離腱移植術などが行われる．

　屈筋腱の腱鞘滑膜炎により，手掌のA1 pulleyのレベルで結節状の腫瘤や腫脹を触れ，疼痛とともに弾発現象がみられることがある．

- 標準整形外科学. 第14版. 491-493.
- 越智隆弘総編. 最新整形外科学大系. 中山書店, 2007：130-138.

問 4-2-22

|正解　a, c, d　　悪性関節リウマチ|

　関節リウマチの経過中に血管炎症状を併発してくるものを悪性関節リウマチと呼び習わしているが，この呼称は外国では通用しないことを知っておきたい．欧米ではrheumatoid vasculitis, vasculitis associated with rheumatoid arthritisなどといった名称が一般的である．

　本合併症をきたすとき，胸膜炎，皮下結節，皮膚潰瘍，指趾壊疽，多発性神経炎などの関節外症状が出現してくることがよく知られているが，発熱，体重減少などの全身症状ならびに紫斑・出血斑，爪周囲の点状梗塞や四肢先端の梗塞などの皮膚血管病変など大切な症状が案外見落とされてきているので注意したい．

- 神中整形外科学．改訂23版．上巻．533．
- 標準整形外科学．第14版．240．

問 4-2-23

|正解　a, d, e　　悪性関節リウマチの関節外症状|

　関節リウマチに血管炎をはじめとする関節外症状を認め，難治性もしくは重篤な臨床病態を伴う場合，悪性関節リウマチと定義されている．

　関節外症状としては，貧血，リンパ節腫脹，多発性神経炎，リウマトイド結節，皮膚梗塞あるいは潰瘍，指趾壊疽などのほか，眼症状（上強膜炎，虹彩炎），間質性肺炎または肺線維症，臓器梗塞，胸膜炎，心筋炎など，極めて多彩である．

　なお，側頭動脈炎はリウマチ性多発筋痛症に合併し，黄色爪（yellow nail）は疾患修飾性抗リウマチ薬（DMARDs）の1つであるブシラミンによるまれな副作用として報告されている．

- 神中整形外科学．改訂23版．上巻．496-500．
- 標準整形外科学．第14版．246-248．

問 4-2-24

|正解　e　　COX-2阻害薬|

　1990年代初頭，シクロオキシゲナーゼ（COX）に2つの型が存在することが明らかにされ，ハウスキーピング的な役割をしている内在性COX-1の抑制が消化管粘膜の障害や腎機能の抑制につながることが明らかとなった．

　一方，関節リウマチの滑膜病変部をはじめ炎症の場に誘導されてくるCOX-2は炎症の病態形成に深く関与し，これのみを特異的に抑制する薬剤は「理想的な抗炎症薬」になりうるとして熾烈な開発競争がなされてきた．しかし米国では，選択性をより高めたコキシブ系COX-2阻害薬rofecoxibの適応拡大臨床試験で心筋梗塞や血栓症の合併症リスクの上昇が報告され，試験は中止となっている．2005年米国FDAは，このリスクはCOX-2阻害作用を有する薬剤に共通するリスクとして，添付文書に記載するようすべての製薬会社に指示している．コキシブ系を含むすべての非ステロイド性抗炎症薬（NSAIDs）は必要最少有効量，かつ可能な限り短期間の使用を意識して使用するべきとの提言がなされている．

　副腎皮質ステロイドはCOX-2の作用を選択的に抑制するが，本剤の有するそれ以外の種々の副作用のため，長期大量投与は差し控えられるべきである．

- 佐野統．炎症と免疫 2009；17：555-567．
- 標準整形外科学．第14版．170，254-255．

問 4-2-25

| 正解 | a | メトトレキサート療法，疾患修飾性抗リウマチ薬 |

　タクロリムス（FK506）は臓器移植にも用いられる免疫抑制薬で，カルシニューリン阻害作用を有し，T細胞を主体に免疫担当細胞の活性化を抑制する．また多剤抵抗性遺伝子にコードされたP糖蛋白に結合して，細胞外への薬剤の排泄を阻害し，他の薬剤の作用を増強する．副作用として腎障害，高血糖，高血圧，不整脈がある．

　メトトレキサートの重篤な副作用として間質性肺炎，骨髄機能抑制がある．

　サラゾスルファピリジンでは，重篤な副作用として間質性肺炎，無顆粒球症が知られている．皮疹の発生も知られ，皮膚粘膜症候群を発症してまれに重症化することもあるので注意する．

　注射金製剤の重篤な副作用として，間質性肺炎やネフローゼ症候群がある．

　ブシラミンの重篤な副作用として，間質性肺炎，汎血球減少症，無顆粒球症が報告されている．

- 標準整形外科学．第14版．254-257．
- 神中整形外科学．改訂23版，上巻．517-518．

問 4-2-26

| 正解 | a, d, e | 疾患修飾性抗リウマチ薬 |

　関節リウマチの薬物療法においては，炎症症状が強い場合には，なるべく早期から疾患修飾性抗リウマチ薬（DMARDs）を使用するというのが最近の考え方である．

　DMARDsの副作用は投与後早期に出現するものと，長期間投与後に出現するものがあり，DMARDs投与中は定期的な血液・尿検査や胸部X線撮影は不可欠である．薬剤の種類によって多少異なるが，一般に遅効性であり，効果は持続性である．

　主なDMARDsの副作用は，注射用金製剤の皮膚炎・蛋白尿，D-ペニシラミンの無顆粒球症・蛋白尿・味覚障害，ブシラミンの蛋白尿，メトトレキサートの間質性肺炎，肝障害などである．

- 神中整形外科学．改訂23版，上巻．517-518．
- 標準整形外科学．第14版．254-257．
- 日本リウマチ学会生涯教育委員会ほか編．リウマチ病学テキスト．診断と治療社，2010：116-119, 473-481．

問 4-2-27

| 正解 | d, e | メトトレキサート療法 |

　メトトレキサートはDNA合成阻害作用を有する葉酸拮抗薬であり，重篤な副作用として骨髄抑制と間質性肺炎がある．メトトレキサートは腎で排出されるので，腎機能低下例ではメトトレキサートの排出遅延による骨髄抑制の危険性が高い．メトトレキサートの他の副作用として肝機能障害も多く，肝炎合併例では投与禁忌である．

　メトトレキサートの消化器症状や肝機能障害予防には葉酸5 mg/週内服を用いると有効であるが，効果も減弱する．

　副作用としてネフローゼ症候群や出血性膀胱炎はまれである．出血性膀胱炎はシクロホスファミドが起こしやすい．

- 神中整形外科学．改訂23版，上巻．517-518．

問 4-2-28

| 正解 | a | 生物学的製剤 |

　インフリキシマブは全体の約30％がマウス由来の蛋白質構造をもち，キメラ抗体と呼ばれ

る.

この抗体はTNF-αと反応して中和される.

メトトレキサートと併用することにより効果が維持できる.

感染症の中で結核の発生が報告されており，注意が必要である(胸部X線撮影，胸部CT，呼吸器科受診など).

- 神中整形外科学. 改訂23版, 上巻. 519-520.
- 標準整形外科学. 第14版. 256.
- 日本リウマチ学会生涯教育委員会ほか編. リウマチ病学テキスト. 診断と治療社, 2010：119-120, 484-487.

問4-2-29

| 正解　d　　生物学的製剤，エタネルセプト |

エタネルセプトは，可溶性腫瘍壊死因子(TNF)受容体で，TNF-α，βの細胞膜表面受容体への結合を競合的に阻害することで効果を発揮する.

エタネルセプトとメトトレキサートの併用試験[Trial of Etanercept and Methotrexate with Radiographic Patient Outcome(TEMPO)試験]において，単独群に比べ併用群で効果が増強されることがわかった.

手術の際は，感染や創の遷延治癒を防ぐために術前2～4週間の休薬が勧められている.

投与法は皮下注射で，副作用として投与部位の局所反応(腫脹，発赤，疼痛，搔痒感)があるが，軽度であることが多い.

生物学的製剤全般にいえることであるが，結核，日和見感染症の誘発に注意する.

- 鈴木康夫. エタネルセプト(TNF阻害薬). 日臨 2010；68[Suppl 5]：395-401.
- Klareskog L et al. Lancet 2004；363：675-681.
- 日本リウマチ学会生涯教育委員会ほか編. リウマチ病学テキスト. 診断と治療社, 2010：119-120, 484-487.
- 日本リウマチ学会. 関節リウマチ(RA)に対するTNF阻害療法施行ガイドライン(2010年版)

<http://www.ryumachi-jp.com/info/guideline_TNF_100930.pdf>[2021年4月閲覧].

問4-2-30

| 正解　a, b, e　　副腎皮質ステロイド，副作用 |

副腎皮質ステロイドは強い抗炎症作用を有するが，RAを根治させることは困難である.ステロイドの積極的使用については専門医の間でも意見が分かれる.

副作用として易感染症，骨の脆弱化，耐糖能低下，白内障が知られている.

また血小板機能亢進による血栓症のリスクがあるため，人工関節などの手術では注意を要する.

- 標準整形外科学. 第14版. 256-257.

問4-2-31

| 正解　a, d　　関節リウマチの手術療法 |

関節リウマチ(RA)に対する人工関節の感染頻度は，変形性関節症に比べて高いことが知られている.

特に年齢的な制限を設けず，日常生活動作(ADL)の向上を目的として人工関節手術が行われる.

RAのように複数関節に障害がある場合，股関節・膝関節などの大きな関節の固定術は行われず，手関節・足関節などの比較的小さな関節にはよい適応であるとされる.

RAの頚椎病変は初期には保存的に治療されるが，麻痺症状の出現，重度の頚部～後頭部痛，高度頚椎変形では手術が行われる.四肢関節の機能障害例が多く，脊髄症状の発症初期には病状把握が困難であることが多い.脊髄症状が進行すると痙性麻痺を生じるが，これも筋力低

下，関節障害などではっきりしないこともある．
●標準整形外科学．第14版．257-259．

問 4-2-32

正解　d　　関節リウマチの手術療法

全身の炎症が良好にコントロールされていても1つまたは少数の関節に滑膜炎が残存している際に行われる．関節軟骨や骨の破壊が進行していない時期に，手関節，肘関節，肩関節，足関節，膝関節などに鏡視下に行われる．
●標準整形外科学．第14版．257．

問 4-2-33

正解　c　　関節リウマチの手術療法

関節リウマチ(RA)に伴う股関節や膝関節の骨破壊に対して骨切り術の適応はなく，人工関節置換術が行われる．

環軸関節亜脱臼は支持性と神経の除圧を目的に脊椎固定術が基本である．環軸関節脱臼にはMagerl法(外側環軸関節のスクリュー固定)やwiringを併用した固定法(Brooks法)などがある．

指伸筋腱の断裂では伸筋腱移行術のほか，尺骨遠位端の処理も行われることが多い．

RAの足関節の障害に対しては，支持性と無痛性の回復を目的として関節固定術が行われることもある．
●標準整形外科学．第14版．257-258．

問 4-2-34

正解　d, e　　関節リウマチ，リハビリテーション

関節リウマチ(RA)のリハビリテーションの原則は，炎症・疼痛の沈静と障害の悪化に対する予防または改善にある．炎症活動期は関節破壊が進行する時期であるため，関節への過負荷は禁忌であり安静が重要であるとともに関節変形予防が主目的となる．

関節保護のためには一般に等尺性収縮が用いられる．

プール内での全身運動は，浮力のため関節への負荷が減少し，さらに温浴による筋肉や心理面でのリラクセーション，鎮痛効果があり，水圧への抵抗は筋力増強運動となる．

RA患者は上肢関節の変形のために目的物まで手をのばすことが困難なことが多い．リーチャーなどの自助具は日常生活動作(ADL)の改善に有用である．

RA患者は40歳以上であれば介護保険サービスを受けることができる．

下肢関節は屈曲拘縮に至る場合が多く，膝下の枕は避ける．
●標準整形外科学．第14版．258-259．

問 4-2-35

正解　a, d　　強直性脊椎炎

強直性脊椎炎(ankylosing spondylitis)は，リウマトイド因子陰性で脊椎と仙腸関節が侵される疾患である．

好発年齢は10歳台後半〜20歳台で男性に多い．ヒト白血球抗原HLA-B27との関連性が示唆されており，日本では患者数が1万人に満たない難病指定疾患である．

仙腸関節炎が初発症状であることが多く，初期には仙腸関節面の骨萎縮とびらん(erosion)により関節裂隙はむしろ拡大してみえるが，進行すると，びらん周辺に硬化像がみられるようになり，次第に関節裂隙は狭小化して最終的には強直する．

脊椎では，椎間板線維輪の椎体付着部(隅角)

からの骨化(靱帯骨棘,syndesmophyte)であり,側面像では方形化(squaring)を呈する.進行すると,竹節状の強直(竹様脊柱,bamboo spine)となる.

●標準整形外科学.第14版.259-262.

性,乾癬性関節炎で脊椎炎や仙腸関節炎を合併するものは約50%に陽性,反応性関節炎(Reiter症候群)では約50〜80%に陽性といわれている.

●標準整形外科学.第14版.259-263,277-278.

問 4-2-36

| 正解 d 強直性脊椎炎 |

■強直性脊椎炎(AS)の分類基準(1984年改訂 New York基準)
1)臨床項目
① 3カ月以上続く腰痛.運動すると軽快するが安静で不変
② 冠状面および矢状面上の腰椎運動制限
③ 胸郭運動制限
2)X線項目
① 両側性仙腸関節炎(grade 2〜4)
② 片側性仙腸関節炎(grade 3〜4)
・X線項目のいずれか1つと臨床項目のいずれか1つがあればASと診断

なお,両側大腿部筋痛はリウマチ性多発筋痛症でみられる.

●標準整形外科学.第14版.261.

問 4-2-37

| 正解 a, b, e 血清反応陰性脊椎関節炎 |

一般人口におけるHLA-B27の陽性率は,白色人種で4〜13%,黄色人種で2〜9%,北米インディアンで50%,黒人で2〜4%と報告されている.日本人のHLA-B27陽性率は1%以下とかなり低い.しかし,リウマトイド因子陰性の関節疾患群である脊椎関節炎の患者ではHLA-B27の陽性者が多く,疾患の発症とHLA-B27との関連が指摘されている.

HLA-B27は強直性脊椎炎では約95%に陽

問 4-2-38

| 正解 e 乾癬性関節炎 |

乾癬性関節炎(psoriatic arthritis)は乾癬に伴う関節炎である.乾癬患者の10〜30%に関節炎がみられる.Moll & Wright分類では,DIP関節型,非対称性・少関節炎型,ムチランス型,対称性・多発関節炎型,脊椎関節炎型など形態は多様である.関節炎,脊椎炎,付着部炎の筋骨格系症状に加えて,乾癬やその既往,爪病変がみられる.指趾炎ではソーセージ様の腫脹がみられる.

滑膜炎の存在だけでは関節リウマチとの鑑別は難しい.リウマトイド因子は陰性のことが多く,CASPAR分類基準を用いて分類する.

関節炎に対する第1選択薬はNSAIDsであるが,効果不十分な場合にはメトトレキサートなどのDMARDsが投与される.DMARDsが効果不十分な場合には,TNF-α阻害薬,IL-17A阻害薬,IL-23阻害薬などが用いられる.

●標準整形外科学.第14版.262-263.

問 4-2-39

| 正解 c, d, e 乾癬性関節炎 |

乾癬性関節炎は,皮膚疾患を伴う関節炎の1つである.

30〜60%の症例でHLA-B27陽性である.

関節リウマチと異なり,DIP関節が障害されやすい非対称性の少関節炎あるいは単関節炎は,30〜50%の症例でみられる.RAに類似し

た対称性の多発性関節炎も同様に30～50%の症例でみられる．

約70%に皮膚症状が関節症状より先行する．

皮膚乾癬症の10～30%に関節炎が認められる．爪にも乾癬がみられ，指の腫脹はソーセージ状の外観を呈する．

- ●標準整形外科学．第14版．262-263．

問4-2-40

| 正解 | e | 多発性関節炎 |

多発性の関節炎は，関節リウマチや全身性エリテマトーデス(SLE)を代表とする膠原病によくみられる．

痛風は時に2関節，3関節を侵すことがあるが，対称性に関節炎を生じることはまれである．

反応性関節炎は関節炎，結膜炎，非特異性尿道炎を三主徴とする疾患であり，関節炎は非対称性で大関節に起こりやすい．

化膿性関節炎も多発性・対称性に生じることはまれである．

- ●標準整形外科学．第14版．259-263，271-279．

問4-2-41

| 正解 | a，c，e | リウマチ性多発筋痛症 |

リウマチ性多発筋痛症は高齢者によくみられる症候群であり，頸，肩，股関節周囲など近位筋の疼痛と朝のこわばりで急性発症する．

滑液包炎が主体であり，圧痛と可動域制限がみられ，単純X線像は正常である．

プレドニゾロンにより症状は劇的に改善する．

臨床検査ではCRP，赤沈が亢進するのみで，リウマトイド因子および抗核抗体は陰性である．

- ●標準整形外科学．第14版．263．

問4-2-42

| 正解 | a | 掌蹠膿疱症性骨関節炎 |

掌蹠膿疱症性骨関節炎は脊椎関節炎と似たような症状を呈するが，HLA-B27は陰性のことが多い．

掌蹠膿疱症の患者の約10%に骨関節病変が合併する．多くの患者で胸鎖関節，胸骨結合，胸肋関節など前胸部の圧痛，自発痛，腫脹，熱感がみられる．脊椎炎は約1/3にみられ，仙腸関節炎も約10%にみられる．遠位関節の症状は約40%にみられ，手指のMP・PIP関節，手関節などに多い．いずれも非化膿性慢性炎症の症状を示すが，同時に多数の手指関節が侵されることはまれである．

前胸壁の単純X線像では，初期には肋鎖靱帯の付着部に侵蝕像がみられ，進行すると靱帯に沿って骨新生が起こり，鎖骨と第1肋骨が骨性に癒合することもある．炎症が強い場合は鎖骨骨髄内にも炎症が及び，鎖骨は化膿性骨髄炎のように肥大化する．

脊椎病変の単純X線像は，多椎体にわたる強直性脊椎炎と同様の像を示す場合と，カリエスや化膿性脊椎炎と同様に少数の脊椎が侵される場合がある．

仙腸関節の変化は強直性脊椎炎と同じである．

- ●標準整形外科学．第14版．264．

問4-2-43

| 正解 | b | 副腎皮質ステロイド服用中の患者 |

副腎皮質ステロイドを長期間服用中の患者では，副腎皮質機能が低下している最近1週間以上ステロイド投与を続けている患者，また最近6カ月以内に1カ月以上ステロイドを投与された患者はステロイド補充療法の適応となる．

術中，副腎皮質機能不全に関連して低血圧を生じた場合に，補充療法を行ってもただちには奏効しない．

小手術ではステロイド等内因性のストレスホルモンの上昇がみられない場合もあり，ステロイドには易感染性や消化管潰瘍などの副作用もあることから，症例に応じてできるだけ最小限にとどめることが原則である．

術後は術後数日経過して術前と同じ維持量内服を再開する．

- 劔物修ほか編著．NEW麻酔科学．第3版．南江堂，2001：332．
- 吉村望監．標準麻酔科学．第4版．医学書院，2002：96．

問 4-2-44

| 正解 | d | 関節リウマチ，メトトレキサート |

メトトレキサートは治療の中心的薬剤（アンカードラッグ）と位置づけられている．わが国において2011年から週16 mgまで投与可能となった．

- 標準整形外科学．第14版．255．

問 4-2-45

| 正解 | d | 関節リウマチ，メトトレキサート |

a．× 商品名シンポニー．完全ヒト型抗TNF-α抗体
b．× 商品名ヒュミラ．ヒト型抗TNF-α抗体
c．× 商品名エンブレル．可溶性TNFレセプター融合蛋白
d．○ 商品名レミケード．キメラ型抗TNF-α抗体．メトトレキサートとの併用が必須である．中和抗体を抑制する目的で併用する．
e．× 商品名シムジア．PEG化抗TNF-α抗体

- 標準整形外科学．第14版．255-256．
- 日本リウマチ学会．関節リウマチ（RA）に対するTNF阻害薬使用の手引き（2020年2月1日改訂版）<https://www.ryumachi-jp.com/publish/guide/guideline_tnf>［2021年4月閲覧］．

問 4-2-46

| 正解 | d, e | 副腎皮質ステロイド |

a．× 発作時にNSAIDsを投与する．
b．× 関節炎に対してはNSAIDs，効果不十分であれば抗p19抗体を投与する．
c．× 発作時はNSAIDs，コルヒチンを投与する．発作が落ち着いたら尿酸値をコントロールする．
d．○ ステロイドが著効する．
e．○ 高齢者に急性発症する手足の痛みと浮腫を主症状とする疾患で，予後良好(remitting)，リウマトイド因子陰性(seronegtive)，対称性(symmetrical)，圧痕浮腫を伴う滑膜炎(synovitis with pitting edema)を呈する．関節破壊をきたさず再燃はまれであり，ステロイドが著効する．

- 標準整形外科学．第14版．259-265，271-275．

問 4-2-47

| 正解 | a, b, d | 脊椎関節炎 |

a．○ 主症状の1つである．
b．○ STIR画像で高信号となる骨髄浮腫がみられる．
c．× 第1選択である．
d．○ 安静にしていると増悪し，運動すると軽快する．
e．× 特に脊椎炎に対しては有効で，適応がある．

- 標準整形外科学．第14版．259-263．

問 4-2-48

| 正解　c　　強直性脊椎炎 |

薬物治療はNSAIDsとTNF阻害薬が中心である．

- 標準整形外科学．第14版．260-262．
- 日本リウマチ学会．強直性脊椎炎(AS)に対するTNF阻害療法施行ガイドライン(2010年10月改訂版)<https://www.ryumachi-jp.com/publish/guide/guideline_as_101124>[2021年4月閲覧]．

問 4-2-49

| 正解　e　　関節リウマチ，手指・手関節変形 |

ソーセージ様指は，乾癬性関節炎やMCTD(混合性結合組織病)でみられる．

- 標準整形外科学．第14版．243-245，486，492．
- 日本リウマチ財団教育研修委員会ほか編．リウマチ病学テキスト．第2版．診断と治療社．2016：161，229．

問 4-2-50

| 正解　d　　SAPHO症候群 |

a．×
b．×　写真で示す手足の発疹は，乾癬に典型的ではない．
c．×
d．○
e．×

1987年にChamotらが滑膜炎(synovitis)，挫瘡(acne)，膿疱症(pustulosis)，骨増殖症(hyperostosis)，骨炎(osteitis)の5徴を有する疾患群としてその頭文字をとりSAPHO症候群を提唱した．掌蹠膿疱症性骨関節炎(palmoplantar pustulotic arthro-osteitis, PAO)はこのうちの1疾患とされる．

- 標準整形外科学．第14版．38, 264, 536．

問 4-2-51

| 正解　d　　関節リウマチ |

内反足変形はまれに生じることがあるが，尖足は伴わない．

- 標準整形外科学．第14版．244-245, 712．

問 4-2-52

| 正解　a, d　　抗環状シトルリン化ペプチド抗体 |

抗環状シトルリン化ペプチド抗体(anti-cyclic citrullinated peptide antibody：ACPA)はアルギニン残基がシトルリン化されたペプチドに対する自己抗体で免疫学的異常の存在を示唆するもので，DASなどの疾患活動性指標には含まれていない．
早期では50％程度の感度だが，進行すると80〜90％で陽性となる．ACPAが陰性であっても，特徴的な骨びらんがみられれば関節リウマチと分類できる．

- 標準整形外科学．第14版．249-254．

問 4-2-53

| 正解　a, b, c　　関節リウマチの周術期投薬管理 |

a．○　メトトレキサートの休薬は，疾患活動性上昇のリスクが感染症減少などのベネフィットを上回るとされる．
b．○　抗リウマチ薬の投与は術後感染のリスクを軽度上昇させるとされる．
c．○　休薬の最大のリスクは疾患活動性の上昇である．
d．×　休薬期間は，薬剤の投与間隔や患者の疾患活動性などを考慮して決定すべきとされる．
e．×　ステロイドカバーは術中術後に行い，

術前日は必要ない．
- 日本リウマチ学会編．関節リウマチ診療ガイドライン 2014．メディカルレビュー社，2014：56-57，74．
- 日本リウマチ学会．関節リウマチ（RA）に対するTNF阻害薬使用の手引き（2020年2月1日改訂版）＜https://www.ryumachi-jp.com/info/guideline_tnf.pdf＞［2021年4月閲覧］．
- 日本リウマチ学会．関節リウマチ（RA）に対するIL-6阻害薬使用の手引き（2020年2月1日改訂版）＜https://www.ryumachi-jp.com/info/guideline_IL-6.pdf＞［2021年4月閲覧］．
- 日本リウマチ学会．関節リウマチ（RA）に対するアバタセプト使用の手引き（2020年2月1日改訂版）＜https://www.ryumachi-jp.com/info/guidline_abt.pdf＞［2021年4月閲覧］．
- 矢野三郎監．ステロイド薬の選び方と使い方．南江堂，1999．

問 4-2-54

| 正解 | e | 関節リウマチ，画像検査 |

a．○　単純像では不明瞭な場合があるが，造影をすると鑑別が容易となる．
b．○　パワードプラ法により滑膜肥厚と血流シグナルの増加が確認できる．
c．○　骨髄浮腫は，さまざまな臨床研究の結果から関節破壊進行のリスク因子とされる．
d．○　記載の通りである．T2強調像では中程度の信号領域として描出される．
e．×　関節リウマチの診断（分類）には，必ず医療者による診察（身体所見の採取）が必要で，超音波検査でそれを代用すべきではないとされる．

- 標準整形外科学．第14版．248-251．

問 4-2-55

| 正解 | e | 炎症 |

a．○　第1 MTP関節が典型的であるが，膝関節に起こることも珍しくない．
b．○　仙腸関節炎の存在が診断に必要である．
c．○　ブシャール結節．手指DIP関節ほど頻度は高くないものの，好発する関節である．
d．○　もっとも頻度の高い関節の1つである．
e．×　DIP関節に好発し，MP関節はまれである．

- 標準整形外科学．第14版．239-282．

問 4-2-56

| 正解 | c | 関節リウマチ |

a．○　手関節の変形や疼痛，手指MCP関節の尺側変位などを助長する可能性がある．
b．○　頸椎前屈を長時間続けないように指導する．
c．×　筋力維持には等尺性筋収縮による筋力増強訓練を基本とし，強い負荷がかかる等張性筋収縮による訓練は関節破壊を助長するため避けるべきである．
d．○　基本的な靴の作成法である．
e．○　手指変形，肘・肩関節の可動域制限や疼痛がある場合には，シャツの工夫が必要である．

- 標準整形外科学．第14版．258-259．
- 日本リハビリテーション医学会監．リハビリテーション医学・医療コアテキスト．医学書院，2018：206-208．
- 日本リハビリテーション医学会監．リハビリテーション医学・医療 Q & A．医学書院：2019：161-166．
- 千野直一監．現代リハビリテーション医学．第4版．金原出版，2017：325-329．

問 4-2-57

| 正解 | d | 脊椎関節炎 |

脊椎関節炎は体軸関節（仙腸関節と脊椎）に病変があるものと，末梢関節に病変があるものに大別される．30歳前後をピークとし，40歳台ま

でに発症することが多い．

体軸性脊椎関節炎では炎症性腰背部痛が重要な症状であり，一般的には40歳未満で緩徐に発症し，安静で増悪するため夜間痛や起床時痛が強く，逆に運動で改善する特徴がある．ぶどう膜炎，乾癬，炎症性腸疾患，付着部炎なども呈する．

X線画像では仙腸関節の不整像や骨びらん・骨硬化から関節強直像，MRIではSTIR像で骨髄浮腫を示唆する高信号像がみられる．本症例では炎症性腰背部痛があり，ぶどう膜炎の既往，X線像で右仙腸関節の不整像や，MRIで第1腰椎の骨髄浮腫を認めることから，dがもっとも疑われる．

- 標準整形外科学．第14版．259-262.

3 その他の関節疾患

Q ▶ p.69-73

問 4-3-1

正解 e 変形性関節症

変形性関節症(osteoarthritis：OA)の分類には，明らかな原疾患のない一次性(原発性)，何らかの疾患，病態に続発して発症する二次性(続発性)がある．一次性OAとして，末梢の小関節に発生するHeberden結節(DIP関節)，Bouchard結節(PIP関節)，母指CM関節症がよく知られている．膝関節，股関節などの大関節や脊椎にも発生する．全身性変形性関節症(generalized osteoarthritis：GOA)，びまん性特発性骨増殖症(diffuse idiopathic skeletal hyperostosis：DISH)も一次性に分類される．

二次性OAの原因となる疾患，病態には，外傷，局所性基礎関節疾患(骨折，感染，特発性を含む各種骨壊死疾患，股関節脱臼，臼蓋形成不全，大腿骨頭すべり症，半月切除後)，全身性基礎関節疾患(関節弛緩，出血性素因)，免疫異常を伴う全身性炎症性疾患(関節リウマチ，尋常性乾癬，強直性脊椎炎など)，結晶誘発性関節炎(痛風-尿酸塩結晶，偽痛風-ピロリン酸カルシウム塩結晶)，全身性代謝性・蓄積性疾患[破壊性脊椎関節症，アルカプトン尿症(組織黒変症)，ヘモクロマトーシス，Wilson病など]，内分泌性疾患(先端巨大症，副甲状腺機能亢進症)，神経病性関節症(Charcot関節)，骨系統疾患(多発性骨端異形成症，脊椎骨端異形成症など)など多岐にわたる．

- 標準整形外科学．第14版．266-284.
- 神中整形外科学．改訂23版．上巻．575-612.

問 4-3-2

正解 a 変形性関節症

変形性関節症の初期変化としてプロテオグリカン量の低下に伴うサフラニンO染色性が減少し，次第に軟骨の細線維化(fibrillation)が観察されるようになる．

関節辺縁部では軟骨の肥大増殖が起こり，内軟骨性骨化を経て骨棘を形成する．

荷重部軟骨の破壊の進行に伴い，軟骨下骨には骨梁の肥厚が生じてくる．

進行した変形性関節症ではしばしば滑膜炎を伴うが，二次的な非特異性炎症とされている．

- 標準整形外科学．第14版．266-284.
- 神中整形外科学．改訂23版．上巻．577-579.

問 4-3-3

正解 c，d，e 変形性関節症，病理所見

変形性関節症では軟骨基質のプロテオグリカンの減少により，サフラニンOやトルイジンブルーによる染色性は減少する．

荷重部ではtidemarkの乱れ，軟骨下骨の肥

厚がみられる．

滑膜内には破壊された骨軟骨片の埋入が観察される．

滑膜には二次性に炎症が惹起され，ところどころに血管増生と炎症細胞浸潤を認める．

荷重部では tidemark の乱れがみられる．

●標準整形外科学．第14版．266-284．

問 4-3-4

| 正解　d　　膝関節特発性骨壊死 |

膝関節特発性骨壊死の単純X線像は，初期には異常を認めないが，進行に伴って特徴的な所見を呈し，一般に正面像で4期に分類される．

第1期は発症期で，単純X線像には異常を認めないが，骨シンチグラムでは非常に高い取り込みがある．またMRIで壊死病巣を描出できるので，ともに初期診断に有用である．

発症して約2カ月を過ぎると第2期の吸収期となり，荷重部に骨吸収像が出現する．

第3期は陥凹期で，骨吸収像を骨硬化陰影が囲み，関節面に面した部分に線状陰影を認める．

第4期には変性期で骨棘形成が盛んになり，関節裂隙の狭小化が著明となる．

●神中整形外科学．改訂23版．下巻．1088-1090．
●標準整形外科学．第14版．678-679．

問 4-3-5

| 正解　b, d, e　　膝関節特発性骨壊死 |

膝関節特発性骨壊死は大腿骨内側顆に高頻度に発症し，60歳以上の女性に多い．

急激な膝内側部の疼痛で発症し，夜間安静時にも疼痛を訴える例が多い．

発症後1～2カ月は単純X線像上変化に乏しく，半月損傷や変形性関節症と誤診されることが多い．早期診断には骨シンチグラフィーやMRIが有用である．

治療は，発症期や吸収期には一本杖による免荷や足底挿板によって内側顆部の負荷の軽減を図る．陥凹期や変性期など進行した症例では，病変が大きく疼痛が増強し内側型の関節症が進行するようであれば高位脛骨骨切り術の適応となり，年齢，活動性，圧潰・変性の程度，外側の健常部の残存状態などに応じて人工膝単顆関節置換術や人工膝関節全置換術も選択される．

●神中整形外科学．改訂23版．下巻．1088-1090．
●標準整形外科学．第14版．678-679．

問 4-3-6

| 正解　d, e　　ステロイド性膝骨壊死 |

ステロイド性膝骨壊死は45歳以下の女性に多く発生し，全身性エリテマトーデス(SLE)などの基礎疾患を伴い，副腎皮質ステロイド薬投与歴を有する．

高率に大腿骨頭壊死を合併し，80%は両側罹患例である．

病変は脛骨，大腿骨ともにみられ，特発性膝骨壊死よりも広範囲である．

治療は，圧潰はないが疼痛が強い場合には core decompression が有効で，圧潰がある場合には年齢を考慮したうえで人工膝関節全置換術(TKA)の適応となる．

●神中整形外科学．改訂23版．下巻．1090．

問 4-3-7

| 正解　b, c　　血友病性関節症 |

血友病は血液凝固因子である第Ⅷまたは第Ⅸ因子の欠損あるいは活性低下による血液凝固障害であり，出血の好発関節は膝，肘，足関節の順であり，血友病と診断されていない小児では，出血の発生した急性期には急性化膿性関節

炎と誤る可能性がある．

また，一度出血した関節に繰り返して出血を起こす傾向があり，関節包や滑膜の肥厚がみられる．しかし，年齢が進むにつれて急性出血の頻度は低くなる．

- 神中整形外科学．改訂23版，上巻．593-597．
- 神中整形外科学．改訂23版，下巻．1094．
- 標準整形外科学．第14版．278-279，682-683．

問 4-3-8

| 正解　b，c　神経病性関節症 |

原因疾患としては，脊髄癆，糖尿病，脊髄空洞症，先天性無感覚症などが挙げられるが，近年，糖尿病による足部の罹患が増加している．

痛みが軽度な例が多いが，実際には約半数の例は疼痛を伴っている．

脊髄空洞症によるものは上肢の関節に多い．

膝関節に生じる頻度が高く，重度の関節水症を生じ，血性の関節液がみられる例もまれでない．

- Kasser JR(ed). Orthopaedic Knowledge Update 5 : Home Study Syllabus. AAOS, 1996 : 542.
- 標準整形外科学．第14版．277-278．

問 4-3-9

| 正解　e　神経病性関節症 |

関節破壊の進行に伴い著しい変形，亜脱臼，脱臼，高度の不安定性を認める．

神経病性関節症ではまったく無痛であることはまれで，関節破壊の程度に比較して軽度ではあるが疼痛を訴える例が多い．

原因疾患に伴う神経障害，特に深部感覚障害が存在する．

関節腫脹は著明で，反復する多量の関節水腫がみられる．

関節拘縮や強直を生じることはまれで，この点は変形性関節症との鑑別に有用である．

- 神中整形外科学．改訂23版，上巻．601-603．
- 神中整形外科学．改訂23版，下巻．1091-1094．
- 標準整形外科学．第14版．135，277，465，635-636，679-680．

問 4-3-10

| 正解　b，e　偽痛風 |

偽痛風発作はピロリン酸カルシウム（calcium pyrophosphate dihydrate：CPPD）結晶によって誘発される急性関節炎発作である．

発作は誘因なしに起こることもあれば，外傷，手術や脳梗塞，心筋梗塞などにより惹起されることもある．

約半数は膝関節に発生する．

体温の上昇，赤沈値の亢進などの全身症状もある．発作は数日から2週間前後持続する．

対称性の多発性関節炎となることが多く，確定診断には関節液中や病変部のCPPD結晶の証明による．関節液は，好中球増加により混濁しており，化膿性関節炎と間違われやすい．

1～数カ所の関節に突発性に関節痛が出現し，発赤，腫脹を伴い，数時間から1日のうちにピークに達する．

- 整形外科クルズス．第4版．223．
- 神中整形外科学．改訂23版，下巻．1103-1104．
- 標準整形外科学．第14版．275-276．

問 4-3-11

| 正解　c　ピロリン酸カルシウム沈着症 |

ピロリン酸カルシウム沈着症は遺伝的素因によって起こるほか，加齢や上皮小体機能亢進症，ヘモクロマトーシス，甲状腺機能低下症，低マグネシウム血症，低リン血症などの代謝性疾患に合併する．

本症は高齢者膝関節の0.4〜7.0％に存在するとされており，加齢に伴って増加する傾向にある．

偽痛風発作を起こすものは本症の一部で，無症状のもの，慢性関節炎症状を呈するもの，神経病性関節症に似た関節破壊をきたすものなど多数の病型がある．

ピロリン酸カルシウムは半月をはじめとして，関節軟骨，滑膜，腱，靱帯にも沈着し，単純X線像で石灰化がみられる．

- 標準整形外科学．第14版．275-276．
- 整形外科クルズス．第4版．360．

問 4-3-12

| 正解 b, e　ステロイド関節症 |

ステロイド関節症は，副腎皮質ステロイド関節内注入後に，病的骨折を主病変として原疾患の自然経過とはまったく異なる奇異な関節破壊が急激に生じるもので，荷重関節に好発する．

膝関節での初期像は脛骨内側顆に出現し，急速に骨破壊が進行する．

病理像では軟骨下骨梁の萎縮，微小骨折，骨折修復像の欠如，関節軟骨中間層の嚢腫状変性や壊死像，大小の関節軟骨や骨の破片が滑膜内に取り込まれた像が認められる．

あたかも神経病性関節症に似た単純X線像を示すが，神経病性関節症に比べて増殖性変化に乏しいことが特徴である．

- 神中整形外科学．改訂23版．下巻．1090-1091．
- 標準整形外科学．第14版．681．

問 4-3-13

| 正解 e　色素性絨毛結節性滑膜炎 |

色素性絨毛結節性滑膜炎は滑膜の絨毛状の増殖や結節を形成する疾患で，膝関節に好発する．滑膜全体に赤褐色の絨毛増殖と褐色の結節が混在するびまん型と，孤立性の結節のみの限局型がある．

関節の疼痛と腫脹で発症し，関節穿刺にて褐色調ないし血性の関節液が吸引される．

症状の進行は緩徐で，寛解と増悪を間欠的に繰り返すことが多い．びまん型で進行した例では，絨毛状に増殖した滑膜が骨内に侵入し単純X線像で軟骨下骨に骨囊胞様の透亮像を認めることがある．病変の部位や大きさはMRIで明瞭に観察できる．

びまん型では病変の切除が不完全な場合には再発が高頻度に認められ，広範な滑膜切除により病変の完全な切除が必要であるが，限局型では結節の切除のみで治癒する．

- 神中整形外科学．改訂23版．上巻．605-607．
- 標準整形外科学．第14版．387-388．633．682．

問 4-3-14

| 正解 a, d　滑膜骨軟骨腫症 |

滑膜骨軟骨腫症は若年者から中年に多くみられる疾患である．

大関節に好発し，膝関節がもっとも多い．膝窩部などの滑液包内に発生することもある．

滑膜に生じた軟骨病巣は成長し，次第に関節内に遊離体を生じるようになるが，遊離した軟骨片は関節内でも成長しうる．

病期分類にはMilgram分類が知られており，第1期は滑膜内の軟骨化生が活発であるが遊離体を認めない時期，第2期は滑膜内の軟骨化生と遊離体をともに認める時期，第3期は遊離体のみを認め滑膜内の活動性変化を認めない時期である．

滑膜骨軟骨腫症の治療には遊離体の摘出と滑膜切除が行われるが，第3期の場合には，滑膜における軟骨化生は沈静化しているため，滑膜

切除の必要はなく遊離体の摘出のみでよいとされる．

- 神中整形外科．改訂 23 版．上巻．607-609．
- 標準整形外科学．第 14 版．683．

問 4-3-15

| 正解 b 非外傷性関節血症 |

非外傷性関節血症は 60 歳以上の高齢者に多く，罹患部位はほとんど膝関節で単発性である．

出血時間や血液凝固能には異常を認めないが，Rumpel-Leede テストは陽性であることが多く，血管の脆弱性が示唆されている．

変形性関節症があり，高血圧を合併する例が多い．

なお，Rumpel-Leede テストとは駆血帯を用いて最大血圧と最小血圧の中間圧で 5 分間上腕を緊縛し，駆血帯を外して約 2 分後に点状出血の有無をみるテストである．

- 標準整形外科学．第 14 版．682-683．

問 4-3-16

| 正解 b，c 非外傷性膝関節血症 |

滑膜血管腫は，若年者で非外傷性に膝関節血症がみられる代表的疾患である．

特発性老人性膝関節血症は 60 歳台の女性に多い．

色素性絨毛結節性滑膜炎は 20〜30 歳台に好発し，関節血症を繰り返す．

血友病性関節症は血液凝固因子量(第Ⅷまたは第Ⅸ因子)が 1% 未満の重症の血友病で発症しやすい．

神経病性関節症でも関節血症がみられ，脊髄癆や糖尿病などによるものは 40〜50 歳で発症するものが多いが，原因疾患が先天性のものでは小児期に発症するものもある．

- 整形外科クルズス．第 4 版．363．
- 標準整形外科学．第 14 版．278-279，678-683．

問 4-3-17

| 正解 c 単純 X 線像，膝，関節破壊 |

血友病性関節症では繰り返される関節内出血により軟骨の変性・破壊が急速に進行し，20〜40 歳台に高度な関節破壊を生じる．

神経病性関節症では神経障害により関節防御機構に破綻をきたし，関節破壊は高度に進行していく．

特発性膝骨壊死では，大腿骨内側顆，脛骨内側顆ともに壊死，圧潰が生じた場合に神経病性関節症と鑑別を要することもあるが，高度の関節破壊に至ることは少ない．

ステロイド関節症も副腎皮質ステロイドの関節内注入により関節破壊が急激に進み，あたかも神経病性関節症に似た単純 X 線像を呈する．

ステロイド性骨壊死は，全身性エリテマトーデス(SLE)などの基礎疾患を伴い副腎皮質ステロイドの投与歴を有する患者にみられ，骨壊死は特発性よりも広範囲となる．

- 神中整形外科．改訂 23 版．上巻．593-597．
- 神中整形外科．改訂 23 版．下巻．1091-1095．
- 標準整形外科学．第 14 版．277-279，682-683．

問 4-3-18

| 正解 a 寛骨臼底突出症(Otto 骨盤) |

寛骨臼底が骨盤腔内に突出した状態で，最初の報告者にちなみ Otto 骨盤とも呼ばれる．原因が特定できない一次性(特発性)と原疾患に続発する二次性とがある．

関節リウマチに発症する二次性寛骨臼底突出症以外はまれであるが，くる病で起こる場合もある．

- 神中整形外科学．改訂23版．下巻．970-971．
- 標準整形外科学．第14版．636．

問 4-3-19

| 正解 | d | 特発性一過性大腿骨頭骨萎縮症 |

特発性一過性大腿骨頭骨萎縮症は，明らかな誘因なく妊娠後期の若い女性や中年の男性に好発する．股関節痛と跛行が主な症状で，軽度の可動域制限を生ずる．単純X線像は大腿骨頭の骨萎縮像がみられ，関節裂隙の狭小化がないことが特徴で，骨頭の輪郭が不明瞭であることもある．

本症は両側性もみられるが，片側に生ずることが多い．

病因は閉鎖神経圧迫説，静脈還流障害説，反射性交感神経性ジストロフィー/複合性局所疼痛症候群(CRPS)説など諸説があるが，いまだ定説はない．

症状は，安静・免荷などの保存療法により軽快し治癒に至る．本症は通常3～4カ月で症状は軽快し，5～10カ月で症状は消失する．

単純X線像は，症状の改善から3～4カ月遅れて正常化する．

- 神中整形外科学．改訂23版．下巻．980-982．
- 標準整形外科学．第14版．631．

問 4-3-20

| 正解 | d, e | 特発性一過性大腿骨頭骨萎縮症 |

特発性一過性大腿骨頭骨萎縮症は特異的な臨床所見に乏しいので，画像診断が有効な診断法となる．

骨シンチグラフィーは，骨頭から頚部にかけての強い集積がみられるのが特徴である．

単純X線像では骨頭から頚部にかけてのびまん性の骨萎縮像であり，骨頭の輪郭の不鮮明化がみられることもある．

MRI T1強調像で骨頭から頚部にかけてのびまん性の低信号域が特徴である．関節裂隙の狭小化はみられない．

- 神中整形外科学．改訂23版．下巻．980-982．
- 標準整形外科学．第14版．631．

問 4-3-21

| 正解 | a, b, e | アミロイド関節症 |

アミロイド関節症は，慢性腎不全による長期間の血液透析により引き起こされた関節障害である．

$β_2$-ミクログロブリン由来のアミロイド蛋白が関節や関節周囲の軟部組織に沈着し，疼痛や関節腫脹，水腫などをきたしたものであり，股関節や膝関節，肩関節に発症することが多い．

単純X線像では骨萎縮や関節近傍の囊腫やscalloping(ホタテ貝様)変化が特徴である．

しかし，初期の段階では関節裂隙の狭小化は少ない特徴がある．

股関節では大腿骨頚部に発生した囊腫により病的骨折をきたすことが知られている．

- 標準整形外科学．第14版．280．

問 4-3-22

| 正解 | c, e | 骨切り術 |

骨切り術は単に変形を矯正するためのものもあるが，大部分は骨切り術後の骨片の操作によって関節の適合状態を改善し，これを生体力学的に正常化しようとする目的をもつ場合が多い．

外側型変形性膝関節症では大腿骨顆上部での矯正骨切り術が適応となる．

膝蓋大腿関節症では減圧を目的として脛骨粗

面前方移行術が行われる．

血友病性関節症に対する手術療法として，鏡視下あるいは関節切開による滑膜切除術が行われる．しかしながら滑膜切除は，関節破壊の進行を遅らせる効果はあっても，完全に停止させるわけではない．成人例で関節破壊が高度に進行した場合には人工膝関節置換術の適応となる．高位脛骨骨切り術は内側に限局した変形性膝関節症に対して適応があり，広範囲に関節症変化をきたす血友病性膝関節症には通常適応にならない．

特発性大腿骨頭壊死症に対しては，弯曲内反骨切り術が行われる．

内反肘に対する矯正骨切り術は上腕骨顆上部で行われる．

- 神中整形外科学．改訂23版．下巻．1094-1095．
- 標準整形外科学．第14版．194, 267-271．

問 4-3-23

正解　a　　神経病性関節症

神経病性関節症の発生機序としては，神経障害により痛覚，深部知覚などの関節防御機構に破綻をきたした状態で，微小外傷による関節の支持組織の弛緩と関節内骨折が反復して発生する．罹患関節は荷重関節が多い．

原因疾患は脊髄癆が最多であり，脊髄空洞症，先天性無痛覚症がこれに次ぐ．

観血的加療として一般的に関節固定術や人工関節置換術が選択される．骨切り術は，偽関節やその後も動揺性や関節破壊の進行が危惧されるため，適応とはなりにくい．

糖尿病に伴う神経病性関節症は足趾，足根骨間関節，足関節に好発する．

- 標準整形外科学．第14版．277-278．
- 神中整形外科学．改訂23版．下巻．1091-1094．

問 4-3-24

正解　a, d　　血友病，血友病性膝関節症

a．○
b．×　第Ⅷ因子の欠損・活性低下を血友病Aと呼び，第Ⅸ因子の欠損・活性低下を血友病Bと呼ぶ．
c．×　血液凝固因子活性1％以下が重症である．
d．○
e．×　血友病性膝関節症において膝関節固定の適応は少ない．

血友病は，X染色体に存在する遺伝子異常による伴性劣性遺伝の疾患である．第Ⅷ因子の欠損・活性低下を血友病A，または第Ⅸ因子の欠損・活性低下を血友病Bと呼ぶ．

血友病および血友病性膝関節症は血液凝固因子量（第Ⅷまたは第Ⅸ因子）が1％未満の重症の血友病に発症しやすい．

出血に対して局所を固定し安静を保ち，凝固因子の補充療法を行う．

高度の関節機能障害には関節固定術や人工関節手術を行うが，膝関節固定術の適応は少ない．

- 標準整形外科学．第14版．278, 682-683．

問 4-3-25

正解　e　　神経病性関節症

神経病性関節症の原因は，脊髄癆，多発末梢神経炎，糖尿病，脊髄空洞症，脊髄損傷，癒着性くも膜炎，脊椎披裂，先天性無痛覚異常症など，脊髄後索や末梢神経障害の深部感覚障害で起こる．

筋萎縮性側索硬化症は脊髄前角の障害であり，主に運動ニューロン障害である．痛覚ではなく運動覚が障害される．

- 標準整形外科学．第14版．277, 679-680．

問 4-3-26

| 正解　b, e　　二次性変形性関節症 |

血友病のような関節内出血を伴う疾患は，二次性変形性関節症の原因となる．

Paget 病の関節障害は典型的ではない．

アルカプトン尿症は，ホモゲンチジン酸が関節に沈着すると，組織が脆弱化し関節症変化をきたす．骨系統疾患のうち，多発性骨端異形成症は二次性変形性関節症を起こす代表的な疾患である．

メロレオストーシスはスクレロトームの分布に一致して，長軸方向に蝋（ろう）を流したような骨硬化性病変を認める原因不明の疾患で，通常は関節障害をきたさない．

- 標準整形外科学．第 14 版．36, 278-279, 281-282, 301-303, 338-339.

4 四肢循環障害　Q▶p.73-76

問 4-4-1

| 正解　a, c　　動脈損傷 |

全身管理を開始し局所の処置に移るまでは圧迫止血が有用である．

上肢では側副血行路が発達しているので，主幹血行路が損傷されても末梢が壊死となることは極めて少ない．

末梢における脈拍の消失などの徴候を調べ，動脈損傷が疑われれば超音波検査や血管造影を行う．

血行再建の golden period は常温下で 6～8 時間である．

全身状態が重篤であれば動脈結紮あるいは切断を行う．

- 標準整形外科学．第 14 版．764-766.

- 土屋弘行ほか編．今日の整形外科治療指針．第 7 版．医学書院，2016：304-306.

問 4-4-2

| 正解　b, d　　急性動脈閉塞，5P |

急性動脈閉塞は，急性動脈塞栓症，急性動脈血栓症，外傷性動脈閉塞に分類される．

典型的症状は，疼痛（pain），蒼白（pallor），感覚異常（paresthesia），運動麻痺（paralysis），脈拍消失（pulselessness）であり，5P で表される．間欠跛行は慢性動脈閉塞の典型的症状である．

閉塞部位としては，大腿動脈分岐部がもっとも多く（34％），次いで腸骨動脈（16％），膝窩動脈（14％）と報告されている．

塞栓の原因は僧帽弁狭窄症や虚血性心疾患などの心疾患によるものが大半を占める．

- 土屋弘行ほか編．今日の整形外科治療指針．第 7 版．医学書院，2016：305-306.

問 4-4-3

| 正解　c, e　　深部静脈血栓，危険因子，診断 |

高齢，肥満，心疾患などが DVT の危険因子であり，また下肢人工関節術後や股関節骨折術後に多発する．

整形外科の術後に生じる DVT の多くは浮遊血栓であり，症状を呈するのは 10％程度である．

膝関節伸展位で足関節の背屈を他動的に強制すると腓腹筋部に疼痛を訴えることを Homans 徴候という．

D ダイマーの上昇は DVT 診断の補助になるが，その確定には超音波検査や静脈造影が欠かせない．

- 標準整形外科学．第 14 版．746-747.
- 土屋弘行ほか編．今日の整形外科治療指針．第 7

版．医学書院，2016：316-317．

問 4-4-4

| 正解　a，e　　深部静脈血栓，予防，治療 |

　何よりも予防が重要であり，弾性ストッキングやフットポンプを使用するとともに早期離床を図る．

　予防的抗凝固療法の開始時期は薬剤によっても異なるが，通常術後24時間を経過して開始する．

　血栓の治療は薬物治療が主体であり，手術的に血栓除去が試みられることもあるが，適応は限られる．

　DVTを認めたときにはフットポンプの使用は禁忌であり，大腿部のDVTでは血栓遊離の危険性が高くPTEの発生に注意すべきである．

- 標準整形外科．第14版．746-747．
- 土屋弘行ほか編．今日の整形外科治療指針．第7版．医学書院，2016：316-317．

問 4-4-5

| 正解　b，e　　動脈閉塞，壊死 |

　von Lanzによると，四肢主幹動脈結紮による四肢壊死の危険率は，鎖骨下動脈(9.5％)，腋窩動脈(9.1％)，上腕動脈(3.1％)，総腸骨動脈(100％)，外腸骨動脈(13.4％)，大腿動脈(21.8％)，膝窩動脈(100％)と報告されている．

　四肢の動脈の結紮が危険な箇所は，上肢では腋窩動脈，下肢では総腸骨動脈，膝窩動脈で，その他の動脈では側副血行路で壊死を免れることが多い．ただし，組織の挫滅を伴う損傷では側副血行路も遮断されるため，壊死の危険は大きくなる．

- 伊丹康人ほか編．明日への整形外科展望'71～'72．金原出版，1972：377．

問 4-4-6

| 正解　c，e　　四肢循環障害，ABI(ankle brachial index) |

　Homans徴候は膝関節伸展位にて足関節の背屈を他動的に強制する．腓腹部の疼痛と異常な緊満感があれば，下腿深部静脈血栓症の可能性を示唆する．

　爪圧迫テストでは，色調の回復の有無や回復の速度を確認する．手指や足趾での循環を評価できる．

　区画症候群では区画内圧を測定し診断を確定させる必要がある．区画内圧測定値による筋膜切開の適応は，30～45 mmHg以上あるいは拡張期血圧から20～30 mmHgを引いた値以上を示した場合とされている．

　Allenテストは手をきつく握らせ，験者は橈骨動脈と尺骨動脈を同時に圧迫した状態で手を広げさせる．次いで一方の血管の圧迫を解除すると血管の閉塞がない場合は血流の流入が起こり，蒼白部位が紅潮する．閉塞があると紅潮するのが遅れる．

　ABI(ankle brachial index)とは，足関節部位での最高収縮期圧を上腕部での最高収縮期圧で割った値であり，安静時の正常値は0.95～1.2とされている．この値が0.90未満であれば末梢動脈閉塞性疾患が疑われる．

- 標準整形外科．第14版．285-289．
- 整形外科クルズス．第4版．184，386．

問 4-4-7

| 正解　b　　急性主幹動脈閉塞，四肢循環障害 |

　下肢において急性動脈閉塞の壊死発生の高位は，その閉塞部位によりほぼ想定できる．大腿動脈分岐部では膝の高さであり，膝窩部では下腿中央以下である(図1)．

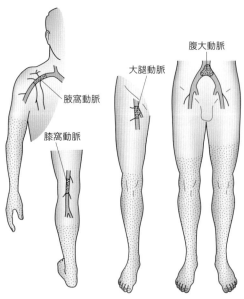

問4-4-7／図1　急性動脈閉塞後の皮膚温度の低下領域

(deTakats G. Vascular Surgery. Saunders, 1959：311より引用)

問4-4-8

| 正解　b, c　　四肢阻血 |

皮膚および筋肉の阻血による症状や所見は，予後を推定する一応の指針となる．皮膚の点状出血，感覚麻痺の場合には四肢生存の可能性があり，運動麻痺が加われば予後不良であり，筋腫脹や皮膚水疱形成がみられれば非常に予後不良である．

● 石川浩一ほか. 末梢血行障害. 永井書店, 1975：20, 62.

問4-4-9

| 正解　a, e　　胸郭出口症候群，誘発試験 |

Morleyテストは，胸郭出口症候群で鎖骨上窩部の斜角筋上部を圧迫し，局所の疼痛と末梢への放散痛を調べる検査である．

Wrightテスト，Edenテストは，ともに胸郭出口症候群に対する末梢での脈拍触知による補助診断法である．

Adsonテストは，患側に顔を向けて，そのまま首を反らせ，深呼吸をさせると鎖骨下動脈が圧迫され，橈骨動脈の脈が触知する．

Roosテスト（3分間挙上負荷テスト）は，Wrightテストの姿勢で両手指の屈伸を3分間行わせ，手指のしびれ，前腕のだるさのため持続できない場合を陽性とする．

● 標準整形外科学. 第14版. 523.

問4-4-10

| 正解　c, d　　血管性間欠跛行 |

腰部脊柱管狭窄症による間欠跛行では，症状は腰椎を前屈させると速やかに軽快するのが特徴であり，通常，自転車での移動では問題がない．跛行の原因は両下肢の疼痛やしびれであり，直腸膀胱障害や会陰部の障害を合併することもある．

脊髄性間欠跛行では症状が増悪し歩行困難のとき，足は内反尖足位をとる．

血管性間欠跛行では，一定の時間を歩行すると下肢，特に腓腹部に疼痛が生じ徐々に増悪し，歩行困難となる．

運動時の乏血が原因である．

下肢の疼痛は立ち止まるだけで軽快するが，また歩行すると同様の症状が出現する．

● 神中整形外科学. 改訂23版. 上巻. 833.
● 神中整形外科学. 改訂23版. 下巻. 200-201.
● 標準整形外科学. 第14版. 286, 555.

問4-4-11

| 正解　c, d, e　　Allenテスト |

Allenテストは橈骨動脈・尺骨動脈の閉塞の有無を調べる検査である．同様の検査を指動脈

に対しても行うことができる.
● 標準整形外科学. 第 14 版. 286, 480.

問 4-4-12

| 正解　a, c, e　急性区画症候群 |

a. ○
b. ×　早期の症状は腫脹, 疼痛であり, さらに進行すると感覚異常, 麻痺が出現する.
c. ○
d. ×　区画内圧測定が有用である.
e. ○
● 標準整形外科学. 第 14 版. 491, 747, 768-777.

問 4-4-13

| 正解　a, d　脂肪塞栓症候群, Gurd の診断基準 |

表 1 参照.

問 4-4-13／表 1

脂肪塞栓症候群：Gurd の診断基準
大基準
点状出血斑
呼吸症状と X 線像上の両肺野病変
頭部外傷や他の原因によらない脳神経症状
小基準
頻脈
発熱
網膜変化(脂肪滴または出血斑)
尿変化(無尿, 乏尿, 脂肪滴)
ヘモグロビン値の急激な低下
血小板数の急激な低下
血沈値の亢進
喀痰中の脂肪滴
大基準 1 項目, 小基準 4 項目以上で臨床診断.
(標準整形外科学. 第 14 版. 746 より引用)

● 標準整形外科学. 第 14 版. 745-746.

5 骨端症

1) 上　肢

問 4-5-1

| 正解　c, d, e　離断性骨軟骨炎, 肘関節内遊離体, 変形性肘関節症 |

単純 X 線正面像では明らかでないが, 45°屈曲正面像において上腕骨小頭関節面に小骨片が認められる. また, 単純 X 線側面像で, 尺骨鉤状突起の前方に遊離体が認められる. CT では, 矢状断像で上腕骨小頭関節面に母床と遊離した小骨片が認められ, 尺骨鉤状突起の前方に遊離体が認められる. 尺骨鉤状突起に骨棘形成が認められる. 本患者は中年男性であるが, スポーツ歴として小児期に野球をやっていたとのことである.

特徴的な画像所見から, 小児期に生じた上腕骨小頭離断性骨軟骨炎によって, 上腕骨小頭から骨軟骨片が分離し遊離体が生じていたものの, 無症候性に経過していていたものが関節炎となって発症したと考えられる. そして, 尺骨鉤状突起に骨棘形成が生じており, 変形性関節症も生じていると考えられる.

Panner 病は 4～10 歳男児に好発する骨端症であるが, 離断性骨軟骨炎と異なり, 病変は小頭全体に及ぶが, 2～3 年の経過で自然修復される. 遺残変形や遊離体を生じることはない.

肘周辺の異所性骨化とは関節包, 靱帯, 腱, 筋に生じる骨化をいう. 関節内のものは異所性骨化とはいわない.

● 標準整形外科学. 第 14 版. 137, 289-291, 461.

問 4-5-2

| 正解 | c | Kienböck 病 |

a. × 遺伝的素因はないとされている．
b. × 月状骨の無腐性壊死である．
c. ○ 握力の低下がみられ，手関節掌屈の可動域制限が強いことが多い．
d. × 保存療法が有効な症例があり，手関節固定装具などが用いられる．
e. × 進行すると変形性関節症となる．

　Kienböck 病は月状骨の無腐性壊死で，月状骨軟化症とも呼ばれる．手を使う肉体労働者に多く発生するが，最近では月状骨骨折に起因して発生することも少なくないとされている．約7割が利き手に発症する．10〜50歳台の成人に発症する．男性に多い（男女比は3〜4：1）．手関節の自発痛，運動時痛があり，特に背側で月状骨に一致して圧痛がある．握力の低下がみられ，手関節掌屈の可動域制限が強いことが多い．

　治療では発症初期では手関節固定装具で局所の安静を図り，消炎鎮痛薬を投与するなどの保存治療によりある程度の進行を阻止することができる．

　進行すると観血的治療（血行再建術，月状骨に対する除圧術，切除関節形成術，近位手根列切除術など）が病期と症状に応じて行われる．

- 標準整形外科．第14版．496．
- 神中整形外科．改訂23版．下巻．743-746．

2）下　肢

問 4-5-3

| 正解 | c, d, e | Blount 病 |

　Blount 病は脛骨近位の成長軟骨板内側部の成長障害により脛骨内反が生じるまれな疾患である．多くは2歳以降の幼児にみられる．原因は不明で進行して大きな変形を呈することがある．骨系統疾患，くる病，生理的内反膝，脳性麻痺などとの鑑別が必要である．

　単純X線像では脛骨近位の内反と内側骨端線の不規則骨化や分節化，隣接する骨幹端のくちばし様変形などを認める．

　変形が軽度であれば装具療法を行うが，高度の変形例や進行性の症例には骨切り矯正などの手術療法を行う．

- 標準整形外科．第14版．659．

問 4-5-4

| 正解 | a, c, e | Perthes 病 |

　Perthes 病は，大腿骨骨端部の血行障害に起因して発生する骨端症の1つである．3〜12歳に発症し，特に6〜7歳に好発し，5：1と男子に多いのも特徴である．

　予後に影響する因子として発症年齢と骨端部の壊死範囲が挙げられ，一般的には高齢発症および壊死範囲の大きいものほど予後が悪いとされる．

　両側発症例は15〜20％にみられる．

　臨床症状としては跛行がもっとも多いが，膝関節前面の痛みの訴えとして来院することも多く注意を要する．

- 標準整形外科．第14版．612-616．

問 4-5-5

| 正解 | a, d, e | Perthes 病 |

　Perthes 病の多くは疼痛，跛行，運動制限を主訴としている．なかには無症状で経過する症例もある．

　初発症状は股関節痛であることが多いが，大腿から膝関節の痛みのみを訴えることがある．また疼痛が軽微で，歩容異常から発見されるこ

ともある．大腿部，殿部の筋萎縮がみられる．

Perthes病の好発年齢の男児が外傷の誘因もなく大腿〜膝痛を訴えて外来受診した場合は，必ず本症を疑って股関節のX線撮影を行うべきである．

関節可動域は，開排（屈曲・外転），内旋が著しく制限される．屈曲拘縮も認められる．Trendelenburg徴候は陽性で鼠径部に圧痛がある．Perthes病も進行すると患肢は健側に比して短縮する．

大腿骨頭すべり症では，仰臥位で股関節を屈曲していくと患肢が開排していくDrehmann徴候が認められる．患肢は著しく外旋し，股関節は屈曲・外転，内旋が著しく制限される．すべりが強い症例では患肢は短縮し，Trendelenburg徴候は陽性となる．

●標準整形外科学．第14版．612-616．

問 4-5-6

| 正解　a，c，e　　Perthes病の初期単純X線像 |

Perthes病の比較的初期には，大腿骨頭の2方向のX線撮影が必須である．

壊死発生後1ヵ月以内の単純X線像では，骨・軟骨に変化はなく，滑膜炎が認められる．関節液の貯留があり滑膜・関節包の浮腫や肥厚が存在する．骨頭の外方偏位が生じ内側の関節裂隙がやや広くなる（Waldenström徴候）．

初期以降，1年以内である壊死期の単純X線像では壊死が明らかになり，骨頭圧壊が生じる．大腿骨頭に圧潰が生じると，骨端核は扁平化し前外側に偏位する．圧潰に際し，関節軟骨はその直下の壊死に陥った軟骨下骨梁をつけて，さらに下層の壊死骨梁との間にずれ（軟骨下骨折）が生じるので，半月様線状透過陰影（crescent sign）としてみられる．圧潰が進むと，骨端核陰影は増強し，その辺縁は不整となる．

骨頭核の分節化や石灰化は，もう少し病期が進行するとみられる所見である．

●標準整形外科学．第14版．612-616．

問 4-5-7

| 正解　c　　Perthes病の遺残期 |

Perthes病の遺残期には，c以外のいずれも単純X線像上みられる変化である．この他に大腿骨頚部の短縮拡大がみられる．

臼底の二重像は，先天性股関節脱臼や高度の臼蓋形成不全の遺残としてみられるものである．

●標準整形外科学．第14版．612-616．

問 4-5-8

| 正解　e　　骨端症 |

a．× 第1 Köhler病——足舟状骨
b．× Blount病——脛骨近位
c．× Freiberg病——第2中足骨
d．× Scheuermann病——胸腰椎移行部．椎体の二次骨核の障害により発症する．
e．○ Sever病——踵骨

成長期の長管骨骨端核はepiphyseal center，筋付着部骨端核はapophysisと呼ばれる．骨端症は手，足，脚にみられる阻血性骨壊死で，骨変化と疼痛を伴う．

第1 Köhler病は舟状骨の骨端症で5〜6歳の男子に好発し，足内側部に圧痛を訴える．

Blount病は脛骨近位内側骨端部の成長障害により脛骨内反をきたす疾患である．

Freiberg病は中足骨頭に生じる骨軟骨損傷で10歳台の女性に好発する．第2中足骨に多く，中足趾節関節が背屈することにより骨頭に過度のストレスがかかり発症する．

Scheuermann病は胸椎部，胸腰椎移行部椎体の二次骨核の障害により発症すると考えられている若年性後弯症である．

Sever病は踵骨骨端核に生じる骨端症で学童期にみられる．ジャンプやランニングなどでの骨端核への直接の圧迫力とアキレス腱や足底筋膜の張力がかかることにより循環障害を生じて発症すると考えられている．

- 標準整形外科学．第14版．289，290，710，887，888．

問 4-5-9

正解　a	骨端症

Blount病は脛骨近位内側骨端部の成長障害により脛骨内反をきたす疾患である．

第1 Köhler病は舟状骨の骨端症で5〜6歳の男子に好発し，足内側部に圧痛を訴える．スポーツを中止して足底挿板（アーチサポート）を装着して舟状骨へのストレスを軽減する．予後は良好である．

Sever病は踵骨骨端核に生じる骨端症で学童期にみられる．ジャンプやランニングなどでの骨端核への直接の圧迫力とアキレス腱や足底筋膜の張力がかかることにより循環障害を生じて発症すると考えられている．治療法は保存療法が中心で手術治療が必要となることはない．予後は良好である．

Panner病は上腕骨小頭に発症する骨端症で比較的まれである．スポーツにより発症する離断性骨軟骨炎との鑑別を必要とする．保存療法が中心で手術治療を必要とすることはほとんどない．予後は良好である．

Osgood-Schlatter病は成長期に主にスポーツで膝蓋腱の脛骨付着部に慢性の機械的刺激が生じることにより発症し，脛骨粗面部の疼痛と膨隆をきたす．10〜15歳頃に多く発症し，特に膝の屈曲・伸展を繰り返すスポーツを行っている男子に好発する．

- 標準整形外科学．第14版．289，659，660，710．

問 4-5-10

正解　a，b，d	Perthes病

a．〇
b．〇
c．×　Trethowan徴候は大腿骨頭すべり症の所見である．
d．〇
e．×　大腿骨内反骨切り術が一般的である．

発育期に大腿骨近位骨端核が阻血性壊死をきたす疾患である．壊死は最終的にはほぼ完全に修復されるが，その修復過程で壊死に続発する大腿骨頭の陥没変形，扁平巨大化および骨端線成長障害による頚部短縮，横径増大などの変形が生じ，骨頭外方化，臼蓋形成不全などの症状を併発する．

5〜8歳の男子に好発するが8歳以降発症の予後は悪い．初発症状は股関節痛が多いが，膝痛のみで発症することがあり注意を要する．股関節の屈曲，外転，内旋の可動域が障害される．

Catterall分類は，単純X線像の壊死範囲から4つのグループに分類しgruop 1からgroup 4の順に予後が悪いことを指摘したが鑑別が難しいこともあり，正面像で骨端核を3つの柱に分け，外側の柱の高さにより分類するlateral pillar classificationがもっとも頻用される．group A，B，Cがあり，Aは予後良好でCが予後不良である．

治療はいかにして骨頭圧壊を生じさせることなく将来の骨頭変形による二次性股関節症の発生を予防できるかにある．保存治療は装具や車いすを用いた完全免荷治療が主であり，手術治療では大腿骨内反骨切り術がもっとも一般的で

ある.
●標準整形外科学. 第 14 版. 612-616.

3）その他

問 4-5-11

| 正解　a, c, e　骨端症 |

Sever 病は踵骨の骨端症で 8〜12 歳の男子に多く，踵骨後方の疼痛と圧痛が生じる．単純 X 線側面像で踵骨骨端核の硬化像，扁平化，分節化などがみられるが，これは健側にもあるので診断の決め手にはならない．1〜2 年で自然治癒する．

Freiberg 病は中足骨頭の阻血性壊死病変で，第 2 中足骨に多く，好発年齢は 10〜18 歳で女子に多く，男子の約 4 倍である．

Panner 病は上腕骨小頭の無腐性壊死で，10 歳以下の男子に好発する．上腕骨小頭離断性骨軟骨炎との鑑別が重要である．

第 1 Köhler 病は足舟状骨の骨端症で，好発年齢は 3〜12 歳，特に 5〜6 歳の男子に好発し，足背内側部に疼痛を訴える．

Osgood-Schlatter 病は発育期に発生する脛骨粗面の骨端症で，大腿四頭筋の過度の収縮を繰り返すことにより膝蓋腱の脛骨付着部が慢性の機械的刺激を受けて発症する．剣道や陸上などのクラブ活動をしている 12〜13 歳前後の男子に好発する．
●標準整形外科学. 第 14 版. 289, 710-711, 888.

6　小　児

問 4-6-1

| 正解　b, c　骨系統疾患 |

日本整形外科学会の骨系統疾患全国登録に 1990〜2016 年に登録された 7,234 例において，1 位は骨形成不全症 915 例，2 位は軟骨無形成症 836 例，3 位は多発性軟骨性外骨腫症 420 例，4 位は多指（趾）症 222 例とされている．さらに 5 位は多発性骨端異形成症 186 例，6 位は内軟骨腫症 169 例，7 位は低リン血症性くる病 155 例，8 位は先天性脊椎骨端異形成症 145 例，9 位は線維性骨異形成症 111 例，10 位は多合指（趾）症 106 例となっている．
●標準整形外科学. 第 14 版. 296.

問 4-6-2

| 正解　a, b, e　骨形成不全症 |

骨形成不全症（osteogenesis imperfecta）は，骨基質の主要成分である I 型コラーゲンの変異による疾患で，繰り返される骨折・青色強膜・難聴を主徴とする．

4 つのサブタイプに分けられる Silence 分類が有名で重要である．

常染色体優性と劣性遺伝がある．

骨折が大腿骨・下腿骨・上腕骨・脊椎・前腕骨の順序に拡大するにつれて重症である．骨折後，弯曲変形することが多いが，骨癒合は良好で，思春期以降に骨折の頻度は低下する．

難聴は，耳小骨硬化症によるもので成人期に発症することがある．
●標準整形外科学. 第 14 版. 303-304.

問 4-6-3

| 正解　c, d　　軟骨無形成症 |

　軟骨無形成症は四肢短縮型低身長を呈する最多の骨系統疾患であり，線維芽細胞増殖因子3型受容体(fibroblast growth factor receptor-3：FGFR3)遺伝子の異常により生じる．

　単純X線像では管状骨は太く短く，骨端核は小さく，骨幹端は盃状変形(cupping)を認める．また，腰椎正面像では椎弓根間距離が頭側から尾側にかけて狭小化することが大きな特徴である．

　乳児期の運動発達は遅れても，知能発達，生命予後は良好である．

　脚短縮に対する治療として骨延長術や成長ホルモン投与が行われるが，成長ホルモンは分泌不全が存在しなくても投与が認められている．

●標準整形外科. 第14版. 298-299.

問 4-6-4

| 正解　a, d, e　　Ollier病(多発性内軟骨腫症) |

　Ollier病は，身体の片側に多発性内軟骨腫がみられるものである．これに対して，軟部組織の海綿状血管腫と多発性内軟骨腫が合併するものをMaffucci症候群という．

　Ollier病では長管骨骨幹端に多発する内軟骨腫により，骨の変形や短縮，関節端の膨隆をきたす．

　手指の骨にもっとも好発する．

　軟骨肉腫への悪性化の頻度が高い．

●標準整形外科. 第14版. 348-349.

問 4-6-5

| 正解　a, c, d　　軟骨無形成症 |

　軟骨無形成症(achondroplasia)は，四肢短縮型の低成長を示す代表的な骨系統疾患である．四肢短縮のほか，骨盤形態，頭蓋底の前後径短縮，顔貌異常，脊柱管形態などは，内軟骨性骨化障害によるものと解釈されている．

　4番染色体短腕にある線維芽細胞増殖因子3型受容体(fibroblast growth factor receptor 3：FGFR 3)遺伝子の異常によることが判明している．

　遺伝形式は，常染色体優性遺伝であるが，罹患者の80～90％が新突然変異である．

　長管骨の長径成長は障害され，下腿は内反している例が多い．肘関節は橈骨頭の亜脱臼のため伸展制限がみられるが，他の関節は一般に弛緩を示す．脊柱管径が小さく，胸腰椎移行部の後弯，腰椎前弯増強に伴って早期より脊柱管狭窄症状を呈する例がある．

　顔貌は特徴的で，頭部は大きく，前額部，下顎は突出しており，鼻根部は陥凹し，顔面中央部低形成を示している．

●標準整形外科. 第14版. 298-299.

問 4-6-6

| 正解　b, c　　小人症 |

　軟骨無形成症は四肢短縮型低身長を示す骨系統疾患の代表である．

　骨幹端異形成症は管状骨骨幹端の異形成とそれに伴う関節近傍の変形や四肢短縮型低身長を示す．

　先天性脊椎骨端異形成症はⅡ型コラーゲン異常症であり，体幹短縮型小人症を呈する．

　大理石骨病や鎖骨・頭蓋異形成症は，均衡型の小人症を呈する．

- 標準整形外科. 第 14 版. 298-299.

問 4-6-7

| 正解 a, b, e | 多発性軟骨性外骨腫症 |

多発性軟骨性外骨腫症は，外骨腫（骨軟骨腫）が全身に多発する疾患である．

常染色体性優性遺伝の形式をとり，*EXT1*, *EXT2* の 2 種類の遺伝子変異が知られている．

症状は幼児期に発見される骨性腫瘤で，骨成熟に至るまで増大する．外骨腫は長管骨骨幹端部に生じるが，短骨や扁平骨にも生じうる．通常は無痛性であるが，発生部位により疼痛，関節可動制限，神経・血管圧迫症状を示す．外骨腫には軟骨帽がおおっており，成長期には軟骨内骨化が行われる．罹患長管骨は短縮・弯曲し，尺骨短縮，橈骨弯曲，手関節部の尺側偏位は特徴の 1 つである．

成人で外骨腫が増大する場合は軟骨肉腫への悪性化を疑う必要がある．悪性化は体幹や四肢近位の外骨腫に多く，頻度は 2～20% と報告されている．

単純 X 線像では，管状骨の骨幹端部 (metaphysis) より骨幹部 (diaphysis) 方向に向かう骨性突出像を認める．基部は広いか茎状である．

- 標準整形外科. 第 14 版. 309.

問 4-6-8

| 正解 a | 大理石骨病 |

大理石骨病は，破骨細胞の機能不全のため全身の骨硬化を示す遺伝性の疾患である．遺伝形式は，遅発型が常染色体優性遺伝，他は常染色体劣性遺伝である．重症新生児・乳児型，中間型，遅発型，腎尿細管アシドーシスを伴う型がある．早期型は子宮内あるいは乳児早期に発現する重症型で，死亡するものが多い．

本症では破骨細胞による骨吸収の障害のため，未熟骨から成熟骨へのリモデリングが損なわれ，骨の大部分が未熟骨で占められる．

単純 X 線像では，全身の骨硬化と長管骨では骨幹端部の棍棒状変形を示す．脊椎においては，椎体の上下縁が幅広く硬化してサンドイッチ様椎体を呈する．また，指骨，手根骨，椎体では骨中骨 (bone with a bone) を認める．

臨床的には易骨折性，骨髄機能不全，脳神経症状の 3 徴候を有する．

- 標準整形外科. 第 14 版. 306.

問 4-6-9

| 正解 a, d | 被虐待児症候群 |

親や世話をする人によって引き起こされた，子どもの健康に有害なあらゆる状態と定義され，身体的虐待，養育の怠慢・拒否，性的虐待，心理的虐待に分類される．しばしば骨折を伴うので，整形外科医が初期治療にあたることは多い．場合によっては死に至ることもある虐待を冷静に見抜くことが要求される．

養育の怠慢により低身長・低体重例が多い．衣服の下の皮膚に新旧のあざ，大人の歯型，タバコによる熱傷瘢痕などがみられることがあり，着衣を脱がしてよく観察することが重要である．身体各所の X 線撮影のほか，頭部 CT が必要になることがある．

受傷機序の説明が曖昧で，骨折型と矛盾する場合は本症を疑う．虐待に特有な骨折としては，① 豊富な骨膜反応のある骨幹端部の骨折，② 歩行開始前の乳児の長管骨骨折（特に螺旋骨折），③ 後方や側方の多発肋骨骨折，④ 様々な治癒過程の骨折の混在，⑤ 左右両側の頭蓋骨骨折，⑥ 骨折線が頭蓋縫合を越える頭蓋骨骨折，などがある．

虐待による骨折を疑ったら，外来で治療でき

る骨折であっても，子どもを保護するため必ず入院させる．児童福祉法に従い，児童相談所または福祉事務所に届け出る．

- 標準整形外科学．第14版．839-840．

問 4-6-10

| 正解　c　　脳性麻痺，定義 |

脳性麻痺は発達途上にある脳の非進行性病変による運動麻痺と定義される．

脳病変の発生時期としては，受胎から新生児期までとする場合と，受胎から幼児期前半(3歳頃まで)とする場合がある．運動・姿勢に障害があり，成長に伴って症状は変化しうるが永続的である．

他の中枢神経障害(感覚・認知・知能・行動・情緒障害，てんかん)を合併することが多い．

これまでの原因として出生時仮死，重症黄疸が挙げられていたが，近年は早産や低出生体重児の低酸素脳虚血脳病変による脳室周囲白質軟化症が多くなっている．

厚生省(現厚生労働省)脳性麻痺研究班が1968年に提唱した「脳性麻痺とは受胎から新生児，生後4週間以内までに生じた脳の非進行性病変に基づく，永続的な，しかし変化しうる運動および姿勢の異常である．その症状は満2歳までに発現する．進行性疾患や一過性の運動障害，または正常化されるであろうと思われる運動発達遅延は除外する」とする定義が一般的である．

- 標準整形外科学．第14版．399-401．
- 土屋弘行ほか編．今日の整形外科治療指針．第7版．医学書院，2016：297-301．

問 4-6-11

| 正解　a　　脳性麻痺 |

脳性麻痺に多い痙縮型両麻痺では，起立位でかがみ肢位(crouching posture)になりやすい．そして下腿三頭筋の痙性が強いために尖足になり，体重をかけることで外反扁平足となる．起立・歩行できない重度の脳性麻痺では，はさみ肢位(scissors posture)や，肩関節内旋内転，肘関節屈曲，前腕回内，手関節掌屈，手指屈曲変形がみられる．

外反肘が脳性麻痺に続発することは少ない．

- 土屋弘行ほか編．今日の整形外科治療指針．第7版．医学書院，2016：297-301．

問 4-6-12

| 正解　b，e　　脳性麻痺 |

脳性麻痺では股内転筋群の痙性が強いと，幼児期に股関節の脱臼が起こってくる．進行する亜脱臼に対しては，痙性筋の解離術で脱臼を防ぐ．

側弯は起立歩行不能の重度障害の脳性麻痺によくみられる．

不随意運動型(アテトーゼ型)の脳性麻痺の成人では，過剰な頚椎の運動により頚椎症を起こし，脊髄症を続発する．

- 標準整形外科学．第14版．399-401．
- 土屋弘行ほか編．今日の整形外科治療指針．第7版．医学書院，2016：297-301．

問 4-6-13

| 正解　b，c，d　　脳性麻痺，痙縮型麻痺 |

痙縮型麻痺は脳性麻痺の中で頻度の高い病型であり，錐体路症状により伸張反射が亢進し，運動が円滑に行われない．

関節の他動運動に際し，折りたたみナイフ(jack knife)現象をみる．

成長とともに関節の拘縮変形を生じ，下肢では尖足，膝屈曲拘縮，股関節屈曲・内転・内旋拘縮が一般的である．

随伴症状としては知能低下，てんかんなどがみられる．

これに対しアテトーゼ型の場合は緊張が変動するため，関節の変形・拘縮はまれである．また，随伴症状として言語障害，聴覚障害を伴うことが多い．

- 標準整形外科学. 第14版. 399-401.
- 土屋弘行ほか編. 今日の整形外科治療指針. 第7版. 医学書院, 2016：297-301.

問 4-6-14

正解　b　　脳性麻痺

定説化されている病因としては，低酸素脳症，新生児仮死，核黄疸，低出生体重児の他に，低血糖，頭蓋内出血，脳脊髄膜炎が挙げられている．

- 標準整形外科学. 第14版. 399-401.

問 4-6-15

正解　a, b, c　　分娩麻痺

a．○　代表的な分娩外傷であり，分娩麻痺に伴うことがある．
b．○　Horner徴候(縮瞳，眼瞼下垂，眼球陥凹)はT1神経根の節前損傷の場合に陽性となる．
c．○　横隔神経(C3-C5)麻痺を呈することがある．
d．×
e．×

分娩麻痺は分娩時に発症する腕神経叢の牽引損傷である．頭位分娩では巨大児に発生しやすい．帝王切開でも過度の牽引を行えば発生する．損傷を受けた神経の分布によって臨床症状が異なり，上位型麻痺(Erb麻痺)，全型麻痺，および下位型麻痺(Klumpke麻痺)に分類される．分類はおおむね1カ月を経過した時点でなされる．実際の症状は損傷の程度，自然回復の混在によって修飾されて多彩である．骨盤位分娩では両側性に麻痺が発生することがある．骨折や感染症などの疼痛を伴う疾患があると上肢を動かさないことがあるので鑑別を要する．鎖骨骨折が分娩麻痺に合併することもまれではない．

骨折以外に筋性斜頸，横隔神経麻痺，Horner徴候を合併することもある．

- 標準整形外科学. 第14版. 103, 871-873.
- 日本小児整形外科学会監. 小児整形外科テキスト. 第2版. メジカルビュー社, 2016：116-119.

問 4-6-16

正解　d, e　　先天性内反足，矯正ギプス治療

a．×　通常通り使用する．
b．×　膝上，鼠径部遠位まで巻く．
c．×　尖足の矯正は最後に行う．
d．○
e．○

先天性内反足は前足部の内転，後足部の内反，足全体の凹足と尖足の4つの主な変形を伴う先天性足部変形である．日本人の発生頻度は約1,500人に1人で，男児に多く(男：女＝2：1)．踵骨前方が距骨の下に入り込むいわゆるroll inの状態になっており，距骨形成不全により距骨頭部は短縮内反し，さらに距舟関節では舟状骨が内側に変位している．下腿筋の萎縮を伴っている．必ず強固な尖足を伴っている．

治療は，出生後にできるだけ早期に矯正ギプス包帯法(corrective cast)による治療を開始する．最初に前足部の内転と踵部の内反ならびに凹足を矯正し，尖足は最後に矯正する．Ponseti法が標準的な治療法になっている．

保存療法に抵抗する硬い変形では，後内側解離術を中心とした軟部組織解離術を行う．

● 標準整形外科学．第14版．697-698．

問4-6-17

| 正解　d，e　　Perthes病 |

a．○
b．○
c．○
d．×　骨端線の水平化の誤り．
e．×　大腿骨頭すべり症でみられる．

Perthes病の初期の単純X線所見では骨端核のわずかな扁平化がみられる．また，骨頭の外方偏位が生じ，内側の関節裂隙がやや広くなる(Waldenström徴候)．側面像などで軟骨下骨折を示唆するcrescent signが認められることもある．骨端核の壊死が進行すると骨端核は全体に硬化像を呈する．さらに骨頭に圧壊が生じると骨端核は扁平化し，前外側へ偏位して亜脱臼位を呈する．

Perthes病の予後関連徴候としてhead at risk signが知られている．Gage sign(骨端外側のV字型骨透亮像)，骨端外側の石灰化，大腿骨頭の外方亜脱臼，成長軟骨板の水平化，骨幹端囊腫状変化である．壊死骨の吸収と骨新生が進み，骨端核の骨陰影はさらに増強する．これら骨新生は壊死の周辺部だけではなく中心部でも生じるため，骨端核陰影の中にいっそう陰影の濃い像が出現する(head within head)．修復に伴い壊死部が吸収された骨透明部に次第に正常の骨陰影が回復する．

● 標準整形外科学．第14版．612-616．

問4-6-18

| 正解　a，b，d　　先天性下腿偽関節症 |

a．○
b．○
c．×　軽微な外傷により下腿骨折を発症し，保存的治療に反応せずに偽関節となる．
d．○
e．×　骨癒合獲得後も再骨折の可能性があり硬性装具による経過観察が必要である．

先天性下腿偽関節症は生下時より偽関節を呈している症例は少なく，ほとんどの症例は生下時から下腿の前外弯変形を呈する場合が多く，軽微な外傷により下腿骨折を発症し，保存的治療に反応せずに偽関節となる．乳幼児で下腿の変形を主訴として受診する患児はほとんどの場合が前外弯変形であり，硬性装具を使用して骨折の予防を行う．下腿の後弯変形は極めてまれであるが，自己矯正により変形が改善されるので経過観察を行う．

先天性下腿偽関節症の半数以上に神経線維腫症1型を合併し，線維性骨異形成症を約10％合併する．両疾患ともにカフェオレ斑を伴うため乳幼児の下腿骨折を診察した場合には全身の皮膚観察を行う必要がある．

保存的治療に骨癒合はほとんど考えられず，様々な観血的治療を要する．歩行開始後に骨折し偽関節を呈する場合が多く，歩行開始直後では主に髄内釘による治療が行われ，3歳以降になると，創外固定器を使用したbone transportによる治療や健側腓骨の血管柄付き骨移植術が行われる．

骨癒合獲得後も再骨折の可能性があり硬性装具による経過観察が必要である．

● 神中整形外科学．改訂23版，下巻．1129-1131．

問 4-6-19

| 正解　c，d　　先天性筋性斜頸 |

a．×　治癒率は 90％以上である．
b．×　徒手矯正はかえって症状を悪化させる．
c．○
d．○
e．×　胸鎖乳突筋の腱切り術が一般的である．

　先天性筋性斜頸は胸鎖乳突筋の拘縮により生じる斜頸である．生後早期に胸鎖乳突筋に腫瘤を生じ，約90％では自然治癒するが，経過不良例では胸鎖乳突筋の線維化を生じて斜頸や頚部可動域制限の原因となる．明らかな性差はない．右側が左側の約2倍であり，骨盤位分娩児では発生頻度が高く頭位分娩の約10倍とされている．

　出生時には腫瘤はない．典型例では生後約1～3週頃に胸鎖乳突筋に生じた腫瘤に気づかれ，また，顔を腫瘤と反対側にしか向けないと訴えて受診する．腫瘤はほとんどの場合一側に生じ，頚部は患側に側屈し，健側に回旋している．生後2～3週で腫瘤は最大となり，その後徐々に縮小していく．90％前後の症例では生後2～6カ月には腫瘤も触れなくなり，斜頸も可動域制限も自然治癒する．経過不良例では1歳6カ月から3歳ごろに胸鎖乳突筋の索状化が明確となり，このような例では自然治癒しがたい．基本的には定期的な経過観察を行う．

　できるだけ自発的な動きにより可動域の改善を促すように指導する．暴力的な徒手矯正やマッサージは効果がないうえに小出血により周囲との癒着を生じてかえって有害である．

　自然治癒しない場合は放置すると斜頸と可動域制限だけではなく，顔面非対称も徐々に進行するので5歳くらいまでには手術治療を選択する．

　手術法でもっとも一般的なものは胸鎖乳突筋下端切腱術である．年長児の高度例では上端の切腱も追加する．

- 神中整形外科学．改訂23版，下巻．6，7，517，1129-1131．

問 4-6-20

| 正解　b，c，d　　骨系統疾患 |

a．×　骨形成不全症はⅠ型コラーゲンの異常である．
b．○
c．○
d．○
e．×　成人期の腫瘍増大は軟骨肉腫への悪性化を疑う必要がある．

　骨形成不全症は易骨折性を示す骨系統疾患の代表である．発生頻度は2～3万出生当たり1例である．Silence（シレンス）によるⅠ～Ⅳ型の分類が有名であり，現在までにⅪ型まで追加されている．Ⅰ～Ⅳ型ではⅠ型コラーゲン遺伝子（COL1A1，COL1A2）の変異が判明している．

　大理石骨病は破骨細胞の機能不全のため全身の骨硬化を示す．臨床的には易骨折性である．骨髄機能不全，脳神経症状を生じる．本症では破骨細胞による骨吸収の障害のため，未熟骨から成熟骨へのリモデリングが損なわれ，骨の大部分が未熟骨で占められる．

　軟骨無形成症は四肢短縮型低身長を示す骨系統疾患の代表で FGFR3（fibroblast growth factor receptor-3）遺伝子変異により発症することが知られている．発生頻度は10万出生当たり5人前後と考えられており，日本整形外科学会骨系統疾患全国登録（1990-2016）では，骨形成不全症に次いで2番目に多い．遺伝形式は常染色体優性遺伝であるが罹患者のほとんどが新突然変異である．

　先天性脊椎骨端異形成症はⅡ型コラーゲン遺

伝子(COL2A1)の変異を認め，体幹短縮型低身長を示す骨系統疾患の代表である．手足の大きさは正常で内反足，内反膝，外反膝を合併することがある．胸郭は樽状で腰椎の前弯が目立つ．X線所見では長管骨骨端部の骨化障害がある．大腿骨近位の骨端核の骨化は著しく遅れ，内反股を合併する．脊椎では幼児期の腰椎が特徴的で側面像で椎体の辺縁が丸く，椎体高は前方より後方が低く，西洋梨型と呼ばれる．頸椎では軸椎歯突起の低形成があり，環軸椎亜脱臼の原因となることがある．

多発性軟骨性外骨腫症は文字通り外骨腫（骨軟骨腫）が全身に多発する疾患である．常染色体優性遺伝で EXT1, EXT2 の2種類の遺伝子変異が知られている．症状は幼児期に発見される骨性腫瘤で，肋骨，肩甲骨など体表から触知しやすいところで発見されることが多い．骨成熟にいたるまで増大する．通常は無痛性であるが発生部位により疼痛，関節可動域制限，神経・血管の圧迫症状を示す．成人で外骨腫が増大する場合は軟骨肉腫への悪性化を疑う必要がある．悪性化は体幹や四肢近位の外骨腫に多く，頻度は2〜20%と報告により異なる．顔貌，知能は正常である．

● 標準整形外科学．第14版．298，300，301，303，306，309．

問 4-6-21

| 正解 | c, e | 軟骨無形成症 |

a． × 常染色体優性遺伝である．
b． × 四肢短縮型小人症である．
c． ○ 腓骨が脛骨に比べ相対的に長い．
d． × 若年での脊柱管狭窄症状を発症することがある．
e． ○

軟骨無形成症は四肢短縮型低身長を示す骨系統疾患の代表で FGFR3 (fibroblast growth factor receptor-3) 遺伝子変異により発症することが知られている．発生頻度は10万出生当たり5人前後と考えられており，日本整形外科学会骨系統疾患全国登録(1990-2016)では，骨形成不全症に次いで2番目に多い．遺伝形式は常染色体優性遺伝であるが罹患者のほとんどが新突然変異である．

四肢短縮は，大腿と上腕の近位肢節に著しいとされている．特徴的な顔貌で，頭部は大きく，前額部，下顎は突出している．鼻根部は陥凹している．上肢では肘関節は伸展制限があり，手指は太く短く，三叉手(trident hand)を示す．下肢では下腿内反による内反膝を関節弛緩性も強い．

脊椎では胸腰椎移行部は後弯し，腰椎前弯は増強する．知能発達や生命予後は正常である．

X線所見では，管状骨は太くて短い．骨端核は小さく骨幹端部は杯状変形を示す．腓骨が脛骨より相対的に長く，足関節は内反する．脊椎では腰椎正面像において椎弓根間距離が頭側から尾側に向かうに従い狭くなる．

若年者において腰部脊柱管狭窄症症状を発症して，歩行障害を呈することがある．治療として四肢短縮および低身長に対して創外固定器を用いた脚延長術と成長ホルモン投与が行われている．成長ホルモンは分泌不全を伴わない症例でも投与が認められている．

● 標準整形外科学．第14版．298-300．

問 4-6-22

| 正解 | d, e | Larsen 症候群 |

a． × 常染色体優性遺伝である．
b． × 脱臼のみならず足部変形，脊椎とも予後不良である．
c． × 頸椎後弯が特徴的な臨床所見である．

d. ○
e. ○

　Larsen 症候群は先天的に多発関節脱臼を示す骨系統疾患の代表である.
　Filamin B(FLNB)遺伝子変異が判明しており, 常染色体優性遺伝である.
　関節脱臼は股関節, 膝関節, 肘関節に多い. 膝は出生時に反張膝を示すことが多い. 足部は内反尖足や外反足を呈する. 顔貌は平坦で dish face と表現される. 気管・喉頭軟化症による呼吸障害を合併することがある.
　単純 X 線像では大関節の脱臼以外に骨端部の変形がある. 骨端核の過剰が特徴的で, 特に踵骨の二重骨化は特徴的である.
　頸椎形成不全と後弯変形を伴い, 脊髄障害を呈することがある.
　治療は対症的に行うが, 関節脱臼, 足部変形, 頸椎変形のいずれも難治性である.

●標準整形外科学. 第 14 版. 303.

問 4-6-23

| 正解　a, e | 小児期足部変形 |

a. ×　手術を行うことは少ない.
b. ○
c. ○
d. ○
e. ×　自然矯正されることが多い.

　小児期扁平足はその症状から外反扁平足(flexible flatfoot)とも呼ばれている. 立位と歩行開始時期に, 家族が足部変形に気づき来院する例が多い. 土踏まずは立位では消失するが非荷重位では出現する. 関節周囲の靱帯が弛緩し, 踵部が外反しアーチが低下する. 全身関節弛緩のある子どもに発生する. 成長と発達に伴い自然に変形は治癒してくるが, Down 症や染色体異常などの症候性のものは変形が遺残する傾向がある.

　先天性垂直距骨は比較的まれな疾患で脊髄髄膜瘤児や多発性関節拘縮症などの疾患に伴って発症することが一般的である. 距骨が底屈し内側下方に突出し, 踵部はアキレス腱の緊張により尖足位をとる. 全体的には舟底足変形を呈する. 保存療法はほとんど無効で手術治療が必要であるが難治性である.

　先天性内反足は前足部の内転, 後足部の内反, 足全体の凹足と尖足の 4 つの主な変形を伴う先天性足部変形である. 日本人の発生頻度は約 1,500 人に 1 人で, 男児に多く(男：女＝2：1). 踵骨前方が距骨の下に入り込むいわゆる roll in の状態になっており, 距骨形成不全により距骨頭部は短縮内反し, さらに距舟関節では舟状骨が内側に変位している. 下腿筋の萎縮を伴っている. 必ず強固な尖足を伴っている.

　治療は, 出生後にできるだけ早期に矯正ギプス包帯法(corrective cast)による治療を開始する. 最初に前足部の内転と踵部の内反ならびに凹足を矯正し, 尖足は最後に矯正する. Ponseti 法が標準的な治療法になっている. 保存療法に抵抗する硬い変形では, 後内側解離術を中心とした軟部組織解離術を行う.

　先天性外反踵足は, 足関節で背屈してフック状の変形をきたしているために鉤足(pes calcaneus)とも呼ばれる. 胎生時の子宮壁による圧迫が原因と考えられ, 著しい例では足背が下腿に接する. 予後は良好で自然矯正されるので治療の必要はないことがほとんどである.

●標準整形外科学. 第 14 版. 697-699.

7 代謝性骨疾患

Q ▶ p.83-87

問 4-7-1

| 正解　a, b, e　　代謝性骨疾患，骨系統疾患 |

小児の代謝性骨疾患の中に，特徴的な単純X線像を呈するいくつかの疾患がある．

くる病では骨幹端での横径の拡大や中央部の盃状陥没，骨軟骨板との境界の不鮮明化が認められ，膝では内反変形を伴うことが多い．

骨形成不全症では易骨折性が認められるが，仮骨の形成は正常である．

先天性脊椎骨端異形成症は体幹短縮型小人症，扁平椎，長管骨骨端の異形成を主徴とする疾患で，内反股を呈し，股関節では若年性の変形性股関節症がみられる．

甲状腺機能低下症では，骨年齢の遅延と股関節の斑点状大腿骨端核が特徴的である．

Albright症候群は線維性骨異形成症，皮膚の色素沈着，性的早熟を3主徴とする．大腿骨近位部の羊飼い杖様変形と呼ばれる内反股が高度となると，歩行が障害される．

●標準整形外科．第14版．331-335．

問 4-7-2

| 正解　a　　低リン血症性くる病 |

低リン血症性くる病は異常石灰化グループに含まれる疾患で，ビタミンD欠乏性くる病とは異なる遺伝性のくる病である．遺伝形式は常染色体優性・劣性，X染色体優性・劣性と様々である．

臨床症状としては，歩行開始遅延，O脚変形，低身長，齲歯がある．組織学的には石灰化障害により未石灰化骨（類骨）が増加する．

検査所見は低リン血症を主体とし，血清ALPは高値，血清カルシウムは正常値を示す．

治療の基本は薬物療法であり，活性型ビタミンD単独あるいはリン製剤との併用療法を行う．下肢変形の改善が不十分な場合は装具療法や骨切り術を行う．

●標準整形外科．第14版．304-306．

問 4-7-3

| 正解　c, d, e　　骨軟化症 |

骨軟化症は骨石灰化障害を本態とする疾患である．成人発症例では骨折，骨痛，筋力低下を主徴とする．血液生化学所見ではリン値は低下し，ALPが高値を示す．

その原因はビタミンD欠乏，胃腸管切除，消化吸収障害などによるビタミンD濃度の低下と，炎症，自己免疫疾患，薬剤を原因とする腎尿細管障害によるリン濃度の低下である．

また成人発症の骨軟化症の原因となる骨・軟部腫瘍の存在が報告されている．

腫瘍の種類は多様であるが，良性血管性腫瘍がもっとも多い．他の良性腫瘍では非骨化性線維腫，骨・軟部の巨細胞腫などがあり，悪性腫瘍では血管肉腫，軟骨肉腫などが報告されている．

●標準整形外科．第14版．331-334．

問 4-7-4

| 正解　a, e　　骨軟化症 |

骨軟化症は，骨の石灰化の障害であり，すなわち石灰化不十分な骨組織である類骨（osteoid）の増加を呈する病態である．

骨軟化症の単純X線像では全身骨の萎縮がみられ，骨改溝（変）層が観察されることがある．骨膜下骨吸収は副甲状腺機能亢進症で指骨などに観察される．線維性骨（woven bone）は

骨折の治癒過程や副甲状腺機能亢進症など，骨の代謝が異常に亢進した状態で観察される．

治療にはビタミンD中毒症を回避するために，半減期の短い活性型ビタミンDが使用される．その効果が出現すると血清ALP値が低下する．

- 標準整形外科学．第14版．331-334．

問 4-7-5

| 正解　a，b　　代謝性骨疾患 |

代謝性骨疾患では，その確定診断に骨生検が行われる場合がある．

骨軟化症では類骨組織の増加，原発性上皮小体機能亢進症では破骨細胞性骨吸収と骨髄の線維化，線維性骨(woven bone)の形成，骨Paget病ではモザイクパターンが観察される．

骨粗鬆症では骨量減少，骨梁の穿孔による骨梁面積の減少や骨梁間距離の拡大が観察される．

腎性骨異栄養症は骨軟化症所見と上皮小体機能亢進症所見が混在することが多い．

- 標準整形外科学．第14版．320-339．

問 4-7-6

| 正解　d，e　　DXA法，骨量測定 |

DXA(dual energy X-ray absorptiometry)法により得られる骨ミネラル密度(bone mineral density：BMD)は照射部位の骨ミネラル量を投影面積で除した値である．したがって，QCT法によって得られる三次元骨密度とは異なる(DXA法の被曝線量はQCT法よりも少ない)．橈骨遠位部での骨量測定は診断には使用できるが，治療による変化などのモニター部位としてはあまり有用でない．

高齢者の腰椎骨密度測定では骨棘など脊柱の変性要素によって過大評価されやすい．

白人に比べ日本人では大腿骨近位部骨密度の測定精度が低いため，必要に応じて椎体と大腿骨近位部の両者を測定することが望ましい．

骨質を規定するものは，微細構造，骨代謝回転，微小骨折などであり，DXAでは評価ができない．

- WHOガイドライン2004年版(Prevention and Management of Osteoporosis. Report of a WHO Scientific Group. WHO technical report series 921, 2004)．
- 骨粗鬆症の予防と治療ガイドライン作成委員会編．骨粗鬆症の予防と治療ガイドライン2015年版．ライフサイエンス出版，2015．

問 4-7-7

| 正解　c，d　　ビタミンD欠乏症，続発性副甲状腺機能亢進症 |

ビタミンDは血清カルシウムを維持している．血清カルシウムが低下すると血清のビタミンDが増加し，腸でのカルシウム吸収が亢進する．高齢者ではビタミンD不足がよくみられ，骨粗鬆症を増悪させる要因ともなっている．

ビタミンD不足は冬季間，日光曝露不足でみられ，転倒，筋力低下と関連するとの報告がある．

メタ解析により，ビタミンD製剤による有意な転倒抑制効果が報告されている．

ビタミンD過剰状態では高カルシウム血症をきたすため，反応性に副甲状腺ホルモンは低下する．続発性副甲状腺機能亢進症は低カルシウムをきたす基礎疾患があり，治療としてビタミンD製剤の投与を行う．

血清25(OH)DはビタミンDの充足状態を示す指標であり，低値例では大腿骨頸部骨折を発生しやすいとの報告がある．

- 標準整形外科学．第14版．27-30．
- 骨粗鬆症の予防と治療ガイドライン作成委員会編．骨粗鬆症の予防と治療ガイドライン2015年版．ライフサイエンス出版，2015：64-65, 78-79, 90-91．

問 4-7-8

| 正解　a, d　　骨粗鬆症性椎体骨折 |

　骨粗鬆症性椎体骨折は，四肢の骨折と異なり，非外傷性のものが多い．

　胸腰椎移行部に多く発生し，多発すると後弯変形や身長低下を引き起こす．

　椎体骨折の 2/3 は無症候性で，患者自身も骨折があることに気づかない．

　また，死亡リスクを上昇させることも知られている．

　椎体後壁の損傷は偽関節の要因となるため，注意が必要である．

- 越智隆弘総編．最新整形外科学大系．第 12 巻．胸腰椎・腰椎・仙椎．中山書店，2006：394-400.

問 4-7-9

| 正解　d, e　　骨粗鬆症治療薬 |

　抗 RANKL 抗体は，ビスフォスフォネートと同様に骨代謝回転を抑制することから，骨折治癒の促進効果はない．また抗 RANKL 抗体投与による低カルシウム血症は，腎機能障害患者に発生しやすいことが知られている．

　テリパラチドは，骨密度低下の強い骨粗鬆症や，すでに脆弱性骨折を生じている重篤な骨粗鬆症患者に使用する．

　活性型ビタミン D_3 の投与は腸管からカルシウムの吸収を促進する．

　ラロキシフェンは選択的エストロゲン受容体モジュレーターであり，乳房や子宮ではエストロゲン作用を発現しないが，骨にはエストロゲン作用を発揮する．副作用として静脈血栓塞栓症（深部静脈血栓症，肺塞栓症，網膜静脈血栓症を含む）が報告されているため，静脈血栓塞栓症のある患者またはその既往歴のある患者への投与は禁忌である．

- 標準整形外科学．第 14 版．328-330.
- 骨粗鬆症の予防と治療ガイドライン作成委員会編．骨粗鬆症の予防と治療ガイドライン 2015 年版．ライフサイエンス出版，2015：84-123.

問 4-7-10

| 正解　d, e　　閉経，骨吸収，骨形成 |

　閉経後早期には骨吸収，骨形成がともに増加して骨代謝回転は亢進し，同時に骨量が急速に減少する．したがって骨形成，骨吸収の代謝マーカーは増加する．

　基本的に血清副甲状腺ホルモン，血清カルシウム値，血清リン値は変化しない．

- 標準整形外科学．第 14 版．325-327.
- 骨粗鬆症の予防と治療ガイドライン作成委員会編．骨粗鬆症の予防と治療ガイドライン 2015 年版．ライフサイエンス出版，2015：68-71.

問 4-7-11

| 正解　c, d　　ステロイド性骨粗鬆症，ビスフォスフォネート |

　ステロイド性骨粗鬆症では骨密度低下とともに骨の材質の劣化があり，脊椎骨折，非脊椎骨折ともに発生しやすくなる．

　副腎皮質ステロイド長期使用者では骨形成マーカー値が低下する．骨吸収マーカー値は症例により様々である．

　骨折の予防としてはビスフォスフォネートが有効である．

　副腎皮質ステロイドによる骨折発生の危険性は，プレドニゾロン換算で 1 日量 5 mg，3 カ月以上の使用で骨折危険性が増加する．

- 標準整形外科学．第 14 版．324-325.
- 骨粗鬆症の予防と治療ガイドライン作成委員会編．骨粗鬆症の予防と治療ガイドライン 2015 年版．ライフサイエンス出版，2015：138-139.

問 4-7-12

| 正解　b, e　　くる病, 骨軟化症 |

遺伝性の近位尿細管の再吸収障害であるFanconi症候群は, 小児ではくる病, 成人では骨軟化症を生じる.

慢性の胆道閉塞では, ビタミンDの吸収障害が起こり, 骨軟化症を生じる.

各種の間葉系細胞由来の腫瘍に伴って, くる病・骨軟化症が生じることがある.

ビタミンD依存症I型はビタミンDの活性化障害であり, II型が受容体異常症である.

ビタミンDが欠乏すると腸でのカルシウム吸収が著しく低下し, 骨の石灰(ミネラル)化が障害される.

- 標準整形外科学. 第14版. 331-334.

問 4-7-13

| 正解　c, e　　原発性副甲状腺機能亢進症 |

原発性副甲状腺機能亢進症では血清リン値は低下, ALP値は上昇, 血清カルシウム値は上昇している.

血清尿酸値は変化しない.

尿中のカルシウム, リン排泄は増加し%TRP (tubular reabsorption of phosphate) は低い.

- 標準整形外科学. 第14版. 335-337.
- 骨粗鬆症の予防と治療ガイドライン作成委員会編. 骨粗鬆症の予防と治療ガイドライン2015年版. ライフサイエンス出版, 2015：128-139.

問 4-7-14

| 正解　b, d　　骨Paget病, モザイク構造, ビスフォスフォネート |

骨Paget病は, 反復する骨吸収とそれに伴う骨修復過程により, 骨吸収と骨形成(骨代謝回転)が異常に亢進する.

頭蓋骨に発生することもまれではない.

血清ALP値は著明に上昇し, 骨は肥厚, 変形する.

治療薬としては, ビスフォスフォネートが有効である.

骨組織に異常な区域構造がみられるようになり, モザイク模様となる.

- 標準整形外科学. 第14版. 338-339.

問 4-7-15

| 正解　b　　甲状腺機能低下症, 骨端核出現遅延, 二次性徴遅延 |

甲状腺機能低下症は骨格の成長を障害し, 骨のリモデリングが低下する.

乳歯の脱落は遅延し, 骨端核の出現も遅延する.

二次性徴の発現は遅延する.

骨端線はくる病に類似した不整像を生じる.

血清ALP値は減少する.

- 標準整形外科学. 第14版. 337.

問 4-7-16

| 正解　c, e　　甲状腺機能亢進症, 骨代謝回転 |

甲状腺機能亢進症では骨代謝回転が亢進し, 続発性骨粗鬆症を生じる.

甲状腺機能の抑制で, 亢進した骨リモデリングは正常化され, 骨量も回復する.

血清リン値, 血清カルシウム値は正常である.

血清オステオカルシン値は増加する.

- 標準整形外科学. 第14版. 337.

問 4-7-17

| 正解　b, e　　成長ホルモン過剰，下垂体腺腫 |

　成長ホルモン過剰による変形性関節症は，初期には関節軟骨細胞の増殖により関節裂隙は拡大するが，やがて関節症の進行とともに関節裂隙は消失する．成長ホルモン自体は骨形成に作用するが，臨床の場では，成長ホルモン過剰による影響の他，下垂体機能障害，関節障害による活動性低下などが影響し，骨格への影響は症例ごとに異なる．

　成長ホルモンの過剰分泌は下垂体の主に好酸性の腺腫によるものが大半を占める．

　骨関節所見としては変形性関節症，靱帯付着部などの骨増殖，骨粗鬆症を生じる．

　骨，軟骨，結合組織の増殖・肥大を生じ，骨端線閉鎖以前では下垂体性巨人症，骨端線閉鎖後では末端肥大を呈する．

　●標準整形外科学．第14版．337．

問 4-7-18

| 正解　a, e　　骨軟化症 |

　骨軟化症では骨芽細胞により形成された類骨に石灰化障害が生じる．

　類骨は過剰状態になり，成長軟骨は石灰化障害により軟骨柱は不規則な配列で延長し，成長軟骨の幅は広くなる．

　したがって類骨は過剰に産生されるが，正常骨量は減少する．

　●標準整形外科学．第14版．331-335．

問 4-7-19

| 正解　d, e　　骨折リスク |

　慢性腎臓病で骨折リスクが上昇する原因は多岐にわたり，①続発性副甲状腺機能亢進症，②無形成骨，③ビタミンD欠乏，④低カルシウム血症，高リン血症，⑤骨形態の変化，⑥転倒リスクの上昇，⑦慢性腎臓病に伴う栄養障害，⑧酸化ストレスの増大，などの関与が挙げられる．

　●骨粗鬆症の予防と治療ガイドライン作成委員会編．骨粗鬆症の予防と治療ガイドライン 2015年版．ライフサイエンス出版，2015：132-133．

問 4-7-20

| 正解　a, c, e　　骨粗鬆症 |

　骨密度は原則として腰椎または大腿骨近位部骨密度とする．

　血症カルシウム値は通常正常である．

　脆弱性骨折とは，低骨量が原因で軽微な外力によって発生した非外傷性骨折と定義されている．軽微な外力とは立った姿勢からの転倒か，それ以下の外力をさす．

　原発性骨粗鬆症の診断には脆弱性骨折を有する場合と有しない場合に分けられている．

　椎体または大腿骨近位部の脆弱性骨折があれば，骨粗鬆症と診断できる．

　その他の肋骨，骨盤(恥骨，坐骨，仙骨を含む)，上腕骨近位部，橈骨遠位部，下腿骨の脆弱性骨折がある場合は，骨密度がYAM(young adult mean)の80%未満であることが判定基準になる．

　脆弱性骨折を有しない場合は骨密度がYAMの70%以下または－2.5 SD以下とする．

　●標準整形外科学．第14版．321-327．

問 4-7-21

| 正解　a　　ビタミンD欠乏性くる病 |

a．×

b．○　消化管での吸収障害による．
c．○　母乳はミルクに比較してビタミンD含有量が少ない．
d．○　ミルク，卵アレルギーで本症を生じうる．
e．○　冬季，寒冷地などで日光曝露が不足して発症する．

　ビタミンD欠乏性くる病は，アレルギー疾患における誤った食事制限，菜食主義などの偏食，日中の外出をせず母親とともに室内のみでの生活，消化管疾患などによる脂肪吸収の障害，抗痙攣薬の投与などによりビタミンDの摂取や産生が悪くなり発症する．療育者の食生活や行動などによりくる病が発症することが多くなってきている．

　症状が進めば血中アルカリホスファターゼ，副甲状腺ホルモン上昇，カルシウム，リン，25(OH)D低下を呈する．低カルシウム血症が強い場合には痙攣や振戦，テタニー徴候，筋力低下などが乳幼児から現れる場合があるが，多くの場合は歩行開始後のO脚を主とする下肢変形で発見されることが多い．骨強度の脆弱性および石灰化障害により肋骨念珠，内反股，歯牙萌出遅延，齲歯，病的骨折などを生じる．

　治療は食事の改善と日光浴などの生活指導とビタミンD投与を行う．

　●神中整形外科学．改訂23版．下巻．1132.
　●標準整形外科学．第14版．331.

問 4-7-22

| 正解　c, e　高カルシウム血症 |

　骨形成不全症，原発性骨粗鬆症，甲状腺機能亢進症では血液中カルシウム値は基準値以内である．

　ビタミンD中毒では腸管からのカルシウム吸収促進にて高カルシウム血症を呈する．

　原発性上皮小体(副甲状腺)機能亢進症では副甲状腺上皮小体ホルモン(PTH)の作用により，高カルシウム血症をきたす．

　●標準整形外科学．第14版．324, 335, 337.

問 4-7-23

| 正解　a, d, e　原発性骨粗鬆症 |

　痩せは骨粗鬆症性骨折の危険因子の1つである．ほかに，喫煙，飲酒が骨粗鬆症性骨折の危険因子として有名である．

　原発性骨粗鬆症ではカルシウム，リンを含め原則的に電解質の異常は生じない．

　脆弱性骨折は部位に関係なくどの骨にも起こりうる．

　骨粗鬆症の定義は，骨強度(骨質＋骨密度)の低下により，骨が脆弱化し，骨折をきたしやすくなった病態である．

　椎体骨折または大腿骨近位部骨折を有している場合は骨密度にかかわらず骨粗鬆症と診断しうる．その他の部位の骨折を有している場合はYAMが80％未満を骨粗鬆症とする．

　●標準整形外科学．第14版．321-330.
　●骨粗鬆症の予防と治療ガイドライン作成委員会編．骨粗鬆症の予防と治療ガイドライン2015年版．ライフサイエンス出版，2015：36-37, 40-41.

問 4-7-24

| 正解　c, e　骨粗鬆症治療薬 |

　エルデカルシトールは活性型ビタミン製剤と同様に，腎での1α水酸化は不要である．

　デノスマブは骨芽細胞に発現するランクリガンドに結合し，間接的に破骨細胞分化・活性を抑制する．

　静脈血栓塞栓症はラロキシフェンの臨床的に重要な有害事象である．

　テリパラチドは悪性腫瘍が疑われる患者には

禁忌である．

　ビスフォスフォネート製剤の初回投与によって生じることがある筋・関節痛，発熱の症状は急性期反応，もしくはインフルエンザ様症状と呼ばれる．症状は短期に改善し，再発は少ない．

- 骨粗鬆症の予防と治療ガイドライン作成委員会編．骨粗鬆症の予防と治療ガイドライン2015年版．ライフサイエンス出版，2015：84-119．

問 4-7-25

正解　b，c	骨粗鬆症治療薬

a．× テリパラチドは骨形成促進薬である．
b．〇
c．〇
d．× 非定型骨折は転子下または骨幹部である．
e．× メナテトレノンはビタミンK_2薬である．

　テリパラチド（teriparatide）は，遺伝子組み換えパラソルモン［ヒトパラトルモン・parathormone（PTH）のN末端から34個のアミノ酸を切り出したポリペプチド］である．PTHは副甲状腺・上皮小体から分泌されるポリペプチドホルモンである．テリパラチドは，間欠的投与により，破骨細胞よりも骨芽細胞に作用・活性化させることで骨形成を促進し骨量を増加させる骨形成促進剤である．1日1回，または週1回，静注または皮下注で使用される．臨床の現場では，適応外使用で骨折の治癒促進に用いられる場合もある．

　PTHは，骨芽細胞の細胞膜上に発現するPTH受容体と結合し，RANKL（破骨細胞分化因子受容体）を発現する．破骨前駆細胞はRANKLの刺激を受けて分化し，破骨細胞を形成する．その結果PTHにより，骨吸収も促進されるため，副甲状腺機能亢進症で見られるように持続的なPTH投与は骨密度を低下させる．

　骨粗鬆症治療薬のビスフォスフォネート製剤は，破骨細胞による骨吸収の抑制を主たる薬理作用とするものである．

　デノスマブは，遺伝子組換え抗NF-κB活性化受容体リガンド（抗RANKL）ヒトIgG2モノクローナル抗体である．RANKLは，膜結合型あるいは可溶型として存在し，骨吸収を司る破骨細胞およびその前駆細胞の表面に発現する受容体（RANK：receptor activator for nuclear factor-κB）を介して破骨細胞の形成，機能および生存を調節する必須の蛋白質である．多発性骨髄腫および骨転移を有する固形癌の骨病変においては，RANKLによって活性化された破骨細胞が骨破壊の主要な因子である．デノスマブはRANK/RANKL経路を阻害し，破骨細胞の活性化を抑制することで骨吸収を抑制し，癌による骨病変の進展を抑制すると考えられる．

　メナテトレノン製剤は，骨粗鬆症治療用ビタミンK_2剤である．骨芽細胞が分泌するオステオカルシンにγ-カルボキシルグルタミン酸残基を生成し骨形成させ，骨のリモデリングを促進する．骨芽細胞のワルファリンの期待薬効が減弱する可能性があるため，患者がワルファリン療法を必要とする場合はワルファリン療法を優先し，本剤の投与を中止する．

- 標準整形外科学．第14版．327．
- Miyauchi A et al. Bone 2010；47：493-502．
- 国立医薬品食品衛生研究所ホームページ＜http://www.nihs.go.jp/dbcb/Biologicals/denosumab.html＞［2021年4月閲覧］．

問 4-7-26

正解　b，d	ビスフォスフォネート

　ビスフォスフォネート製剤の合併症として，顎骨壊死の他，胃腸障害，非定型性大腿骨骨折などが知られている．

ビスフォスフォネート製剤は，破骨細胞による骨吸収を阻害し，骨代謝回転を低下させる．骨折治癒の促進効果はない．

腸管からの吸収は悪く，さらにカルシウム存在下ではより吸収が阻害される．

ビスフォスフォネート製剤はステロイド性骨粗鬆症に対する第１選択薬である．

- 標準整形外科学．第14版．226.
- 骨粗鬆症の予防と治療ガイドライン作成委員会編．骨粗鬆症の予防と治療 ガイドライン2015年版．ライフサイエンス出版，2015：93.

問 4-7-27

正解　e　ビタミンD欠乏性くる病

e．× 血清アルカリホスファターゼ値は高値を示す．

ビタミンD欠乏性くる病は，アレルギー疾患における誤った食事制限，菜食主義などの偏食，日中の外出をせず母親とともに室内のみでの生活，消化管疾患などによる脂肪吸収の障害，抗痙攣薬の投与などによりビタミンDの摂取や産生が悪くなり発症する．療育者の食生活や行動などによりくる病が発症することが多くなってきている．

症状が進めば血中アルカリホスファターゼ，副甲状腺ホルモン上昇，カルシウム，リン，25(OH)D低下を呈する．低カルシウム血症が強い場合には痙攣や震戦，テタニー徴候，筋力低下などが乳幼児から現れる場合があるが，多くの場合は歩行開始後のO脚を主とする下肢変形で発見されることが多い．骨強度の脆弱性および石灰化障害により肋骨念珠，内反股，歯牙萌出遅延，齲歯，病的骨折などを生じる．

治療は食事の改善と日光浴などの生活指導とビタミンD投与を行う．

- 標準整形外科学．第14版．331-332.
- 神中整形外科学．改訂23版．下巻．1132.

問 4-7-28

正解　d　原発性副甲状腺機能亢進症

PTHは骨代謝回転を亢進させる作用を有するが，通常は骨吸収が骨形成より優位になり，骨量減少をきたす．原発性上皮小体(副甲状腺)機能亢進症の原因として，上皮小体(副甲状腺)の単発性腺腫が多い．PTHの産生過剰により，高カルシウム血症，低リン酸血症を呈する．

臨床像として，多尿，多飲，潰瘍，体重減少などが特徴的である．

特徴的なX線所見として，頭蓋骨の脱灰像(salt and pepper skull)，下顎・歯の歯硬線の消失，脊椎ラガージャージ像などがある．

骨吸収は海綿骨より皮質骨に著明である(periosteal bone resorption)．骨吸収が著しく亢進した結果，線維性嚢胞性骨炎，褐色腫などを生じうる．褐色腫は，組織学的に骨巨細胞腫に類似した偽腫瘍である．

尿中のカルシウム排泄は増加する．

骨形成も亢進することから，血清アルカリホスファターゼ値は上昇する．

- 標準整形外科学．第14版．335.
- 骨粗鬆症の予防と治療ガイドライン作成委員会編．骨粗鬆症の予防と治療ガイドライン2015年版．ライフサイエンス出版，2015：128.

8　骨・軟部腫瘍

Q▶p.87-98

問 4-8-1

正解　a，b，e　悪性骨腫瘍，好発部位

脊索腫は仙・尾椎にもっとも多く，他に頭蓋底の斜台，頸椎などに発生する．

軟骨肉腫は骨盤にもっとも多く発生し，他は大腿骨，上腕骨，脛骨，肋骨，肩甲骨，脊椎なども発生が多い．

(通常型)骨肉腫は大腿骨遠位,脛骨近位,上腕骨近位が好発部位である.

傍骨性骨肉腫は大腿骨遠位後面にもっとも多くみられる.

Ewing 肉腫は多彩な部位に生じるが,骨盤が最多で長管骨では大腿骨が多い.

●標準整形外科学.第 14 版.355-370.

問 4-8-2

| 正解 a, c 仙骨の骨腫瘍 |

全国骨腫瘍登録患者では,仙骨発生の骨腫瘍は,脊索腫,癌骨転移がそれぞれ約 1/3 を占め,これに骨巨細胞腫,軟骨肉腫が続く.

仙骨,特に S1 椎体前面には総腸骨動静脈の分岐部,尿管,仙骨静脈叢,仙骨神経叢があり,後方からの操作だけでは安全な手術は困難である.まず前方よりアプローチしてこれらを処理した後,後方から骨切りを行うのがよい.S1/S2 以下での仙骨切除では後方からのみの操作が可能なことが多い.

術後の神経障害では S2/S3 での離断では S3 神経根以下,S1/S2 では S2 神経根以下が障害される.両側 S3 神経根が失われると膀胱・直腸・性機能障害がほぼ必発である.片側 S2, S3 が温存されればほとんど障害が残らないことが多い.

●全国骨腫瘍患者登録一覧表(2015 年).
●標準整形外科学.第 14 版.347-370.

問 4-8-3

| 正解 a 骨腫瘍,好発部位 |

アダマンチノーマは脛骨または腓骨に好発し,扁平上皮様構造を示す悪性骨腫瘍である.

癌の骨転移は脊椎転移がもっとも多く,約 27%である.その他,骨盤,大腿骨,上腕骨,肋骨などの発生頻度が高い.多発転移が全体の 43%を占める.

脊索腫は胎生期の脊索の遺残組織より発生する.そのため身体の中心線,特に脊椎に好発し,その他,頭蓋底の斜台にも発生する.

内軟骨腫は単発性と多発性がある.40%以上は手の指節骨と中手骨,足の趾骨に発生する.

Langerhans 細胞組織球症では長管骨,頭蓋骨,肩甲骨などの類円形の骨透明巣が認められる.脊椎発生例では椎体は圧潰,扁平化し,Calvé 扁平椎と呼ばれる.

●標準整形外科学.第 14 版.347-370.

問 4-8-4

| 正解 b 骨腫瘍,好発部位 |

良性・悪性ともに多くの骨腫瘍は骨幹端に発生する.骨端に好発する腫瘍としては軟骨芽細胞腫が代表的である.

骨髄腫は頭蓋骨・肋骨・脊椎・骨盤などの扁平骨に多発するが,長管骨では上腕骨・大腿骨などの骨幹に多い.

軟骨肉腫は大腿骨近位,骨盤,肋骨,上腕骨近位に好発し,長管骨の部位としては骨幹端や骨幹に多い.

Ewing 肉腫は骨盤,大腿骨,上腕骨,脛骨に好発し,長管骨発生では骨幹に多い.

類骨骨腫は大腿骨頚部や長管骨の骨幹部骨皮質に主に発生し,一部は骨髄内発生をみる.

●標準整形外科学.第 14 版.347-370.

問 4-8-5

| 正解 a 骨腫瘍の発生部位 |

単発性骨嚢腫,非骨化性線維腫は骨幹端に生じやすく,軟骨肉腫は長管骨では骨幹端から骨幹にかけての部位に生じやすい.

Ewing 肉腫，類骨骨腫は長管骨の骨幹に生じやすい腫瘍である．
●標準整形外科学．第14版．347-370．

問 4-8-6

| 正解 | b, c | 骨腫瘍, 好発年齢 |

骨巨細胞腫の好発年齢は20〜30歳台，多発性骨髄腫は50〜60歳台，軟骨肉腫は30〜50歳台，傍骨性骨肉腫は30歳台，Ewing 肉腫は10歳台で20歳未満が80％を占める．
●標準整形外科学．第14版．347-370．

問 4-8-7

| 正解 | e | 多発性骨腫瘍 |

骨腫瘍の中には多発し，特徴的な臨床像を示すものがある．

骨軟骨腫では単発性と多発性があり，後者では遺伝傾向が強く，また5〜25％に悪性化をみる．

線維性骨異形成にも単発性と多発性があり，後者で色素沈着（カフェオレ斑）や思春期早発症を有するものは Albright 症候群と呼ばれる．

内軟骨腫では片側半身の長管骨骨端や扁平骨に多発の軟骨塊を伴う Ollier 病や血管腫を伴う Maffucci 症候群が有名である．

Langerhans 細胞組織球症のうち，単発性あるいは多発性の骨に限局した病変を示すものを好酸球性骨肉芽腫という．組織学的には，組織球や好酸球の増殖が主体である．単発例では病巣掻爬で治癒する．放射線照射も有効であるが，良性病変なので濫用すべきでない．時に試験切除の処置のみ，または自然に消滅することもある．
●標準整形外科学．第14版．347-355．

問 4-8-8

| 正解 | d, e | 骨膜反応 |

骨肉腫や Ewing 肉腫などの悪性骨腫瘍では，Codman 三角，spicula, onion-peel appearance などの種々の骨膜反応が単純 X 線像で認められる．良性腫瘍や良性疾患でも骨膜反応が認められる疾患がある．

Langerhans 細胞組織球症は脊椎や肩甲骨に多いが，長管骨に発生した場合は Codman 三角や onion-peel appearance などの骨膜反応がみられ，悪性骨腫瘍との鑑別が必要となる．

類骨骨腫は nidus に一致した部分を中心に，わずかな骨膜反応を呈することがしばしばある．

線維性骨異形成，骨軟骨腫および非骨化性線維腫が骨膜反応を呈することはまれである．
●標準整形外科学．第14版．343-344．

問 4-8-9

| 正解 | a | 骨膜反応 |

骨折や腫瘍により骨皮質に破綻や破壊が生じると，骨膜が刺激され骨新生を引き起こし，骨膜反応として単純 X 線像でとらえることができる．

骨折では smooth で solid な骨膜反応が，骨肉腫では針状陰影(spicula)，Codman 三角などを，Ewing 肉腫では spicula，玉ねぎ様骨膜反応(onion-peel appearance)などの骨膜反応を認める．

Langerhans 細胞組織球症でも長管幹骨では骨膜反応が著明にみられ，Ewing 肉腫との鑑別を要する．類骨骨腫では著しい骨硬化を nidus 周辺に認め，その過程で骨膜反応を認めることもある．

一方，骨髄腫は境界明瞭な打ち抜き像(punched-out lesion)を扁平骨や長管骨骨髄に

認めるが，骨膜反応を呈することは極めて少ない．

- 標準整形外科学．第14版．343-344．

問 4-8-10

| 正解 e | 骨腫瘍，血液検査所見 |

骨肉腫の約半数，その他の骨形成性腫瘍で時にALP高値を示す．検査法により基準値が異なること，小児の基準値は成人の1.5〜2.0倍ほど高いことに留意する．

CA19-9は膵癌骨転移のマーカーとなる．

前立腺癌ではPAP(prostatic acid phosphatase)，PSA(prostate specific antigen)，γ-セミノプロテインが血清中腫瘍マーカーとなる．

骨髄腫では総蛋白質値，A/G比，蛋白質分画，蛋白質免疫電気泳動検査，尿中Bence-Jones蛋白質などが診断に有用である．

神経芽細胞腫ではカテコールアミンの生合成の増加により尿中のVMA(vanillylmandelic acid)が上昇する．その陽性率は約75％である．

- 日本整形外科学会 骨・軟部腫瘍委員会編．悪性骨腫瘍取扱い規約．第3版．金原出版，2000：44．

問 4-8-11

| 正解 e | 病理診断，免疫組織所見 |

筋原性腫瘍ではデスミン(desmin)のほか，平滑筋系腫瘍でα-smooth muscle actin(SMA)，横紋筋系腫瘍でmyoglobin，MyoD1が陽性を示す．

癌骨転移ではEMA(epithelial membrane antigen)のほか，サイトケラチンが腎癌・肺癌などの骨転移で肉腫様変化をきたしたときに陽性を示し，肉腫との鑑別に役立つ．

神経原性腫瘍ではS-100蛋白質のほか，neuron specific enolase(NSE)，N-CAM(neural cell adhesion molecule)が陽性である．

軟骨肉腫ではS-100蛋白質陽性，脊索腫ではS-100蛋白質，Brachyuryのほか，サイトケラチンやEMAも陽性になる．

未分化多形肉腫に特別な染色マーカーはない．サイトケラチン(cytokeratin)は上皮系腫瘍のマーカーである．

- 標準整形外科学．第14版．381-383．

問 4-8-12

| 正解 c | 放射線照射後肉腫 |

放射線照射から肉腫の発生までに必要な最短期間については2〜5年と幅があり，正確には不明である．照射から発症までの期間は平均14年，線量は12〜240Gyと幅がある．放射線照射歴のある患者には，照射後肉腫の発生に十分注意する必要がある．

骨肉腫，線維肉腫，未分化多形肉腫などの高悪性度未分化型肉腫の組織像を呈し，治療・予後ともに肉腫のそれぞれの組織像に対応する．

- 日本整形外科学会 骨・軟部腫瘍委員会編．悪性骨腫瘍取扱い規約．第3版．金原出版，2000：142-143．

問 4-8-13

| 正解 a, d | 骨巨細胞腫 |

骨巨細胞腫は20〜30歳台の長管骨骨端〜骨幹端に発生し，大腿骨遠位端と脛骨近位端で過半数を占める．全骨腫瘍の約5〜9％，良性骨腫瘍の約35〜40％とされる．性差はほとんど差がない．発育は緩慢であるが辺縁硬化像を認めないことが多い．骨皮質は膨隆，菲薄化し，ときに破壊されるが，骨膜反応は認めない．

術後1〜3％に肺転移を認めることがある．

骨溶解像の内部には隔壁構造(trabeculation)

や石鹸泡状陰影 (soap bubble appearance) を認めることがある．

治療としては単なる病巣掻爬・骨移植では再発率が高く，再発防止のため液体窒素処理，アルコール処理，フェノール処理などの局所補助療法が併用される．

- 標準整形外科．第14版．349-350．

問 4-8-14

| 正解 c 悪性骨腫瘍，診断 |

悪性骨腫瘍の好発部位である大腿骨遠位部の骨腫瘍の診断を問うている．

骨肉腫は第二次骨成長期の15歳前後に好発する．10歳台が約60％，20歳台が約15％を占める．大腿骨遠位と脛骨近位の骨幹端からの発生が75％と圧倒的に多い．次いで上腕骨骨幹端に多い．

症状は腫脹と疼痛である．腫瘍が増大すると発赤，局所熱感，静脈怒張が生じる．約半数の例で血清 ALP が高値を示す．

単純 X 線像は骨幹端に周辺硬化像を伴わない広範な骨破壊と腫瘍性骨新生が認められる．Codman 三角や針状陰影 (spicula) 形成などの骨膜反応をみる．

軟骨肉腫は石灰化を示し，骨巨細胞腫，Ewing 肉腫，骨髄腫は溶骨性病変が主体である．

- 標準整形外科．第14版．355-359．
- 日本整形外科学会 骨・軟部腫瘍委員会編．悪性骨腫瘍取扱い規約．第3版．金原出版，2000：44．

問 4-8-15

| 正解 b, d 骨肉腫，亜型，予後 |

通常型骨肉腫の5年生存率は化学療法の進歩により70％以上にまで向上しており，血管拡張型骨肉腫の予後は通常型とほぼ同等とされている．

一方，傍骨性骨肉腫や骨内高分化型骨肉腫は低悪性度で5年生存率は90％以上と予後良好であり，骨膜性骨肉腫は通常の骨肉腫と低悪性骨肉腫の中間の予後を示す．

- 標準整形外科．第14版．355-359．
- 日本整形外科学会 骨・軟部腫瘍委員会編．悪性骨腫瘍取扱い規約．第3版．金原出版，2000：44．

問 4-8-16

| 正解 b Ewing 肉腫 |

Ewing 肉腫の初発症状は疼痛と腫脹であり，発熱や白血球増多，赤沈値亢進，CRP 陽性などの炎症・全身症状を呈し，骨髄炎，好酸球性肉芽腫などとの鑑別が重要となる．発症年齢は20歳未満が80％を超える．

免疫グロブリンの産生は骨髄腫，ALP 高値は骨肉腫や骨 Paget 病に特徴的である．

Ewing 肉腫では染色体相互転座 t(11；22)(q22；q12) による融合遺伝子 EWS/FLI-1 が高率に陽性となる．

- 標準整形外科．第14版．362-364．

問 4-8-17

| 正解 e 軟骨肉腫，病理診断 |

軟骨肉腫は肉眼的には正常軟骨様の灰白淡蒼白調で石灰化を伴うこともある．軟骨病変に小囊胞を作るような粘液様変化をみたらまず悪性を疑う．一般に，軟骨肉腫では内軟骨腫に比べて，細胞密度の増加，核の腫大，二核細胞の増加，多核細胞の出現，巨大核の出現，腫瘍細胞の大小不同，多形性などが認められるが，骨梁を取り込み破壊しながら骨髄腔内に浸潤する像がもっとも確実な悪性所見である．

軟骨肉腫では軟骨内骨化を経て骨が形成され

ることがあるが，腫瘍細胞が直接類骨を形成することはない．

- 標準整形外科学．第14版．359-362．
- 日本整形外科学会 骨・軟部腫瘍委員会編．悪性骨腫瘍取扱い規約．第3版．金原出版，2000：109-113．

問 4-8-18

| 正解 e | 骨肉腫，化学療法 |

骨肉腫の化学療法の最大の目的は，原発巣発見時にすでに存在すると考えられる微小転移巣の制圧であり，生検で診断が確定するとただちに多剤併用化学療法を開始する．

メトトレキサートは葉酸代謝拮抗薬でありロイコボリン救援療法と併用して用いられる．

メスナはイホスファミド投与時の出血性膀胱炎を予防する中和剤である．

1970年代までは5年生存率は15～20％ともっとも予後不良な腫瘍の1つであったが，化学療法の導入により70％以上に向上した．

- 標準整形外科学．第14版．355-359．

問 4-8-19

| 正解 e | 化学療法，副作用 |

聴力障害はシスプラチンに多い副作用である．

ドキソルビシンの副作用は脱毛がほぼ必発である他，骨髄機能障害，消化管障害（嘔吐）が高率にみられる．他に肝機能障害，心筋障害がある．心筋障害は不可逆性である．

イホスファミドの副作用は骨髄抑制，出血性膀胱炎である．中和剤であるメスナの使用により予防可能である．他に消化管障害，肝機能障害，腎機能障害もみられる．

エトポシドの副作用としては骨髄抑制の頻度がもっとも高い．

シスプラチンの副作用は消化管障害のほか，腎機能障害，聴力障害が重要である．他に骨髄機能障害，肝機能障害，電解質異常，末梢神経障害がみられる．腎機能障害や聴力障害は投与量依存性であり，クレアチニンクリアランス，聴力の定期的検査を必要とし，総投与量は1,000 mg程度までとする．

メトトレキサートの副作用は肝機能障害，消化管障害が高率にみられる．腎機能障害，神経障害（時に灰白質脳症），骨髄機能障害，皮疹が出現することがある．

- 日本整形外科学会 骨・軟部腫瘍委員会編．悪性骨腫瘍取扱い規約．第3版．金原出版，2000：62-65．

問 4-8-20

| 正解 e | 骨腫瘍，放射線療法 |

悪性骨腫瘍において放射線療法に対する感受性が高いのはEwing肉腫である．

骨肉腫，未分化多形肉腫，脊索腫などがそれに続き，軟骨肉腫の放射線感受性はもっとも低い．

- 日本整形外科学会 骨・軟部腫瘍委員会編．悪性骨腫瘍取扱い規約．第3版．金原出版，2000：66．

問 4-8-21

| 正解 c | 悪性軟部腫瘍，発生頻度 |

脂肪肉腫の発生頻度がもっとも高く，未分化多形肉腫，粘液線維肉腫，平滑筋肉腫，滑膜肉腫が続く．

- 標準整形外科学．第14版．373-377．

問 4-8-22

| 正解 c | 悪性軟部腫瘍，好発年齢 |

脂肪肉腫の好発年齢は組織型によっても異なるが，おしなべて40～70歳台に好発する．横紋

筋肉腫は10歳以下にもっとも好発する．

胞巣状軟部肉腫，類上皮肉腫，滑膜肉腫は思春期と若年成人に発生し，好発年齢は15～40歳である．

●標準整形外科学．第14版．373-377．

問 4-8-23

| 正解　a，d　　軟部腫瘍，好発部位 |

グロムス腫瘍は手の特に爪下に好発する有痛性の腫瘍である．

結節性筋膜炎は，浅在筋膜に好発する反応性の血管，線維芽細胞性増殖であり，上肢，特に前腕が好発部位である．

腱鞘巨細胞腫は手足に好発する．

弾性線維腫は，長期間の労働歴を有する高年の女性に多く，肩甲下部に好発する．

胞巣状軟部肉腫の好発部位は下肢であり，特に大腿前面の筋肉内に発生することが多い．

●神中整形外科学．改訂23版．上巻．698-739．

問 4-8-24

| 正解　c，e　　良性軟部腫瘍，再発 |

デスモイドや色素性絨毛結節性滑膜炎は，いずれもびまん性・浸潤性増殖を示すため再発率が高い．

粘液腫は辺縁切除で再発はほとんどない．

神経鞘腫は被膜を剥離して，腫瘍摘出を行うことでよい．

グロムス腫瘍は辺縁切除術を行えばよい．

●標準整形外科学．第14版．384-398．

問 4-8-25

| 正解　b，e　　悪性軟部腫瘍の転移様式 |

悪性軟部腫瘍は，一般的に血行性に肺転移を生じることが多いが，リンパ節転移を生じる場合がある．

横紋筋肉腫，類上皮肉腫，滑膜肉腫，淡明細胞肉腫などではリンパ節転移を生じることがある．横紋筋肉腫は，小児では悪性軟部腫瘍の中でもっとも頻度が高いもので，早期よりリンパ節転移をきたしやすい．悪性末梢神経鞘腫瘍，平滑筋肉腫，粘液線維肉腫は，血行性に転移を生じる場合が多く，リンパ節転移はまれである．

●標準整形外科学．第14版．389-398．

問 4-8-26

| 正解　b，d　　軟部腫瘍，MRI |

MRIで骨格筋に比しT2強調像低信号を示すのは，石灰化，骨化組織，コラーゲンを多く含み細胞成分に乏しい線維性組織，ヘモジデリン，メラニン，流れの速い液体(flow void)などである．

色素性絨毛結節性滑膜炎や腱鞘巨細胞腫は，ヘモジデリン沈着のためT2強調像で低から等信号を示すことが特徴である．

デスモイド型線維腫症はT2強調像で高信号を示すが，細胞成分が少なく線維増生の強い部分では低信号となる．

その他，骨外性骨肉腫(骨化)，骨外性軟骨肉腫(石灰化)，悪性黒色腫，淡明細胞肉腫(メラニン)などでは，T2強調像低信号となることがある．

脂肪腫は皮下脂肪と同様の骨格筋に比して高信号を示す．

粘液型脂肪肉腫，ガングリオン，アテロームなどの水分の多い病変では，T2強調像で強い高信号となる．

●標準整形外科学．第14版．384-398．

問 4-8-27

| 正解　a, e　　軟部腫瘍, 画像診断 |

　超音波検査では, 脂肪腫は強い内部エコーを示す.
　FDG-PETはすべての悪性腫瘍に保険適用となり, 病期診断, 化学療法の効果判定に対しての有用性が報告されている.
　神経鞘腫はMRIが診断に有用であり, T1強調像で等信号, T2強調像で等信号と高信号が混在し, 約半数の症例で中央が等信号, 辺縁が高信号のtarget signを認める.
　胞巣状軟部肉腫は極めて血管に富む腫瘍であり, MRI T1強調像で高信号を示すのが特徴である.
　タリウムシンチグラフィーによる良・悪性の鑑別に関しては有用性とともに偽陽性, 偽陰性が報告されている.

● 標準整形外科学. 第14版. 384-398.

問 4-8-28

| 正解　b, c, e　　軟部腫瘍, 遺伝子診断 |

　近年, 悪性骨・軟部腫瘍において, 数多くの染色体転座とその結果生じる腫瘍特異的融合遺伝子が報告されており, それらを検出することは鑑別診断として有用である.
　代表的なものとして, 滑膜肉腫におけるSS18(SYT)-SSX, 粘液型脂肪肉腫におけるTLS(FUS)-CHOP, 胞巣状軟部肉腫におけるASPL-TFE3などが知られている.

● 標準整形外科学. 第14版. 384-398.

問 4-8-29

| 正解　b, e　　軟部腫瘍, 生検 |

　四肢の切開生検では, その後の広範切除を考慮に入れて皮切は長軸に加える. 生検時の腫瘍への進入路は汚染されるため, 広範切除の際に腫瘍とともに切除する必要がある.
　したがって, 生検ルートは大血管や主要神経から十分な距離をとり術野に展開しないようにする.
　切除生検を行ってもよいのは, 皮下に3cm以下の小さな腫瘍が存在し, 切開生検と同様の小皮切で切除可能な場合に限る. 病理診断で悪性と判明すれば, 速やかに追加広範切除を行わなければならない.
　針生検は, 切開生検に比して低侵襲であり, 腫瘍細胞播種の危険性は低い. しかしながら, 切開生検同様その進入経路は腫瘍に汚染されるため, 広範切除の際に腫瘍と一緒に切除する必要性が生じることを考慮して, 刺入部位を計画的に選択する必要がある.
　神経系腫瘍では, 針生検による神経損傷の危険がある.

● 神中整形外科学. 改訂23版. 上巻. 695-696.
● 標準整形外科学. 第14版. 379-383.
● 日本整形外科学会監. 軟部腫瘍診療ガイドライン2012. 第2版. 南江堂, 2012：58-63.

問 4-8-30

| 正解　a, e　　脂肪肉腫 |

　脂肪肉腫は40歳以降に好発し, 性差は特にない. 大腿部に無痛性の腫瘤として発生することがもっとも多いが, 体幹や後腹膜にも発生する. 後腹膜のものは特に発見が遅れやすく, 巨大になってから発見されることも多い.
　組織学的に高分化型, 脱分化型, 粘液型, 多形型に分類される. 高分化型脂肪肉腫は脱分化が起こらなければ遠隔転移をきたすことはなく予後良好であるが, 後腹膜発生のものでは再発を繰り返し切除不能となる場合もある.
　脱分化型, 多形型は遠隔転移をきたしやす

く，後腹膜発生のものは特に予後不良である．

粘液型脂肪肉腫のうち，病理学的に円形細胞の占める割合が5％以上のものや壊死を伴う高悪性のものは予後が悪い．

●標準整形外科学．第14版．389-390.

問 4-8-31

| 正解　d　滑膜肉腫 |

本症は若年成人に好発し，やや男性に多い．5年生存率は36〜76％で，肺，骨，リンパ節に転移を生じやすい．

四肢の深部軟部組織に発生することが多く，疼痛を伴う場合がある．

腫瘍内に石灰化を生じ，単純X線像やCTで描出される場合がある．90％以上の例で染色体の相互転座 t(X;18)(p11.2;q11.2) がみられ，FISH法やRT-PCR法による融合遺伝子 SYT-SSX の検出は確定診断に有用である．治療は，広範切除と化学療法である．

融合遺伝子 EWS-FLI1 が検出されるのは Ewing 肉腫である．

病理組織学的に単相型と二相型に分類される．

●標準整形外科学．第14版．394-395.

問 4-8-32

| 正解　c，d　類上皮肉腫 |

好発する部位は前腕や手で，約50％を占める．足趾・足部・足関節は9％である．若年の男性に多い．通常，疼痛や圧痛はなく，成長は比較的緩徐である．

肉眼的には小結節が癒合している場合が多く，この小結節の中心部に潰瘍を形成することが特徴である．組織学的には腫瘍細胞は大型で，胞体の好酸性が特徴である．中心部にはしばしば壊死がみられる．広範切除術の適応であ

るが，小腫瘍が多発することが多いため切除縁の決定が困難となり，切断術を選択することも少なくない．

肺以外では所属リンパ節への転移も多いため，リンパ節郭清も考慮される．

メラニンの沈着を認めるのは明細胞肉腫である．

●標準整形外科学．第14版．396-397.

問 4-8-33

| 正解　a，d，e　グロムス腫瘍 |

グロムス腫瘍は，毛細血管の先端の動静脈吻合部の血管周囲に存在する血管球(glomus apparatus)由来の腫瘍である．

血管球は指趾の皮膚，爪下に多く存在するので，グロムス腫瘍もこれらの部位に好発する．爪下の病変は青色の色調変化で発見され，爪の変形をきたすこともある．

腫瘍は小さく赤紫色の斑点状で，熱感はないが，著明な圧痛や自発痛を有する．

疼痛は寒冷刺激や感情の高ぶりによって誘発される．切除術を行う．

30〜60歳に多い．

●標準整形外科学．第14版．501.

問 4-8-34

| 正解　d，e　明細胞肉腫 |

本症は20〜40歳の若年成人に発生することの多いまれな悪性軟部腫瘍である．成長は比較的緩徐であるが，高率で遠隔転移を生じやすく長期予後は不良である．

転移は肺や骨の他にリンパ節に多いのは特徴である．有効な治療法は広範切除で，化学療法や放射線療法の感受性は低い．

融合遺伝子 EWS-ATF1 の検出は診断に有用

である．

組織学的に約半数でメラニンの沈着を認める．
●標準整形外科学．第14版．397-398．

問 4-8-35

| 正解　a, e　　腹壁外デスモイド |

腹壁外デスモイドは思春期から40歳台に好発し女性にやや多い．四肢，体幹，頚部の順に発生頻度が高い．深在性で境界不明瞭な硬い腫瘤として発見されることが多い．組織学的に紡錘形の腫瘍細胞が膠原線維とともに周囲組織，筋肉内に浸潤性増殖を示す．

腹壁外デスモイドは中間型腫瘍であり，遠隔転移を生じることはない．頚部など特殊な部位を除き予後は良好である．

治療は切除が原則とされてきたが，切除しても易再発性の腫瘍で，広範切除を行っても半数で再発する一方で，自然に縮小することもあるため経過観察にとどめる(wait & see)こともガイドラインでは選択肢とされている．化学療法やホルモン療法，トラニラスト，COX-2阻害薬の有効性も報告されている．
●標準整形外科学．第14版．388-389．

問 4-8-36

| 正解　c, d, e　　神経線維腫症 |

神経線維腫症1型は神経線維腫が多発する疾患であり，von Recklinghausen病と呼ばれている．骨病変（脊柱，胸郭，四肢骨の変形，頭蓋骨，顔面骨の欠損など）や眼病変（視神経膠腫，光彩小結節など）などの多彩な症状を呈する．聴神経腫瘍や頭蓋内腫瘍を合併し，皮膚病変が軽度のものは神経線維腫症2型である．

皮膚のカフェオレ斑と神経線維腫症を主徴とする．

長期経過後に悪性化［悪性末梢神経鞘腫瘍（malignant peripheral nerve sheath tumor：MPNST）］することがあるため注意を要する．悪性化した場合の予後は不良であり，化学療法や放射線療法もほとんど無効である．

常染色優性遺伝疾患である．
●標準整形外科学．第14版．313-314．

問 4-8-37

| 正解　c　　胞巣状軟部肉腫 |

胞巣状軟部肉腫は若年成人に好発し，女性に多い．極めて血管に富む腫瘍であり，拍動を触知したり血管性雑音を聴取できたりする場合がある．

肺，骨，脳などに高率に転移を生じる．緩徐な発育を示し，5年生存率は約70％とされるが，長期追跡では予後は不良である．

MRIでは，T1強調画像で筋肉に比して高信号，T2強調像で極めて高信号を呈するのが特徴的である．
●標準整形外科学．第14版．396．

問 4-8-38

| 正解　c, d, e　　化学療法，軟部腫瘍 |

適切な手術を行っても，高悪性度の悪性軟部腫瘍はしばしば遠隔転移をきたし，患者を死に至らしめる．そのため，転移の制御を目的して殺細胞性の化学療法が行われる．

Ewing肉腫，横紋筋肉腫などの小円形細胞肉腫や骨外性骨肉腫は，転移が極めて早期に発生するため化学療法や放射線療法の適応である．

その他の，四肢発生の高悪性度非円形細胞肉腫に対してはイホスファミドとドキソルビシンの併用化学療法の有効性が報告されているほか，新規薬剤(pazopanib, trabectedin)の有効

性が報告されている．

- 日本整形外科学会監．軟部腫瘍診療ガイドライン 2012．第2版．南江堂，2012：86-90．
- van der Graaf WT et al. Lancet 2012；19：1879-1886．

問 4-8-39

| 正解　b，e　　原発性骨腫瘍 |

本症例は，18歳と比較的若い患者に発生した，大腿骨遠位骨端を中心に骨端線を越えて増大する腫瘍である．単純X線像では，辺縁が明瞭で，良性，ないしは増殖速度の遅い腫瘍を考える．

長管骨骨端に好発する原発性骨腫瘍は，軟骨芽細胞腫（10歳台，良性），骨巨細胞腫（20〜30歳，中間悪性），そして淡明細胞型軟骨肉腫（非常にまれだが，悪性）の3つを鑑別疾患の最上位に挙げる．

a．○　長管骨の骨端〜骨幹端に好発する．好発年齢は20〜30歳台ではあるが，画像上除外はできない．

b．×　長管骨（上腕骨近位・大腿骨近位・踵骨）骨幹端に好発する．MRI T2強調では均一な高信号域を呈する．

c．○　長管骨の骨端に好発する．発症年齢は幅広い．画像上，除外はできない．

d．○　10歳台，長管骨の骨端に好発する．本症例は組織学的に軟骨芽細胞腫と診断された．T1強調像，T2強調像（脂肪抑制）での腫瘍周囲の炎症像も特徴の1つである．

e．×　10歳台，長管骨の骨幹部に好発し，onion-peel appearance等の骨膜反応を示す．

- 標準整形外科学．第14版．340-341，347-353．
- 日本整形外科学会編．悪性骨腫瘍取扱い規約．第4版．金原出版，2015．

問 4-8-40

| 正解　c，d　　悪性骨腫瘍，化学療法 |

原発性悪性骨腫瘍の中で，化学療法（抗がん剤治療）に感受性が高いのは，悪性リンパ腫，骨肉腫，Ewing肉腫である．

骨肉腫とEwing肉腫は，術前および術後の化学療法と手術（手術困難な例では放射線）が標準治療である．

悪性リンパ腫は血液疾患である．化学療法に感受性が非常に高いことから，麻痺や骨折の危険性がなければ手術の適応となることは少ない．

現在，脊索腫，軟骨肉腫に対する有効な薬剤はなく，標準治療に化学療法は含まれない．

- 標準整形外科学．第14版．355-368．

問 4-8-41

| 正解　a　　癌骨転移 |

総数：肺癌＞乳癌＞腎癌＞前立腺癌
男性：肺癌＞前立腺癌＞腎癌＞肝臓癌
女性：乳癌＞肺癌＞甲状腺癌＞腎癌

- 標準整形外科学．第14版．368-369．

問 4-8-42

| 正解　c，d　　未分化多形肉腫 |

未分化多形肉腫（UPS）は分化の方向が不明な肉腫で，2013年より以前は「悪性線維性組織球腫（MFH）」に分類されていた．中高年に好発する代表的な悪性軟部腫瘍である．病理学的には，「花むしろ模様」が特徴的である．治療は広範切除が原則であるが，患者の全身状態，腫瘍の悪性度，進展度によっては化学療法や放射線照射が選択される．

a．×　2013年のWHO分類では，未分化/分類不能肉腫の中で腫瘍細胞の形態が多形性を示

すものが未分化多形肉腫(UPS)で，従来の悪性線維性組織球腫(MFH)に相当する．
b．× 好発年齢は50〜70歳台である．
c．○
d．○ 腫瘍広範切除が原則である．
e．× 化学療法は行われることがある．
- 標準整形外科学．第14版．391-392．

問 4-8-43

| 正解 a, d 骨転移, 原発不明癌 |

「原発不明癌」には広義のもの（既往がなく，骨転移の症状等で発覚し，これから原発巣の検索が行われるもの）と，狭義のもの（画像検査，病理検査を行った結果，原発巣を特定できないもの）が含まれる．本問題では，「広義の原発不明がん」について問われている．
a．○ 初診時原発不明の骨転移でもっとも頻度の高い疾患は肺がんである．
b．× 腎癌，甲状腺癌からの骨転移では，単純X線上，純粋な溶骨性の変化として捉えられることがほとんどである．一方，前立腺癌や治療中の乳癌などでは造骨性の変化が主体で，他の多くの癌では両者の変化が混在している．
c．× 骨髄腫や悪性リンパ腫などの血液疾患はこれらの症例の中でも予後は良好である．
d．○ 受診時のPS(全身状態の指標)は重要な予後因子となる．
e．× 問診，身体診察，血液検査，全身CTで約半数の原発巣が発見できる．
生検を行っても最終的に原発巣が確認できない症例（「狭義の原発不明がん」）が10%程度は存在する．
- 標準整形外科学．第14版．368-372．

問 4-8-44

| 正解 e 臨床検査値, 悪性リンパ腫 |

a．× LDHは様々な腫瘍で上昇することがある．軟部肉腫でもLDHの上昇をきたすことがある．
b．× 腫瘍性軟化症とは，腫瘍が産生するFGF23がリンの再吸収を抑制し，低リン血症をきたすことにより，骨軟化症を呈するものである．FGF23は高値となる．
c．× 骨巨細胞腫では，破骨細胞様巨細胞が活性化しているため，骨吸収マーカーであるTRACP-5bが上昇することが多い．
d．× 悪性軟部腫瘍(肉腫)では，しばしばCRPが上昇する．未分化多形肉腫でもCRP上昇がみられることが多い．
e．○ 悪性リンパ腫では可溶性インターロイキン2受容体(sIL2R)が腫瘍マーカーとなる．
- 日本整形外科学会監．軟部腫瘍ガイドライン2012．第2版．南江堂，2012．
- 標準整形外科学．第14版．29-30, 33, 331-332, 349-351, 364-365, 377-378．

問 4-8-45

| 正解 a, e 悪性軟部腫瘍 |

a．○ 滑膜肉腫はAYA世代（思春期，および若年成人）に好発する代表的な悪性軟部腫瘍である．身体のどの部位にも発生しうるが，膝周囲が好発部位である．
b．× 胞巣状軟部肉腫もAYA世代に好発する．女性に多いのが特徴である．
c．× 未分化多形肉腫は中高年に好発する代表的な悪性軟部腫瘍で，腫瘍広範切除が治療の原則である．遠隔転移がしばしば起こるため，5年生存率は50〜60%である．
d．× 神経線維腫症1型(von Recklinghausen病)に続発するものが多い．

e．○　異型脂肪腫様腫瘍/高分化型脂肪肉腫は画像検査だけでは良性脂肪腫と鑑別が困難なことが多い．病理検査においても両者の鑑別に難渋することがあり，免疫組織化学染色や遺伝子解析を用いて診断することが多い．異型脂肪腫様腫瘍/高分化型脂肪肉腫はしばしば再発するため，良悪性中間型に分類される．再発時は「脱分化」して「脱分化型脂肪肉腫」となり，悪性度が上がることがあるので注意を要する．

- 標準整形外科学．第14版．389-396, 684.

問 4-8-46

| 正解　d | 悪性軟部腫瘍 |

悪性軟部腫瘍に対する不適切な切除がなされた症例に対する対応を問う問題である．悪性を示唆する急速な増大傾向を示す大腿部軟部腫瘍に対して，十分な画像および病理組織学的検索を行うことなく，S字の皮膚切開，局所麻酔で切除がなされており，前医は本症例に対して悪性である可能性を認識せず治療を行った（unplanned excision）ことがうかがえる．追加広範切除を行った症例での再発率は初回から広範切除を行ったものと変わらない．

a．×　低悪性度粘液線維肉腫に対して放射線療法は根治的な治療とならない．
b．×　本症例では前医でのCT所見から判断すると，安全な切除縁を確保した場合でも膝窩動静脈および坐骨神経の温存が可能であるため，機能喪失の大きい切断術は適応されない．
c．×　不適切切除に対する追加広範切除術は，再発後広範切除術や放射線照射に比べて局所制御率，累積生存率が有意に高い．
d．○　計画的に行われなかった手術後，そこから再発が起こりえるため追加広範切除術が原則である．初回にS字状の皮膚切開がなされたため，追加広範切除術後は皮膚の欠所損が大きくなることから，形成外科的再建が必要である．
e．×　不適切切除に対する追加広範切除術は，再発後広範切除術や放射線照射に比べて局所制御率，累積生存率が有意に高い．

- 標準整形外科学．第14版．376.
- 日本整形外科学会監．軟部腫瘍診療ガイドライン2012．第2版．南江堂，2012：83.

問 4-8-47

| 正解　c, e | 骨転移，骨修飾薬 |

a．×　低カルシウム血症をきたしやすい．
b．×　有害事象の1つに顎骨壊死がある．
c．○　顎骨壊死の予防として口腔内ケアは必須である．
d．×　骨転移に対する投与量は骨粗鬆症に対する投与量の10倍以上である．
e．○　多くのがん種の骨転移における骨関連事象（SRE）の発生頻度を低下させる．

- 日本臨床腫瘍学会編．骨転移診療ガイドライン．南江堂，2015：41.

問 4-8-48

| 正解　c | Duchenne型筋ジストロフィー |

a．○
b．○　1歳半～3歳頃までに異常に気づく．
c．×　筋力低下は骨盤帯筋，大腿近位の筋より始まり遠位へと進行する．
d．○
e．○

Duchenne型筋ジストロフィー（DMD）は筋ジストロフィーの中でももっとも頻度が高い．男児3,500人に1人の割合で発症する．人口10万人当たり2～3人である．筋肉の細胞膜を作るジストロフィン蛋白質を作るジストロフィン遺伝子の異常によって引き起こされる．この染色

体はX染色体短腕(Xp21.2)にある.

X染色体劣性遺伝形式をとるが1/3は突然変異により発症する．DMDでは乳幼児期の運動発達は遅れる．処女歩行の遅れ，歩き方が不格好，よく転ぶなどの訴えにより1歳半〜3歳頃までに異常に気づく．

下腿三頭筋の仮性肥大，登攀性起立［Gowers（ガワーズ）徴候］，動揺歩行(swaying gait)［あひる歩行(waddling gait)］が特徴的である．

筋力低下は骨盤帯筋，大腿近位の筋より始まり遠位へと進行する．歩行機能は4〜5歳でピークに達し，以後は筋力低下の進行に膝屈曲拘縮や尖足変形などの症状が加わり10〜12歳頃までに歩行不能となる．

検査所見では筋線維の変性・壊死を反映する血清CK，ミオグロビン，アルドラーゼ，AST，LDHなどが中等度から高度上昇する．尿潜血の偽陽性(ミオグロビン尿)が特徴である．

● 標準整形外科学．第14版．414-416．

問 4-8-49

| 正解 | a, c | 軟部腫瘍，疼痛 |

一般的に，腫瘍そのものによる疼痛を認めたときは，血管性，神経性の病変を考える．

a. ○ 血管腫の疼痛の原因には，内部の出血や，静脈の怒張，内部の血栓などが考えられている．

b. × 脂肪腫そのものは無痛性の腫瘤である．

c. ○ グロムス腫瘍も血管性の病変で，強い疼痛を伴い，寒冷刺激で誘発される．

d. × 腱滑膜巨細胞腫そのものは無痛性の結節性腫瘤である．

e. × 疼痛を伴うこともあるが，多くは無痛性で周囲組織との可動性の乏しい硬い腫瘤である．

● 標準整形外科学．第14版．376-377，385-388．

問 4-8-50

| 正解 | e | 腫瘍，切開生検 |

生検の際は，悪性腫瘍である可能性を十分に考慮し，その後の広範切除を想定することが極めて重要である．

a. × 四肢においては，縦切開で進入するのが大原則である．

b. × 剥離した部位には腫瘍細胞が撒布されたものと考える．後の広範切除を考慮して，剥離は最小限にとどめる．

c. × 剥離した部位には腫瘍細胞が撒布されたものと考える．重要な神経・血管を展開，確保してしまうと，腫瘍細胞が同部位に撒布されたことになってしまうため，行ってはいけない．重要な神経・血管を避け，必要十分な組織が採取できるように生検を計画する．

d. × 同様に，筋間を展開すると，剥離した部位には腫瘍細胞が撒布されたものと考える．筋内を進入することで，後の広範切除による周囲正常筋肉の合併切除を最小限にする．

e. ○ 応力が集中し骨折することを避けるため楕円形に開窓する．

● 戸山芳昭ほか監．整形外科専門医になるための診療スタンダード4．骨・軟部腫瘍および骨系統・代謝性疾患．羊土社，2009：27-30．

問 4-8-51

| 正解 | c, d, e | 小児，AYA世代，腫瘍 |

a, b. × 脱分化型脂肪肉腫，未分化多形肉腫は中高年に好発する代表的な悪性軟部腫瘍(肉腫)である．

c. ○ Ewing肉腫は小児期に好発する代表的な悪性骨・軟部腫瘍である．

d. ○ 横紋筋肉腫は小児期に好発する代表的な悪性軟部腫瘍である．小児に悪性を疑う腫瘤

を認めたら，横紋筋肉腫の可能性を考える．
e．○　滑膜肉腫はAYA世代に好発する代表的な悪性軟部腫瘍である．AYA世代の患者に悪性を疑う腫瘍を認めたら，滑膜肉腫の可能性を考える．
- 日本整形外科学会監．軟部腫瘍診療ガイドライン2012．第2版．南江堂，2012：20-21．
- 標準整形外科学．第14版．341, 362-364, 374-376, 389-398．

問 4-8-52

| 正解 | a | 滑膜骨軟骨腫症 |

滑膜骨軟骨腫症は関節包内に多数の軟骨編や骨軟骨編が認められる疾患である．
a．○　呈示画像から診断できる．
b．×　腱滑膜性巨細胞腫では，病変内に骨化を認めることはない．
c．×　T1・T2強調像でともに均一に高輝度を示す脂肪腫の像を認めない．
d．×　画像所見が合わない．
e．×　画像所見が合わない．
- 標準整形外科学．第14版．633, 683-684．

問 4-8-53

| 正解 | e | 線維性骨皮質欠損 |

線維性骨皮質欠損は，小児の骨腫瘍・骨腫瘍類似疾患でもっとも多くみる疾患である．小児期の大腿骨遠位骨幹端に好発し，周囲に効果像を伴ったり，まれに骨皮質に骨膜反応様の不整像を認めたりするので，骨肉腫との鑑別が重要になる．偶発的にみつかり，膝の疼痛部位に一致しないことや，反対側にも同様の所見を認めることから，本疾患を疑う．
a．×　小児期，膝周囲，長管骨骨幹端という点では線維性骨皮質欠損と共通項があるが，画像所見が典型的でない．

b．×　画像所見が合わない．ナイダス，および周囲の骨皮質の肥厚が典型的な類骨骨腫の所見である．
c．×　軟骨芽細胞腫は長管骨骨端に好発する．
d．×　画像所見が合わない．
e．○　呈示画像から診断できる．
- 標準整形外科学．第14版．351．

問 4-9-1

| 正解 | e | Guillain-Barré症候群 |

Guillain-Barré症候群は，胃腸炎や感冒症状をはじめとする先行感染後1〜3週間ほどで発症する筋力低下を特徴とする．
四肢および呼吸筋や顔面筋の筋力低下を主徴とする．
発症2〜3週で細胞数は正常で蛋白質のみ上昇する蛋白細胞解離を呈する．
多彩な自律神経障害を伴い，重度の不整脈などで死亡することもある．
15%に歩行障害が残るとされる．
- 標準整形外科学．第14版．412-413．

問 4-9-2

| 正解 | b | 前脊髄動脈症候群 |

脊髄動脈閉塞性疾患である前脊髄動脈症候群は，急性発症で脊髄の腹側2/3が障害される．温痛覚障害があり触圧覚は正常である場合には本疾患を疑う．
MRIでは脊髄虚血巣はT2強調像において高信号としてとらえられ，急性期にはGd-DTPAによる髄内造影効果像がみられる．
- 土屋弘行ほか編．今日の整形外科治療指針．第7

版. 医学書院, 2016：565-566.
- 高橋和久編. 脊椎脊髄外科テキスト. 南江堂, 2016：37.

問 4-9-3

| 正解 b, c, d | 筋萎縮性側索硬化症 |

運動ニューロンが選択的に障害される神経変性疾患を運動ニューロン病といい，上位運動ニューロンと下位運動ニューロンがともに障害されるものを筋萎縮性側索硬化症，下位運動ニューロンのみが障害されるものを脊髄性筋萎縮症という．筋萎縮性側索硬化症は中年以降に発症するものが大部分である．一方，脊髄性筋萎縮症は，新生児期に発症し重症であるWerdnig-Hoffman病，乳児期に発症する中間型，幼児期から思春期に発症するKugelberg-Welander病に分類される．以下，筋萎縮性側索硬化症について解説する．

筋萎縮性側索硬化症の有病率は10万人当たり約4人，年間発病率は10万人当たり約1人である．大部分が孤発性で，約10％が家族性である．孤発例では40～60歳で発症する．大脳皮質運動野，錐体路(皮質球路，皮質脊髄路)，脳幹運動神経核(動眼・滑車・外転神経を除く)，脊髄前角細胞が障害される．

症状は一側上肢の手内在筋や肩甲帯の筋萎縮・脱力に始まり，次第に進行し，他側の上肢，やがて下肢に及ぶ．四肢筋に線維束攣縮がみられる．

呼吸筋麻痺，舌の筋萎縮や線維束攣縮，構音・嚥下障害などの球麻痺を伴う．錐体路障害により腱反射・筋トーヌスは亢進することが多いが，下位運動ニューロンの障害が強い場合は低下する．

外眼筋麻痺，膀胱直腸障害，感覚障害は末期まで生じない．

診断は四肢のある部位から発症した下位運動ニューロン症状(筋萎縮，線維束攣縮)と上位運動ニューロン症状(腱反射・筋トーヌス亢進，クローヌス，病的反射)が他肢，脳幹に拡大し，他の疾患が否定されることで確定する．

- 標準整形外科学. 第14版. 404-405.
- 神中整形外科学. 改訂23版. 上巻. 766-767.

問 4-9-4

| 正解 a, b, d | 糖尿病性ニューロパシー |

重症糖尿病患者の約80％に合併する．原因は神経を栄養する小血管の動脈硬化性病変による神経の虚血である．

障害の性状や分布は様々であり，遠位の感覚障害が優位である多発性神経障害タイプ，感覚障害を伴わず片側性または両側性に下肢近位筋が麻痺するタイプ，起立性低血圧・発汗障害・失禁・陰萎などの自律神経障害タイプ，動眼神経麻痺・顔面神経麻痺・手根管症候群などの単神経障害を多発する多発単神経障害タイプがある．

深部感覚の低下により失調歩行を呈することもある．

- 標準整形外科学. 第14版. 409.

問 4-9-5

| 正解 c | 多発性硬化症 |

中枢神経の白質に限局性の脱髄病巣が多発し寛解と再発を繰り返すものをいう．好発年齢は20～50歳で，女性が男性より2～3倍多い．原因は中枢神経髄鞘を標的とする自己免疫と考えられている．

中枢神経白質の障害に基づく症状が空間的・時間的に多発する．通常は急性に，視力障害，脱力(対麻痺，片麻痺，四肢麻痺)，感覚障害，

膀胱直腸障害, 小脳性運動失調, 外眼筋麻痺など様々な部位の障害による症状を起こす(空間的多発性). また, その症状が自然に寛解し再発する(時間的多発性).

- 神中整形外科学. 改訂23版. 上巻. 771-772.
- 標準整形外科学. 第14版. 408-409.

問 4-9-6

| 正解 | d, e | Parkinson 病 |

黒質・線条体線維(ドーパミン作動性ニューロン)の機能異常である. 50〜70歳に一側上肢の安静時振戦または歩行障害で発症する.

振戦, 無動, 固縮, 姿勢保持反射障害が4大徴候である. 脳動脈硬化, 脳炎, 薬剤などによる二次性パーキンソニズム, Alzheimer病, オリーブ橋小脳萎縮症などの部分症状としてのパーキンソニズムとの鑑別が必要である.

日常生活では動きが少なく無表情になり(仮面様顔貌), 動作は遅くなる. 筋固縮・前傾屈曲姿勢がみられ, 立ち直り反射・バランス反応が障害され, 歩行では歩幅が狭く, 速度は遅く, すくみ足と突進現象がみられ転倒しやすい.

起立性低血圧, 末梢循環障害, 便秘, 頻尿, 排尿開始遅延などの自律神経症状, 抑うつ, 精神活動の緩慢などの精神徴候も伴う.

- 標準整形外科学. 第14版. 406-407.

問 4-9-7

| 正解 | a, c, d | Duchenne型・Becker型筋ジストロフィー |

Duchenne型・Becker型筋ジストロフィーは両方ともX染色体上にあるdystrophin遺伝子の異常により発症する. このため劣性遺伝で男児のみに発症する.

dystrophin蛋白質は筋細胞膜の裏打ちとして存在し, 筋細胞膜の安定化に寄与していると考えられている. 遺伝子異常の差によってDuchenne型ではdystrophin蛋白質は完全欠損し, 臨床経過が重症となる. 一方Becker型ではdystrophin蛋白質は異常を有するが存在しており, 免疫染色でも同蛋白が筋細胞膜に沿って不規則に染色される.

発症頻度はDuchenne型が約5倍高い.

筋生検では筋線維の変性・壊死が随所で起こっている一方で, 再生線維も多数認め, このため筋線維の大小不同を認める.

- 標準整形外科学. 第14版. 414-417.
- 神中整形外科学. 改訂23版. 上巻. 772-776.

問 4-9-8

| 正解 | c | Duchenne型筋ジストロフィー |

乳幼児期から運動発達の遅れが認められ, 処女歩行遅延, 易転倒性を認める.

筋脱力は四肢近位筋に早期より強く出現し, 床から起立する際, 床と膝に手をついて立ち上がる登攀性起立(Gowers徴候)が認められる. 動揺歩行はあひる歩行ともいわれるが, Gowers徴候とは別である.

仮性肥大は発病初期に腓腹部に認めることが多いが, 大腿筋, 殿筋, 三角筋に出現することもある.

血液生化学検査では, 症状が明瞭になる前より血清クレアチンキナーゼが著増する. またAST, ALT, LDH, アルドラーゼなどの筋原性酵素が増加する.

筋組織では結合組織増加が認められ筋線維化をきたして全身の関節拘縮が進行する. Duchenne型では骨格筋以外に心筋も障害され頻脈や急性心不全を合併することがある.

心電図検査では右側胸部誘導で高R波, 左胸部誘導で異常Q波を認めることが多い.

- 神中整形外科学. 改訂23版. 上巻. 773-776.
- 標準整形外科学. 第14版. 414-417.

問 4-9-9

| 正解 a | Duchenne 型筋ジストロフィー |

Duchenne 型筋ジストロフィーは，正常に運動機能が発達して，歩行を開始した後に，転びやすい，あるいは走れない，高所から飛び降りることができない，などの症状で発見される．これは腰と下肢近位の筋萎縮，筋力低下のためである．

筋緊張性ジストロフィーは遠位筋にやや優位で緩徐に進行する．

脊髄空洞症は上肢の，Charcot-Marie-Tooth 病や多発性神経炎では下肢の遠位筋萎縮より始まる．

- 標準整形外科学. 第14版. 414-417.

問 4-9-10

| 正解 a | 筋緊張性ジストロフィー |

常染色体優性遺伝で，成人ではもっとも頻度の高い筋ジストロフィーである．筋症状[筋緊張症(myotonia)，四肢の遠位優位の筋力低下]，耐糖能異常，前頭部脱毛，若年性白内障，心伝導障害，性ホルモン分泌異常，知能低下，免疫グロブリン低下，良性・悪性腫瘍の多発など多臓器の異常を伴う．側頭筋・咬筋の萎縮が高度で前頭部脱毛とともに顔が細長くみえる(hatchet face，myopathic face)．

胸鎖乳突筋の萎縮も高度である．力いっぱい握った後に手を開こうとしてもなかなか指が開かない屈筋硬直(grip myotonia)，母指球や舌などの筋を叩いた後に筋収縮が持続する叩打性筋緊張(percussion myotonia)がみられる．

主訴は筋緊張現象ではなく遠位筋の筋力低下であることが多い．

針筋電図では，針刺入時や叩打時の高頻度持続性放電(myotonic discharge)がみられ，スピーカーを通すと急降下爆撃音(dive bomber sound)として聞こえる．

- 神中整形外科学. 改訂23版. 上巻. 778-780.

問 4-9-11

| 正解 a | 重症筋無力症 |

アセチルコリン受容体を抗原とする自己抗体により神経筋伝導障害を起こすものである．

約75%に胸腺の異常を伴う．

症状は眼瞼下垂，複視で始まり，午後から夕方に症状が強くなり，四肢脱力，球麻痺症状，呼吸障害が加わる．

症状は反復動作で増強し安静で軽快する．

外眼筋のみに限局する眼筋型，四肢筋・球筋の障害を伴う全身型，四肢脱力・球症状・呼吸障害が急激に発症する急性劇症型などに分類される．

末梢神経反復刺激試験では，筋活動電位の振幅が次第に小さくなる(漸減現象，waning phenomenon)．

- 神中整形外科学. 改訂23版. 上巻. 783-784.

問 4-9-12

| 正解 b, c | 末梢神経損傷分類 |

末梢神経損傷の代表的な分類には，Seddon 分類と Sunderland 分類がある．Seddon 分類は，一過性神経伝導障害(neurapraxia)，軸索断裂(axonotmesis)，神経断裂(neurotmesis)の3型である．Sunderland は，神経損傷程度に従ってさらに細分化し，合計5型に分類した．

neurapraxia は，器質的にはまったく異常がないか，あるいは髄鞘の一部にごく軽度の異常

を認める状態で，軸索には異常がない．自然回復を期待できる予後のよい麻痺である．Sunderland 分類の1度損傷に相当する．axonotmesis は，軸索が断裂した状態である．neurotmesis は，軸索，髄鞘，Schwann 細胞すべての連続性が断たれた状態である．

　Sunderland 分類の2度損傷は，軸索の断裂は生じているが，神経内膜や神経周膜は正常に保たれている状態である．再生軸索は，温存された神経内膜の道筋をたどって伸長し，元来の終末目的器官に正しく到達する．神経機能は元に近い状態まで回復する．

　Sunderland 分類の3度損傷は，神経内膜が損傷されているものの，神経周膜は正常に保たれている状態で，完全には回復しない．

　Sunderland 分類の4度損傷は，神経上膜は保たれているが，軸索や神経内膜・周膜は損傷され，瘢痕が侵入し，神経の再生が阻害されるため，神経縫合術や神経移植術を用いなければ回復は困難である．

　Sunderland 分類の5度損傷は，神経幹の完全な断裂である．

- 標準整形外科．第14版．862-863．
- 整形外科クルズス．第4版．392．
- 神中整形外科．改訂23版，上巻．793-797．

問 4-9-13

| 正解　c | 末梢神経損傷 |

　Seddon は末梢神経損傷の程度を，① 一過性神経伝導障害(neurapraxia)，② 軸索断裂(axonotmesis)，③ 神経断裂(neurotmesis)の3つに分類した．

　一過性神経伝導障害では，器質的にまったく異常がないか，あるいは髄鞘の一部にごく軽度の異常を認める状態で，軸索には異常がない．数分〜数週で自然に回復し，神経回復には再生神経の伸長を必要としないため，解剖学的位置とは関係なくほぼ同時に回復する．

　軸索断裂では，神経内膜〜神経上膜には損傷がなく，通常肉眼的にはこれらの断裂は確認できない．

　再生軸索は，温存された内膜内を伸長し，時間とともに Tinel 徴候は末梢へ移動し，軸索が伸張しなければならない距離が短い順に麻痺筋が回復する．

　神経断裂(neurotmesis)は，軸索，髄鞘，Schwann 細胞のすべてが断たれた神経断裂である．近位神経断端から再生軸索が伸長するが，再生軸索は損傷部で元来とは異なった Schwann 管に入り，伸長することがある．たとえば感覚神経線維が運動神経線維へと伸長する過誤支配を生じることがある．

- 標準整形外科．第14版．862-875．
- 整形外科クルズス．第4版．392．
- 神中整形外科．改訂23版，上巻．793-797．

問 4-9-14

| 正解　a，e | 末梢神経断裂 |

　軸索断裂・神経断裂では，神経細胞において細胞体肥大・細胞核の周辺部移動などの形態変化とともに，軸索再生に必要な蛋白質合成が増加する．

　軸索断裂では温存された内膜内を，神経断裂では Büngner 帯に沿って再生軸索が伸長し，神経支配の順番に従って麻痺筋が回復する．

　断裂部位では切断された1本の軸索から多数の細い再生軸索が発芽してくる．損傷部遠位において切断された軸索や髄鞘は変性に陥り，増殖した Schwann 細胞やマクロファージによって貪食される(Waller 変性)．

　増殖する Schwann 細胞は形態を変え柱状に配列し Büngner 帯を形成し，再生軸索が伸びて

いく道を形成する．再生軸索が発芽して瘢痕を乗り越え遠位のBüngner帯に届くまでにかかる時間が初期遅延である．

多数発芽した再生軸索のうち正しいBüngner帯に進入したものは伸長・成熟を続け，間違ったBüngner帯に進入したものは退縮すると考えられている．

- 標準整形外科学．第14版．862-875．

針筋電図検査は，脱神経所見（安静時の陽性鋭波，線維自発電位の出現）の有無の確認，MMTが(0)[完全麻痺]か(1)[わずかながら神経支配が残っている有連続損傷]かの判断に有用である．

- 標準整形外科学．第14版．864-866．
- 整形外科クルズス．第4版．152-153．
- 神中整形外科学．改訂23版，上巻．797．

問 4-9-15

正解　a, d　　神経電気生理学的検査

NCV(nerve conduction velocity)の値は，もっとも速い神経線維のNCVを反映する．運動線維の中のいくつかが正常な伝導速度を有している限り，その神経全体の運動神経伝導速度は基準値を示す．運動神経伝導速度が低下するには，ほとんどすべての運動神経線維が障害されていなければならない．したがって，運動神経伝導速度が正常であっても，神経障害はないとは判断できない．

神経伝導遅延は，神経伝導検査においてもっとも重要なパラメータであり，潜時の延長あるいは伝導時間の遅延として認められる．

複数の神経の潜時が遅延し，M波の波形が多相性となるものを時間的分散という．この原因には，脱髄，大径線維の喪失，代謝異常がある．脱髄により伝導遅延が生じるのは，脱髄を生じたRanvier絞輪部で伝導時間が延長するためと，比較的細い脱髄神経線維では跳躍伝導の機能が失われるからである．

神経伝導検査は，末梢神経損傷後Waller変性の完成する3日目以降に行う．Waller変性，一過性神経伝導障害(neurapraxia)の診断に有用である．

針筋電図検査は，末梢神経損傷後脱神経所見が現れる3週以降に行う．

問 4-9-16

正解　a, e　　神経修復術

神経修復の時期は，術後成績に大きく影響する．早ければ早いほど脱神経の期間が短くなり，その成績はよい．

患者の年齢では，小児では良好で，40歳以降ではその成績は悪化する．損傷高位は，高ければ高いほどその成績は悪く，腋窩より近位での損傷では，手内在筋，総指伸筋の十分な機能回復は望めない．

神経縫合の際，断端は健常部分が出るまで新鮮化する．神経断端の接合はお互い接触する程度がよい．強い圧着は，神経線維断端の折れ曲がり(buckling)を生じ，神経再生を阻害する．

神経断裂後，遠位神経内ではSchwann細胞は急激に分裂，増殖して，マクロファージとともに軸索，髄鞘を貪食し始める．増殖するSchwann細胞は柱状に配列し，再生軸索が末梢方向に伸びていく道を形成するとともに神経栄養因子を供給する．

- 標準整形外科学．第14版．868-870．
- 整形外科クルズス．第4版．396-398．
- 神中整形外科学．改訂23版，下巻．652．

問 4-9-17

| 正解　a，b，d　　神経に対する手術 |

神経幹を一塊として神経周囲の瘢痕から剥離することを神経外剥離という．

神経内剥離は，それぞれの神経束を瘢痕から剥離することである．

神経断裂の陳旧例では，神経断端に神経腫が存在しているため，これを切除し，新鮮化を行って縫合する．

鋭利な刃物による清潔な創では，ただちに一次縫合を行うことが原則である．

一般に，神経欠損部には，1mm以下の皮神経を3, 4本束にした形でのケーブル移植が必要となる．神経移植には，腓腹神経や内・外側前腕皮神経などの皮神経が用いられる．採取された神経の支配領域の感覚脱失は避けられない．このため最近人工神経が用いられるようになってきた．

人工神経は人工関節のように人工材料が生体内にとどまって機能するのではなく，自家組織の再生を誘導する治療方法である．

- 標準整形外科学．第14版．862-875．
- 神中整形外科学．改訂23版．下巻．652-653．

問 4-9-18

| 正解　d，e　　皮膚感覚受容器 |

Meissner 小体（tactile corpuscle）と Pacini 小体（lamellar corpuscle）は動的触覚（moving touch）の受容器であり，動的把持機能と物体認識に関与する．

Meissner 小体は球形または卵形で，表皮と真皮の境界部にある．

Ruffini 終末（bulbous corpuscle）と Merkel 終盤（tactile meniscus）は持続触覚（contact touch）の受容器であり，静的把持機能に関与する．

自由神経終末は皮膚神経の線維網で，痛覚と温度覚の受容器である．筋・腱の伸張受容器はそれぞれ筋紡錘・腱紡錘である．また軟骨は神経支配のない組織である．

Pacini 小体は玉ねぎ状の層構造を呈し，白い米粒状のものとして皮下に存在する．

- 標準整形外科学．第14版．82-87．
- 整形外科クルズス．第4版．50, 68．
- 神中整形外科学．改訂23版．下巻．572．

問 4-9-19

| 正解　a，b，c　　副神経損傷 |

副神経麻痺のもっとも頻度の高い原因は，頭頸部癌に対する頸部リンパ節郭清術や頸部リンパ節生検などの手術による神経損傷であり，腕神経叢損傷を伴うことは少ない．リンパ節生検による損傷の頻度の高い部位は，頸部の後方三角（胸鎖乳突筋後縁）であり，胸鎖乳突筋の神経支配部位よりも遠位であるため，胸鎖乳突筋の麻痺は生じにくい．

僧帽筋の筋萎縮は損傷後2〜3カ月は明らかでないため，比較的判別しやすい僧帽筋上部の筋収縮の有無により診断する（肩をすくめる動作による）．手術創があれば，Tinel様徴候によって明らかになる場合もある．90°以上の肩関節の外転挙上は困難となる．

翼状肩甲は前鋸筋麻痺で起きるが，副神経損傷による僧帽筋麻痺でも起きることがある．

- 標準整形外科学．第14版．862-875．
- 神中整形外科学．改訂23版．上巻．804-805．

問 4-9-20

| 正解　c，d　　絞扼性神経障害 |

末梢神経が解剖学的狭窄部を通過する部位に

おいて，慢性的な圧迫，摩擦，伸長，屈曲が加わることにより生じる神経障害を絞扼性神経障害という．占拠性病変や炎症が加わることが発症の誘因になることがある．

代表的な疾患に，手根管症候群，肘部管症候群，Guyon管症候群（尺骨管症候群），足根管症候群などがある．腕神経叢と鎖骨下動静脈は，前斜角筋と中斜角筋の間，鎖骨と第1肋骨の間，小胸筋の下を走行するが，それぞれの部位で絞扼を受ける可能性がある．

区画症候群は，四肢の骨と筋膜によって構成される区画の内圧が何らかの原因によって上昇し，そのために血行障害や神経障害をきたして筋肉の機能不全や筋壊死に至るものである．

絞扼輪症候群は，絞扼輪，リンパ浮腫，先端合指症および切断型に分けられる．同一肢に各種の組み合わせで出現する．

Guyon管症候群は，Guyon管における尺骨神経の絞扼性神経障害であり，疼痛，環指尺側と小指の感覚障害，手指の巧緻運動障害などの症状を示す．

神経の絞扼と血管の圧迫が生じた部分により，斜角筋症候群，肋鎖症候群，小胸筋症候群と称され，これらをまとめて胸郭出口症候群と総称する．腕神経叢，鎖骨下動脈の圧迫症候群で，絞扼性神経障害である．症状は多彩で，上肢のしびれ，痛み，だるさ，肩こり，肩甲部痛などを訴えることが多い．

挫滅（圧挫）症候群は，重量物などによって四肢，骨盤あるいは腹部が長時間圧迫された後，これを取り除いた場合に起こるショック様の症状に始まる一連の病態である．

- 標準整形外科学．第14版．868-869.
- 神中整形外科学．改訂23版，下巻．682-695.

問 4-9-21

正解　b，e　　前骨間神経麻痺

前骨間神経麻痺は，前腕近位部で浅指屈筋起始部の腱性アーチで神経が絞扼されて生じるものが多く，純粋な運動神経麻痺である．

主症状は，長母指屈筋，示指深指屈筋，方形回内筋の麻痺であり，屈筋腱損傷と鑑別を要する．母指球筋の萎縮はなく，手根管症候群の特徴とは異なる．

6～12カ月後に自然回復することが多いので，まず経過をみるのがよい．

- 標準整形外科学．第14版．462-463.
- 整形外科クルズス．第4版．407-408.
- 神中整形外科学．改訂23版，下巻．686-687.

問 4-9-22

正解　e　　手根管症候群

手根管症候群は，正中神経が手根管内で種々の原因により圧迫や絞扼を受けることにより発生する正中神経麻痺である．特発性のものがもっとも多く，手をよく使用する女性にみられることが多い．

手根管症候群の原因としては，腱鞘滑膜炎，妊娠，透析，関節リウマチ，橈骨遠位端骨折，Kienböck病，腫瘍，破格筋などがある．

手舟状骨偽関節は通常，原因とはならない．

- 標準整形外科学．第14版．497-498.

問 4-9-23

正解　b，e　　手根管症候群

母指・示指の屈曲障害は，手根管よりも高位での正中神経（前骨間神経）麻痺により生じる．

手根管症候群により，正中神経領域の感覚障害および母指球筋の萎縮が生じ，母指の対立運

動は障害される．

正中神経の運動神経終末潜時は 4.5 msec 以上が異常である．軽症例では，局所安静や副腎皮質ステロイドの手根管内注入も効果がある．

正中神経反回枝は神経本幹の橈側から分岐することが多い．したがって，屈筋支帯(横手根靱帯)の切離は尺側で行うようにする．

- 標準整形外科. 第 14 版. 156, 497-498.
- 神中整形外科学. 改訂 23 版. 下巻. 687-689.

問 4-9-24

| 正解　c，d　　Guyon 管症候群 |

Guyon 管(尺骨管)は，橈側は有鉤骨鉤，尺側は豆状骨と尺側手根屈筋腱付着部線維，背側は屈筋支帯(横手根靱帯)の尺側付着部と豆状有鉤靱帯，掌側は掌側手根靱帯から構成される．尺骨神経は中央部で感覚枝の浅枝と運動枝の深枝に分かれる．深枝は尺骨動静脈と伴走し，その後，橈側へ向かう．

Guyon 管症候群の原因は，Guyon 管内あるいはその周囲に発生した腫瘤による尺骨神経の圧迫がもっとも多い．腫瘤のほとんどはガングリオンである．長期間のサイクリングでのハンドルによる圧迫なども原因になる．

診断は尺骨神経支配の手内在筋(intrinsic muscle)の筋力低下，筋萎縮，Froment 徴候陽性，尺骨神経領域の感覚障害，Guyon 管部での Tinel 徴候陽性のいずれかが存在すれば本疾患を疑う．

補助診断として，神経伝導速度の測定を行うが，小指外転筋筋枝は圧迫部の近位で分岐していることがあるので，対象筋としては第 1 背側骨間筋を選択しなければならない．

治療法は，保存療法で改善する症例は少なく，手術療法を要することが多い．

- 標準整形外科. 第 14 版. 471, 498.
- 整形外科クルズス. 第 4 版. 410.
- 神中整形外科学. 改訂 23 版. 下巻. 694-695.

問 4-9-25

| 正解　c，d　　上肢の絞扼性神経障害 |

症状は，尺骨神経麻痺である．

尺骨神経の高位麻痺である肘部管症候群では，掌背側ともに感覚鈍麻がある．

尺骨神経の低位麻痺である Guyon 管症候群では，手の掌側のみに感覚鈍麻があり，背側にはない．

回内筋症候群は正中神経の高位麻痺，手根管症候群は正中神経の低位麻痺である．

後骨間神経は，橈骨神経の深枝である．麻痺を生じると，手関節の背屈はできるが，指の伸展ができなくなる．

- 標準整形外科. 第 14 版. 461-462, 497-498.
- 整形外科クルズス. 第 4 版. 406-410.
- 神中整形外科学. 改訂 23 版. 下巻. 682-695.

問 4-9-26

| 正解　b，d　　手の神経 |

骨間筋は，背側，掌側ともすべて尺骨神経支配である．

虫様筋は，示指と中指(第 1，第 2)は正中神経支配，環指と小指(第 3，第 4)は尺骨神経支配である．

浅指屈筋は，示指から小指まですべて正中神経支配である．

- 標準整形外科. 第 14 版. 470-471.

問 4-9-27

| 正解　b，c　　橈骨神経麻痺 |

もっとも高頻度に橈骨神経麻痺を合併しやす

い骨折は上腕骨骨折であり，ほとんどが保存療法で回復する．橈骨神経は肘関節前方において浅枝と深枝に分かれる．浅枝は感覚枝であり，深枝は表在感覚枝を含まない．深枝は回外筋の深頭と浅頭の間を走行し，その回外筋入口部はアーチ状の形状をしている．

Spinner は約30％の人ではこの部が腱性組織からなり，時に絞扼性神経障害の原因となることを指摘した．同部位をドイツ人の解剖学者に因んで Frohse のアーケードと呼んでいる．

この部位での障害は後骨間神経麻痺となり手指伸展障害から下垂指を呈する．

祈祷肢位を呈する障害は前骨間神経麻痺である．

上腕遠位部での橈骨神経損傷で，最初に回復するのは腕橈骨筋である．

● 標準整形外科学．第14版．462-463．

問 4-9-28

| 正解　a, d　　橈骨神経浅枝障害 |

橈骨神経浅枝は感覚枝であり，前腕遠位部において橈側皮下を走行する．

橈骨神経浅枝が障害されると，その支配領域である母指・示指間に，しびれ，痛み，時に灼熱痛を生じる．運動麻痺は生じない．

前腕遠位部橈側の外傷や橈骨遠位端骨折に対する鋼線固定，de Quervain 病に対する腱鞘切開などの手術が原因となることが多い．

診断には，橈骨神経浅枝に沿った Tinel 徴候の存在，橈骨神経浅枝支配領域での感覚障害，感覚神経伝導速度検査が有用である．

● 標準整形外科学．第14版．455, 476．

問 4-9-29

| 正解　a, e　　肘部管症候群 |

肘での尺骨神経圧迫障害の一般的な原因としては，変形性肘関節症，上腕骨外側顆偽関節後の外反肘をはじめとする小児期の肘周辺骨折後の変形による遅発性尺骨神経麻痺，解剖学的素因の存在（滑車上肘筋，滑車形成不全など），ガングリオンなどの腫瘍，関節リウマチなどの関節炎，尺骨神経溝からの尺骨神経脱臼，職業による過度の肘使用などがある．

先天性近位橈尺関節癒合症や上腕骨外側上顆炎は，尺骨神経の走行とは直接関係がない部位における疾患であり，尺骨神経圧迫の原因とはならない．

陳旧性 Monteggia 脱臼骨折においては，脱臼した橈骨頭による圧迫により橈骨神経麻痺を生じることはあるが，尺骨神経を圧迫することはない．

● 標準整形外科学．第14版．461-462．

問 4-9-30

| 正解　a, b　　末梢神経損傷 |

骨折・脱臼に伴う神経損傷は重要な副損傷であり，血管損傷と合併する場合と単独の損傷の場合がある．外傷による疼痛や意識障害のため，診断が困難なこともあり，注意深く診断する必要がある．

神経損傷が好発する骨折・脱臼は，肩関節前方脱臼（腋窩神経），上腕骨骨幹部骨折（橈骨神経），上腕骨顆上骨折（正中・橈骨神経），橈骨遠位端骨折，手舟状骨脱臼（正中神経），大腿骨顆上骨折（総腓骨神経），腓骨頭・頚部骨折（腓骨神経）などがあり，股関節後方脱臼では坐骨神経の損傷を伴うことがある．

● 標準整形外科学．第14版．774-776, 780, 782-783．

問 4-9-31

正解　c, d　　足根管症候群

　足根管症候群は，脛骨神経が脛骨内果後下方の屈筋支帯におおわれた狭いトンネル部（足根管）で圧迫を受けることにより生じる．

　原因としてはガングリオンや距踵間癒合症による圧迫が多い．

　脛骨神経は，後脛骨動静脈と併走して，後脛骨筋腱，長母趾屈筋腱，長趾屈筋腱とともに足根管を通る．また脛骨神経は，足根管で踵骨枝，内・外側足底神経に分かれる．

　足底神経は，足部の内在筋に運動枝を出したのち，前足部の足底と趾の感覚神経となる．

　筋力低下を自覚することは少ない．症状は，足底部あるいは足根管部の疼痛，足底の感覚鈍麻・しびれ感・疼痛などである．

● 標準整形外科学．第14版．709．

問 4-9-32

正解　c, e　　Morton 病

　Morton 病は，趾神経が圧迫による絞扼性神経障害である．

　20～50歳台の女性に多く，趾間に感覚障害はみられるが，足趾に運動麻痺は生じない．

　第3・4中足骨頭間での頻度がもっとも高く，次に第2・3趾間の頻度が高い．

　繰り返しの外力により，偽神経腫を生じる．

　疼痛の激しい場合は，神経ブロックなどが行われる．保存療法に抵抗性を示す症例には，深横中足靱帯切離，偽性神経腫切除術，神経剥離術が行われる．

● 標準整形外科学．第14版．708-709．
● 整形外科クルズス．第4版．411-412．

問 4-9-33

正解　a, c　　総腓骨神経麻痺

　総腓骨神経は下肢でもっとも障害を受けやすい神経である．ギプス，長時間の臥床など外部からの圧迫により生じることが多いが，腫瘍や外傷によっても生じる．

　もっとも障害を受けやすい部位は，腓骨頭部である．腓骨神経は表在性に腓骨頭を取り巻くように走行し，線維性のアーケードにより腓骨頚部に固定されているため，この部位で損傷されやすい．腓骨神経は神経横断面における神経上膜の割合が低く，このことも易損性に寄与している．しばしば膝周囲の手術により医原性に障害されるので注意を要する．

　浅腓骨神経の障害では，腓骨筋麻痺により足関節の内反が出現するが下垂足はみられず，患者の機能障害の訴えは意外に軽い．深腓骨神経の単独障害では下垂足はみられるが，足部のバランスはよく，患者はしばしば装具を用いないでも上手に歩くことができる．

　これに対し総腓骨神経または深・浅両腓骨神経麻痺では，下垂足に加え後脛骨筋の一方的な牽引による足部の内反を生じ，患者は装具を用いないと頻繁に足関節捻挫をきたし，歩行に重大な支障を生ずる．

　圧迫，牽引などによる麻痺で神経の連続性が保たれていると考えられる際には自然回復する可能性が高く，保存的にアプローチする．切断例では当然神経縫合が適応となるが，しばしば直接縫合することはできず，神経移植が必要となる．

● 標準整形外科学．第14版．874．
● 整形外科クルズス．第4版．603．
● 神中整形外科学．改訂23版．上巻．819-820．

問 4-9-34

| 正解　b, d, e　　感覚異常性大腿痛 |

　感覚異常性大腿痛（meralgia paresthetica）は，外側大腿皮神経が，上前腸骨棘，鼠径靱帯で形成される narrow canal で圧迫を受けることにより生じる．
　外側大腿皮神経は L2・3 神経根由来である．この神経は，運動神経を含まず，大腿外側の感覚を支配している．
　脚長差による股関節内転肢位や腹臥位手術時の架台による圧迫などが，発症の誘因になる．
　手術療法には，鼠径靱帯を切断して神経を剥離する方法がある．
- 標準整形外科学．第 14 版．594．
- 整形外科クルズス．第 4 版．410-411．
- 神中整形外科学．改訂 23 版．下巻．995．

問 4-9-35

| 正解　b, d　　下肢の絞扼性神経障害 |

　感覚異常性大腿痛（meralgia paresthetica）は，外側大腿皮神経が上前腸骨棘に付着する鼠径靱帯を貫通する部位で圧迫を受けることにより，足根管症候群は，脛骨神経が脛骨内果後下方の靱帯性の狭いトンネル部で圧迫を受けることにより生じる絞扼性神経障害である．
　梨状筋症候群は坐骨神経が梨状筋部から大殿筋下に出てくるところで，Hunter 管症候群は，伏在神経が大腿内側広筋と大内転筋を結合する線維束で形成される Hunter 管の通過部で，Morton 病は足底趾神経が深横中足靱帯と中足骨頭により圧迫を受けることにより生じる．
- 標準整形外科学．第 14 版．101，708-710．
- 整形外科クルズス．第 4 版．410-412．
- 神中整形外科学．改訂 23 版．下巻．994-995．

問 4-9-36

| 正解　b, c, d　　腋窩神経麻痺 |

　腋窩神経の単独損傷はまれであり，0.3〜6.0％とされる．
　単独損傷は肩関節脱臼に伴って発生することが多い．ほとんどは牽引損傷である．
　腋窩神経損傷では肩関節外側の感覚麻痺が生じる．
　腋窩神経損傷では三角筋麻痺のため肩の筋力低下をきたすが，棘上筋により肩の挙上は可能な例が多い．
　単独麻痺例では，自然回復する例もあるので保存療法が優先され，2〜3 カ月待っても回復徴候がみられない際に外科的処置を考慮するのが一般的である．
- 整形外科クルズス．第 4 版．200．
- 神中整形外科学．改訂 23 版．上巻．809．
- 神中整形外科学．改訂 23 版．下巻．416．

問 4-9-37

| 正解　a, c, e　　腕神経叢損傷 |

　頚椎横突起骨折は高エネルギー損傷を示す．
　銃創・刺創や手術時の損傷などの開放性の腕神経叢損傷もみられるが，ほとんどはオートバイによる交通事故である．上肢が不自然な肢位で投げ飛ばされたり，頭頚部や肩甲骨に牽引力が加わったりして損傷されることが多い．
　引き抜き損傷では，後根神経節にある感覚神経細胞体と末梢神経との連続性は絶たれておらず（節前損傷），支配領域にヒスタミンを皮下注射すると，その部位に発赤・腫脹を生じる．
　Horner 徴候とは，交感神経障害による眼裂狭小，縮瞳，顔面半分の発汗障害である．この徴候は，T1 神経根が節前損傷の場合に陽性となる．

横隔神経は C3〜C5 神経根から支配を受けている．吸気と呼気の胸部単純 X 線像で横隔膜の麻痺の有無を観察する．
- 標準整形外科学．第 14 版．871-873．
- 整形外科クルズス．第 4 版．398-403．
- 神中整形外科学．改訂 23 版，上巻．801-803．

問 4-9-38

| 正解　a，c　　腕神経叢麻痺 |

上位型(Erb-Duchenne 型)麻痺では，上神経幹の損傷が主で，肩の外転，肘の屈曲，前腕の回外が障害される．下位型(Déjerine-Klumpke 型)麻痺では，手指の麻痺が生じる．引き抜き損傷は，直視下に根糸を確認することはできない．神経根部以遠の節後損傷では，手術による神経修復効果が期待できるので，損傷形態により神経剝離術，神経縫合術，神経移植術が選択される．

分娩麻痺は，多くの場合，徐々に自然回復を示す．

各々の神経根を電気的に刺激して，大脳感覚野からの体性感覚誘発電位の有無により連続性を調べる方法が，現在ではもっとも信頼性が高い．
- 標準整形外科学．第 14 版．871-873．
- 整形外科クルズス．第 4 版．401-402．
- 神中整形外科学．改訂 23 版，下巻．405-411．

問 4-9-39

| 正解　a，d，e　　引き抜き損傷 |

神経根が頸髄から引きちぎられ，硬膜外に引き抜かれたものを神経根引き抜き損傷といい，中枢神経の損傷に属するため自然回復は期待できない．引き抜き損傷か否かの鑑別には，軸索反射が有用である．引き抜き損傷は節前損傷であり，後根神経節と末梢神経との連絡は途絶えておらず，ヒスタミンを神経根支配領域に注射すると，その部位に発赤・腫脹を生じる．それが認められないときは引き抜き損傷でなく，より遠位の損傷(節後損傷)を示している．理由は以下の通りである．腕神経叢を形成する脊髄神経では，神経根部にまだ交感神経成分が存在せず，頸部交感神経節からの神経線維は腕神経叢の途中からそれぞれの神経に混入する．上肢に向かう交感神経線維は T3-T6 髄節から上行するため，理論上，引き抜き損傷の際は，患側上肢に発汗障害など交感神経の機能障害がなく，交感神経の機能障害が認められたときは，より遠位部での損傷であることを示すからである．

ちなみに，Horner 徴候を認める場合，C8-T1 の引き抜き損傷を強く疑うが，縮瞳，眼瞼下垂(眼裂狭小)，眼球陥凹の三徴の他に，同側顔面の発汗低下を伴う．なお，感覚神経線維は後根神経節と連絡し，Waller 変性を免れているため，感覚脱失野を電気刺激すると感覚神経活動電位は導出できる．

引き抜き損傷では，一般に引き抜かれた神経根を単に脊髄に縫着しても，神経再生はほとんど起こらないとされていて，その治療は，副神経，横隔神経，肋間神経などを麻痺神経に移行する神経移行術や麻痺を免れた筋肉を移行する筋移行(移植)術が適応となる．
- 標準整形外科学．第 14 版．871-873．
- 整形外科クルズス．第 4 版．398-403．
- 神中整形外科学．改訂 23 版，下巻．405-408．

問 4-9-40

| 正解　b，c，d　　腕神経叢損傷 |

腕神経叢損傷は，上位型(Erb-Duchenne 型)，下位型(Déjerine-Klumpke 型)，全型に分けられる．C5・C6 神経根損傷型腕神経叢麻痺

は，腕神経叢上位型麻痺といわれる．

上位型では，上神経幹の損傷が主で，肩の外転，肘の屈曲，前腕の回内が障害される．肘屈曲の再建には，手関節と指の屈曲回内筋群の起始部を剥離挙上して近位方向へ移動することにより肘の屈曲力を得る方法（Steindler法），上腕三頭筋を切離して，上腕外側を廻して上腕二頭筋腱へ縫着する方法（Carroll法）や，広背筋を移行する方法がある．

- 標準整形外科学．第14版．871-873．
- 整形外科クルズス．第4版．398-403．
- 神中整形外科学．改訂23版．上巻．801-803．

問 4-9-41

| 正解　b，c，d　　腕神経叢損傷 |

C5・C6神経根損傷型腕神経叢麻痺は，腕神経叢上位型麻痺といわれる．

横隔膜を支配する横隔神経の主たる構成神経はC4である．

棘上筋を支配する肩甲上神経は上神経幹より分枝し，主にC5神経根よりなる．

上腕二頭筋はC5・C6神経根より支配を受けている．

前鋸筋は長胸神経により支配される．長胸神経は，C5神経根の椎間孔付近から分枝する．したがって，前鋸筋が機能しているか否かは，C5神経根付近の損傷の診断に重要である．

僧帽筋は副神経により支配される．副神経は，第XI脳神経で純運動神経であり，その起始核は延髄から頚髄の上半に及ぶ．

- 標準整形外科学．第14版．871-873．
- 整形外科クルズス．第4版．398-403．
- 神中整形外科学．改訂23版．上巻．801-803．

問 4-9-42

| 正解　a　　複合性局所疼痛症候群（complex regional pain syndrome：CRPS） |

骨折，捻挫，打撲などの外傷をきっかけとして，慢性的な痛みと浮腫，皮膚温の異常，発汗異常などの症状を伴う難治性の慢性疼痛症候群である（表1）．

問 4-9-42／表1　CRPS診断基準（IASP，2005）

A．きっかけとなった外傷や疾病に不釣り合いな持続性の痛みがある
B．以下の4項目のうち3項目以上で1つ以上の自覚的徴候，2項目以上の他覚症状がある（感度0.85，特異度0.69） 　1．感覚異常：自発痛，痛覚過敏 　2．血管運動異常：血管拡張，血管収縮，皮膚温非対称，皮膚色調変化 　3．浮腫・発汗異常：腫脹，発汗増加または低下 　4．運動異常・神経性変化：筋力低下，振戦，ジストニア，協調運動障害，爪・毛の変化，皮膚萎縮，関節拘縮，軟部組織変化

- 標準整形外科学．第14版．500．

問 4-9-43

| 正解　a　　複合性局所疼痛症候群（complex regional pain syndrome：CRPS） |

心筋梗塞，脳卒中，帯状疱疹など内科疾患，神経損傷，骨折，捻挫，打撲などの外傷に続発する難治性の慢性疼痛であり，発症メカニズムは解明されていない．

疼痛は，末梢の侵害刺激に末梢の受容器が反応して起きる侵害受容性疼痛（nociceptive pain），神経の可塑性変化に基づく神経因性疼痛（neuropathic pain），精神心理的な異常による心因性疼痛（psychogenic pain）に分類される．CRPSは神経因性疼痛に分類される．

皮膚温の変化，触覚過敏，骨萎縮，進行すると皮膚萎縮，手内在筋・関節の拘縮が生じる．

心理療法も時に有効である．
● 神中整形外科学．改訂23版，下巻．697-698．

問 4-9-44

| 正解 | b, e | 脳卒中 |

右頭頂葉の病変で左片麻痺に左半側空間無視を合併することが多い．

尖足拘縮の存在下で踵接地を行うと，反張膝変形が生じる．

上肢の弛緩性麻痺があると肩関節は亜脱臼するためアームスリングなどで予防する．

左前頭葉，頭頂葉，側頭葉の障害で失語が生じることが多い．

小脳の病変で測定障害，共同運動の障害，変換運動の障害が生じる．
● 米本恭三監．最新リハビリテーション医学．第2版．医歯薬出版，2005：166-168．

問 4-9-45

| 正解 | b, d | 糖尿病，末梢神経障害 |

a．× 顔面神経麻痺をきたす．
b．○
c．× 近位部優位ではなく遠位部優位である．
d．○ 重症糖尿病患者の約80％に合併する．
e．× 発症早期からアキレス腱反射は消失する．
● 標準整形外科学．第14版．410．

問 4-9-46

| 正解 | b, c, d | 筋萎縮性側索硬化症 |

下位運動ニューロンである脊髄前角細胞の脱落と上位運動ニューロンである錐体路変性を特徴とする疾患である．

a．× 感覚障害，外転筋麻痺，膀胱直腸障害，褥瘡は末期まで生じない．
b．○ 四肢の筋力低下や構音障害が初発症状であることが多い．
c．○ 下位運動ニューロン症状（筋力低下，球麻痺，筋萎縮，線維束性収縮）と上位運動ニューロン症状［病的反射陽性，深部腱反射亢進，仮性球麻痺，痙縮（spasticity）］が徐々に進行する．
d．○ 深部腱反射は亢進し，Babinski反射は陽性のことが多い．
e．× 感覚障害，外転筋麻痺，膀胱直腸障害，褥瘡は末期まで生じない．
● 標準整形外科学．第14版．404-406．

問 4-9-47

| 正解 | a, b | Parkinson病 |

a．○
b．○ 起立性低血圧，末梢循環障害，便秘，頻尿，排尿開始時間の遅延などの自律神経症状を伴う．
c．× 前傾前屈姿勢となる．
d．× 安静時振戦がみられる．
e．× 50～70歳に一側上肢の安静時振戦，または歩行障害で発症する．
● 標準整形外科学．第14版．406-407．

問 4-9-48

| 正解 | a | 多発性硬化症 |

a．× 中年女性に多い．
b．○ 自己免疫性疾患である．
c．○ それに伴う神経症状が寛解と再発を繰り返す（時間的多発）．
d．○ 脳・脊髄，視神経などの中枢神経に多巣性の脱髄巣（プラーク）が生じる（空間的多発）．

e．○　急性増悪期には副腎皮質ステロイドが有効である．

●標準整形外科学．第 14 版．408-409．

10 ロコモティブシンドローム
Q ▶ p.106-107

問 4-10-1

正解　b，c，e　　ロコモティブシンドローム

a．×　日本整形外科学会が運動器の障害に関する新しい言葉として「ロコモティブシンドローム（運動器症候群）」を提唱した．その他の運動器に関する新しい言葉として，運動器不安定症，フレイル，サルコペニアなどがある．
b．○　要介護では認知症がもっとも多く，要支援では運動器疾患がもっとも多い．
c．○　定義として正しい．
d．×　予備群を含めると国内で約 4,700 万人にロコモティブシンドロームの危険性がある．
e．○　ロコチェックは，自分でロコモティブシンドロームの疑いがあるかを簡単に確認する方法である．

●標準整形外科学．第 14 版．418-422．

問 4-10-2

正解　a，d　　ロコモーショントレーニング

a．○
b．×　凍結肩に対する運動療法である．
c．×　持久力改善のための運動療法である．
d．○
e．×　腰痛に対する運動療法である．

運動介入は，個々の社会背景や身体の特徴に合わせて実施することが重要である．実施に際しては，転倒に注意し関節痛や背部痛が悪化することがないように注意する．また，短期的目標と中長期的目標を設定し，実施することが運動を継続する観点からも必要である．

ロコモーショントレーニング（ロコトレ）は，片脚立ちとスクワットが基本である．基本のロコトレに加え，カーフレイズやフロントランジなどがある．また，腰痛や膝痛など個々の疼痛に応じて強度を調節した体操を指導する．

●標準整形外科学．第 14 版．418-422．

問 4-10-3

正解　e　　がん患者，運動器管理，ロコモティブシンドローム

a．○　転移性骨腫瘍のマネジメント，「がんロコモ」への対応，さらにはがんリハビリテーションなど，運動器疾患のスペシャリストである整形外科医が，がん治療に積極的に関わることが，がん患者の ADL 改善，ひいては QOL 改善につながる．
b．○　片桐らや徳橋らの予後予測を用いて，転移性骨腫瘍患者の生命予後を判断し，長期予後であれば，腫瘍用人工関節置換術など，腫瘍を制御する治療法を行い，短期予後であれば，骨接合術など，侵襲の少ない治療を選択する．
c．○　がんとロコモティブシンドローム，いわゆる「がんロコモ」の概念が日本整形外科学会より提唱されている．これはがんそのものによる運動器の障害，がん治療による運動器の障害，そしてがん患者に併発するロコモティブシンドロームにて，がん患者の移動能力が低下した状態である．
d．○　近年，がん治療の進歩によりがんサバイバーが増加し，あわせて，骨転移がある状態で，長期生存する患者が増加している．このため，がん患者の運動器疼痛の鑑別に転移性骨腫瘍を念頭に置くことは重要である．

e．×　がん患者の運動器疼痛は骨転移やほかの運動器疾患の鑑別が必要である．このため，安易にオピオイドを投与するのではなく，骨転移ならば放射線治療や手術治療，ほかの運動器疾患ならば適切な整形外科的治療を行うことが肝要である．

- がんロコモ読本．久光製薬，2017．
- 日本臨床腫瘍学会編．転移性骨腫瘍ガイドライン．南江堂，2015：20．

問 4-10-4

| 正解　d | 健康日本 21（第二次），ロコモ認知度 |

国の施策である健康日本 21（第二次）（「21 世紀における第二次国民健康づくり運動」）では，「健康の増進に関する基本的な方針」のなかの，「社会生活を営むために必要な機能の維持・向上」において，高齢者の健康のためには「ロコモティブシンドローム」を認知している国民の割合を増加させることを目標とした．

具体的には，48.1％（2018 年）を 80％（2022 年度）にすることが目標とされた．ロコモの認知度は以下の通りである．13.6％（2011 年），17.3％（2012 年），26.6％（2013 年），36.1％（2014 年），44.4％（2015 年），47.3％（2016 年），46.8％（2017 年），48.1％（2018 年），44.8％（2019 年）．

- 国立健康・栄養研究所．健康日本 21（第二次）分析評価事業＜https://www.nibiohn.go.jp/eiken/kenkounippon21/kenkounippon21/mokuhyou.html＞［2021 年 4 月閲覧］．
- 全国ストップ・ザ・ロコモ協議会＜https://sloc.or.jp/＞［2021 年 4 月閲覧］．

問 4-10-5

| 正解　d | 要支援，要介護 |

「平成 25 年度国民生活基礎調査の概況」では支援・介護が必要になった主な原因の構成割合は脳卒中 18.5％，認知症 15.8％，高齢による衰弱 13.4％，骨折・転倒 11.8％，関節疾患 10.9％，心疾患 4.5％，脊髄損傷 2.3％である．

骨折・転倒，関節疾患，脊髄損傷を合わせた運動器疾患の占める割合は 25％である．

- 厚生労働省．平成 25 年 国民生活基礎調査の概況＜https://www.mhlw.go.jp/toukei/saikin/hw/k-tyosa/k-tyosa13/＞［2021 年 4 月閲覧］．

問 4-10-6

| 正解　a，d，e | ロコモ度テスト |

ロコモ度テストの臨床判断値は以下の通りである．

ロコモ度 1：以下のテストのうち，1 つでも該当する場合
- 立ち上がりテスト：どちらか一方の片脚で 40 cm の高さから立ち上がれない．
- 2 ステップテスト：1.3 未満
- ロコモ 25：7 点以上

ロコモ度 2：以下のテストのうち，1 つでも該当する場合
- 立ち上がりテスト：両脚で 20 cm の高さから立ち上がれない．
- 2 ステップテスト：1.1 未満
- ロコモ 25：16 点以上

- 標準整形外科学．第 14 版．419-421．

問 4-10-7

| 正解　a，b，d | ロコモ度テスト |

立ち上がりテストでは，主に大腿四頭筋筋力

を評価する．

　ロコモ25は，0点が最良の状態，100点で最悪の状態と評価される．

- 標準整形外科学．第14版．419-421．
- 村永信吾．昭和医学会雑誌 2001；61：362-367．

問4-10-8

| 正解　a，c，d　　ロコモ度 |

　ロコモ度テストは3つある．
　「立ち上がりテスト」は主に下肢筋力を調べる．
　「2ステップテスト」は歩幅を調べるものであり，下肢の筋力・バランス能力・柔軟性などを含めた歩行能力を総合的に評価できる．
　「ロコモ25」は25の質問からなり下肢の筋力・バランス能力・柔軟性などを含めた歩行能力を総合的に評価する．

疾患各論

5 疾患各論

1 肩関節

Q ▶ p.110-114

問 5-1-1

正解　a, b, c　　肩関節鏡視下手術

　スーチャーアンカーなどの縫合固定材料の関節内脱転は関節軟骨を損傷させうる．X線透過性の材質もあるので前医での術式の確認が必要である．
　前方安定化手術で関節包の縫縮が強すぎた場合や，縫合固定材料が脱転し骨頭軟骨との衝突が続くと変形性関節症の原因となりうる．
　腋窩神経麻痺は術後早期の合併症として考えられるが，晩期合併症としては考えにくい．
　反復性肩関節前方脱臼では上腕骨無腐性壊死の発生はほとんどない．

- Rockwood CA Jr et al(ed). The Shoulder. 2nd ed. WB Saunders, 1998：700-703.

問 5-1-2

正解　a, e　　胸郭出口部の解剖

　斜角筋三角は前斜角筋の後縁，中斜角筋の前縁および第1肋骨の内縁で形成される間隙である．
　鎖骨下静脈は，若干の破格を除けば前斜角筋の前方を通り斜角筋三角の中を通過しない．
　椎骨動脈，椎骨静脈は斜角筋三角を通過しない．

- 整形外科クルズス．第4版．520.

- 標準整形外科学．第12版．870-871.

問 5-1-3

正解　c, d, e　　胸郭出口症候群の自覚症状

　胸郭出口症候群の自覚症状として頻度の高いものは，上肢の痛み・だるさ・しびれ・脱力などの上肢症状が多いが，多くの症例では肩こり，肩甲部のこり，痛みを訴える．
　頭痛やめまいを訴える症例もあるが，これらは自律神経失調に伴う二次的なもので頻度が高いものではない．
　また，手指のしびれは漠然として範囲を特定できないものが多く，強いていえば小指，環指に多い．したがって母指，示指，中指に限定したしびれは特徴的ではなく，むしろ手根管症候群を疑わせる所見である．

- 整形外科クルズス．第4版．520-522.

問 5-1-4

正解　e　　胸郭出口症候群の診断テスト

　Morleyテストは，鎖骨上窩で腕神経叢を圧迫し，腕神経叢の過敏による放散痛出現の有無を調べるテストである．
　Wrightテストは，肩の90°外転・外旋位をとらせ，肋鎖間隙での鎖骨下動脈の圧迫による橈骨動脈の脈拍減弱の有無を調べるテストである．
　Edenテストは，胸を張り，両肩を後下方に引いて，橈骨動脈の脈拍減弱の有無を調べるテ

ストである.

Adsonテストは，頚椎伸展位で疼痛側に頭部を回旋させて前斜角筋を緊張させ，斜角筋三角部での鎖骨下動脈の圧迫所見の有無を調べるテストである.

Roosテストは，3分間挙上負荷テストとも呼ばれ，肩の90°外転・外旋位で3分間手指の屈伸運動を行わせて症状出現の有無，その程度を調べるテストである.

- 標準整形外科学. 第14版. 523.
- 整形外科クルズス. 第4版. 386.

問 5-1-5

| 正解 a, b 肩石灰性腱炎 |

石灰性腱炎は中年層の女性に好発し，棘上筋腱（近年の解剖学的研究から棘上筋と棘下筋の移行部への沈着が多い）に沈着したものがもっとも多い.

急性のものは肩関節の疼痛の中でもっとも激しいものの1つで，肩関節の自動運動は著しく制限され，しばしば救急外来を受診する.

副腎皮質ステロイド注射や消炎鎮痛薬などの保存療法が有効な場合が多く，手術療法が行われることはまれである.

石灰性腱炎は，腱板内に沈着したカルシウム塩によって急性炎症を起こす結晶誘発性滑膜炎の1つである．沈着物質は従来ハイドロキシアパタイト (hydroxyapatite) とされてきたが，最近の研究では carbonate apatite と報告されている.

ピロリン酸カルシウム (CPPD) の沈着によって起こる滑膜炎は偽痛風である.

- 整形外科クルズス. 第4版. 513-514.

問 5-1-6

| 正解 c 上腕二頭筋長頭筋腱断裂 |

肩から上腕近位の前面に疼痛があり，上腕二頭筋筋腹の膨隆が正常より遠位へ移動する.

長頭腱の完全断裂が起こる前段階である不全断裂を呈する時期があり，その間は結節間溝付近の痛みを伴う.

完全断裂では疼痛は2〜3週間で軽快する．短頭が残っていることや，上腕筋，腕橈骨筋の代償により肘屈曲力の低下はおよそ15％とごく軽度である.

手術適応となる例は少ない.

手術では，腱断端を結節間溝，烏口突起，共同腱に固定する腱固定術が行われる.

- 標準整形外科学. 第14版. 446-447.

問 5-1-7

| 正解 b 凍結肩 |

凍結肩は40〜60歳台に多く，徐々に発症して肩周囲の疼痛と肩関節の運動制限をきたす．原因は不明であるが，加齢による腱板，上腕二頭筋長頭腱などの退行変性を基盤として，肩峰下包や肩関節に炎症性病変を生じて関節包が縮小し，肩関節の拘縮による運動制限を生じると考えられている.

MRIでは腱板の連続性は保たれており，腱板断裂を除外することにより凍結肩と診断する．関節造影はMRIの普及とともに施行頻度は減少してきている.

- 標準整形外科学. 第14版. 445-446.

問 5-1-8

| 正解 e 腱板断裂の病態 |

腱板は棘上筋，棘下筋，小円筋，肩甲下筋で

構成されており，断裂の原因は加齢による変性や腱板の収縮力による応力集中，肩峰との機械的な衝突，外傷など様々な要因が重なって発症すると考えられている．もっとも断裂しやすい筋は肩峰直下を滑動する棘上筋である．

腱板断裂の頻度は剖検例では30～60%程度にみられ，住民検診による疫学調査では50歳台では10人に1人，80歳台では3人に1人の割合で腱板断裂が存在することが明らかになった．

ただし腱板断裂が存在しても臨床症状を呈さない無症候性断裂が半分以上を占めることもわかってきた．

一方若年者では，投球動作や水泳などスポーツ活動で繰り返す外力により発生すると考えられている．

不全断裂は関節面断裂，腱内断裂，滑液包面断裂に分けられる．

● 標準整形外科．第14版．442-445．

問5-1-9

| 正解 a, e 腱板断裂の診断 |

肩石灰性腱炎は炭酸アパタイトの沈着により急激な痛みを生じる．単純X線正面像で肩峰下の腱板に相当する大結節部に石灰沈着を認めることが多い．

腱板断裂では大断裂が長期に存在すると，骨頭上方化が起こるために単純X線正面像で肩峰骨頭間距離が減少する．

超音波断層検査では長軸像で腱板の不連続性を認める．

MRIではT2強調像で腱板付着部の断裂部に一致して高輝度領域を認める．

肩峰下インピンジメント症候群では，肩のオーバーユースなどで腱板の炎症が続き，典型的な場合にはT2強調像で腱板付着部に肥厚を認める．

● 標準整形外科．第14版．442-450．

問5-1-10

| 正解 b 腱板断裂の手術適応 |

腱板広範囲断裂は，脱臼などの大きな外傷に伴うものと，変性に伴って徐々に進行するものに分けられる．前者では挙上障害を生ずるため手術適応となる場合が多いが，後者では疼痛を主訴とすることが多く，保存療法が選択されることもまれではない．

腱板断裂のもっとも多い主訴は疼痛であり，夜間痛や運動時痛が強い例は，挙上可能でも手術適応となる．

高齢になるほど腱板の変性が進行するため腱板修復は困難になるが，高齢でも挙上障害を伴う例，疼痛の強い例では手術適応になる．

腱板不全断裂はしばしば壮年期にもみられ，疼痛のために日常生活動作に支障をきたす場合が少なくない．一般に，3～6カ月の保存療法に抵抗する例は手術適応になる．

肩関節脱臼に伴って腱板断裂を起こした場合など，時に腋窩神経麻痺を合併することがある．神経麻痺合併例における手術時期についての定説はないが，手術禁忌ではない．

● 標準整形外科．第14版．442-445．

問5-1-11

| 正解 d 肩峰下インピンジメント症候群 |

肩峰下インピンジメント症候群は，上肢を肩の高さより高い位置で使用したときの運動痛が特徴である．

有痛弧徴候(painful arc sign)は代表的所見である．

Neerの手技では，肩甲骨を押さえながら内旋位にした上肢を他動的に屈曲(前方挙上)する

と痛みが誘発される．

Hawkinsの手技では，肩甲骨を押さえながら約90°屈曲した上肢を他動的に内旋させると痛みが誘発される．

Neer，およびHawkinsの手技によって，棘上筋と肩峰下滑液包が肩峰，または烏口肩峰靱帯に押しつけられ，疼痛が発生する．

- 標準整形外科学．第14版．442.

問 5-1-12

| 正解　c, e　動揺性肩関節（ルースショルダー） |

肩関節の構成骨や肩甲帯筋には明らかな異常がなく，両側の肩関節に異常な不安定性を認めるものをいう．この不安定性は，下方だけでなく，前方および後方にもみられることが多い．

動揺肩は20～30歳台の女性に多く，患者の上腕を下方に引き下げると肩峰と上腕骨頭の間に間隙ができる（sulcus sign）．

無症状の場合，治療の必要はない．

脱臼感，肩痛などの症状に対する保存療法として，筋力強化訓練や装具療法がある．

- 標準整形外科学．第14版．441-442.
- 整形外科クルズス．第4版．519.

問 5-1-13

| 正解　e　反復性肩関節前方脱臼 |

外傷性脱臼に続発して脱臼を繰り返す状態を，反復性肩関節脱臼と呼ぶ．

反復性肩関節前方脱臼の典型的病態としては，関節窩側に生じるBankart損傷（前方関節唇剥離，前下関節上腕靱帯断裂，関節窩縁骨折），Hill-Sachs損傷（上腕骨頭後外側陥没骨折）が挙げられる．

- 標準整形外科学．第14版．439-441.

問 5-1-14

| 正解　d　反復性肩関節前方脱臼の手術 |

Bankart法は，関節唇，前下関節上腕靱帯，関節包を関節窩前縁に縫合する方法で，現在は主に関節鏡視下に行われている．

Putti-Platt法は，肩甲下筋，前下関節上腕靱帯，関節包を短縮する方法である．

Bristow法は烏口突起の断端を垂直に関節面前縁に接合するが，Latarjet法は長めに採取した断端を横にして2本のスクリューで関節面前縁に沿って固定することで，移行した烏口突起をより安定化させる方法である．

Kocher法は肩関節前方脱臼の整復法である．

- 標準整形外科学．第14版．439-441.
- 整形外科クルズス．第4版．517-519.

問 5-1-15

| 正解　b, d　肩甲骨高位症 |

肩甲骨高位症（Sprengel変形）は，本来胎生3カ月で下降すべき肩甲骨が高位にとどまったものである．

欧米の報告では男児より女児に多いとされており，片側罹患が約90％である．

肩甲骨上角と頚椎との間に肩甲脊椎骨（omovertebral bone），あるいは線維性索状物（omovertebral band）がある．

70％近くの症例で頚肋，Klippel-Feil症候群，側弯症，肋骨癒合などを合併する．

肩関節の外転が制限される．

- 標準整形外科学．第14版．438-439.
- 越智隆弘総編．最新整形外科学大系．第24巻小児の運動器疾患．中山書店，2008：100-105.
- 整形外科クルズス．第4版．647-648.

問 5-1-16

| 正解　c, d, e　　肩甲骨高位症 |

肩甲骨高位症では，外見上肩の線が上がり（翼状頚），短頚になる．

患側肩甲骨は健側より小さく，また横径に比べて縦径が小さく棘上部は鎖骨上窩に向かって前方に弯曲している．

合併先天異常として側弯，肋骨形態異常，Klippel-Feil症候群などが多くみられる．重篤な合併症として腎臓形態異常を伴う例もある．

治療は変形が高度であれば手術を行うが，変形が軽度でも肩外転制限が高度で機能上支障があれば手術療法の対象になる．手術はGreen法やWoodward法などの肩甲骨下降術が主に行われる．

手術合併症としては腕神経叢麻痺があり，年長児では鎖骨粉砕骨切り術を同時に行う．

- 神中整形外科学．改訂23版．下巻．363-364．
- 標準整形外科学．第14版．438-439．

問 5-1-17

| 正解　c, d　　肩の外旋作用 |

a．×　外転，屈曲（前方部分），伸展（後方部分）に働く．
b．×　外転作用を有する．
c．○
d．○
e．×　内転，内旋作用を有する．

- 標準整形外科学．第14版．431．

問 5-1-18

| 正解　a, e　　胸郭出口症候群 |

MRI画像では，冠状断像（図1）で棘上筋腱断裂を認め，水平断像（図2）で肩甲下筋腱断裂を認める．

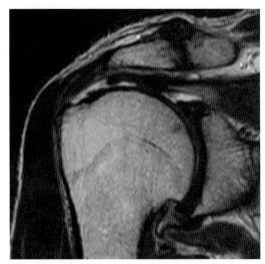

問 5-1-18／図1　棘上筋腱断裂

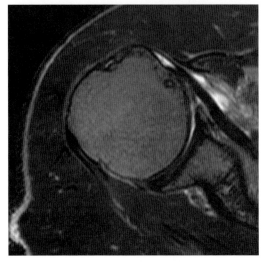

問 5-1-18／図2　肩甲下筋腱断裂

a．×　Adsonテストは胸郭出口症候群の徒手検査法である．
b．○　肩甲下筋腱断裂では内旋筋力低下により，belly pressテストが陽性になる．
c．○　棘上筋腱断裂では外転筋力の低下により，棘上筋テストが陽性になる．
d．○　肩甲下筋腱断裂では内旋筋力低下により，lift-offテストが陽性になる．
e．×　Morleyテストは胸郭出口症候群の徒手検査法である．

- 標準整形外科学．第14版．442-445，523．

問 5-1-19

| 正解 b，c 肩甲骨高位症 |

a．× 外見上頸部は短くみえる．
b．○
c．○
d．× 側弯，肋骨形態異常，Klippel-Feil 症候群などがしばしば合併する．
e．× 肩甲骨上角と頚椎の間に異常な結合がある．

● 標準整形外科学．第 14 版．438-439．

問 5-1-20

| 正解 a，d，e 腱板断裂 |

a．○
b．× 棘上筋腱がもっとも断裂しやすい．
c．× 肩甲下筋腱断裂で陽性になる．
d．○
e．○

● 標準整形外科学．第 14 版．442，445，447-448．

問 5-1-21

| 正解 a，d 上腕二頭筋長頭腱完全断裂 |

a．○
b．× 肘屈曲筋力は 15％程度低下し，前腕回外筋力が 10％低下する．
c．× 筋腹の膨隆は遠位方向に垂れ下がる．
d．○
e．× 急性期は保存治療が原則であり，若年者にみられる外傷性断裂や筋力低下が問題になる職種の場合，断裂した長頭腱を結節間溝，烏口突起，共同腱などに固定する腱固定術が選択される．

● 標準整形外科学．第 14 版．446-447．

2 肘関節

Q ▶ p.114-118

問 5-2-1

| 正解 c，d，e 肘関節鏡 |

肘関節鏡は通常 4 mm 径のものか 2.7 mm 径のものが用いられている．
前外側穿刺は標準的な穿刺部位であるが，関節包を生理食塩水にて十分に膨張させ，肘を屈曲 90°にして穿刺することで，橈骨神経を前方へ移動させることができ，損傷の危険性を最小限にできる．
鏡視下手術の適応は，関節内遊離体の除去や上腕骨小頭の離断性骨軟骨炎，橈骨頭の骨軟骨損傷，骨棘や滑膜などのデブリドマンなどである．
遊離体は鉤突窩，橈骨窩，肘頭窩などに迷入することが多く，滑膜などの軟部組織に埋伏している場合があるので十分なプロービングが必要である．
仰臥位のほか，側臥位や腹臥位が後方への操作性のよさから選択されている．

● Canale ST(ed). Campbell's Operative Orthopaedics. 10th ed. Mosby, 2003：2650-2654.

問 5-2-2

| 正解 c，d 肘関節と運動筋 |

肘関節は，蝶番関節である腕尺関節で屈曲と伸展の方向が決められる．
腕橈関節は球状関節であり，橈骨頭は上腕骨小頭の中央を中心にした回転運動を行う．そのため，橈骨の長軸は上腕骨小頭の中心を通る．橈骨頭は肘に外反力が加わった場合の安定性に寄与している．
近位橈尺関節は，車軸関節であり，前腕の回

旋を可能にしている．

上腕二頭筋の起始は，関節窩上結節から起始する長頭と烏口突起から起始する短頭の2つに分かれ，橈骨粗面に停止する．筋皮神経支配で肘関節を屈曲させ，前腕回外筋としての役割もある．上腕三頭筋の起始は関節窩下結節から起始する長頭，上腕骨の後面から起始する内側頭および外側頭の3つに分かれており，肘頭に停止する．橈骨神経支配で肘関節を伸展させる．

上腕筋は三角筋付着部の遠位，筋間中隔，肘関節包から起始し，尺骨の鉤状突起，尺骨粗面，肘関節包の前面に停止する．筋皮神経支配で肘関節を屈曲させる．

- 標準整形外科．第14版．455．

問 5-2-3

| 正解　c, e　　肘関節の靱帯 |

内側側副靱帯は上腕骨内側上顆に起始し，尺骨に停止する．

内側側副靱帯は肘関節の外反や前後方向の動揺性を防いでいる．

外側側副靱帯は上腕骨外側上顆に起始し，尺骨と輪状靱帯に停止する．

外側側副靱帯は肘関節の内反や前腕の過外旋を防いでいる．

輪状靱帯は橈骨頭を尺骨につなぎ止める．

- 標準整形外科．第14版．453-454．

問 5-2-4

| 正解　b　　肘部管症候群 |

肘部管症候群は肘内側の肘部管内で尺骨神経が絞扼されて神経麻痺が生じる．

神経学的障害として，環小指のみの骨間筋麻痺で鉤爪変形が起こる．

特徴的な Froment 徴候は，母指と示指で紙をつまんで引っぱると母指 IP 関節が屈曲する．

骨間筋麻痺のため指を交差することができずテスト陽性となる．

肘部管での Tinel 様徴候が陽性であるが，これは断裂時に生じる Tinel 徴候とは区別される．

誘発テストとして肘屈曲テストが陽性となる．

- 標準整形外科．第14版．461-462．

問 5-2-5

| 正解　a, b　　Panner 病 |

Panner 病は，Perthes 病などと同じ小児の骨端症であり，上腕骨小頭全体が無腐性骨壊死に陥る．

好発年齢は 4～10 歳であり，男児に多い．

野球肘による上腕骨小頭障害との関連を示唆する報告もあるが，離断性骨軟骨炎では骨壊死部が小頭の一部であることが鑑別点になる．また Panner 病では，遺残変形や遊離体形成を生じることはなく，予後は良好で，2～3 年の経過で修復される．

治療として，特に手術療法は不要であるが，単純 X 線像で骨修復像が認められる発症後1年～1年半はスポーツを禁止したほうがよい．

- 標準整形外科．第14版．290．

問 5-2-6

| 正解　a　　変形性肘関節症 |

変形性肘関節症は腕橈・腕尺・橈尺の3つの関節いずれかに生じた軟骨の退行変性や軟骨下骨の硬化，骨棘形成を伴う関節の変形であるが，荷重関節に比べその発生頻度は低い．

関節症変化は腕橈関節では軟骨変化が比較的多くみられるのに対して，腕尺関節，橈尺関節は骨棘形成が主体で，軟骨障害の発生頻度は低い．

肘の可動域制限のうち伸展制限の機能障害は少ないが，屈曲障害は洗顔や食事動作が制限され日常生活に大きな障害となる．

屈曲制限の原因としては，上記以外に側副靱帯の拘縮なども原因となる．

関節形成術の内容は骨棘切除，遊離体摘出などであり，肘頭窩開窓術も必要に応じて行われる．

- 標準整形外科．第14版．461．
- 石井清一ほか編．肘診療マニュアル．第2版．医歯薬出版，2007：83-90．

問 5-2-7

正解　c, d　　肘関節拘縮

肘関節は他関節に比べ拘縮を生じやすく，原因の大半は外傷であるが，変形性関節症，関節リウマチ，感染症なども原因となりうる．

拘縮の原因が関節外，すなわち筋・腱・靱帯および関節包の拘縮の場合は，比較的予後は良好であるが，関節面の不整や軟骨損傷などにより関節内が癒着している症例の予後は，一般に不良である．

小児における外傷後の肘関節拘縮に対する強力な他動運動は，関節周囲組織の損傷や出血の原因となり，かえって可動域を制限する原因となり禁忌である．

関節拘縮の手術療法は関節周囲組織の成熟を待って施行することが大切で，異所性骨化の場合も骨が成熟する前に手術を行うと再発しやすいので，6カ月～1年程度の待機期間が必要である．

成人例では患側上肢を使用せず肩関節や手指関節の拘縮を伴うこともあるため注意が必要である．

- 整形外科クルズス．第4版．531-532．

問 5-2-8

正解　a, b　　上腕骨外側上顆炎

上腕骨外側上顆炎はテニス肘（バックハンドテニス肘）とも呼ばれる．ゴルフ肘は一般的に上腕骨内側上顆炎のことをいう．

繰り返す外力により生じる前腕伸筋群付着部の腱付着部症（enthesopathy）と考えられている．

理学所見として上腕骨外側上顆の圧痛，Thomsenテスト（手関節の抵抗伸展で肘外側の痛みの増強がみられる）陽性，椅子挙上テスト（chair test：椅子の背もたれを持ち上げると痛みが増強する）陽性などがみられる．同様の症状を呈する疾患に橈骨神経管症候群，外側を中心とした変形性肘関節症などがある．

治療には，安静，テニス肘バンド，局所麻酔薬入り副腎皮質ステロイドの局所注入などの保存療法が多くの症例で有効とされる．

手術療法では，短橈側手根伸筋腱起始部の変性部位のデブリドマンを直視下または肘関節鏡視下に施行することが一般的である．

- 標準整形外科．第14版．463-464．

問 5-2-9

正解　b, c　　内反肘

内反肘は上腕骨顆上骨折に合併する典型的な変形である．遠位骨片は内反に加え，内旋，過伸展している．

一度発生した変形は治ることはないが，機能的には肘の屈曲角度の軽度制限をみるだけで，日常生活への支障は少ない．

遠位骨片の内旋変形は，上腕三頭筋の内側への偏位をもたらして尺骨神経の走行を障害し，麻痺を発症させることがある．

変形を矯正するための骨切り術は，内反・過

伸展・内旋の3つの変形を術前に正確に計測し，これらを同時に矯正できる骨切り術が理想的である．

- 標準整形外科学．第14版．458-459．
- 石井清一ほか編．肘診療マニュアル．第2版．医歯薬出版，2007：130-132．

問 5-2-10

| 正解　a，b，c　　骨化性筋炎 |

骨化性筋炎は小児の上腕骨顆上骨折や外傷性肘関節脱臼の後にみられるものが多い．粗暴な徒手整復や強引な可動域訓練が要因になる．

通常の回復過程に比べて腫脹・熱感・疼痛が強く，長期間続く．

治療としては初期には無理な可動域訓練はただちに中止して局所の安静を保つ．骨化が成熟した後に可動域の改善を望む場合には摘出術を行う．

- 標準整形外科学．第14版．464-465．

問 5-2-11

| 正解　b，c　　人工肘関節全置換術の手術適応 |

人工肘関節全置換術のよい適応になるのは，高度の変形性肘関節症および関節リウマチのムチランス変形，関節の強直である．

stage Ⅰ，ⅡのRAは滑膜切除の適応である．

結核性肘関節炎では，滑膜切除，病巣郭清術，関節固定術などが行われる．

- 神中整形外科学．改訂23版．下巻．488-489．

問 5-2-12

| 正解　a，b，c　　肘頭滑液包炎 |

a．○　肘頭滑液胞の炎症で，繰り返す機械刺激，外傷，感染などが原因となる．肘関節をついて行う作業が原因となり，本邦では畳職人に多くみられる．

b．○　痛風結節，リウマトイド結節により肘頭滑液包炎を生じることがある．

c．○　腫脹の内容は黄色漿液性で，外傷の場合には血性のこともある．いずれも波動を触知する．

d．×　感染例の穿刺液は混濁しているか膿様である．

e．×　慢性滑液包炎では皮膚が薄くなっているため，摘出術後に皮膚の血行（血流）障害を起こしやすい．

- 標準整形外科学．第14版．465-466．

問 5-2-13

| 正解　a，c　　肘関節周囲の神経 |

a．○　橈骨神経は腕橈骨筋内側を下行し，橈骨頭遠位前方で浅枝（感覚枝）と深枝（運動枝）に分離，浅枝はそのまま腕橈骨筋内側を，深枝は回外筋内の浅層と深層の間を走行し，後骨間神経となる．

b．×　前骨間神経は円回内筋のレベルで正中神経から分岐する．

c．○　正中神経は上腕二頭筋腱の尺側を通過する．その後，円回内筋のレベルで前骨間神経を分枝する．

d．×　後骨間神経は回外筋の浅層と深層の間を通過する．

e．×　尺骨神経は尺側手根屈筋の両頭間を通過する．

- 標準整形外科学．第14版．455-456．

問 5-2-14

| 正解　a, e　　肘内障 |

a．○　急に小児の手を引っぱったり，捻ったりすると生じる．
b．×　肘関節に腫脹は認めず，動かそうとすると疼痛のため，ほとんど上肢を動かさない．
c．×　肩の外転は嫌がるため，家族が肩を脱臼したということもある．
d．×　自然整復されることがある．
e．○　徒手整復では橈骨頭を背側に押さえながら，前腕を回外し，肘を屈曲するとコクという整復感を触知する．

- 標準整形外科学．第14版．456-457．

問 5-2-15

| 正解　b, e　　内側型野球肘 |

内側型野球肘は，内側側副靱帯の牽引力によって靱帯損傷・内側上顆下端裂離骨折あるいは前腕の屈曲回内筋群の筋力によって内側上顆骨端離開・内側上顆炎などが生じる．予後は良好である．

a．×　関節ねずみは外側型（上腕骨小頭離断性骨軟骨炎）で生じる．
b．○　1960年に Little Leaguer's elbow として報告された．
c．×　肘頭骨端線閉鎖遅延は後方型で生じる．
d．×　外側型が進行すると，変形性肘関節症に移行する．
e．○

- 標準整形外科学．第14版．457-458, 884-885．

問 5-2-16

| 正解　a, d　　後骨間神経麻痺 |

臨床所見は下垂指を呈している．手術所見で肘外側前方の神経束に「砂時計様くびれ」が認められたことから，診断は後骨間神経麻痺である．

a．○　最初に神経炎に伴う疼痛が出現し，疼痛の軽快とともに麻痺の発生に気づくことが多い．
b．×　後骨間神経は運動枝であり，知覚神経を含まないため，手指のしびれは生じない．
c．×　涙滴徴候 (teardrop sign) は前骨間神経麻痺で陽性となる．
d．○　筋電図検査では支配筋である総指伸筋などに脱神経電位を生じる．
e．×　Tinel 徴候によって運動神経の回復状況を知ることはできず，筋力の回復により神経回復状況を判断する．

- 標準整形外科学．第14版．462-463．

問 5-2-17

| 正解　a, b, d　　Charcot 関節 |

a．○　Charcot 関節の原因としては脊髄空洞症，脊髄癆，糖尿病が原因となる．
b．○　肘関節の高度の破壊，動揺性，大量の関節水症を生じる．
c．×　関節動揺性は高度である．
d．○　関節水症と同時に関節内遊離体を生じることがある．
e．×　顕著な関節破壊がみられるにもかかわらず疼痛が比較的軽度なことが多い．

- 標準整形外科学．第14版．275-276, 465．

問 5-2-18

| 正解　e　　尺骨神経麻痺 |

小児期受傷の上腕骨外顆骨折偽関節に伴う遅発性尺骨神経麻痺である．

a．×　上腕骨外顆骨折で偽関節を生じる場合には内側に比較して外側遠位骨端線の発育障害

のため，徐々に外反肘変形を生じる．
b．× 機能的に問題ないことが多いが，青壮年期になると偽関節部の疼痛や関節変形に伴い可動域制限，不安定性を認める．
c．× 外反肘の進行に伴い遅発性尺骨神経麻痺を生じると，尺骨神経麻痺の特徴である鷲手変形を生じるが，第1・第2虫様筋は正中神経支配であるため，母指から中指には鷲手変形を生じない．
d．× 尺骨神経の感覚支配は手背尺側と環指尺側1/2および小指掌側であり，中指には感覚鈍麻はない．
e．○ 麻痺は進行性であり，保存療法は無効なため，手術加療が選択される．
● 標準整形外科学．第14版．456-460．

問5-2-19

正解　b，e　　上腕骨外側上顆炎

a．× 短橈側手根伸筋起始部の変性や微小な断裂が原因と考えられている．
b．○ テニスのバックハンドにより発症することが多いことからテニス肘といわれているが，実際には労働による発症が圧倒的に多い．
c．× 抵抗下手関節伸展テストによって痛みが誘発される．
d．× 短期的に有効であるが，長期的には有効でない．
e．○ 保存療法はほとんどの症例で効果的で，安静，各種のテニス肘ベルトやサポータが有用である．疼痛が軽快したらストレッチングと筋力増強訓練を開始する．保存療法抵抗性の場合には短橈側手根伸筋腱付着部の新鮮化および再縫着（Nirchl法）や関節鏡下での手術を行う．
● 標準整形外科学．第14版．463．

問5-2-20

正解　b，d，e　　変形性肘関節症

a．× 変形性肘関節症の場合，軟骨障害は腕橈関節に多く，骨棘形成は腕尺，近位橈尺関節に多い．
b．○ 関節内遊離体が関節に陥頓すると肘関節のロッキングを生じる．
c．× 可動域制限は屈曲制限の場合には口に手が届かないなどの障害が大きいが，伸展制限ではADL上の障害が少ない．
d．○ 肘関節の屈曲制限の原因として鉤突窩と鉤状突起の骨棘が代表的である．
e．○ 予後は比較的良好で，膝・股関節などの荷重関節と異なり，人工関節が必要となることは少ない．
● 標準整形外科学．第14版．461．

問5-3-1

正解　a，e　　手関節鏡

　全身麻酔または伝達麻酔など前腕筋の筋弛緩が十分得られる麻酔下で行う．
　鏡視には関節裂隙を拡大させることが必要で，traction towerなどを使用し，重力を有効に使える前腕垂直位をとることが一般的である．
　背側の伸筋腱コンパートメントの間隙からアプローチする．
　三角線維軟骨複合体（TFCC）損傷の診断と治療は手関節鏡のよい適応である．
　橈骨関節面は骨軸に対してやや掌側を向いており，器具の挿入に際してはこの点に注意する．
● 整形外科クルズス．第4版．821．

問 5-3-2

| 正解　a, b, c　　手関節鏡視下手術 |

手関節鏡の発達に伴い，鏡視下手術の適応疾患も増加してきている．滑膜切除術は，適応や手技に改良の余地があるものの鏡視下手術としての報告がある．

三角線維軟骨複合体(TFCC)損傷のうち，血行のある周辺部は鏡視下縫合術の適応である．

また，橈骨遠位部骨折のうち，関節面が粉砕し，陥没を生じているものでは，鏡視下での整復術が有用であるとの報告がある．

鏡視下での尺骨頭部分切除術は可能であるが，尺骨短縮術は，関節外操作での手術が必要である．

手関節部分固定術を鏡視下で行う報告がされているが，一般的ではない．

- 標準整形外科学．第14版．203-204, 483-484.
- 整形外科クルズス．第4版．821.
- 神中整形外科学．改訂23版．下巻．611-612.

問 5-3-3

| 正解　c, d　　腱断裂 |

指の屈筋腱損傷は神経血管損傷を高頻度に合併する．

屈筋腱縫合では腱鞘内で癒着が生じやすい．

腱縫合では腱内の血行障害が少なく，縫合部が離開しないような十分な強度がある縫合法がよい．

指の伸筋腱は薄く，十分な修復強度が得られるまでの期間が長く，屈筋腱よりも長く外固定が行われる．

汚染が強い場合には1週間くらい待機してから腱縫合を行う．損傷から3週間以内であれば腱縫合が行われている．

- 神中整形外科学．改訂23版．下巻．640-649.
- 標準整形外科学．第14版．473-475, 486-488.

問 5-3-4

| 正解　c, d　　断裂腱の治癒 |

腱内の細胞による治癒は intrinsic healing と呼ばれている．

縫合術後早期の運動療法は腱と周囲との癒着を減らし，良好な可動性を得るという利点があるが，再断裂の危険がある．縫合腱に過度な緊張が加わらないように腱を滑走させる工夫と制限が必要である．

指の伸筋腱は屈筋腱に比べて扁平であるため強固な縫合が難しい．

指屈筋腱のMP関節部より遠位には靭帯性腱鞘があり，癒着を生じやすい．特にMP関節からPIP関節部位にかけては狭い腱鞘内に浅指屈筋腱と深指屈筋腱の2本の腱が走行し，この部位における腱縫合は癒着が高度となりやすく，ノーマンズランド(no man's land)と呼ばれていた．

- 標準整形外科学．第14版．473-475, 486-488.

問 5-3-5

| 正解　a, e　　指腱鞘 |

指には，輪状滑車(A1〜A5)と十字滑車(C1〜C3)がある．A2とA4は腱を骨に直接固定する靭帯性腱鞘であり，重要である．

- 標準整形外科学．第14版．474-475.

問 5-3-6

| 正解　a, c　　手の腱皮下断裂 |

a. ○　ラグビーなどで相手のジャージをつかんでDIP屈曲位で力を入れているときに，1本だけ指を過伸展される状況で受傷する（ラガー

ジャージ損傷).
b．× 偽関節で小指屈筋腱が断裂する.
c．○ Lister 結節部での骨片による摩耗や，プレート・スクリューによる摩耗により，長母指伸筋腱が断裂する.
d．× 骨折偽関節で長母指屈筋腱が断裂しうるが，橈側手根屈筋腱の報告はない.
e．× 尺骨頭の変形や亜脱臼により，尺側指の伸筋腱が断裂する.

●標準整形外科学. 第 14 版. 486, 786-790, 884.

問 5-3-7

| 正解　a, d　手指の外傷 |

ローラー，またはベルトなどに手指を巻き込まれ，皮膚全周が手袋状に剝脱される損傷を手袋状剝皮損傷と呼ぶ. 剝脱した皮膚を元に戻して皮膚縫合しただけでは血行障害を生じることが多く，生着は良好とはいえない. 血管吻合を行うことで生着可能な場合がある.

電撃損傷は感電による組織損傷であり，生体内の電気抵抗の弱い神経・血管が通電経路となりやすい. 電流が流れた血管は閉塞，神経は変性し，血行障害により阻血性の壊死を起こす.

凍傷では凍結による細胞膜の障害と血流障害が起こる. 軽症例では皮膚のみ，重症例では皮下組織までの損傷が起こり指は壊死に陥る.

高圧注入損傷はスプレーガンなどで塗料，グリース，オイルなどが高圧下に手・指に注入されて起こり，注入物質は腱鞘や筋膜下に広がる. 注入直後は無症状であるが，数時間後に強烈な疼痛と炎症をきたし重篤な機能障害をきたす.

咬傷はヒト，ネコ，イヌなどによることが多く，創は小さいことから初期治療が遅れがちとなり，高率に感染しやすい.

●標準整形外科学. 第 14 版. 485-486.

問 5-3-8

| 正解　c, e　de Quervain 病 |

de Quervain 病は手関節第 1 背側伸筋区画の長母指外転筋と短母指伸筋の狭窄性腱鞘炎である. 周産期や中年女性に多い.

母指を握りこみ手関節を尺屈させ橈骨茎状突起部に疼痛が誘発される誘発テストは Finkelstein テストといわれてきたが，最近は Eichhoff テストとして訂正された.

治療はまず局所安静やステロイドの腱鞘内注射を行うが，軽快しない場合は腱鞘切開術を考慮する.

腱鞘切開術では近接する橈骨神経浅枝の損傷に注意する. 損傷すれば causalgia を引き起こす可能性があり医療訴訟の原因にもなりうる.

●標準整形外科学. 第 14 版. 492.

問 5-3-9

| 正解　a, b　MP 関節ロッキング |

MP 関節のロッキングは示指，母指に多く，特に示指が多い.

示指では軽度屈曲位，母指では過伸展位をとる.

新鮮例では徒手整復が可能なこともあるが，牽引を加えないことがポイントである.

母指の場合の原因は，橈側種子骨より近位で断裂した掌側板が両側側副靱帯とともに中手骨骨頭に乗り上げた状態であり，その整復は MP 関節を可及的に背屈させた状態で，母指基節骨に圧迫を加えて，基節骨関節面が中手骨頭関節面上を滑動するように屈曲を加えていくと雑音とともに引っかかりが外れてロッキングが消失する. 指における原因でもっとも多いのは，中手骨骨頭の骨棘が側副靱帯に引っかかることであり，基節骨に近位方向への圧迫を加えて MP

関節を屈曲・尺屈させることにより，中手骨骨頭の橈側骨性隆起に引っかかっている副靱帯を解離するように試みる．

診断ではPIP関節の運動が障害されないので，弾発指との鑑別は容易である．

- 津下健哉．手の外科の実際．第6版．南江堂，1985：182．
- 斎藤英彦ほか編．手外科診療ハンドブック．第2版．南江堂，2014：286-288．
- 標準整形外科学．第14版．492．

問 5-3-10

| 正解　b，e　　弾発指（ばね指） |

手指の屈筋腱腱鞘炎は，弾発指あるいはばね指と呼ばれる．腱が炎症により肥大化し，靱帯性腱鞘部が相対的に狭小化し，手指の伸展あるいは屈曲の際に弾発現象を生じる．

MP関節の掌側皮下に，靱帯性腱鞘であるA1 pulleyを小結節として触れ，圧痛がある．進行すると，母指ではIP関節に，他指ではPIP関節に伸展制限を生じる．種子骨が原因となった弾発指の報告はない．

- 標準整形外科学．第14版．492．
- 整形外科クルズス．第4版．544．
- 神中整形外科学．改訂23版．下巻．740-741．

問 5-3-11

| 正解　c　　母指内転拘縮 |

母指には橈側外転，掌側外転，対立運動などがあるが，内転拘縮を起こすとこれらができなくなる．

拘縮の原因には関節性のもの，筋肉によるもの，皮膚性のものがあるが，手背皮膚は極めて弾性に富み，母指最大外転時と内転時の手背部の皮膚面積の比は2：1である．したがって包帯などで手をくるむようにすると母指内転位となり，内転筋ばかりでなく正常な皮膚でも皮膚性の拘縮を起こす危険性がある．

Volkmann拘縮が完成した典型的な例では，前腕回内，手関節屈曲，母指内転，他指のMP関節過伸展，IP関節屈曲拘縮を呈する．

母指IP関節や示指DIP関節が屈曲可能であっても，母指内転拘縮があれば著明な機能障害となる．

皮膚性の拘縮の解除にあたっては，分層植皮術は拘縮を起こしやすいので，拘縮の少ない皮弁移植術が必要である．

- 標準整形外科学．第14版．490-491．
- 津下健哉．手の外科の実際．第6版．南江堂，1985：239-241．
- 石井清一編．図説 手の臨床．メジカルビュー社，1998：172-175．

問 5-3-12

| 正解　a，e　　橈側列形成障害 |

橈側列形成障害では，母指と橈骨に形成障害が出現する．母指形成障害の程度は様々であり，母指球筋の低形成のため対立運動が障害されるもの，自動運動のみられない浮遊母指や母指の完全欠損がある．

本症では心臓の異常，腎臓や血液疾患を合併する場合があるので注意を要する．

母指形成不全のための対立障害に対しては，腱移行による母指対立再建が行われる．母指の完全欠損では，示指を母指の位置に移動する母指化術が選択される．浮遊母指ではこれを切除して示指の母指化術を行う．腱移行や関節移植で母指を再建する場合もある．

生直後から徒手と装具による矯正を行う．1歳前後に尺骨の遠位端を手の中央に移動させて，尺骨と手根骨の間で手関節を再建し，橈屈偏位を矯正する尺骨中心化術を行う．

- 標準整形外科学．第14版．502．

問 5-3-13

| 正解　a, b, e　　母指多指症 |

　母指多指症は，日本人ではもっとも頻度の高い手の先天異常である．男性の罹患と右側罹患が多い．母指の多指変化は，程度が強くなるにしたがって末節骨の重複，基節骨の重複，中手骨の重複と，近位へ進行する．単純X線像の分岐部位によりWassel分類のtypeⅠ～Ⅶに分類される．

　橈側母指は低形成を示すことが多く，時に三指節である．

　手術は1歳くらいまで待って行う．形成障害の強いほう，あるいは三指節のほうを切除する．

　切除した母指に停止する筋・靱帯などを移行して正常な機能を発揮できるようにする．術後に残存した変形の治療はより困難になるので初回手術が大切である．

- 標準整形外科学．第14版．501．
- 斎藤英彦ほか編．手外科診療ハンドブック．第2版．南江堂，2014：394，405-406．

問 5-3-14

| 正解　a　　先天性握り母指症 |

　生後3～4カ月後にも母指MP関節が屈曲している状態である．

　一般的には母指の他動伸展は可能である．掌側の皮膚の緊張および母指の内転拘縮を認めることもある．

　年長児では母指MP関節の屈曲拘縮とIP関節の過伸展変形を認める．

　保存療法の効果がない例には，母指の先天性伸筋腱欠損症の場合がある．治療は他動伸展運動を家族に指導し，同時に装具により母指の伸展外転保持を行う．屈曲変形が改善しない例や変形が遺残している例では，原因に応じて植皮術や腱移行術を行う．

- 標準整形外科学．第14版．503-504．
- 神中整形外科学．改訂23版，下巻．715．
- 斎藤英彦ほか編．手外科診療ハンドブック．第2版．南江堂，2014：387，403．

問 5-3-15

| 正解　c　　先天性絞扼輪症候群 |

　先天性絞扼輪症候群の臨床症状は，絞扼輪，リンパ浮腫，先端合指症，切断である．

　四肢に全周性の絞扼がみられると遠位にはリンパ還流障害によるリンパ浮腫を認める．

　先天性絞扼輪症候群の合指症は，指尖部が癒合し近位に指間陥凹がみられる先端合指症が特徴的である．

　切断は横軸欠損との鑑別が必要である．

　横軸欠損では罹患上肢全体の形成障害がみられ，痕跡的に爪を認めることが多いのに対して，先天性絞扼輪症候群では近位の罹患上肢に形成障害はなく，爪は欠損していることが多い．

　また内反足，唇裂，口蓋裂の合併が多い．

- 整形外科クルズス．第4版．655．
- 標準整形外科学．第14版．315-316，503．

問 5-3-16

| 正解　b, c　　手関節三角線維軟骨 |

　三角線維軟骨(triangular fibrocartilage：TFC)の厚さは橈側で約1～2mmで，尺側が厚くなる．

　単純X線正面像において，尺骨プラス変異(ulnar plus variant)または手関節尺側の関節症性変化の存在は，TFC穿孔を疑ううえで重要な所見である．

断裂形態は掌背側方向の縦断裂から弁状のもの，円形のものまで様々である．

機能的には荷重時の衝撃吸収機構にも重要な役割を担っていると考えられる．

加齢により徐々に摩耗が進行し，厚さが少なくなる傾向がある．

- Green DP(ed). Operative Hand Surgery. 3rd ed. Churchill Livingstone, 1993：976-981.
- 標準整形外科学．第14版．489-490．

問 5-3-17

| 正解　a，d　　尺骨突き上げ症候群 |

手関節尺側にかかる過剰な負担が原因である．ulnar variance が1mm 以上プラスの場合に発症しやすく，橈骨遠位端骨折の特に短縮変形治癒後の相対的骨長差でも生じる．

尺骨頭は背側亜脱臼になることが多く，月状三角骨靱帯の損傷が起こりやすい．

直接的に神経麻痺をきたすことはない．

- 標準整形外科学．第14版．489-490．

問 5-3-18

| 正解　a，b，c　　遠位橈尺関節 |

遠位橈尺関節の静的制御機構としては，三角線維軟骨複合体(TFCC)，遠位橈尺関節包，骨間膜，伸筋支帯などが挙げられる．

動的制御機構として，尺側手根伸筋腱，方形回内筋が挙げられる．

- Green DP(ed). Operative Hand Surgery. 3rd ed. Churchill Livingstone, 1993：976-981.

問 5-3-19

| 正解　b，c　　三角線維軟骨複合体(TFCC)損傷 |

a．×　舟状月状骨解離のX線像．舟状骨が掌屈して舟状骨結節が環状に見える．
b．○　尺骨小窩部(TFCC の付着部)の圧痛
c．○　尺骨遠位端の背側不安定性
d．×　前骨間神経麻痺の徴候
e．×　舟状月状骨解離のX線像．舟状月状骨間間隙が3mm 以上に開大する．

三角線維軟骨複合体(TFCC)損傷は，円板部(Disc)損傷と靱帯部損傷に分けられる．靱帯部の損傷は，主に橈骨と尺骨を連結する橈尺靱帯，尺骨と手根骨を連結する尺骨手根靱帯が損傷される．

靱帯損傷は橈尺靱帯の付着部である尺骨小窩で生じることが多く，尺骨頭が回内位で背側へ突出し不安定性を呈する piano key sign が出現する．

また，尺骨小窩部(ulnar fovea)の圧痛が高頻度でみられ，fovea sign と呼ばれる．

cortical ring sign や Terry-Thomas sign は，舟状月状骨解離のX線所見である．

tear drop sign は前骨間神経麻痺の徴候で，母指と示指で完全な丸がつくれず tear drop 状になることである．

- 標準整形外科学．第14版．462-463，489-490．

問 5-3-20

| 正解　b，d　　近位手根列背側回転型手根不安定症(DISI) |

手に加わった力は中手骨から遠位手根列・近位手根列を介して橈骨に伝達される．手根骨は腱の停止がなく(豆状骨を除く)，その安定性は手根骨間靱帯によるため，手根骨間靱帯損傷

や舟状骨骨折偽関節等により手根骨の配列異常をきたすと，手関節の疼痛，可動域制限，握力低下などの症状を生じ，これを手根不安定症と呼ぶ．

DISIは手根不安定症でもっとも多く，月状骨が背屈し有頭骨長軸が橈骨長軸の背側に移動するもので，舟状骨骨折偽関節，舟状月状骨解離，橈骨遠位端骨折変形治癒，Kienböck病でみられることが多い．

月状三角骨解離により起こりやすいのは，近位手根列掌側回転型手根不安定症(VISI)である．

● 標準整形外科学．第14版．489．

問 5-3-21

正解 d, e	手指の変形

尺骨神経麻痺では環指と小指の骨間筋麻痺があり2指のみの鉤爪変形が生じる．

高位橈骨神経麻痺では短長橈側手根伸筋が麻痺するのでdrop hand(下垂手)となる．後骨間神経麻痺では手指伸筋のみの麻痺でdrop fingerとなる．

槌指では骨性でも腱性でもterminal tendonが効かなくなるので，スワンネック変形となりやすい．

手根管症候群などの低位正中神経麻痺では母指球筋萎縮によりape hand(猿手)となる．

ムチランス型RAは強い骨吸収によるオペラグラス変形を呈する．

● 標準整形外科学．第14版．243-244，477-478，486-487，491-492．

問 5-3-22

正解 a	手指の変形・固定肢位

手指側副靱帯損傷後の外固定肢位は，関節拘縮を予防するために，本来の靱帯の長さが保たれる位置で行う．

PIP関節側副靱帯損傷の外固定肢位は伸展位または軽度屈曲位で，MP関節側副靱帯損傷は屈曲位で外固定する．

手指の機能肢位は，安全肢位と違って，MP関節，PIP関節，DIP関節は軽度屈曲位である．

内在筋マイナス位(intrinsic minus position)では，MP関節は過伸展し，PIP関節は屈曲する．

手の内在筋に限局して阻血性拘縮が起こると，MP関節は屈曲し，PIP関節は伸展する．すなわち，内在筋プラス位(intrinsic plus position)となる．

● 標準整形外科学．第14版．490-492．
● 整形外科クルズス．第4版．198，617．
● 神中整形外科学．改訂23版．下巻．549，556-558，636-638．

問 5-3-23

正解 a, c, e	白鳥のくび変形

a．○ 終止伸筋腱断裂(槌指)で側索が弛緩し，中央索への牽引が相対的に強くなることにより生じる．

b．× ラガージャージ損傷．白鳥のくび変形とはならない．

c．○ 浅指屈筋腱断裂により，PIP関節への伸展力が相対的に強くなることにより生じる．

d．× ボタン穴変形の原因である．

e．○ PIP関節掌側板断裂により，PIP関節への伸展力が相対的に強くなることにより生じる．

● 標準整形外科学．第14版．491-492．

問 5-3-24

| 正解　e　　手の変形性関節症 |

　変形性手関節症は，橈骨遠位端骨折後の変形治癒や舟状骨骨折後の偽関節などに続発する二次性のものがほとんどである．
　Heberden結節は関節リウマチではないので，抗リウマチ薬の効果はない．
　有痛性のHeberden結節の罹患頻度は女性のほうが高い．
　Heberden結節の約20%はBouchard結節を伴っている．
　母指CM関節変形性関節症は進行すると母指内転拘縮を伴ってくる．

- 標準整形外科学．第14版．493-495．
- 整形外科クルズス．第4版．539．
- 神中整形外科学．改訂23版．下巻．749-761．

問 5-3-25

| 正解　c, d, e　　母指CM関節症 |

　母指CM関節は鞍関節で関節の弛緩性と求心性の軸圧力が高いため変形性関節症が進行する．つまみや瓶の蓋が開けにくいことが主訴となりやすい．
　主に長母指外転筋の牽引力で外側に亜脱臼となり，関節症が進むとgrind testが陽性となる．
　進行度分類は主にEaton分類が用いられるが，疼痛の程度との関連が一定ではなく，手術適応の決定には利用しにくい．
　装具療法は軽症例に適応となるが，進行期でも効果がありうる．
　手術は重労働者には関節固定術を，中年女性には関節可動域を温存する腱または人工靱帯を用いた関節形成術が行われることが多い．

- 標準整形外科学．第14版．494．

問 5-3-26

| 正解　b, c　　手の変形性関節症 |

a. ○
b. ×　MP関節の過伸展変形がみられる．
c. ×　Bouchard結節はPIP関節に発症する．
d. ○
e. ○

　手の変形性関節症は母指CM関節，手指DIP関節に好発する．母指CM関節症では，母指に軸圧を加えながら分回しすることで疼痛を誘発するgrind testが陽性になる．病期が進行するとMP関節は過伸展変形し，母指はいわゆるZ変形を呈する．DIP関節，PIP関節の変形性関節症は手指背側に結節様の硬結を触知することから，それぞれHeberden結節，Bouchard結節と呼称されている．Heberden結節には時に粘液囊腫が発生し，爪変形の原因になる．関節リウマチはDIP関節の変形をきたさないが，乾癬性関節炎はDIP関節に好発する．

- 標準整形外科学．第14版．262-263，494-495．

問 5-3-27

| 正解　c, d, e　　母指CM関節症 |

　母指CM関節症では，母指の対立動作を伴うつまみ・把持動作時に強い痛みを伴い，CM関節の腫脹，中手骨の橈側への亜脱臼とともに内転変形がみられる．
　単純X線像では，関節裂隙の狭小化，骨棘形成，骨硬化，亜脱臼などを認める．
　保存療法としては母指の安静固定，非ステロイド性抗炎症薬の内服や湿布を行う．装具が有効な例もある．
　急性の激しい疼痛や腫脹の強い関節炎症状の強い例では副腎皮質ステロイドの関節内注入も有効である．

保存療法に抵抗する例では，進行度に応じて靱帯再建術，CM 関節固定術などの手術療法が検討される．
- 神中整形外科学．改訂 23 版．下巻．758-760．
- 標準整形外科学．第 14 版．494．

問 5-3-28

| 正解　a，d　　ガングリオン |

ガングリオンは，透明な粘液を含む囊腫である．結合組織の変性が原因と考えられるが，若年者にも発生し，その機序は不明である．

手の軟部腫瘤でもっとも多く，女性に多い．

まれに骨内にも生じる．

悪性化することはなく，自然になくなることがある．
- 標準整形外科学．第 14 版．500．
- 整形外科クルズス．第 4 版．545．
- 神中整形外科学．改訂 23 版．下巻．769-770．

問 5-3-29

| 正解　b，d　　Dupuytren 拘縮 |

Dupuytren 拘縮は尺側指に頻度が高く，筋線維芽細胞の増殖が原因である．

頻度は，白人＞黄色人種＞黒人の順で高いことが知られている．

日本でも 2015 年に認可されたコラゲナーゼ注射とその後の伸展処置により良好な結果が報告されている．

手術の際は基節部での神経血管側の変異があり，拡大鏡などを使用して損傷しないように注意する．
- 標準整形外科学．第 14 版．491．

問 5-3-30

| 正解　c，d，e　　Dupuytren 拘縮 |

a．×　化学療法は行われない．

b．×　病態は屈筋腱表層にある手掌腱膜の肥厚による指の屈曲拘縮であり，屈筋腱癒着ではない．

c．○　ジグザグ皮切等を行い，罹患した手掌腱膜を切除する．

d．○　罹患した手掌腱膜を経皮的に切離する．切除するわけではないため部分腱膜切除術よりも再発率はやや高いが，侵襲が非常に少なく，また瘢痕形成が少ないため繰り返し施行しやすいという利点がある．

e．○　日本でも 2015 年にコラゲナーゼ製剤が認可され，良好な結果が報告されている．経皮的腱膜切離術と同様に，病的腱膜を切除するわけではないため部分腱膜切除術よりも再発率はやや高いが，侵襲が非常に少なく，また繰り返し施行しやすいという利点がある．
- 標準整形外科学．第 14 版．491．

問 5-3-31

| 正解　a，b，e　　Dupuytren 拘縮 |

a．○　白人＞黄色人種＞黒人

b．○　手掌腱膜の筋線維芽細胞増殖が原因である．

c．×　PIP 関節にも屈曲拘縮は生じる．

d．×　手関節を屈曲させても手指の拘縮は改善しない．

e．○　日本でも 2015 年にコラゲナーゼが認可され，良好な結果が報告されている．

Dupuytren（デュピュイトラン）拘縮は，手掌腱膜の縦走線維，およびその延長である指掌深筋膜の肥厚により発生する手指の屈曲拘縮である．尺側指ほど発生頻度が高い．

人種（白人＞黄色人種＞黒人）により罹患率に違いがある．

手掌腱膜の筋線維芽細胞（myofibroblast）の増殖が原因である．

手掌に硬結や腱様の索状物，結節（nodule），陥凹（dimple）を触知し，進行するとMP関節やPIP関節の屈曲拘縮が生じる．

MP関節を屈曲させるとPIP関節の拘縮は改善するが，病巣は手関節近位には至らず手関節を屈曲させても手指の拘縮は改善しない．

保存療法は無効であり，高度な拘縮が生じる前に手術的治療を行う．2015年から認可された酵素注射療法は有効な治療法である．

- 標準整形外科学．第14版．491．

問 5-3-32

正解　a，d，e　　上肢の骨延長

上肢の骨延長では，下肢に比較し上肢長の左右差は日常生活動作（ADL）上あるいは整容上問題になることが少ないためか，上肢の骨延長は下肢に比べ適応は少ない．

一般的には5cmの左右差が適応とされる．上腕では先天性短縮，骨端線発育障害，または骨欠損などによる健側差5cm以上の短縮，小人症などが適応とされる．

前腕では橈・尺骨のどちらか一方，または両者の骨端線発育障害，外骨腫などによる前腕短縮と橈尺骨長の不等，橈側または尺側内反手などが適応となる．

手部では短指症，先天性または外傷後手指欠損などに骨延長が行われている．

- 赤松功也ほか編．創外固定法．文光堂，1998：233-240．
- 標準整形外科学．第14版．502．

問 5-3-33

正解　a，d，e　　化膿性屈筋腱腱鞘炎

屈筋腱滑膜性腱鞘内の化膿性炎症である．起炎菌としては黄色ブドウ球菌がもっとも多い．

炎症が遷延化すると屈筋腱の壊死や関節炎，骨髄炎の併発を招き，重篤な機能障害に至る．

解剖学的に，示・中・環指の滑膜性腱鞘は指先からMP関節部までであるが，母指，小指においてはそれぞれ橈側滑液包，尺側滑液包に移行しているため，母指，小指の腱鞘炎がより重篤になる．橈側滑液包と尺側滑液包は交通していることがあり，小指の感染が手関節部を経て母指に及び，馬蹄形膿瘍を形成することがある．

初期治療は抗菌薬の全身投与に加えて，腱鞘内に細いカテーテルを入れて持続洗浄を行うと有効なことがある．しかし，明らかな効果が得られない場合は，病的滑膜の切除を行うべきで，慢性化すると腱の変性や断裂を生じ，指機能の著しい障害を残すことになる．

- 標準整形外科学．第14版．223-224，495-496．
- 整形外科クルズス．第4版．288-289．
- 神中整形外科学．改訂23版．下巻．730-731．

問 5-3-34

正解　d　　化膿性屈筋腱腱鞘炎

化膿性屈筋腱腱鞘炎は刺傷の後に生じることが多く，日本では魚を扱う職業の方に多い．治療は緊急を要し，早期診断にKanavelの4徴を知っておかねばならない．

患指は腫脹し屈曲位となり，他動伸展時に激痛が生じる．

感染の悪化があれば抗菌薬を変更することも重要であるが，第1に迷わず切開排膿と病的滑膜の切除を行うべきである．

術後に化膿性関節炎と同様な閉鎖式灌流法が

問 5-3-35

| 正解 b, c 偽痛風, 化膿性手関節炎 |

ガングリオンは, 時に疼痛を伴うことがあるが, 通常, 発赤や熱感を伴うことはない.

病歴から急性炎症であり, 偽痛風発作か急性化膿性関節炎が疑われる.

偽痛風は, 高齢者に発症率が高く, 膝関節, 手関節の順に多い. この両者の鑑別が難しい場合があり, 関節液の顕微鏡検査と培養が必要である.

結核性関節炎では, びまん性腫脹を認めるが, 発赤や局所熱感はなく, 症状の進行は緩慢である.

月状骨軟化症は, 病期により多少の違いはみられるが, 急性炎症症状を呈することは少ない.

- 標準整形外科学. 第14版. 231-235, 275-276, 496, 500.
- 整形外科クルズス. 第4版. 291-297, 360-361, 539-540, 545.
- 神中整形外科学. 改訂23版. 上巻. 587-590.
- 神中整形外科学. 改訂23版. 下巻. 743-744, 769-770, 1215.

問 5-3-36

| 正解 d 手の結核性炎症 |

結核は近年, 再興感染症として問題視されている. 小児では指骨や中手骨に結核性骨髄炎としてみられることがある. 骨は紡錘形に肥大して, 内部に結核性肉芽組織や腐骨を含有している. これを風棘 (spina ventosa) と呼ぶ.

これに対して, 成人では指骨や中手骨の結核はまれである.

手背部の結核性腱鞘炎では発赤・局所熱感がなく, しばしば膿汁が増加して波動が認められる. ガングリオン, 巨細胞腫, 血管腫などの腫瘍性病変のほか, リウマチ性関節炎や非化膿性炎症との鑑別が必要である.

手における結核は結核性腱鞘炎として現れることが多い. これに対して, 副子固定で患肢の安静を保ち, 抗結核薬を全身投与する. 炎症が遷延化すると腱の自然断裂がしばしばみられることから, 病的滑膜切除が必要である.

関節破壊とともに手関節は屈曲拘縮が進行する. これに対して手根骨切除を行って, 良肢位での関節固定術を行う.

- 標準整形外科学. 第14版. 233-235.
- 整形外科クルズス. 第4版. 293-297.
- 神中整形外科学. 改訂23版. 上巻. 477-480.
- 神中整形外科学. 改訂23版. 下巻. 730-731.

問 5-3-37

| 正解 d 手の関節炎 |

手関節や手指関節の関節炎は種々の原因で発生し, 早期には鑑別診断が難しいことがある. 原因としては, 関節リウマチ, 乾癬, 偽痛風, 化膿, 結核などが考えられる.

ネコひっかき病は, ひっかき傷や咬創から感染が生じ, 肘関節部や腋窩などの所属リンパ節が腫大し, 時に発熱を伴う疾患である. まれに炎症所見が乏しく, 軟部腫瘍との鑑別が必要なことがある.

- 標準整形外科学. 第14版. 224-225, 233-235, 239-263, 275-276.
- 整形外科クルズス. 第4版. 293-297, 337-345, 348-349, 360-361.
- 神中整形外科学. 改訂23版. 下巻. 728-743.

問 5-3-38

| 正解 b 偽痛風 |

単純X線で手関節三角線維軟骨複合体 (TFCC) に石灰化像を認める. 関節軟骨や周囲

組織に石灰沈着をきたす病態の中で，ピロリン酸カルシウム二水和物(calcium pyrophosphate dihydrate：CPPD)結晶は代表的なものである．

偽痛風はCPPDが原因となって痛風に類似した急性関節炎を起こす病態である．膝関節にもっとも多く，手関節の線維軟骨，恥骨結合，関節唇，椎間板線維輪にも認められやすい．

塩基性リン酸カルシウム(basic calcium phosphate：BCP)沈着症は肩回旋腱板に好発する．

● 標準整形外科学．第14版．275-277．

問 5-3-39

| 正解　c, e | Kienböck 病 |

橈骨短縮により月状骨への応力集中を減少させる方法，手根骨間(特に舟状骨と大菱形骨と小菱形骨の間)を固定して月状骨への応力集中を減少させる方法，月状骨を切除して腱球を挿入する方法，血管柄付き骨移植により月状骨の血行を再建する方法などがある．

Kienböck 病が進行し，変形性手関節症を生じた場合には近位手根列切除術を行う場合がある．

● 標準整形外科学．第14版．496-497．

問 5-3-40

| 正解　b, c | Kienböck 病 |

Kienböck 病は月状骨に無腐性の壊死をきたす進行性の疾患である．慢性的な外力による栄養血管の途絶による虚血が原因と考えられているが，明らかではない．

青壮年の男性で，手を使う職種の人の利き手に比較的多く発生する．若年者では外傷を契機に発症することが多く，青壮年者と発症原因が異なると考えられる．

遺伝的素因はないとされている．

尺骨 minus variantö 例に多い傾向がある．

手術療法は，Lichtman 分類 Stage Ⅱ に対して橈骨短縮術を適応することが多いが，月状骨の再血行化を試みる血管柄付骨移植が選択されることもある．

関節症変化が進行した Stage Ⅳ の症例では月状骨の再建をあきらめて救済手術(手関節固定術，近位手根列切除術等)の適応となる．

● 標準整形外科学．第14版．496-497．

問 5-3-41

| 正解　b, d | Kienböck 病 |

a．× 遺伝性疾患ではない．
b．○ 青壮年の男性で，手を使う職種の人の利き手に比較的多く発生する．
c．× 尺骨 minus variant 例に多い傾向がある．
d．○ 病気が進行した Kienböck 病では，分節化した骨片が関節包を破り，屈筋腱や伸筋腱の皮下断裂をきたすことがある．
e．× 進行すると月状骨周囲に関節症変化をきたす(Lichtman 分類 Stage Ⅳ)．

● 標準整形外科学．第14版．496-497．

問 5-3-42

| 正解　c, d | 前骨間神経麻痺，後骨間神経麻痺 |

前骨間神経は正中神経の運動枝，後骨間神経は橈骨神経の運動枝である．前腕の疼痛を前駆症状とすることが多い．

前骨間神経麻痺になると示指母指のIP関節が屈曲できず teardrop sign を呈する．

後骨間神経麻痺になると総指伸筋が麻痺するが，橈側手根伸筋は麻痺しないので drop hand

（下垂手）ではなく drop finger（下垂指）となる．

確定診断がつけば，自然軽快することもあるため，まず保存的にビタミン B_{12} などの投与を試みる．3～4 カ月経過し，筋電図上も回復がみられない場合は神経剝離術を考慮する．

手術所見では神経は砂時計様のくびれがみられるが多い．手術により改善が得られなければ腱移行術を行う．

●標準整形外科学．第 14 版．462-463．

問 5-3-43

| 正解 | c | 手根管症候群 |

Allen テストは橈骨動脈と尺骨動脈の閉塞の有無を調べる検査である．

Eichhoff テストは伸筋腱のコンパートメントの第 1 区画を走行する短母指伸筋腱，長母指外転筋腱の腱鞘炎である de Quervain 病で陽性に出る検査である．

手関節屈曲テスト（Phalen テスト）は手根管症候群を診断する場合に用いる正中神経感覚障害の誘発テストである．手関節を 1～2 分間掌屈保持することにより，正中神経支配領域の皮膚・指にしびれあるいは疼痛を訴える．

Froment 徴候は，母指示指間で紙を把持させその紙を引き抜こうとすると，長母指屈筋で代償しようとするため母指 IP 関節が屈曲する，母指内転筋麻痺がある場合に陽性に出る検査である．

piano key sign は肩鎖関節脱臼や尺骨頭の亜脱臼や脱臼で生じる徴候である．尺骨を背側より押し込むと引っ込み，放すと元の位置に戻る．

●標準整形外科学．第 14 版．479-480, 490, 493, 497-498．

問 5-3-44

| 正解 | e | 末梢神経障害 |

末梢神経障害の評価に重要な検査として，2 点識別覚といわれ two-point discrimination（2PD）test（静止状態で測定する static 2PD と，動かして測定する moving 2PD がある）や特殊なモノフィラメントを用いる Semmes-Weistein monofilament test で定量評価が可能である．

神経断裂時には Tinel 徴候，絞扼性神経障害では Tinel 様徴候が障害部位の確定に有用である．

発汗テストは交感神経の評価に用いられる．

Allen テストは橈骨動脈，尺骨動脈の開存性を評価するテストであり末梢神経の評価ではない．

●標準整形外科学．第 14 版．479-483．

問 5-3-45

| 正解 | a, d, e | 手根管症候群 |

a．○　夜間就寝時や早朝に強いしびれや痛みが生じることがある．

b．×　骨間筋の萎縮は尺骨神経麻痺の所見である．手根管症候群では母指球筋の萎縮が生じる．

c．×　示指の屈曲障害は前骨間神経麻痺の所見である．

d．○　正中神経領域（母指，示指，中指，環指橈側）の感覚障害が生じる．

e．○　母指を掌側外転させる短母指外転筋の筋力低下が生じると，つまみ動作が困難になる．

●標準整形外科学．第 14 版．497-498．

問 5-3-46

| 正解　b　　血管柄付き組織移植 |

血管柄付き組織移植術はマイクロサージャリーを応用した再建術である．広背筋皮弁は肩甲骨を同時に血管柄付き骨移植として採取でき，広範囲骨，軟部組織欠損の再建に有用である．

wrap around flap は母指欠損の再建法で，骨移植を行い母趾皮弁で包み込む術式であり，機能的，整容的に優れている．

小児の血管柄付き腓骨皮弁採取には足関節の変形に注意が必要で，遠位脛腓関節の固定術が併用される．

成人例では腓骨皮弁採取後の合併症として長母趾屈筋 FHL の血行障害より claw toe 変形が生じることがある．

血管柄付き腓骨頭移植は関節軟骨を含めた移植が可能であり，橈骨遠位端や上腕骨近位端の再建に有用である．

●標準整形外科学．第14版．210-213．

問 5-3-47

| 正解　b，d　　切断指再接着術の術後管理 |

術後管理として必ず守るべきものとして，吻合血管攣縮予防のため疼痛や機械的刺激・寒冷刺激を避けることや，禁煙・カフェイン摂取の禁止などがある．

動脈還流障害では蒼白となり，静脈環流障害では暗赤色となる．

●標準整形外科学．第14版．209．

問 5-3-48

| 正解　e　　切断指の保存法 |

血管内膜を損傷するのでアルコール消毒は禁忌である．

切断指は冷却（0～4℃）すれば12～24時間は再接着可能である．氷に直接組織が接すると凍結により組織障害をきたすため直接接触しないようにする．ドライアイス（-79℃で昇華）は組織障害をきたすため使用してはならない．

断端からの出血はほとんどの場合，ガーゼによる圧迫のみで止血することが可能である．出血部より近位を動脈圧以下の圧力で緊縛すると，かえって出血量を増す．

切断端に生理食塩水ガーゼを当てビニール袋で包み，これを氷水で冷却保存する．切断指を直接水に浸すと血管内膜の障害や皮膚の軟化を生じるため避ける．

●整形外科クルズス．第4版．183-185．
●神中整形外科学．改訂23版．下巻．598-600．
●標準整形外科学．第14版．207-208．

問 5-3-49

| 正解　a，c，d　　上肢における切断肢・指再接着術 |

上腕，前腕，手関節，手掌部の切断は機能的障害が大きいため，可能な限り再接着を試みるべきである．

手関節部から手掌部は腱の癒着が少ない場所であるため，再接着により良好な機能が得られる．

母指の対立機能が消失すると手全体の機能が高度に障害されるため母指切断では中手骨から末節レベルまで可能な限り再接着を試みるべきである．また，安定したつまみ動作獲得のためには，最低限2本の対向指が必要である．

小児の切断指再接着では，感覚回復がよく良好な機能回復が期待できる．

●斎藤英彦ほか編．手外科診療ハンドブック．第2版．南江堂，2014：221-223．

問 5-3-50

| 正解 d | 再接着中毒症 |

　再接着中毒症(replantation toxemia)とは，虚血時間の長い切断肢再接着の際に，壊死筋からの代謝産物が体循環に入り，ショックを含む全身状態への悪影響を生じることである．具体的には再接着術直後の高カリウム血症による心停止，乳酸などの代謝産物による代謝性アシドーシス，ミオグロビン血症による腎不全などを生じる．指切断では筋組織を含まないため再接着中毒症は生じない．

　術中ヘパリン全身投与は再接着中毒症の発症予防にはならない．

- 整形外科クルズス．第4版．185.
- 標準整形外科学．第14版．208-209.

問 5-4-1

| 正解　a, e | 透析，破壊性脊椎関節症 |

　破壊性脊椎関節症(destructive spondyloarthropathy：DSA)は，1984年にKuntzらが最初に報告した透析患者の脊椎病変で，椎間板腔の狭小化，椎体終板の破壊像，骨棘を伴わないことを特徴とする．

　頸椎と腰椎によくみられ，時にすべりを伴うこともある．頸部痛などの軽い症状を訴える患者がほとんどであるが，破壊性変化が進行すると脊髄圧迫症状を呈し手術を要する場合もある．

　脊椎変化の発生頻度と透析期間との間には相関がみられ，透析10年を超えた頃から発生頻度が増える．透析患者の二次性上皮小体機能亢進症にみられる脊椎変化はラグビーユニフォーム様変化(rugger jersey spine)であり，手指骨の骨膜下骨吸収像とともによくみられる所見である．

- Kuntz D et al. Arthritis Rheum 1984；27：369-374.
- 越川昭三編．透析療法における合併症．医薬ジャーナル社．1994：430-434.
- 黒川清監．透析骨病変―新しい考え方．日本メディカルセンター．1999：106-107.

問 5-4-2

| 正解　a, c, d | 黄色靱帯石灰化 |

　高齢の女性に好発する．

　発生部位はC5/C6，C4/C5の下位頸椎に多く報告されている．石灰化物質としてはハイドロキシアパタイト(HA)とピロリン酸カルシウム(CPPD)が報告されており，頻度的には両者はほぼ同数である．また，この2種の混在した例も報告されている．

　本症には他部位の石灰化を合併する例が比較的多く，膝関節半月の石灰化は34％の高率で認められ，その他，肩関節，肘関節，手関節や股関節臼蓋唇などの報告が散見されている．日本での報告は100例を超えているが，欧米での報告は数例と少ない．

　脊柱靱帯骨化の合併の報告は少ない．

- 葛岡達司ほか．整・災外 1992；35：613-616.
- 川原林顯昌ほか．整・災外 1990；33：371-377.

問 5-4-3

| 正解　a, b, d | 上位頸椎の機能解剖 |

　後頭骨と環椎間の最大の運動は前後屈であり，回旋，側屈がこれに次ぐ．

　頸部の運動性では頭部の回旋運動の約50％以上がC1～C2間で行われているといわれ，屈曲運動の40％も同部で行われている．

　環椎横靱帯は環軸椎間の安定性にもっとも重

要な靱帯である．翼状靱帯は軸椎歯突起先端の安定性に寄与している．

後頭骨と環椎間，環椎と軸椎には椎間孔がなく，C1神経は後頭骨と環椎後弓間から，C2神経は環椎後弓の間から出るので，関節リウマチなどの環軸関節亜脱臼では障害を受け後頭部痛が起こりやすい．

環軸椎間の正中環軸関節は，環椎前弓と歯突起前方との間の前環軸関節と，歯突起後面と環椎横靱帯との間の靱帯歯突起間関節で構成されている．

● 標準整形外科．第14版．505-509．

問5-4-4

| 正解　a，d　　関節リウマチの頚椎病変 |

関節リウマチの頚椎病変として環軸関節亜脱臼(atlantoaxial subluxation：AAS)，環軸関節の垂直脱臼(vertical subluxation：VS)，軸椎下亜脱臼(subaxial subluxation：SAS)が起こるが，上位頚椎病変が先行する．

これらの発生頻度に関しては，病型により異なるといわれており，ムチランス型では高頻度であるが，少関節型ではAASの発生が39％であったと報告されている(藤原, 1995)．またNevaら(J Rheumatol 2000；27：90-93)の103例20年のフォローアップの報告では，AASが23％，SASが19％，環軸関節癒合が26％であったと報告されている．X線学的進行と神経症状の進行は一致しないとの報告が多いが，環椎歯突起間距離(atlantodental interval：ADI)が10 mm以上になると35％に神経症状が増悪したとの報告がある(Boden et al, 1993)．

AASの発生頻度は生物学的製剤の使用により減少する傾向である．

● 神中整形外科．改訂23版．下巻．309-313．
● 標準整形外科．第14版．529-532．

問5-4-5

| 正解　d　　透析性脊椎病変 |

長期透析患者における脊椎病変は，透析脊椎症と呼ばれ，骨カルシウム代謝異常による腎性骨異栄養症と透析アミロイド症に大別される．

二次性の上皮小体機能亢進により線維性骨炎が生じると，椎体上下縁部は骨硬化像を，中央部は骨萎縮像を呈し，rugger jersey appearanceと呼ばれるX線所見を示す．

歯突起周囲には，軟部増殖性病変(偽腫瘍)が生じる．

破壊性脊椎関節症の特徴は，骨棘を伴わない椎体終板の不整，侵蝕像である．

脊椎靱帯付着部の非特異的炎症と反応性骨形成は，強直性脊椎炎にみられる所見であり，透析との関係はない．

後縦靱帯と黄色靱帯には，アミロイドが沈着し肥厚する．

● 神中整形外科．改訂23版．下巻．313-318．

問5-4-6

| 正解　b，d　　筋萎縮の神経学的診断 |

平山病(若年性一側上肢筋萎縮症)では，前腕尺側と手に筋萎縮がみられる．

頚椎症性筋萎縮症(Keegan型頚椎症)には，筋萎縮が近位あるいは遠位に限局するものとその両方に及ぶものがあるが，感覚障害はほとんどないのが特徴である．近位型では，主にC5, C6頚髄節支配である三角筋と上腕二頭筋に筋萎縮が生じる．

胸郭出口症候群では，主にC8神経根，T1神経根が障害されるため，肩周囲に筋萎縮が生じることは少ない．

C4/C5椎間高位の椎間板ヘルニアでは，C5神経根が障害され三角筋と上腕二頭筋に筋萎縮

が生じる.

C6/C7椎間高位の椎間板ヘルニアではC7神経根障害が生じるが,肩周囲に筋萎縮が生じることはない.

- 標準整形外科学. 第14版. 522-527, 870-871.
- 亀山隆. 脊椎脊髄 2002;15:513-520.

問 5-4-7

| 正解 b, c Keegan型頚椎症,上肢の筋萎縮 |

Keegan型の筋萎縮,すなわち頚椎症性筋萎縮の初期症状は比較的急性である.

筋萎縮は近位型が圧倒的に多く,片側に限局していることが多い.

また疼痛や感覚障害や下肢の腱反射の亢進を伴うことは少ない.

筋萎縮性側索硬化症による筋萎縮は上肢の遠位筋に多く,両側性が多い.

- 標準整形外科学. 第14版. 525-527.

問 5-4-8

| 正解 b, c, d Klippel-Feil症候群 |

Klippel-Feil症候群は,1921年にKlippelとFeilが記載した先天性頚椎癒合であり,短頚,項部頭髪の生え際の低位,頚椎運動制限を3主徴とする.しかし,3主徴のすべてが認められる症例は,全症例の50%未満である.

- 標準整形外科学. 第14版. 521.

問 5-4-9

| 正解 b, c, e 頭頚移行部(craniovertebral junction)の先天異常 |

Chiari奇形は後脳部が脊柱管に落ち込んでいる形態異常で,脊髄空洞症が特徴的である.

手の鏡像運動は一側手指の運動が対側にも同様にみられる症状で,Klippel-Feil症候群の特に小児期に多くみられる.

歯突起骨(os odontoideum)は軸椎の基部で関節様に不安定であるため,環椎と歯突起は一体として可動する場合があり,環椎前弓後面と歯突起前面との距離よりは,軸椎椎体後面と環椎後弓前面との距離(脊髄余裕空間,space available for the spinal cord:SAC)が,臨床的に価値がある.

頭蓋底陥入(basilar impression)やChiari奇形など後頭蓋窩の病変では,下方注視時に垂直眼振(down-beat nystagmus)が有名である.

- Herkowitz HN et al(ed). Rothman-Simeone, the Spine. 4th ed. WB Saunders, 1999:221-276.
- 広瀬源二郎. 脊椎脊髄 1989;2:793-797.

問 5-4-10

| 正解 e 歯突起骨 |

発生学的に歯突起は3つの骨核から形成される.2つの側方骨核と1つの尖端骨核である.尖端骨核の骨癒合不全は終末小骨(ossiculum terminale)と呼ばれる.

今まで,歯突起と軸椎椎体との癒合不全が歯突起骨(os odontoideum)と考えられてきた.

しかし小児期に気づかれなかった外傷による歯突起基部骨折後の骨癒合不全と考えられるものが少なくないことがわかった.

新鮮骨折との鑑別は,分離部がなめらかで丸みを帯びていることから判断する.

- 山内裕雄ほか編. 今日の整形外科治療指針. 医学書院,1987:261.
- 松野誠夫編. 新臨床整形外科全書第5巻A. 脊椎(胸椎・腰椎). 金原出版,1984:4-5.

問 5-4-11

| 正解 a, b, c | 脊椎の発生・発育 |

　脊椎・脊髄の形成は胎生3週頃より始まり，脊椎骨は中胚葉性組織から，脊髄は外胚葉性組織から形成される．環椎では，胎生8週目に左右に対をなして一次骨核が出現し，側塊を形成するとともに後方に伸びて後弓を形成する．

　生下時，後弓は左右癒合しておらず間隙が存在するが，4歳までには完全に癒合する．

　歯突起は，C7原基から発生するので，歯突起と軸椎椎体との間には軟骨板がみられる．この軟骨板は乳児期に認められるが，5～11歳で狭くなり閉鎖する．

　頚部脊柱管前後径は，5～6歳頃まで急速に増加するが，その後，成人するまで増加率はわずかである．

　椎体の横径の成長は，主に膜性骨化により行われる．

- 酒匂崇編．頚椎外科．金原出版，1989：119-122．
- 神中整形外科学．改訂23版，下巻．62-65．

問 5-4-12

| 正解 b, e | 上位頚椎の解剖 |

　環椎には横突起が存在する．

　横靱帯は歯突起を背側からおおう靱帯である．

　後頭環椎間と環軸椎間には黄色靱帯は存在せず，薄い後環椎後頭膜と環椎軸椎膜が存在する．

　頚長筋は，環椎前弓前結節に付着する．

　後縦靱帯は歯突起後面で蓋膜から移行し，椎体後面を縦走する．

- Hoppenfeld Sほか．辻陽雄ほか監訳．整形外科医のための手術解剖学図説．原書第5版．南江堂，2018：336-341．

問 5-4-13

| 正解 c, d, e | 頚椎の可動域 |

　環椎後頭関節の可動域は，前後屈が約25°，一方向側屈が約5°，一方向回旋が約5°であり，前後屈運動がもっとも大きく，側屈運動と回旋運動は小さい．

　環軸関節の可動域は，前後屈が約20°，一方向側屈が約5°，一方向回旋が約40°であり，回旋運動がもっとも大きく，側屈運動がもっとも小さい．

　C5/C6頚椎間高位の可動域は，前後屈が約20°，一方向側屈が約8°，一方向回旋が約7°であり，側屈運動・回旋運動に比べ，前後屈運動が大きい．

- White AA et al. Clinical Biomechanics of the Spine. 2nd ed. Lippincott Williams & Wilkins, 1990：92-102．
- 神中整形外科学．改訂23版，下巻．41-42．

問 5-4-14

| 正解 a, c, e | C6神経根障害の神経学的所見 |

　C5/C6椎間高位で脊柱管内外側に脱出した椎間板ヘルニアは，C6神経根を障害する．

　C6神経根障害では，腕橈骨筋腱反射は低下し，手関節背屈力と肘関節屈曲力は低下する．

　感覚障害は，前腕橈側から母指，示指に生じる．

- 標準整形外科学．第14版．509-511．

問 5-4-15

| 正解 b, d, e | しびれの神経学的診断 |

　環指と小指の感覚支配神経根はC8神経根であり，C7/T1椎間高位の骨棘にて障害される．

　手根管症候群は正中神経の麻痺であり，しび

れは中指，次いで示指に多い．

肘部管症候群では尺骨神経障害により，環指と小指に限局したしびれを訴える．

胸郭出口症候群では主にC8神経根，T1神経根が障害されやすいため，環指と小指にしびれを訴えることが多い．

- 標準整形外科学．第14版．509-510.
- 長谷川修．脊椎脊髄 2002；15：451-454.

問 5-4-16

| 正解 | b, d, e | 頸髄症の神経学的診断 |

C5/C6椎間高位の脊髄症では，C7髄節以下の障害が生じる．

上腕三頭筋腱反射低下は85%に，上腕三頭筋筋力低下は79%に，前腕尺側の感覚低下は96%にみられると報告されている．

- 標準整形外科学．第14版．509-512.
- 国分正一．脊椎脊髄 2002；15：445-450.

問 5-4-17

| 正解 | c | 頸椎のX線学的診断 |

McGregor法とは，硬口蓋後縁と後頭骨外板最下縁を結ぶ線と歯突起先端との距離を測定する方法であり，頭蓋底陥入症の診断に用いる．

環椎歯突起間距離（atlantodental interval：ADI）は，小児では5mm未満，成人では3mm未満が正常であり，環軸関節脱臼の診断に用いられる．

日本人の脊柱管前後径の平均値は，C5高位にて男性約17mm，女性約16mmである．

後咽頭腔幅は，軸椎椎体下縁と後咽頭後壁の距離であり，C6椎体前下縁と気管後壁との距離は気管後腔幅である．いずれも，頸椎前方に膿瘍や血腫が存在すると増加する．

後縦靱帯骨化は連続型，分節型，混合型，その他の4型に分類される．

- 神中整形外科学．改訂23版．下巻．65-69, 291-301, 311.
- 肥後勝．日整会誌 1987；61：455-465.
- Wholey MH. Radiology 1958；71：350-356.

問 5-4-18

| 正解 | b | 先天性筋性斜頸 |

先天性筋性斜頸では，頭部は患側（胸鎖乳突筋に腫瘤を認める側）へ側屈し，顔面は健側（患側の反対側）に向けて回旋している．

- 標準整形外科学．第14版．517.

問 5-4-19

| 正解 | b, c | Down症候群 |

Down症候群では，10〜30%の頻度で環軸関節亜脱臼を合併する．その原因として，染色体異常に起因する歯突起の形態異常や全身の関節靱帯弛緩の1つとしての横靱帯弛緩が挙げられている．

Down症候群の6%に歯突起骨（os odontoideum）などの歯突起の形態異常を合併する．歯突起骨は，その他にMorquio症候群，骨端異形成症などにしばしば合併してみられる．

- 酒匂崇編．頸椎外科．金原出版，1989：113, 123-127.
- Kricun ME（ed）. Imaging Modalities in Spinal Disorders. WB Saunders, 1988：174-175.

問 5-4-20

| 正解 | c, d, e | 脊髄空洞症 |

脊髄空洞症を生じる基礎疾患としては，先天性疾患では，Chiari奇形，水頭症（hydrocephalus），後天性疾患では，脊髄損傷，脊髄腫瘍，癒着性くも膜炎，側弯症，脊髄動静脈奇形，圧迫性脊髄症などが挙げられる．

- 標準整形外科学. 第 14 版. 533.

問 5-4-21

| 正解　c, e　　頚椎後縦靱帯骨化症 |

男性の発症頻度は女性の約 2 倍である.
中年(50 歳前後)での発症がもっとも多い.
本症の発生に遺伝的背景が関係していることは, 家系調査, 双生児調査, 遺伝子解析の結果から示唆される.
頚椎単純 X 線側面像を用いた疫学調査によれば, 日本人の単純 X 線における頚椎後縦靱帯骨化の発生頻度は 1.9〜4.3％であり, 約 3％とする報告が多い.
本症の患者は健常者（非骨化例）に比べて耐糖能異常（糖尿病）の合併が多い.

- 神中整形外科学. 改訂 23 版, 下巻. 291-292.
- 標準整形外科学. 第 14 版. 527-528.
- 日本整形外科学会ほか監. 脊柱靱帯骨化症診療ガイドライン 2019. 南江堂, 2019：15-17.

問 5-4-22

| 正解　c, d　　頚椎症性脊髄症, 筋萎縮性側索硬化症 |

筋萎縮性側索硬化症（amyotrophic lateral sclerosis：ALS）は中年以降に筋力低下と筋萎縮にて発症し, 構音障害や嚥下障害, 舌筋の麻痺と萎縮, 線維束攣縮（fasciculation）がみられるが, 感覚障害や膀胱直腸障害はない.
Babinski 反射は約 30％で陽性であり, 鑑別には有用とはいえない.

- 寺尾心一. 脊椎脊髄 2002；15：455-458.
- 標準整形外科学. 第 14 版. 525-527.

問 5-4-23

| 正解　c, d, e　　脊柱靱帯骨化症 |

脊柱靱帯骨化症は白人や黒人にはほとんどみられない.
黄色靱帯石灰化症は頚椎に多くみられ, 通常骨化することはない.
後縦靱帯骨化症, 黄色靱帯骨化症は厚生労働省の難治性疾患に認定されている.
胸椎後縦靱帯骨化症は上・中位胸椎に, 胸椎黄色靱帯骨化症は上・下位胸椎に多い.
胸椎後縦靱帯骨化症は術後麻痺発生のリスクが高い. 頚椎と異なり後弯部位に病変が存在するため後方除圧の効果が得られにくいことが理由の 1 つであるが, その他, 嘴状の骨化形態が存在すること, 脊髄の易損性, 脊髄血行の問題, 前方除圧の手技的な難しさなどが原因と考えられる.

- 神中整形外科学. 改訂 23 版, 下巻. 291-303.
- 標準整形外科学. 第 14 版. 527-529, 550-551.

問 5-4-24

| 正解　c, d, e　　脊髄, 神経根 |

頚椎における椎間と髄節レベルの関係は, 一般的に C3/C4 が C5, C4/C5 が C6, C5/C6 が C7, C6/C7 が C8 に相当する.
脊髄円錐上部は解剖学的に T12 椎体高位に相当し, L4〜S2 髄節を含む. 同部は腰髄膨大部の中心を占めている.
脊髄円錐は L1 椎体高位に相当することが多く, S3 以下の髄節を含んでいる.

問 5-4-25

| 正解　b　　頚髄損傷の移動機能 |

C5 髄節支配の筋群には三角筋・上腕二頭

筋・上腕筋があり，主に肩関節屈曲・外転・伸展と肘関節屈曲・回外の機能に関与している．C5損傷では，それ以下の頸髄節支配筋の機能が消失している．

　この損傷レベルでは，ノブ付きのハンドリムを必要とするが，平地での車椅子駆動が可能となる．実際には前腕中部から遠位の掌側部を，肩関節屈曲と肩甲骨外転によりハンドリムにこすりつけるようにして駆動する．そのために車椅子グローブは前腕までをカバーする形状で，ハンドリムと接する部分はゴム素材を用いる必要がある．

　電動車椅子の操作は，C4損傷でも可能性が高い．C5損傷の電動車椅子操作では，コの字型のジョイスティックで手を固定して，肘関節の屈曲や肩関節の動きを利用する．

　ベッドと車椅子の移乗動作や床上のいざりは，C6まで機能残存していることが必要である．

　自動車運転も同様であるが，特殊装置と改造が必要になる．

　長下肢装具下の松葉杖歩行は不可能である．

　なお，頸髄損傷による四肢麻痺の上肢機能を細かく分類したZancolli分類があり，C5損傷では腕橈骨筋の機能の残存程度によりAとBに分けられている．

- 標準整形外科．第14版．844-846．
- 二瓶隆一ほか編．頸髄損傷のリハビリテーション．第2版．協同医書出版社，2006：121-147．

問 5-4-26

| 正解 | b | 環軸関節回旋位固定 |

　環軸関節の回旋で互いの関節面の接触が失われ嵌頓した状態が回旋脱臼で，互いの関節面の接触は一部保ちつつも生理的運動範囲内の回旋（亜脱臼）で固定された状態を回旋位固定と呼ぶ．Fielding分類が多用されるが，type III，type IVは脱臼している場合が多い．

　臨床症状は持続性の斜頸位（いわゆるcock robin position）をとり，矯正しようとすると頸部痛を訴える．

　軽微な外傷や上気道感染によって引き起こされる場合が多く，早期に整復しないと靱帯や関節包の拘縮をきたし，ますます整復困難となる．

　治療としてはFielding分類type Iの場合，消炎鎮痛薬の投与でほとんどの症例は自然治癒する．整復されない場合は，介達牽引や局所麻酔薬による環軸関節のブロックをすると大抵は整復される．

　Fielding分類type II～IVでは，頭蓋直達牽引による整復が必要となる場合が多く，整復されても翼状靱帯，横靱帯が断裂している可能性もあり，環軸関節の不安定性を後遺することがある．整復困難例や整復されても維持が困難な場合，手術療法が選択される．

- 片岡治ほか監．上位頸椎の臨床．南江堂，2000：163-166．
- 神中整形外科．改訂23版．下巻．216-217．

問 5-4-27

| 正解 | c, e | 脊髄損傷 |

　仙髄領域はもっとも損傷を受けにくく，仙髄領域障害回避（sacral sparing）という．脊髄損傷患者の診察では，この所見は極めて重要である．脊髄ショックにおいては，損傷高位以下のすべての脊髄反射は消失する．

- 神中整形外科．改訂23版．下巻．244-247．

問 5-4-28

| 正解 | a | 頸髄損傷，全身症状 |

　T5高位より頭側の脊髄損傷では交感神経が

遮断されるが，副交感神経は遮断を免れ，相対的に副交感神経は優位の状態に陥る．

この結果，徐脈と血管緊張低下による低血圧をきたし，気道の分泌は亢進する．C3またはそれより高位の損傷では，横隔膜が麻痺し自発呼吸は著明に障害される．

下位頚髄損傷では横隔膜神経は損傷から免れているが，肋間筋と腹筋の麻痺によって換気量は低下し，奇異性呼吸（吸気時に胸郭はしぼみ，腹部は膨れる）を呈する．

胃腸管の蠕動運動は障害され麻痺性イレウスをきたす．

膀胱と尿道およびその括約筋は仙髄を反射中枢（S2, S3, S4）とする骨盤自律神経と陰部神経の支配を受けて，それぞれ排尿筋反射，括約筋反射を起こす仕組みになっている．脊髄が損傷されると，排尿筋反射を起こす仙髄と生理的な排尿をつかさどる脳幹部および排尿を随意的にコントロールする大脳とを結ぶ神経伝導路が遮断され，排尿障害をきたす．

● 神中整形外科学．改訂23版．下巻．244-247．

問 5-4-29

| 正解　a | Brown-Séquard 症候群 |

脊髄半側損傷はナイフなどの鋭利な刃物による脊髄の半側の刺創で生じる．

脊髄損傷側の深部感覚と運動障害，対側の温痛覚障害を呈する．後索は深部感覚の上行路で脊髄非交叉性である．皮質脊髄路（錐体路）は随意運動の下行路で脊髄非交叉性である．脊髄視床路は温痛覚の上行路で脊髄交叉性である．

● 標準整形外科学．第14版．847．

問 5-4-30

| 正解　b | 頚椎術後合併症 |

日本国内外の文献のsystematic reviewがあり，施設間で差があるものの，平均発生率は4.6％である．

麻痺発生前に頚部から肩の痛みを訴えることが多いので，発生メカニズムについては，神経根障害説と思われがちであるが，神経根障害説か脊髄障害説であるかは，まだ結論は出ていない．

前方除圧固定後に4.3％（1.6〜12.1％），椎弓形成術後に4.7％（0〜30％）の発生率であり，前方法と後方法で有意な差はない．

また椎弓形成術では片側拡大で5.3％，正中拡大で4.3％であり発生率に差はない．

C5麻痺は，少なからず遺残する症例もあるが，一般的には予後はよい．

● 日本整形外科学会ほか監．頚椎症性脊髄症診療ガイドライン2015．第2版．南江堂．2015：71．
● Sakaura H et al. Spine 2003；28：2447-2451．

問 5-4-31

| 正解　d | 先天性筋性斜頚の治療 |

マッサージや徒手矯正は行うべきではなく，むしろ数カ月間は待機すべきである．本症の90％は自然治癒する．

1年6カ月以上経過してもなお胸鎖乳突筋の短縮とともに硬く拘縮した索状物を触れるときは，将来の顔面非対称，頭蓋の変形予防の点より早期に手術療法の適応となる．

● 標準整形外科学．第14版．517．

問 5-4-32

| 正解　b, d, e　頚椎後縦靭帯骨化症の手術適応, 自然経過 |

骨化があっても症状がなければ除圧術の適応とはならない.

初診時に頚髄症を認めなかった症例の70%は, 20年後にも頚髄症を発症しないと報告されている. また, 頚髄症例の75%は, その後6年間症状が進行しなかったとの報告がある.

骨化の大きさと頚髄症の重症度は必ずしも比例しない.

転倒などの軽微な外傷を契機として発症することもあるが, 大部分は自然発症である.

本症は厚生労働省指定難病の1つである.

- 標準整形外科学. 第14版. 527-529.
- 神中整形外科学. 改訂23版, 下巻. 297-301.

問 5-4-33

| 正解　e　頚椎症性脊髄症 |

軽症例には, まず保存療法が勧められ, 特に高齢者では保存療法が選択されることが多い.

一方, 青壮年では機能障害が軽くとも手術を勧める場合が少なくない.

手の巧緻運動障害や歩行障害などの脊髄症状があり, 進行性であれば手術適応とされてきている.

高齢者の手術適応については諸説あり, 高齢者の手術成績は若年者に劣るという報告と積極的に手術を勧める報告とがある.

装具装着期間の短縮で可動域制限を減少させ, 軸性疼痛を軽減させる可能性はあり, 後弯変形の予防にも有効であるという報告もあるが, まだ十分なエビデンスが得られておらず, 現状では, 予後が変わるとはいえない.

- 日本整形外科学会ほか監. 頚椎症性脊髄症診療ガイドライン 2015. 第2版, 南江堂. 2015:58-60, 69-70.

問 5-4-34

| 正解　a　頚椎後縦靭帯骨化症 |

a. × 男性が女性よりも約2倍多い.
b〜e. ○

- 標準整形外科学. 第14版. 527-529.

問 5-4-35

| 正解　b　脊髄症 |

a. ○
b. × 三角筋の筋力は C5 レベルの筋力である. C4/5 レベルの頚髄症であれば C6 髄節以下の症状が出現するので, C5 レベルの筋力である三角筋の筋力は低下しない.
c. ○ 上腕三頭筋反射は C7 レベルの反射である. C4/5 レベルの頚髄症であれば C6 髄節以下の症状が出現するので, C7 レベルの反射である上腕三頭筋反射は亢進する.
d. ○ 指を伸展位で閉じるように指示しても, 小指と環指が閉じない兆候で, 頚髄症でみられる.
e. ○ 手指屈筋反射で深部反射の亢進状態を表している.

- 標準整形外科学. 第14版. 510-512.

問 5-4-36

| 正解　e　関節リウマチ, 環軸関節亜脱臼 |

a〜d. ○
e. × 環軸関節亜脱臼のみ認めれば環軸関節固定術が推奨される.

- 標準整形外科学. 第14版. 529-531.

問 5-4-37

| 正解　a，b，e　　上位頚椎病変 |

a．○　関節リウマチ患者では歯突起周囲の滑膜炎の結果，横靱帯の断裂により発症する．
b．○　小児に多く咽頭，扁桃などの上気道感染症や外傷が原因で起こる．
c．×　Klippel-Feil 症候群，環椎二分脊椎，頭蓋底陥入症に合併することがある．
d．×　しばしば脊髄空洞症を合併する．後縦靱帯骨化症との関連はない．
e．○　Down 症候群，Morquio 症候群，Klippel-Feil 症候群などに合併することがある．

●標準整形外科学．第 14 版．520-522, 532-533．

問 5-4-38

| 正解　a，d，e　　Brown-Séquard 症候群 |

a．○　側索の外側皮質脊髄路の障害により脊髄障害側と同側の運動麻痺が生じる．
b．×　温痛覚は反対側前脊髄視床路を上行するため，脊髄障害と対側が障害される．
c．×　b に同じ．
d．○　脊髄内で深部知覚（触覚，圧覚）は同側の後索や後側索を上行するため，脊髄障害側と同側が障害される．
e．○　d に同じ．

●標準整形外科学．第 14 版．523．

問 5-4-39

| 正解　a，c　　C4/C5 高位椎間板ヘルニア，神経根障害 |

C4/C5 高位椎間板ヘルニアによる椎間孔部狭窄では C5 神経根障害が生じる．C5 神経根領域の上腕二頭筋腱反射の低下，三角筋，上腕二頭筋の筋力低下，上腕外側の感覚障害が生じることが多い．

●標準整形外科学．第 14 版．512．

問 5-4-40

| 正解　a，d　　脊柱靱帯骨化症 |

脊柱靱帯骨化症の病因は不明であるが，これまで糖代謝異常や肥満，低リン血症性くる病との関連が指摘されている．
　一方，悪性腫瘍，気管支喘息，鉄欠乏性貧血と関連するとの報告はない．

●標準整形外科学．第 14 版．527．

問 5-4-41

| 正解　a，c，e　　破壊性脊椎関節症 |

a．○
b．×　HLA-B27 陽性率が高いのは強直性脊椎炎である．
c．○　透析技術の進歩や透析膜の改良により，発生頻度は低下している．
d．×　リウマチ因子が陽性となるのは関節リウマチである．
e．○

●標準整形外科学．第 14 版．531-532．

問 5-4-42

| 正解　b，c，e　　関節リウマチ |

a．×　歯突起骨は Down 症候群などに合併することが多い．
b．○
c．○
d．×　びまん性特発性骨増殖症（DISH）でみられることが多い．
e．○

●標準整形外科学．第 14 版．531．

問 5-5-1

正解 c, d, e　骨粗鬆症性椎体骨折

　Kummell 病として知られている軽微な外傷後の遅発性椎体圧潰は，多くの場合，骨粗鬆症を基盤に有する椎体偽関節であり，middle column の損傷や後弯変形をきたし麻痺を呈する場合もある．
　また，単純 X 線像上認められる椎体内 vacuum phenomenon は，椎体内不安定性を示す重要な所見である．

●岸本英彰ほか．整・災外 1999；42：1097-1105．

問 5-5-2

正解 d　胸肋鎖骨肥厚症

　胸肋鎖骨肥厚症(sternocostoclavicular hyperostosis)は自己免疫性の慢性炎症性疾患で，病巣感染説やアレルギー説などがあり，原因不明の疾患である．最近では seronegative spondyloarthropathy の1つとして，リウマチ類縁疾患と推測されている．人種間の発生頻度に差があり，日本人に多く欧米人には少ない．
　掌蹠膿疱症，扁桃炎，仙腸関節炎を合併することが多い．
　病理組織学的には，小円形細胞浸潤と骨形成を伴う線維化像を示し，非特異的慢性炎症像を呈する．
　扁桃摘出術後に前胸部の疼痛，腫脹が軽快することがあり，病巣感染説を支持するものである．非ステロイド性抗炎症薬(NSAIDs)投与で症状はほぼ改善するが，頑固な疼痛が続くものには手術療法も考慮される．

●標準整形外科学．第14版．536．

問 5-5-3

正解 a, d, e　特発性側弯症

　本症の原因は不明であるが，家族内発生がみられ，発症に遺伝的要素が関与することは多くの調査で示されている．ただし特定の遺伝子異常や染色体異常は発見されていない．本症は変形そのものを主訴として来院するものが大半である．
　腰背部痛は青年期には問題とならず，中高年で脊椎の変性が加わって生ずるものが多い．初期はまったく無症状であり，変形に気づかれないことが多い．ここに側弯症の学校検診の意義がある．
　肺活量の低下は胸郭変形のためであり，側弯角90°以上では肺活量が半分近くに減少する．本症は先天性側弯症や神経線維腫症とは異なり，進行例でも脊髄障害をきたすことは極めてまれである．
　本症では胸椎側弯は右凸が多く，腰椎では左凸が多い．乳幼児特発性側弯症の胸椎側弯は左凸が多い．
　ダブルカーブでは左右バランスがよく，側弯角度のわりに変形が目立たない．

●神中整形外科学．改訂23版．下巻．119-147．

問 5-5-4

正解 e　(二次性)側弯症

　神経線維腫症は25％に側弯症を合併し，idiopathic type と dystrophic type に分類される．後者では椎体のホタテ貝様陥凹像(scalloping)や pencil rib 像がみられ，変形が高度となることが多く，脊髄麻痺の危険性も高い．
　Ehlers-Danlos 症候群はコラーゲンの異常による著しい関節弛緩があり，側弯症，反張膝，外反扁平足などを生ずる．

Marfan症候群では50%に側弯症を発症する．進行が速く，装具療法が無効な場合は早期の手術が推奨される．

骨形成不全症も側弯の合併が多く，20～80%にみられる．種々の形の扁平椎があり，装具療法は困難である．

血友病では繰り返す関節内出血により，関節症を引き起こす．筋肉内出血による一過性の疼痛性側弯や関節障害による代償性側弯が生ずることがあるが，上記の疾患に比べれば側弯症が問題となることは少ない．

● 神中整形外科学．改訂23版，下巻．158-160．

問5-5-5

| 正解　a，b，d　　特発性側弯症 |

特発性側弯症は日常臨床でもっともよくみられる構築性側弯であり，すべての側弯症の70～80%を占める．

本症は以下の3型に分けられる．
① 乳幼児側弯症：3歳未満の乳幼児の男子に多く，左凸側弯が多い．
② 若年性側弯症：3歳頃～10歳の間に発症し，性差がなく，左凸胸椎側弯が多く，急速に進行することが多い．
③ 思春期側弯症：11歳以上の思春期に発症する側弯症でもっとも多い．右凸胸椎側弯の頻度が高く，85%が女子である．

● 標準整形外科学．第14版．544-550．

問5-5-6

| 正解　a，c，d　　脊柱側弯症 |

脊柱側弯症では立位で背部を観察すると以下の所見がみられる．① 両肩の高さの左右差，② 肩甲骨が側弯凸側で突出（prominent scapula），③ ウエストラインの非対称，④ 側弯凸側背部の隆起［胸椎側弯では肋骨隆起（rib hump），腰椎では腰部隆起（lumbar hump）という］，⑤ 立位で正しく前屈させると側弯凸側の肋骨隆起が著明となり（Adams bending test），背部隆起の左右差が1.5 cm以上あれば，側弯を強く示唆する．

正中垂線（plumb line）：立位でC7棘突起から重錘を付けた紐を垂らし，この垂線と殿部正中裂との距離を計測する．側弯変形があれば左右どちらかに移動するが，二重カーブでお互いを代償すれば，やはり正中裂を通過する．バランスのよい側弯は正中を通過し，バランスの悪いものほど正中から離れる．

● 標準整形外科学．第14版．544-550．
● 神中整形外科学．改訂23版，下巻．117-165．

問5-5-7

| 正解　d，e　　脊柱側弯症 |

Nash & Moe法：椎体回旋度を椎弓根の位置で，0度（正常）から4度に分類している．

Cobb法：側弯角は，側弯の頂椎（apex vertebra）を挟む終椎（end vertebra）同士の上面と下面のなす角度である（終椎：弯曲の上端に位置し，傾斜がもっとも大きく，そして椎体の変形と回旋がない椎体．主たる弯曲の上端に位置する終椎を上位終椎，主たる弯曲の下端に位置する終椎を下位終椎という）．

Risser徴候：腸骨稜骨端核による骨年齢の評価法で0～5段階で評価する．骨盤単純X線正面像で腸骨稜を4等分し，外側1/4部からまず骨端核は出現し(1)［10～12歳］，15～16歳で内側まで伸び(4)，17～19歳で閉鎖する(5)．

Lenkeらは，冠状面，矢状面，横断面を考慮した分類を提唱した．カーブタイプは6タイプに分類され，さらに細分類として，腰椎細分類と胸椎矢状面細分類がある．

Mehta は，頂椎での椎体と肋骨のなす角度を左右で計測して，その差の rib vertebral angle difference（RVAD）が 20°以下では 80%が自然治癒群であるが，20°以上になると 80%が増悪群であると報告した．

- 標準整形外科．第 14 版．544-550．
- 神中整形外科．改訂 23 版，下巻．117-165．
- Lenke LG et al. J Bone Joint Surg 2001；83A：1169．

問 5-5-8

| 正解 a, b, d | 脊柱側弯症 |

a．○ 機能的側弯症では一般に椎体の回旋は伴わない．一方，構築性側弯症では回旋変形を伴うことが多い．
b．○ 疼痛性側弯は痛みがなくなれば消失する機能的側弯症である．
c．× 脳性麻痺に伴う側弯症は構築性側弯症に分類される．
d．○ 脚長差による側弯症は脚長差を補正すれば矯正される．
e．× 全側弯症の 70～80%が特発性側弯症であり，構築性側弯症の大多数も特発性側弯症である．

- 標準整形外科．第 14 版．544-549，921．

問 5-5-9

| 正解 a, c, e | 脊柱側弯症 |

a．○
b．× 腰椎椎間板ヘルニアの神経根緊張徴候である．
c．○
d．× 胸椎カーブの場合，肋骨隆起のある側が凸側である．
e．○

- 標準整形外科．第 14 版．546，559-560．

問 5-5-10

| 正解 c | 脊柱側弯症 |

a．○
b．○
c．× 椎体の二次骨核の障害によると考えられる若年性後弯症である．
d．○
e．○

- 標準整形外科．第 14 版．545，549．

問 5-5-11

| 正解 c, e | 特発性側弯症 |

a．○ 思春期特発性側弯症は 10 歳以降の思春期に発症する側弯症であり，もっとも多い．
b．○ 乳幼児特発性側弯症は，3 歳以下の乳幼児に発症するものをいう．男児に多い．
c．× 6 歳未満で発見された症例や 30°を超えた症例では側弯症が進行しやすい．
d．○ 多くは成長完了とともに進行は停止する．
e．× 思春期特発性側弯症は右凸胸椎カーブが多い．

- 標準整形外科．第 14 版．545．

問 5-5-12

| 正解 a, b | 胸椎椎間板ヘルニア |

a．× 下位胸椎部が好発部位である．
b．× 30 歳以降にみられる．40～60 歳が最多である．
c．○ 神経根が圧迫されて，肋間神経痛を呈することもある．
d．○ 画像診断は MRI が有用である．
e．○ 脊髄症状があれば，手術療法が適応となる．

問 5-6-1

| 正解 　a, e 　　脊椎疾患 |

変形性脊椎症においては，変性による椎間板狭小化は一般的にみられる特徴である．

変性側弯症では，椎間板腔の非対称性の狭小により側弯を呈して，腰痛や神経根性疼痛を惹起する．

化膿性脊椎炎は椎体終板血管叢に菌が引っかかることにより病巣を形成し，椎間板狭小化，軟骨下骨硬化像，骨破壊像，反応性骨橋などの所見を示す．

結核性脊椎炎は椎体終板下海綿骨に乾酪壊死性病巣を形成し，椎体内斑状透亮像，椎間板狭小化，椎体扁平化などの特徴を示す．

強直性脊椎炎は仙腸関節，脊椎椎間関節および周囲軟部組織の原因不明の慢性関節炎であり，仙腸関節の強直，椎体架橋化（竹様脊柱，bamboo spine）が特徴で椎間板腔の狭小化は少ない．

腰椎部において，加齢による椎間板変性を基盤に生じた Cobb 角 10°以上の側弯変形を腰椎変性側弯症という．

- 標準整形外科学．第 14 版．544-573.

問 5-6-2

| 正解 　b, c 　　脊柱起立筋 |

脊柱起立筋（erector spinae）は，棘筋群（頚棘筋，胸棘筋），最長筋群（頭・頚・胸最長筋），腸肋筋群（頚・胸・腰腸肋筋）に分けられる．

多裂筋は脊柱の背屈と回旋を担い，乳頭状突起に起始し上位の棘突起に停止する筋肉である．

腰方形筋は斜筋群に分類され腸骨稜に起始し第 12 肋骨と腰椎の横突起に停止する筋で，片側が働くと脊柱は側屈し，肋骨を引き下げ，後方に引く．

横突間筋は横突起に起始し上位の横突起に停止する筋で，脊柱の側屈に働く．

多裂筋は椎間関節の支配枝である脊髄神経後枝内側枝に支配され，脊柱起立筋は脊髄神経後枝外側枝に支配されている．

- 菊地臣一．腰痛．医学書院，2003：49.

問 5-6-3

| 正解 　a, b, d 　　腰椎椎間板ヘルニアの発生要因 |

環境因子は椎間板ヘルニア発生の要因である．労働と喫煙は要因として挙げられる．男性の場合の職業ドライバー，金属・機械業労働者はホワイトカラーに比べて発生リスクが高い．女性では，主婦がもっとも低かった．

スポーツの経験や種類との関連も検討されているが，明らかな関係は認められず，ヘルニアの発生を誘発するとも抑制するともいえない．

同一家系内に椎間板ヘルニアが多発する家族集積性が認められている．遺伝的要因の関与が指摘されており，特に若年者ではその傾向が強い．

人種差についての根拠のある報告はない．

- 日本整形外科学会診療ガイドライン委員会ほか編．腰椎椎間板ヘルニア診療ガイドライン 2005．南江堂，2005：11-13.
- 神中整形外科学．改訂 23 版．下巻．185-195.

問 5-6-4

| 正解 　c, d, e 　　腰椎椎間板ヘルニア |

MRI による追跡で，ヘルニア塊が自然に吸収

され，縮小あるいは消失する例があることがわかってきている．特に大きな脱出型，あるいは遊走型のヘルニアほど吸収されやすいとされている．

下肢伸展挙上(SLR)テストの程度は予後には無関係である．硬膜外ブロックや神経根ブロックは，腰椎椎間板ヘルニアの有力な保存療法の1つである．

10年経過すると手術療法と保存療法の成績には差がみられないとする報告があり，手術療法の適応については議論が分かれるところであるが，膀胱直腸障害や下垂足は一般的に手術療法の適応と考えられている．

- 神中整形外科学．改訂23版．下巻．185-195．
- 標準整形外科学．第14版．557-570．

問5-6-5

| 正解　d　腰椎椎間板ヘルニア，Trendelenburg歩行 |

Trendelenburg歩行は中殿筋麻痺により生じる．中殿筋の支配神経はL5神経根である．椎間板ヘルニアにより障害される神経根はヘルニア高位，脱出方向により決まる．L5神経根障害はL4/L5高位の後外側ヘルニアかL5/S1高位の椎間孔外ヘルニアにより生じる．

- 標準整形外科学．第14版．557-570，595-596．

問5-6-6

| 正解　a，b，e　腰椎椎間板ヘルニア |

MRI T1強調像はヘルニアの形態を把握するのに適しており，T2強調像は椎間板変性の程度を評価するのに適している．

急性馬尾症候群では，早期に除圧を行わない場合に不可逆性の膀胱直腸障害や下肢麻痺を残す可能性がある．

若年者のヘルニアによる緊張性ハムストリングス(tight hamstrings)は，手術療法で緩徐な術後改善を示す．

L4/L5椎間板ヘルニアでは，L5神経根が障害されるため母趾の背屈力が低下する．母趾の底屈力の低下をきたすのは，L5/S1椎間板ヘルニアによりS1神経根が障害された場合である．

L3/L4椎間板ヘルニアでは大腿神経を構成するL4神経根が障害されるため，大腿神経伸展テストが陽性となる．

- 神中整形外科学．改訂23版．下巻．187-191．
- 標準整形外科学．第14版．557-570．

問5-6-7

| 正解　b　外側型椎間板ヘルニア |

腰椎では，神経根は上下2つの高位の椎間板ヘルニアによって障害される可能性をもつ．つまり，硬膜から分岐して椎間孔へ向かう部位と，椎間孔を通過して脊柱管外へ出た部位である．前者の場合は，脊柱管内に膨隆する椎間板ヘルニアによって障害され，後者の場合は，その1つ尾側の椎間板から脊柱管の外側に膨隆するヘルニアによって障害される．つまり，L4/L5間の外側型椎間板ヘルニアでは，L4神経根が椎間孔もしくは椎間孔外で障害される．下肢の感覚は腰神経根によって定型化した支配を受けており，L4神経根の感覚支配領域は大腿遠位外側から膝前面および下腿内側にかけてである．したがって，この部位に感覚障害を認めた場合には，L3/L4間とL4/L5間の2つの高位の椎間板ヘルニアを考える必要がある．

- 神中整形外科学．改訂23版．下巻．187-189．
- 標準整形外科学．第14版．558．

問 5-6-8

| 正解　c, e　　椎間孔外ヘルニア |

通常の L5/S1 椎間板ヘルニアでは S1 神経根が障害されるので，アキレス腱反射の低下，腓腹筋筋力の低下，第 5 趾側の感覚異常が認められる．

しかし，同レベルの椎間孔外ヘルニア(extra-foraminal disc herniation)では L5 神経根が障害されるため，神経学的には通常の L4/L5 椎間板ヘルニアと同様に長母趾伸筋筋力の低下，母趾背側の感覚異常が認められる．

Babinski 反射は上位運動ニューロン障害で認められる病的反射である．

- 神中整形外科学. 改訂 23 版, 下巻. 187-189.
- 標準整形外科学. 第 14 版. 558.

問 5-6-9

| 正解　d　　脊髄係留症候群 |

脊髄係留症候群は出生時には正常なことが多く，多くは成長とともに緩徐に進行する．下肢痛や腰痛で発症することもある．

皮膚変化(皮膚陥凹，発毛，色素沈着，脂肪腫)，足部変形(内反足，外反足，凹足)，側弯，運動感覚障害，神経因性膀胱(失禁，夜尿)などがみられることも多い．

- 神中整形外科学. 改訂 23 版, 下巻. 324-325.

問 5-6-10

| 正解　d　　腰痛, 下肢痛 |

腰椎椎間板ヘルニアは 20〜40 歳台，次いで 10 歳台，50〜60 歳台の活動性の高い人にみられる傾向があり，男性に多い．

腰椎分離症は青少年の約 10% にみられ，スポーツ愛好家やスポーツ選手では，スポーツの種類によっても異なるが，25〜40% にも及ぶことがある．

変性腰椎すべり症は，中高齢者に多発するが，特に 45 歳以上の女性に多いのが特徴である．

強直性脊椎炎は 20 歳台の男性に好発する．

馬尾腫瘍は 30〜60 歳台に好発する．

- 標準整形外科学. 第 14 版. 552-589.

問 5-6-11

| 正解　a, c, e　　脊椎分離症 |

成長期脊椎分離症は，発症後早期に適切な保存療法を開始すれば分離部の骨癒合が十分可能である．したがって早期例の診断が重要である．発症年齢は 4〜20 歳に及び，14 歳を頂点として 12〜18 歳が多い．スポーツクラブに属している人がほとんどであり，その原因は椎弓の疲労骨折と考えられる．

臨床所見の特徴として，腰椎伸展時の疼痛と罹患椎の棘突起の圧痛が高頻度にみられる．

画像診断としては，MRI T1 強調像で分離部(椎弓の関節突起間部)が低信号変化を示し，T2 強調像で高信号変化を呈する．

CT での亀裂像は，MRI よりは遅れて発現する．

単純 X 線像では早期例の診断は困難である．

- 標準整形外科学. 第 14 版. 570-571.
- 吉田徹ほか. 整・災外 1996；39：819-827.

問 5-6-12

| 正解　a, c, d　　脊椎分離すべり症 |

脊椎の椎弓の関節突起間部に裂隙形成があるものを分離，さらに当該椎体が前方にすべっているものをすべりといい，これらの骨変化により症状が生じたものを脊椎分離症および分離すべり症という．

脊椎分離症の成因について，19世紀後半からいくつかの報告がなされ，当初は先天説が有力であったが，その後，後天的なものであると考えられるようになった．その原因は，関節突起間部に長時間にわたって加わる負荷(stress)による疲労骨折と考えられている．

一般人に分離症がみられる頻度は，日本で4.2～7.6％，外国で4.4～6.8％であり，家系内発生の頻度は19～32％である．

分離症は両側性が約80％を占めている．

分離症での椎間板ヘルニアの合併する頻度は約30～50％であり，分離すべり症では2～20％である．

- Rowe GG et al. J Bone Joint Surg 1953；35A：102-110.
- Newman PH. J Bone Joint Surg 1963；45B：39-59.
- 標準整形外科学. 第14版. 572.
- 太田秀雄. 日整会誌1967；41：931-941.
- 田中靖久ほか. MB Orthop 1997；11：7-15.

問 5-6-13

| 正解　a, d, e　　腰椎分離症，腰椎すべり症 |

分離部はコルセット装着などの保存療法で癒合が得られる場合がある．

高山によると，脊椎分離症の自然経過で約19％にすべり症への移行がみられるとしている．

また三村は，分離すべり症における正常およびヘルニア例に対する分離椎部での回旋不安定性の増大を観察した．一度脊椎分離が生ずると，当該椎および上下の椎間板，椎間関節に力学的な環境変化が生じる．

高橋らは，日本人骨標本で片側・両側分離にかかわらず，分離部直上の椎間関節に関節症性変化を認めたとしている．

また，椎弓分離部には線維性・軟骨性組織がみられることがある．

- 高山篤也. MB Orthop 1993；6：35-46.
- 三村雅也. 日整会誌1990；64：546-559.
- 高橋和久ほか. 臨整外1983；18：1137-1142.

問 5-6-14

| 正解　a, d, e　　腰椎機能解剖 |

胸椎で大きい脊柱長軸に関する回旋可動域(左右回旋)が胸腰椎移行部以下で大きく減じることは，運動学上の大きな特徴である．

全腰椎の可動域は前屈40°，後屈30°で，一般にL4/L5間の可動域がもっとも大きく，L5/S1間で小さい．

側屈は腰椎全体で20～30°であり，L3/L4間が最大で，L5/S1間では著しく小さい．腰仙椎で運動性・安定性がL4/L5以上と異なるのは腸腰靱帯の存在によると考えられている．

前縦靱帯は伸延力に強く抵抗し，後屈を制御する．

- 神中整形外科学. 改訂23版. 下巻. 47-48.

問 5-6-15

| 正解　b, e　　腰椎椎間板ヘルニア |

MRIによる追跡で，ヘルニア塊が自然吸収され，縮小あるいは消失する症例があることがわかっている．特に脱出型，あるいは分離脱出型では大きなヘルニアでも吸収されやすいとされている．

脱出型ヘルニアでは，硬膜外腔で周囲に肉芽が形成され，その肉芽に血管新生が多数認められ，その血管から遊走されたマクロファージの貪食作用などによって自然吸収が起こるのである．これがGd-DTPAでの造影効果のあるものに，高率な自然吸収が認められる理由と考えられている．

椎間板ヘルニアは局所の変性疾患であり，そ

の部位で広義の炎症反応が起こっていても，全身性の炎症反応の指標であるCRP値の上昇につながるわけではない．
- 標準整形外科学．第14版．557-563．

問5-6-16
| 正解 a, b, e 腰椎椎間板ヘルニア |

発症には不安，抑うつ，結婚などの精神的社会的側面も指摘されている．

腰椎椎間板ヘルニアの発生は男性に多く，好発年齢は20〜30歳台である．

発生高位は下位腰椎に多く，L4/L5, L5/S1, L3/L4椎間板の順である．

家族集積性(同一家系内に同じ疾患が多発すること)が認められている．

自然軽快することが多く，保存療法が主となる．
- 神中整形外科学．改訂23版，下巻．185-186．
- 標準整形外科学．第14版．557-563．

問5-6-17
| 正解 a, b 腰部脊柱管狭窄症 |

間欠跛行は馬尾型，神経根型，混合型の3つに分類される．

神経根の障害であるから深部反射は低下する．歩行にて出現する間欠跛行が本症の特徴であり，硬膜管への圧迫が減少する前屈にて軽快する．

ABI(ankle brachial index)は末梢動脈疾患との鑑別に有用であり，0.9以下で血管閉塞性病変が疑われる．

馬尾のredundancyが起こるのでLasègue徴候は陽性とはならないことが多い．

症状は安静にて軽快することが多いが，病状が進行すると下肢のしびれは安静時でも存在することが少なくない．
- 菊地臣一ほか．整形外科 1986；37：1429-1439．
- 標準整形外科学．第14版．287．

問5-6-18
| 正解 d 馬尾症状 |

腰椎分離症は腰痛や神経根刺激症状を呈する疾患で，分離すべり症となっても脊柱管狭窄を生じることは極めて少なく，一般的に馬尾症状を呈することはない．

他の疾患ではいずれも馬尾症状を呈する可能性がある．
- 神中整形外科学．改訂23版，下巻．185-209．

問5-6-19
| 正解 a, b, d 外傷後脊髄空洞症 |

外傷後脊髄空洞症は脊髄損傷後一定期間経過したのち，脊髄内に脳脊髄液が侵入し形成されるもので，損傷脊髄部での癒着によるくも膜下腔髄液灌流の障害が原因とされる．くも膜の癒着にて可動性を失った損傷脊髄近傍に髄液が侵入し，その入口部が一方弁を呈するため，髄液は脊髄内に貯留し拡大する．

多くの場合，疼痛およびしびれにて発症し，時間が経過すると痛覚低下，筋力低下，筋萎縮などの麻痺症状が出現してくる．発見が遅れ，歩行可能な対麻痺患者が重篤な四肢麻痺となることがある．障害を最小限にするためには，早期発見と早期治療が重要である．空洞による麻痺やしびれ，疼痛があり，これが進行中であれば早期に手術適応とすべきである．問題となるのは，空洞による症状がないか，あっても長期間症状の進行のみられない症例に対する手術適応である．外傷後空洞症の約60％の症例が緩徐進行すること，まれに急性増悪することがある

ので手術のタイミングを逸しないことが重要である.

手術はシャント術が行われる．シャント術には，主に空洞からくも膜下腔への短絡(syringo-subarachnoid shunt：S-S shunt)と，空洞から腹腔または胸腔への短絡(syringo-peritoneal shunt，または pleural shunt：S-P shunt)とがある．S-S shunt の適応はくも膜癒着が限局し，空洞の存在する高位に正常なくも膜下腔がある症例である．全脊髄にわたる広範なくも膜癒着のある場合は S-P shunt の適応となる．

●神中整形外科学．改訂 23 版．下巻．255-256.

問 5-6-20

| 正解 a, b, d 腰椎前方固定術，下肢血栓性静脈炎，逆行性射精，腹壁ヘルニア |

腰椎固定術は，後方固定術，後側方固定術，後方椎体間固定術などの後方法と，前方椎体間固定術(経腹膜法，腹膜外路法)に大別される．一般には後方法が行われることが多いが，前方椎体間固定術は除圧と確実な椎体間固定が得られる術式であり，後方法後の再手術例や化膿性椎間板炎や椎体炎，不安定性を呈する椎間板障害などに適応がある．しかし，他の術式と同様，施行に際しては合併症の可能性を認識する必要がある．

起こりうる合併症の中で，椎間板露出時の大静脈圧迫による下肢血栓性静脈炎，上下腹神経叢の障害による男性の逆行性射精，縫合不全による腹壁ヘルニアなどが問題となる．

副交感神経障害である勃起不全がみられることは少ない．

また交感神経幹障害による下肢発汗減少をみることもあるが，発汗過多となることはない．

●辻陽雄．基本腰椎外科手術書．第 3 版．南江堂，1996：282-285.

●高橋和久．臨整外 1999；34：796-797.

問 5-6-21

| 正解 e 発育性脊柱管狭窄 |

軟骨無形成症は，四肢短縮型小人症の代表的疾患で，軟骨成長障害により全脊柱管の前後径・横径が減少し，胸腰椎移行部後弯と腰椎前弯の増大と相まって脊柱管狭窄症の発症をみることが多い．

Marfan 症候群，神経線維腫症，骨形成不全症は，しばしば側弯症を合併するが，発育性脊柱管狭窄の原因とはならない．

●山本吉藏編．新図説臨床整形外科講座 10 巻．骨系統・代謝疾患．メジカルビュー社，1994：34-43.

問 5-6-22

| 正解 c 腰椎椎間板ヘルニア |

保存療法と手術療法とを比較した Weber の報告では，術後 1 年の患者満足度における良好例の比率は手術療法では 65%，保存療法では 36% であり，手術群が有意に優れていた．しかし 4 年後では手術群のほうがやや良好であるが有意差はなく，10 年後ではほぼ同等であり，長期的には手術療法と保存療法に差がなかった．最近の前向きコホート研究でも同様な結果が出ている．

若年者腰椎椎間板ヘルニア治療では，成人例と同様に保存療法が原則であるが，保存療法が奏効しない場合は手術すべきであり，その長期成績も良好である．

ヘルニア摘出術後の再手術率は 5 年後で 4〜15% である．同一椎間での再手術例を再発ヘルニアとすると，再発率は術後 1 年で約 1%，5 年で約 5% である．

腰椎椎間板ヘルニアの馬尾症候群はその

69％が急性発症であり，発症から48時間以後の手術では，それ以前の手術例に比べ感覚・運動障害や排尿障害はより多い頻度で残存する．

　固定術の併用に関しては厳密なRCT論文は認められず，その併用について一定の見解が得られていない．
- Weber H. Spine 1983；8：131-140.
- 日本整形外科学会ほか監．腰椎椎間板ヘルニア診療ガイドライン．第2版．南江堂，2011：63-92.

問 5-6-23

| 正解　b, e　　下垂足 |

a．× 脛骨神経麻痺では底屈障害が出る．

b．○ 総腓骨神経麻痺では前脛骨神経麻痺で下垂足になる．

c．× 糖尿病性神経障害は感覚神経障害が主症状である．

d．× L3/L4間の外側ヘルニアではL3神経根が障害されるので生じない．

e．○ L5/S1間の外側ヘルニアではL5神経根障害により下垂足になる．
- 標準整形外科学．第14版．557，560.

問 5-6-24

| 正解　e　　腰痛 |

Red flagsは以下である．
1）発症年齢が＜20歳または55歳＜
2）時間や活動性に関係ない腰痛
3）胸部痛
4）癌，ステロイド治療，HIV感染の既往
5）栄養不良
6）体重減少
7）広範囲に及ぶ神経症状
8）構築性脊柱変形
9）発熱

- 日本整形外科学会ほか監．腰痛診療ガイドライン．第2版．南江堂，2019：22，23，25.

問 5-6-25

| 正解　a, b, c　　発育期腰椎分離症 |

a．○ 両側性（80％）が片側性（20％）より多い．

b．○ クラブ活動などで腰椎伸展によるストレスが関節突起間部に繰り返し加わって生じる疲労骨折と考えられている．

c．○ L5に発生するものがもっとも多い．

d．× 多くは10〜15歳で発生する．

e．× 腰椎伸展時の腰痛が特徴的である．
- 標準整形外科学．第14版．570-573.

問 5-6-26

| 正解　b, c, e　　脊椎手術，周術期管理，合併症 |

a．× 深部静脈血栓の発生は約15％である．

b．○ 低アルブミン血症では褥瘡の発生が増す．

c．○ ドレーンは術後血腫を予防する目的で使用される．

d．× 予防投与は3日で十分である．

e．○ 頚椎術後C5麻痺発生頻度は後方固定術で高い傾向にある．
- 標準整形外科学．第14版．184-186，236.
- 日本整形外科学会ほか監．頚椎症性脊髄症診療ガイドライン2020．第3版．南江堂，2015：68.

問 5-6-27

| 正解　a, b　　腰痛，トリアージ |

a．○ 発熱はred flagsである．

b．○ 20歳未満はred flagsである．

c．× 体重減少がred flagsである．

d．× 非特異的腰痛は下肢症状がない．
e．× 非特異的腰痛は保存療法で無効な場合，画像診断する．
  ●日本整形外科学会ほか監．腰痛診療ガイドライン2019．第2版．南江堂，2019：9，22-24．

問 5-6-28

| 正解 | a，d | 腰椎分離症 |

a．○ 女子より男子に好発する．
b．× 片側性より両側例が多い．
c．× 12〜18歳が多いとされている．
d．○ MRIを用いて早期診断は可能である．
e．× 椎間板変性のない症例には椎間可動域を温存できる分離部修復術が推奨される．
  ●標準整形外科学．第14版．570-573．

問 5-6-29

| 正解 | c，d | 腰椎椎間板ヘルニア |

a．× 好発年齢は20〜40歳台である．
b．× まれに硬膜を穿破して硬膜内ヘルニアとなることがある．
c．○ 咳やくしゃみで下肢痛が増悪することがある．これは脊髄腔内圧が高まり，神経根の症状が誘発されるからである．
d．○ MRIの普及により診断を目的として行われることが少なくなっている．造影剤の種類により医療事故が起こっているので注意する．
e．× Love法がもっとも多く施行されている．
  ●標準整形外科学．第14版．557-563．

問 5-6-30

| 正解 | a，c | 化膿性脊椎炎 |

a．○ Batson静脈叢より椎体内に菌が入り血管の末梢である椎体終板付近に菌が付着し病巣を形成する．次いで椎間板，そして隣接椎体終板に波及する．
b．× 頸椎や胸椎に発症したものは神経麻痺を合併しやすいが，好発部位は腰椎である．
c．○ 起因菌は黄色ブドウ球菌や大腸菌が多い．
d．× 発症後2〜3週間経過するとX線像上に椎間板腔狭小化や椎体終板の骨破壊が出現する．X線像上椎間板高は減少する．
e．× 感染部位の安定性を獲得するためにインストゥルメンテーション手術を行うことがある．禁忌ではない．
  ●標準整形外科学．第14版．229-231，573-574．

問 5-6-31

| 正解 | b，c | 腰部脊柱管狭窄症 |

a．○ 神経根型間欠跛行はL4/L5椎間例に多い．
b．× 自転車漕ぎによって症状が悪化するのは，閉塞性動脈硬化症である．
c．× SLRテスト陽性は腰椎椎間板ヘルニアなどの神経根緊張徴候である．
d．○ 神経根性間欠性跛行ではKemp signが陽性となることがある．
e．○ アキレス腱反射は加齢とともに減弱傾向となる．そのため高齢者が多い腰部脊柱管狭窄症では低下している症例が少なくない．
  ●標準整形外科学．第14版．126，556，564-570．

問 5-6-32

| 正解 | e | 腰痛 |

a．○ 薬物療法は疼痛軽減や機能改善に有用である（推奨度1，エビデンスの強さB）．
b．○ 喫煙は，腰痛発症のリスクや有病率と

の関連が指摘されている．
c．○　腰痛は腰椎から脳にいたるあらゆる部位で様々な病態が関与している．
d．○　腰痛改善の因子として，身体機能が高いこと，精神的機能が良好であることなどが報告されている．
e．×　坐骨神経痛を伴う腰痛では，安静と活動性維持に明らかな差はない（推奨度2，エビデンスの強さC）．一方，急性腰痛に対しては，安静よりも活動性維持のほうが有用である．
- 日本整形外科学会ほか監．腰痛診療ガイドライン2019．第2版．南江堂，2019：9, 12, 15, 31, 34.

c．○　組織型としては腺癌がもっとも多い．
d．○　放射線療法は疼痛軽減には有効である．
e．○　椎弓根の骨融解が進めば椎弓根陰影が消失する（pedicle sign）．
- 標準整形外科学．第14版．577-583.

7 脊椎・脊髄腫瘍

問 5-7-1

| 正解　a，b，e | 原発性脊髄腫瘍 |

椎弓根陰影の消失（winking owl sign）は転移性腫瘍による椎弓根破壊の所見であり，腫瘍が脊柱管内に及ぼうとしているか，あるいはすでに及んでいることを示唆する所見である．したがって，椎弓根陰影の欠損像があれば，早晩同部位で脊髄・馬尾が圧迫されて麻痺が生じるか，あるいは麻痺がすでに生じていれば同部位が責任病変であることを示唆する．
脊髄腫瘍では椎弓根間距離の拡大とともに，椎体後縁の陥凹像（scalloping）がしばしば認められ，馬尾腫瘍で多くみられる所見である．
硬膜内髄外の髄膜腫は，しばしば脊柱管内石灰化あるいは骨化陰影を呈する．脊柱管内外に広がる脊髄砂時計腫では，しばしば椎間孔が拡大する．
- 神中整形外科学．改訂23版，下巻．283.
- 標準整形外科学．第14版．577-578, 583-589.

問 5-6-33

| 正解　b，d | 化膿性脊椎炎 |

a．×　最近では高齢者や易感染性宿主の化膿性脊椎炎が増えている．
b．○　安静時痛，発熱，CRP高値などがみられる．
c．×　Batson静脈叢より椎体内に菌が入り血管の末梢である椎体終板付近に菌が付着し病巣を形成する．次いで椎間板，そして隣接椎体終板に波及する．
d．○　起因菌は黄色ブドウ球菌や大腸菌が多い．
e．×　感染後2～4週で椎体終板の不整と椎間板腔の狭小化が始まる．
- 標準整形外科学．第14版．229-231, 573-574.

問 5-6-34

| 正解　b | 転移性脊椎腫瘍 |

a．○　血行性またはリンパ性に転移する．
b．×　乳癌，前立腺癌，甲状腺癌，腎癌の転移では長期予後が期待できるが，肝癌など消化器癌の転移は予後不良である．

問 5-7-2

| 正解　b，c，e | 類骨骨腫 |

類骨骨腫は10歳台に好発し，有痛性で孤発性腫瘍である．
手術を行っても，病巣のnidusの摘出が不十分であると痛みが十分にとれない．

脊椎に発生する場合，椎弓や横突起，関節突起，棘突起などの脊椎後方成分に好発する．

臨床症状では背部痛を訴え，疼痛性の側弯を呈することが多い．腫瘍の骨表面は軽度膨隆するが，脊柱管内を占拠して麻痺を引き起こすことはない．また多発性の円形骨透亮像は，多発性骨髄腫の特徴的な単純 X 線像である．

- 神中整形外科学．改訂 23 版，下巻．276．
- 標準整形外科学．第 14 版．579-580．

問 5-7-3

| 正解 b 好酸球性肉芽腫 |

好酸球性肉芽腫はほとんどが 10 歳以下に好発する．単純 X 線像で椎体は圧潰し扁平化するが，椎間板腔は通常保たれるのが特徴である．

発症年齢が低いほど急速に進行して椎体全体の圧潰扁平化を生じ，いわゆる Calvé 扁平椎を呈する．

自然治癒傾向が高く，外固定のみで経過観察するという報告が多い．

- 神中整形外科学．改訂 23 版，下巻．280．
- 標準整形外科学．第 14 版．581．

問 5-7-4

| 正解 a, b 脊髄硬膜内髄外腫瘍 |

硬膜内髄外腫瘍の頻度では，圧倒的に神経鞘腫（neurilemmoma）と髄膜腫（meningioma）が多い．

神経膠腫（glioma）は髄内腫瘍である．奇形腫（teratoma）や脂肪腫（lipoma）も発生するがまれである．

- 神中整形外科学．改訂 23 版，下巻．283．
- 標準整形外科学．第 14 版．584-585．

問 5-7-5

| 正解 a, e 脊髄髄内腫瘍 |

脊髄髄内腫瘍で頻度の高い腫瘍は，神経膠腫[上衣腫(ependymoma)と星細胞腫(astrocytoma)]である．

上衣腫は脊髄中心管の上衣細胞に由来し，脊髄中心から発育する．

星細胞腫は神経膠細胞の星細胞由来の腫瘍である．

- 神中整形外科学．改訂 23 版，下巻．283-286．
- 標準整形外科学．第 14 版．585-587．

問 5-7-6

| 正解 a, d, e 脊髄腫瘍 |

砂時計腫の 70% ほどが神経鞘腫である．

髄膜腫は 50 歳台の女性に多く，胸髄における発生がもっとも多い．

神経鞘腫の発生に男女差はなく，髄膜腫に比べて若年者に多くみられ，その多くは後根糸から発生する．

髄膜腫では，単純 X 線像で腫瘍内石灰化を認めることがある．

硬膜外腫瘍は，転移性腫瘍（乳癌，肺癌，消化器系腫瘍，前立腺癌など）がほとんどである．

- 神中整形外科学．改訂 23 版，下巻．283-284．
- 標準整形外科学．第 14 版．583-589．

問 5-7-7

| 正解 a, b, e 原発性悪性脊椎腫瘍 |

原発性悪性脊椎腫瘍としては，骨肉腫，軟骨肉腫，Ewing 肉腫，脊索腫，骨髄腫の頻度が比較的高い．

脊索腫の 50% が仙尾椎部，35% が頭蓋底部，15% が残りの脊椎に発生する．

仙尾椎部脊索腫の5年生存率は60〜95%，10年生存率は40〜50%とされている．低悪性度腫瘍とされているが局所再発率が高く，時に遠隔転移を認め，長期予後は必ずしも良好とはいえない．

- 神中整形外科学．改訂23版，下巻．277-279．
- 標準整形外科学．第14版．355-368，581-583．

問 5-7-8

| 正解 a, d, e 原発性悪性脊椎腫瘍，放射線療法 |

Ewing肉腫，骨髄腫では，放射線療法に感受性が高く，化学療法と併用される場合が多い．

脊索腫では放射線療法に感受性が高いとはいえないが，再発防止や切除不能例に対して照射される場合がある．近年，軟骨肉腫や脊索腫に対して重粒子線の効果が報告されており，今後の研究が期待される．

- 神中整形外科学．改訂23版，下巻．277-279．
- 標準整形外科学．第14版．346，355-368，581-583．

問 5-7-9

| 正解 c, e 原発性良性脊椎腫瘍の画像 |

血管腫のCTでは，polka dot signと呼ばれる水玉模様の特有の椎体骨梁がみられる．

好酸球性肉芽腫の単純X線像では，椎体が圧潰，扁平化しCalvé扁平椎と呼ばれる．

類骨骨腫のCTでは，直径1cm以下の円形透亮像（nidus）が関節突起，横突起などの脊椎後方要素にみられる．

動脈瘤様骨嚢腫の単純X線像では，皮質が風船状に腫れ（ballooned out），その内部は石鹸泡状（soap bubble appearance）を示す．罹患椎体の高度の骨粗鬆症化がみられ，しばしば圧潰が生じ楔状化，扁平化するのは骨髄腫が疑われる．

骨巨細胞腫は，動脈瘤様骨嚢腫と異なり椎弓，棘突起などの後方要素に発生することはまれである．単純X線像は境界の比較的明瞭な透明像の中に残存した骨梁が石鹸泡状にみえる．

- 標準整形外科学．第14版．579-581．

問 5-7-10

| 正解 c 脊髄腫瘍類似疾患 |

多発性硬化症のMRIでは脊髄の腫大や多発性の高信号がみられる．急性期の脳脊髄液検査が有用である．

サルコイド脊髄症のように，サルコイドが神経系を侵すのはサルコイドーシス全患者の約5%にすぎない．またMRIでは造影効果が認められる．放射線照射後，数カ月〜数年を経て，放射線脊髄症が生じることがあり，放射線脊髄症と呼ばれる．

- 標準整形外科学．第14版．154，588-589．

問 5-7-11

| 正解 a, b, e 脊髄腫瘍 |

脊髄腫瘍はその局在によって髄内腫瘍と髄外腫瘍とに大別される．後者はさらに硬膜内髄外腫瘍と硬膜外腫瘍とに分類される．硬膜外腫瘍は，その多くが転移性腫瘍や悪性リンパ腫などである．

神経鞘腫はほとんどが後根から発生し，前根発生例は少ない．

髄膜腫は女性に多く，40〜60歳台に好発する．

神経線維腫症1型では側弯症や先天性脛骨偽関節などの骨格異常の合併を認めることがある．時に悪性化［悪性末梢神経鞘腫瘍（malignant peripheral nerve sheath tumor：MPNST）］を認めることがある．神経線維腫症2型では脊柱変形は少ない．

星細胞腫は膠細胞の1つである星細胞に由来するとされ，成人では上衣腫に次いで頻度が高いが，若年者の髄内腫瘍としては上衣腫よりも頻度が高い．上衣腫に比較すると偏在性であり，周囲との境界も不明瞭であることが多く，全摘出困難であることが多い．

- 神中整形外科学．改訂23版．下巻．283-290．
- 標準整形外科学．第14版．313-314, 583-587．

問 5-7-12

| 正解　b, d　　脊髄腫瘍 |

砂時計腫は硬膜内外あるいは椎間孔内外に広がり，くびれを有する形態をした腫瘍のことで，これは神経鞘腫の頻度がもっとも高い．

上衣腫は髄内腫瘍の形態を呈することが多い．

- 神中整形外科学．改訂23版．下巻．283-287．
- 標準整形外科学．第14版．583-587．

問 5-7-13

| 正解　a, e　　Chiari奇形, 脊髄空洞症 |

一般には，大後頭孔除圧術か，空洞からくも膜下腔，大槽，胸腔などへのシャント術が選択される．空洞消失を目的に後頭骨頚椎後方固定術，後方進入椎体間固定術あるいは椎弓形成術が単独で行われることはない．

- 標準整形外科学．第14版．521-522, 523．

問 5-7-14

| 正解　c　　脊髄腫瘍の生命予後 |

神経鞘腫は基本的に全摘が可能であり，極めてまれな悪性末梢神経鞘腫瘍（malignant peripheral nerve sheath tumor：MPNST）を除けば，予後は良好である．

髄膜腫は anaplastic type などの組織学的悪性度の高いものを除けば，術後の再発も少なく予後は概して良好である．

星細胞腫は高分化型であっても全摘は困難なことも多く，長期予後も必ずしもよくない．低分化型の全摘は不可能であり，進行も早く生命予後も極めて不良である．

腰仙椎部の脂肪腫は全摘不可能な例もあるが，生命予後は良好である．

髄内発生の上衣腫は境界明瞭で偽被膜を有し，全摘可能な例が多い．全摘例では再発も少なく，生命予後も良好である．

- 神中整形外科学．改訂23版．下巻．283-290．
- 小山素麿．脊椎脊髄 1995；10：787-793．
- 標準整形外科学．第14版．588-589．

問 5-7-15

| 正解　b, c, e　　脊髄腫瘍 |

a．× 髄膜腫は50歳台の女性に多い．
b．○ 砂時計腫の70%ほどが神経鞘腫である．
c．○ 硬膜外腫瘍はほとんどが転移性腫瘍である．
d．× 髄膜腫では，単純X線像で腫瘍内石灰化を認めることがある．
e．○ 神経鞘腫の多くは後根糸から発生する．

- 標準整形外科学．第14版．583-589．

問 5-7-16

| 正解　b, d　　脊髄腫瘍 |

a．× 硬膜外腫瘍は転移性腫瘍がほとんどである．
b．○ 髄内腫瘍の大部分は神経膠腫（上衣腫，星細胞腫）である．
c．× 硬膜内髄外腫瘍のほとんどが神経鞘腫と髄膜腫である．

d．○　神経鞘腫は腫瘍による症状があれば手術適応である．
e．×　腫瘍が椎間孔を介して脊柱管内・外に発育したものを砂時計腫，ダンベル腫瘍と呼ぶ．
●標準整形外科学．第14版．583-589．

1）小児股関節

問 5-8-1

| 正解 | a，b，e | 大腿骨頭壊死症，血行障害 |

大腿骨頭はその大部分が関節面からなり，その血管支配の特殊性から骨壊死をきたしやすい．各年齢層により原因や予後が異なり，病態の理解は重要である．

骨端症のPerthes病は幼児〜学童期における骨頭壊死で，発生頻度もまれでなく重要な疾患である．

発育性股関節形成不全の治療例にみられるPerthes様変化は，整復操作による骨頭への血行障害が原因となる医原性の骨頭壊死である．

クレチン病は先天的な甲状腺ホルモン分泌異常で，骨化が遅延し大腿骨骨端核の出現が遅れる．

特発性一過性大腿骨頭骨萎縮症は，骨頭および転子部付近に浮腫が存在するが骨壊死はない．

頸部骨折後にみられる late segmental collapse は，骨折に伴う栄養血管の損傷により壊死が生じて起こる骨頭の圧潰であり，外傷性骨頭壊死である．

●標準整形外科学．第14版．337，604-616，626-631．

問 5-8-2

| 正解 | d | 乳児股関節健診 |

背景：発育性股関節形成不全（DDH）遅診断例が増加傾向にあり，健診における5つの重要推奨項目が設定された．

①開排制限，②大腿・鼠径皮膚溝の非対称，③家族歴，④女児，⑤骨盤位分娩．

（乳児股関節健診推奨項目：日本整形外科学会・日本小児整形外科学会）．

a．○　女児に多い（男児の約5〜8倍）．
b．○　DDH患者における家族歴陽性は約30％である．
c．○　もっとも重要な診察所見である．
d．×
e．○　骨盤位分娩に多い．
●標準整形外科学．第14版．605-606．

問 5-8-3

| 正解 | b，d，e | 大腿骨頭すべり症 |

a．×　通常手術療法を要する．
b．○　男女とも11〜12歳に好発する．
c．×　骨端は後方へ転位する．
d．○　Drehmann徴候をしばしば呈する．
e．○　外傷歴が明らかでないうちに徐々に発生してくる慢性型が70〜80％を占める．
●標準整形外科学．第14版．616-619．

問 5-8-4

| 正解 | a，e | 大腿骨頭すべり症 |

a．×　男児に多く（女児の約2.5倍）発症する．
b．○
c．○
d．○　Drehmann徴候
e．×　単純X線正面像での所見である．骨端

核は正常では大腿骨頚部外側縁に引いた線（Klein's line）より外側にはみ出ているが，重症のすべり症においては骨端核が線より内側にある．

　●標準整形外科学．第14版．616-619．

問 5-8-5

| 正解　a　　大腿骨頭すべり症 |

a．× 骨端は通常頚部の後下方に転位する．
b．○ 外傷歴が明らかでないうちに徐々に発生してくる慢性型が，70〜80％を占める．
c．○ 骨端後方が寛骨臼の外側にはみ出す．
d．○ 骨頭の壊死を生じる危険性が高い．
e．○ 骨頭壊死は，強引な徒手整復を行った例や，大腿骨近位の骨切り術を行った例で発生しやすい．軟骨溶解は，ピン固定の際，ピンが骨頭を突き破った例，すべりの高度な例，ギプス固定を行った例でみられるが，原因は不明である．

　●標準整形外科学．第14版．616-619．

問 5-8-6

| 正解　e　　Perthes病 |

　Perthes病（Legg-Calvé-Perthes disease）は，性別では5:1と男児に多く発症する．
　片側性が多く両側性は15〜20％である．9〜10歳以上の年長で発症した場合は予後が悪く，骨頭変形が残存することが多い．
　発症時の症状は股関節痛が多いが，膝関節痛を訴えることも多い．
　containment（包み込み）療法とは，股関節を外転・内旋位として，寛骨臼が骨頭を包み込む求心位を保持しつつ骨頭の修復を待つ方法であり，装具療法や大腿骨内反骨切り術が行われる．

　●標準整形外科学．第14版．612-616．

2）大腿骨頭壊死

問 5-8-7

| 正解　a，b，e　　大腿骨頭壊死症 |

　骨盤内臓器の悪性腫瘍に対して下腹部に放射線を照射すると，大腿骨頭壊死を合併する場合がある．大腿骨頚部骨折では，骨折部に支帯動脈（retinacular artery）が走行しているため，骨折による断裂が生じ骨頭壊死を続発する．転子部骨折後の骨頭壊死発生率は，0.3〜1.2％である．
　外傷性股関節脱臼では，骨折を伴わない後方脱臼で約8％，後方脱臼骨折および中心性脱臼骨折では約18〜25％に骨頭壊死が発生すると報告されている．
　潜水病，潜函病など高圧下における労働から解放される際に急激な減圧が行われると，大腿骨頭壊死を続発する．
　特発性一過性大腿骨頭骨萎縮症では，組織学的に骨壊死の所見はなく，一過性に発症して自然回復が得られる疾患であるため，骨頭壊死を続発することはないとされている．

　●整形外科クルズス．第4版．559．
　●標準整形外科学．第14版．626-627．
　●日本整形外科学会ほか監．大腿骨頚部/転子部骨折診療ガイドライン．第2版．南江堂，2011：151．

問 5-8-8

| 正解　a，d，e　　特発性大腿骨頭壊死症，全身性エリテマトーデス（SLE） |

　ステロイド性大腿骨頭壊死は近年増加傾向にあり，ステロイド1日平均投与量がプレドニゾロン換算16.6mg以上で骨頭壊死発生の危険率が約4倍になり，現在増加傾向にある．副腎皮質ステロイド使用法の進歩に伴う壊死発病の年齢の遅延，原因疾患の予後改善に伴う長期経過

後の壊死発病などの影響も考えられている．ステロイド性大腿骨頭壊死患者の副腎皮質ステロイド投与の原因疾患としては，全身性エリテマトーデス(SLE)が最多である．喫煙はリスクファクターであり，喫煙者ではリスクが4〜5倍に増加する．

両側発症例は50〜60％に達し，発症の間隔は2年以内が大半であり，治療の過程において反対側の状態を注意深く観察することは重要である．

飲酒との関連に関する疫学調査では，飲酒習慣が密になるほどリスクが上昇し，「毎日飲酒」では約13倍，エタノール摂取量についても有意な量反応関係を示し，週当たり400 mL以上ではリスクは約11倍である．

外傷，大腿骨頭すべり症，骨盤部放射線照射，減圧症などに合併する大腿骨頭壊死症，および小児に発生するPerthes病は特発性大腿骨頭壊死症から除外する．

● 標準整形外科学．第14版．626-627．
● 日本整形外科学会ほか監．特発性大腿骨頭壊死症診療ガイドライン2019．南江堂，2019：18-19．

問 5-8-9

正解　a, d　　大腿骨頭壊死症

大腿骨頭壊死症の病期分類はstage 1では単純X線像の特異所見はないが，MRIや骨シンチまたは病理組織像で特異所見がある時期，stage 2は単純X線像で帯状硬化像があるが骨頭圧潰のない時期，stage 3は骨頭の圧潰があるが関節症変化はない時期(3A圧潰が3 mm未満，3B圧潰が3 mm以上)，stage 4は関節裂隙が狭くなり二次性変形性関節症となる．骨頭の正面と側面の2方向X線像で評価する．

● 標準整形外科学．第14版．626-631．

問 5-8-10

正解　a, e　　大腿骨頭壊死症

大腿骨頭壊死症の診断基準は，単純X線所見として，①骨頭圧潰(軟骨下骨折を含む)，②骨頭内の帯状硬化像の形成，検査所見として，③骨シンチグラフィーでの骨頭のcold in hot像，④MRIでの骨頭内帯状低信号像，⑤骨生検標本での骨壊死像の5項目のうち2つ以上を満たせば確定診断とするというものである．

骨頭変形が進行したものは二次性変形性股関節症へと移行するが診断基準ではなく，むしろ単純X線像ではstage 4を除いて関節裂隙の狭小化がないこと，臼蓋には異常所見がないことが条件である．

● 標準整形外科学．第14版．626-631．

問 5-8-11

正解　c, d　　特発性大腿骨頭壊死症，上被膜動脈

骨壊死の範囲が拡大することはまれで，それが骨頭温存の骨切り術の理論的根拠となっている．

無症候性の骨頭壊死がMRIでしばしば見出され，骨壊死の発生初期には疼痛は出現しない．症状の発現は，骨頭の圧潰により生じると考えられている．

ステロイドのパルス療法のように短期間の大量投与例で好発するが，1日5〜10 mgのような少量の長期間投与では発生頻度は高くない．

骨頭の主要な栄養血管である上被膜動脈(superior retinacular artery)の途絶が本症の病態である．骨頭に圧潰のない時期では関節軟骨に異常はみられず，骨頭の圧潰が生じた後でも軟骨に明らかな変性や摩耗は早期にはみられず，単純X線像上，関節裂隙は比較的長期間維

持される.
- 標準整形外科学. 第14版. 626-631.

問 5-8-12

| 正解 c 特発性大腿骨頭壊死症 |

a. ○ 喫煙は特発性骨頭壊死症の危険因子の1つである.

b. ○ ステロイド全身投与は特発性骨頭壊死症の主要危険因子である.

c. × 疼痛は壊死の発生ではなく,骨頭軟骨下骨の圧潰により生じるとされる.

d. ○ type C は壊死領域が寛骨臼荷重部の内側2/3以上に及ぶものを指すため type B よりも壊死範囲が広く骨頭圧潰のリスクも高い.

e. ○ 壊死が非荷重部に存在する例では保存療法で経過観察する.
- 標準整形外科学. 第14版. 637, 640.
- 日本整形外科学会ほか監. 特発性大腿骨頭壊死症診療ガイドライン2019. 南江堂, 2019：18, 45.

問 5-8-13

| 正解 c, d, e 大腿骨頭壊死症,二次性変形性股関節症 |

a. × 単純 X 線像での関節裂隙の消失は二次性変形性股関節症(stage 4)に進行した場合の所見であるが,二次性変形性股関節症を発症することは,時期が早すぎて考えにくい.

b. × 単純 X 線像での寛骨臼の骨棘形成は二次性変形性股関節症(stage 4)に進行した場合の所見であるが,二次性変形性股関節症を発症することは,時期が早すぎて考えにくい.

c. ○ 大腿骨頭壊死症では単純 X 線像で骨頭内の帯状硬化像を認める.

d. ○ 大腿骨頭壊死症では MRI T1 強調像で骨頭内の low band 像を認める.

e. ○ 大腿骨頭壊死症では骨シンチグラムで大腿骨頭部の cold in hot 像を認める.

外傷性股関節脱臼後の合併症としては大腿骨頭壊死と二次性変形性股関節症が重要である.本症例では受傷後,脱臼の整復までに6時間を大きく超える時間を要したことから骨頭壊死を生じるリスクが高い.また,受傷後6カ月の時点の単純 X 線は正常で1年2カ月までに二次性変形性股関節症を発症することは,時期が早すぎて考えにくい.また,股関節可動域も保たれている.以上より stage(2〜)3 程度の大腿骨頭壊死症を考えるべきである.
- 標準整形外科. 第14版. 629.

問 5-8-14

| 正解 d, e 大腿骨頭壊死症,ステロイドパルス療法,SLE |

a. × 右側の病型は type C である.

b. × stage 4 では関節裂隙狭小など変形性関節症所見を認める.

c. × 骨壊死の範囲が拡大することはまれで,骨頭温存の骨切り術の理論的根拠となっている.

d. ○ ステロイドパルス療法が原因の1つである

e. ○ 骨頭圧潰の発生により疼痛が生じる.
- 標準整形外科学. 第14版. 619, 629.

問 5-8-15

| 正解 e 症候性大腿骨頭壊死症 |

a〜d. ○

e. × 特発性一過性大腿骨頭骨萎縮症では骨頭壊死は生じない.

大腿骨頭壊死症は外傷性骨頭壊死症,閉塞性骨頭壊死症,放射線照射後骨頭壊死症,手術後

(医原性)骨頭壊死症,特発性骨頭壊死症に分類され,Gausher病,潜函病は閉塞性骨頭壊死症に含まれる.
● 標準整形外科学.第14版.627.

問 5-8-16

| 正解 d | 特発性大腿骨頭壊死症 |

a.× 青・壮年期に発生する.男性では40歳台,女性では30歳台にピークがある.
b.× 副腎皮質ステロイドの投与歴,アルコール多飲歴が壊死発生に深く関連している.
c.× crescent signは骨頭軟骨下骨折線である.
d.○ stage 2は骨頭の圧潰がない.
e.× type Bは壊死域が寛骨臼荷重面の内側1/3以上2/3未満の範囲である.
● 標準整形外科学.第14版.627-629.

3) OA,他

問 5-8-17

| 正解 c | 股関節,診断手技 |

Thomasテストは,一見では明確でない股関節の屈曲拘縮を検出する手技として有用である.屈曲拘縮がある股関節では,反対側の股関節を腰椎の前弯がとれるまで過屈曲すると,大腿骨が持ち上がってくる.この角度が屈曲拘縮の角度である.

Patrickテストは,仰臥位で,検査する股関節を屈曲,外転,外旋して,膝を曲げ,足関節を対側大腿骨上に乗せる.患側膝を鉛直方向に圧迫したときの疼痛があれば陽性とする.

股関節に外転拘縮があると,患側下肢は見かけ上長くみえる.内転拘縮や屈曲拘縮では短くみえる.

股関節の下肢長の計測(SMD)には,上前腸骨棘から足関節の内果までの距離を計測する.

大腿三角(Scarpa三角)は鼠径靱帯,縫工筋および長内転筋に囲まれた部分をさす.そのほぼ中央に大腿骨頭が存在する.股関節疾患では,この部位にしばしば圧痛を認める.
● 神中整形外科学.改訂23版.下巻.836,843-846.
● 標準整形外科学.第14版.599-601.

問 5-8-18

| 正解 c | 股関節,理学所見 |

股関節に外転拘縮のある側の下肢は見かけ上長くみえ,内転拘縮や屈曲拘縮がある場合には短くみえる.

外転角の基本軸は両側の上前腸骨棘を結んだ線で,移動軸は上前腸骨棘より膝蓋骨中心を結ぶ線である.

一見して明確ではない屈曲拘縮の有無を検出する方法としてThomasテストは有用である.反対側の股関節を屈曲させ腰椎の前弯をとると,屈曲拘縮がある場合には検側の股関節が屈曲してくる.

股関節脱臼や外転筋力不全があると遊脚側の骨盤が沈下したり体幹を立脚側に傾けたりする現象をTrendelenburg現象と呼ぶ.

股関節機能判定基準では疼痛,可動域,歩行能力,そして日常生活動作を評価する.
● 標準整形外科学.第14版.598-601,951-952.

問 5-8-19

| 正解 a,d | 変形性股関節症,単純X線像 |

変形性股関節症では,関節裂隙の狭小化や消失に加え,臼蓋荷重部の骨硬化,骨嚢胞形成,骨棘形成としてroof osteophyte, capital drop(大腿骨頭内側の骨頭部下垂骨棘),double floor(臼底部の二重底)などが認められる．また，大腿骨頭変形(扁平内反股，外反股，卵状変形など)，大転子位置異常なども認める．

大腿骨頭壊死では，早期の骨頭軟骨下骨折線(crescent sign)，骨頭内の帯状硬化像，関節裂隙の狭小化がない所見，骨頭の圧潰像などが大腿骨頭壊死に特徴的な所見である．

- 標準整形外科学．第14版．621-630，951-952．

問 5-8-20

| 正解　a，d，e　　寛骨臼形成不全 |

両側の涙痕下端を結ぶ直線は計測の基準となる．

CE(center-edge)角は同線から骨頭中心に垂直に延ばした線と骨頭中心から臼蓋嘴を結ぶ線のなす角であり，基準値は25〜35°である．寛骨臼形成不全や，それによる亜脱臼があると小さくなる．

Sharp角は涙痕から臼蓋嘴を結んだ線と基準線のなす角であり，日本における基準値は女性で38〜45°，男性で35〜42°である．寛骨臼形成不全があると大きくなる．

AHI(acetabular head index)は，臼蓋の骨頭被覆を示し寛骨臼形成不全では小さくなる．

大腿骨頚部内側の線を上内側に延ばすと同側の閉鎖孔上縁に一致する．骨頭が上外方に亜脱臼すると，このShenton線が乱れる．

- 標準整形外科学．第14版．600-601，621-624．

問 5-8-21

| 正解　b，c，d　　一次性変形性股関節症 |

日本の変形性股関節症のうち一次性変形性股関節症が占める割合については報告により差があり，多いものでも15%前後といわれる．

一次性が多いといわれる米国においても，その多くが幼少時に軽度の大腿骨頭すべり症の既往があったり，軽度の臼蓋形成不全が存在したりすることが判明し，これまで考えられていたより一次性股関節症の頻度は低いことが報告されている．

本症と診断されるのは，原因となる関節疾患や外傷の既往がなく，解剖学的異常を認めない，すなわち明らかな原因が不明な場合である．

単純X線像では，変形性股関節症に共通した所見である関節裂隙の狭小化，骨囊胞，骨棘，軟骨下骨の硬化像を認める．

MRIにて骨頭内に帯状低信号域が認められれば大腿骨頭壊死が考えられる．

- 神中整形外科学．改訂23版．下巻．901-911．
- 標準整形外科学．第14版．621-625．

問 5-8-22

| 正解　a，d，e　　変形性股関節症 |

日本では先天性股関節脱臼，亜脱臼，臼蓋形成不全による二次性股関節症が多く約80%を占める．

CE(center-edge)角は関節症進行に関連があり，10歳台で15°以下では将来何らかの関節症性変化および臨床症状が出るといわれている．

日本整形外科学会による変形性股関節症単純X線像評価の基本となるのは関節裂隙の状態である．

股関節外転筋を含む股関節周囲筋の筋力増強を図る運動療法は，股関節安定性を改善し，症状を軽減できたという報告がある．

棚形成術(寛骨臼形成術)は主に寛骨臼形成不全が軽度な前・初期関節症に適応がある．

- 標準整形外科学．第14版．621-625，951-952．
- 神中整形外科学．改訂23版．下巻．902-905．

問 5-8-23

| 正解　e　　変形性股関節症，保存療法 |

変形性股関節症に対する保存療法で有効性が認められているのは，疾患に対する理解を深める患者教育，体重コントロール，日常生活指導，杖や装具使用の指導，運動療法，非ステロイド性抗炎症薬，関節内注入療法などであり，症状の緩和に有効である．

一般的に杖は健側に使用し，患側を接地する際に健側の杖を同時に前について荷重を軽減させる．

非ステロイド性抗炎症薬を多用して無理な運動や長距離歩行を行うと関節軟骨の早期破壊につながることがあるので注意する．

関節内注入療法について現在のところヒアルロン酸は保険適用がなく，ステロイド薬は短期的な効果が認められているのみである．人工股関節全置換術前のステロイド薬の関節内注入が術後感染を増加させたというエビデンスもあり，慎重に行うべきである．

- 神中整形外科学．改訂 23 版．下巻．911．
- 標準整形外科学．第 14 版．625．
- 日本整形外科学会診療ガイドライン委員会ほか編．変形性股関節症診療ガイドライン．南江堂，2008：77-90．

問 5-8-24

| 正解　b　　股関節への進入法 |

前方進入法（Smith-Peterson 進入法）では腸骨稜から大腿筋膜張筋の前縁を通り膝蓋骨内側縁方向に向かう皮切を行うが，上前腸骨棘の遠位で大腿筋膜下に存在する外側大腿皮神経をよけることが必要となる．

大転子を骨切りし外転筋とともに頭側に反転する Ollier 進入法では，大腿深動脈を損傷する恐れはない．

後方進入法（Moore 進入法）では創内から坐骨神経を容易に触知することができる．術中の操作に注意が必要である．

側方進入法で大転子を骨切りする場合，頸部に深く切り込むと骨頭への栄養血管が侵入する部位を損傷する恐れがある．

また人工股関節全置換術時などで寛骨臼を展開する際に鉤を前方にかけるが，深くかけると大腿神経を損傷する恐れがあり，骨の上を滑らせるように鉤をかけることが大切である．

- 糸満盛憲編．図説股関節の臨床．メジカルビュー社，2004：82-90．

問 5-8-25

| 正解　a，d，e　　変形性股関節症，骨切り術 |

大腿骨内反骨切り術は，術前の機能撮影で外転時に求心性が改善されることが条件である．

転子間弯曲内反骨切り術（西尾）は転子部を円弧で骨切除するため，転子下で骨切りを行う術式に比べて下肢短縮は小さい．

大腿骨外反骨切り術は一般的には術前の屈曲が 60°以上あることが望ましい．術前の内転位が術後の荷重位になるので，術後外転角度は改善されることになる．

また，術後，単純 X 線像における変形性関節症変化が次第に軽減し関節裂隙が広がってくる．

- 神中整形外科学．改訂 23 版．下巻．918-920．
- 標準整形外科学．第 14 版．637-641．

問 5-8-26

| 正解　a，b，c　　寛骨臼形成不全，関節温存手術 |

手術手技上，a，b，c は大腿骨頭よりやや近位の骨盤腸骨部で骨盤輪を完全に切り離す．c

では腸骨部に加えて恥骨部と坐骨部で骨切りする．

dは腸骨片を採取し骨頭近位に移植する方法，eは股関節周囲で骨切りする方法で，骨盤輪の連続性は保たれる．

aは寛骨臼形成不全の強い初期から進行期の股関節症に，dは寛骨臼形成不全の強くない前・初期股関節症に，eは寛骨臼形成不全の強い前・初期股関節症に適応がある．

bは3～6歳の寛骨臼形成不全に適応がある．

cは高度の臼蓋形成不全例に用いられるが，近年手術数は減少しており，eが行われる傾向にある．

● Salter RB : Clin Orthop 1974 ; 98 : 2-4.

問 5-8-27

| 正解　c　　股関節骨切り術 |

股関節骨切り術の場合は骨頭を温存する手術であり，骨頭への栄養血管を損傷してはいけない．

転子間稜の内側には骨頭への栄養血管である内側大腿回旋動脈の枝が走行しており，頚部の骨切りは転子間稜より外側で行う必要がある．

● 糸満盛憲編．図説股関節の臨床．メジカルビュー社，2004：82-90．

問 5-8-28

| 正解　d　　寛骨臼回転骨切り術 |

寛骨臼回転骨切り術は関節軟骨を有する臼蓋が形成されるため，寛骨臼形成不全による初期股関節症の治療に有効な術式である．

骨切りした臼蓋は前方・外側に回転させ，大腿骨頭の適切な被覆と内方化をすることで安定した股関節を構築する．Y軟骨閉鎖前の小児期の寛骨臼形成不全には禁忌である．

● 標準整形外科学．第14版．638, 641.

問 5-8-29

| 正解　c, d, e　　骨盤骨切り術 |

棚形成術やChiari骨盤骨切り術は関節包を介して骨頭を被覆する．

他の術式では関節軟骨で骨頭を被覆する．

● 神中整形外科学．改訂23版．下巻．912-921．

問 5-8-30

| 正解　c　　急速破壊型股関節症（RDC） |

急速破壊型股関節症（rapidly destructive coxarthropathy：RDC）は変形性股関節症の亜型であり，高齢者の女性に多い特徴がある．

大半は片側例である．本来は1年以内に急速に関節裂隙の狭小化と関節破壊が進行する疾患としてPostelらにより報告されたが，1～3年程度での破壊が進行する例も認められる．

骨形態異常としては，軽度の寛骨臼形成不全が存在することもあるが，比較的正常な股関節に発症する．

症状としては強い疼痛を訴えるが，比較的関節可動域が保たれる特徴がある．そのため，神経病性関節症や関節リウマチなどと鑑別を要する．

単純X線像では，急速に破壊が進行するため骨棘や骨硬化などの造骨性変化が認められない点が特徴である．

● 標準整形外科学．第14版．631．

問 5-8-31

| 正解　c　　先天性股関節脱臼の疫学 |

先天性股関節脱臼は，その名称であるところの生下時すでに脱臼している例（真の先天性股

関節脱臼)は少なく，ほとんどの症例では生下時に不安定な股関節が生後次第に脱臼してくる．発育性股関節形成不全は，米国で乳児期以降の発見例を検診時の見逃しとする医療訴訟の対策として最初考えられた名称であるが，この病態をよりよく反映していることから定着した．発育性股関節形成不全には出生前・後の股関節脱臼のみならず，股関節亜脱臼や臼蓋形成不全も含まれる．

生後，股関節と膝関節を持続的に伸展位にすると股関節脱臼が発生することが知られ，石田らの股オムツの指導で日本の先天性股関節脱臼は激減した．

近年は0.1〜0.3％で，以前に比し約1/10になっている．女児，第1子，冬季出産，家族歴陽性(3親等内)例が多い．男女比は1：5〜6である．左側に多く右側の2〜3倍であり，両側例は10％以下と考えられる．

● 神中整形外科学．改訂23版，下巻．851-858．

問 5-8-32

正解　b，c，d　　先天性股関節脱臼の診断

股関節を屈曲位から外転していく動きを開排と呼ぶが，脱臼例ではほとんどの症例で制限されている．

診察時に泣いていると下肢に力が入って開排制限の有無の判定が困難となるため，泣かさないように心がける．床面から30°以上を異常と判断するが，左右差をみることが重要である．両側例では左右差がないことがある．関節弛緩の高度な例では開排制限がみられないこともまれにある．

Ortolaniのクリック徴候は脱臼に特有なもので，90°屈曲位で開排せずに大腿骨を後方へ押すと脱臼しクリックを触れる．開排しながら大転子を前方に押すと整復されるために生ずる第2のクリックを触れる．脱臼により大腿骨は近位へ移動するので，下肢の短縮がみられる．

Allis徴候は股関節，膝関節屈曲位で膝の高さを比較する．脱臼側では大腿骨が後方へ落ち込むため，膝の高さが低くなる．股関節周囲の腫脹は脱臼の保存的治療初期の大腿骨頭壊死の発生や化膿性股関節炎の診断時に重要となる．

膝関節の過伸展は，関節弛緩の判定や先天性反張膝，先天性膝関節脱臼などで知られているが，先天性股関節脱臼の検診を行うことが多い生後3〜4カ月では，膝関節は屈曲位であることが多く有用といえない．

他に先天性股関節脱臼の診断には大腿皮膚溝の非対称，触診による大転子と坐骨の位置関係の異常などがある．

● 神中整形外科学．改訂23版，下巻．860-863．

問 5-8-33

正解　d　　先天性股関節脱臼のX線診断法

臼蓋角とは，Y軟骨線(Hilgenreiner線)と寛骨臼入口部の最内外点を結んだ線とのなす角度であり，基準値は20〜25°である．

Calvé線，Shenton線(骨盤と大腿骨を結ぶ曲線)の乱れにより脱臼を疑う．

Trethowan徴候は，正面像において大腿骨頭の外縁が頚部外側縁に引いた線の延長線より内側にある徴候で，初期の大腿骨頭すべり症の診断に有用である．

Wollenberg(Hilgenreiner)線は両側のY軟骨を結ぶ線であり，正常では骨頭がこの線より下に位置するが，脱臼骨頭はこの線より上に位置する．

● 廣島和夫ほか．これでわかる整形外科X線計測．金原出版，1986：164．
● 神中整形外科学．改訂23版，下巻．865-867．
● 標準整形外科学．第14版．604-608．

問 5-8-34

> 正解　c, d　　先天性股関節脱臼のRiemenbügel治療

　Riemenbügel(Pavlik装具)の胸バンドは腋窩の高さとし，下腿バンドは膝直下および足関節内外果直上とする．

　屈曲位は約100～110°にする．これは最初からの強い屈曲は乳児に負担がかかり，Perthes様変化が危惧されるためであり，またあまり弛いと股関節の開排が不十分となるためである．

　開排が得られても骨頭は整復されず，むしろ臼蓋の後方深くに移動していることがある．整復されないままRiemenbügelを漫然と装着すれば，股関節内外に二次的な変化を生ずるためよくない．2～3週間程度を限度としたほうがよい．

　Riemenbügelによって骨頭壊死をきたすことは決して少なくなく，必ずしも安全な治療法とはいえない．股関節部の著明な腫脹や下肢の自発運動の低下は骨頭壊死(Perthes様変化)発生の可能性があり，Riemenbügelを除去することもある．

- 神中整形外科学．改訂23版，下巻．870-876．
- 日本小児整形外科学会教育研修委員会編．小児整形外科テキスト．メジカルビュー社，2004：43．

問 5-8-35

> 正解　c, d, e　　大腿骨近位部の発育

　大腿骨近位部は4歳頃に大転子部骨端の骨化が始まり，8～9歳で大転子と骨頭部は単純X線像上区別できるようになる．

　大腿骨近位成長軟骨板は女子では14歳，男子では17歳頃に閉鎖する．

　外反股は骨系統疾患，先天性股関節脱臼(発育性股関節形成不全)のほか，脳性麻痺やポリオにもしばしばみられる．

　内反股を呈する疾患には，先天性脊椎骨端異形成症，骨幹端異形成症，先天性内反股，先天性股関節脱臼(発育性股関節形成不全)によるPerthes様変化などがある．

- 神中整形外科学．改訂23版，下巻．827-828，838-839．
- 標準整形外科学．第14版．300-301．

問 5-8-36

> 正解　c　　麻痺性股関節障害

　二分脊椎のうち，S1以下の麻痺では，股関節周囲筋群のうち，障害筋は大殿筋の部分麻痺のみで，股関節障害はほとんど発生しない．

　二分脊椎患者の移動機能は，脱臼股を有するものでも短下肢装具と杖を用いて実用歩行が可能となるものも少なくない．

　脳性麻痺では障害が重度であるほど，より股関節障害が発生しやすく，また筋解離術がもっとも有用とされるのは痙縮型である．

- Tachdjian MO(ed). Pediatric Orthopaedics. 2nd ed. Saunders, 1990：1605, 1773．
- 日本小児整形外科学会教育研修委員会編．小児整形外科テキスト．メジカルビュー社，2004：94, 101．

問 5-8-37

> 正解　a, d　　単純性股関節炎

　単純性股関節炎(observation hip, transient synovitis of the hip)は通常1～2週の経過で症状が消退し，ほとんど後遺症を残すことはない予後良好な疾患である．

　主症状は股関節痛と跛行で，患肢は軽度屈曲・外転・外旋位をとる．関節水症を伴うことはあるが，亜脱臼を呈するものは少ない．

　磁気共鳴撮像法(magnetic resonance imag-

ing：MRI）の進歩により，関節水症の存在を容易に診断できるようになった．
- 標準整形外科学．第14版．619．

問 5-8-38

| 正解 e | 高位脱臼股関節 |

a．○ 寛骨臼の骨欠損に対し大腿骨頭からの骨移植を併用することにより長期成績は良好であると報告されている．
b．○ 神経麻痺の発生に注意を要する．
c．○ 高度な高位脱臼股関節においても大腿骨短縮骨切り術を併用することでソケットの原臼位設置が可能である．
d．○ 高位脱臼股に対するTHAの成績は近年良好であると報告されている．
e．× 寛骨臼ソケットは応力集中の回避の観点から原臼位設置が望ましい．
- 日本整形外科学会ほか監．変形性股関節症診療ガイドライン2016．第2版．南江堂，2016：185-187．

問 5-8-39

| 正解 b | 変形性股関節症 |

a．○ 同胞発症での遺伝度（heritability）は27％である．
b．× わが国の有病率は1.0～2.4％であり欧州より低く（イギリス10.1％，フランス4.7％），中国と同等かやや高い．
c．○ 股関節痛は進行の予測因子の1つである．
d．○ 変形性股関節症の有病率は，男性0～2.0％，女性2.0～7.5％で女性で高い．
e．○ わが国の変形性股関節症の発症年齢は平均40～50歳である．
- 日本整形外科学会ほか監．変形性股関節症診療ガイドライン2016．第2版．南江堂，2016：9, 13, 14, 17, 23．
- 標準整形外科学．第14版．621-624．

問 5-8-40

| 正解 c, d | 二次性変形性股関節症，発育性股関節形成不全 |

a．× 骨頭は外上方化する．
b．× Sharp角は正常より大きい．
c．○ CE（center-edge）角は正常より小さい．
d．○ AHI（acetabular-head index）は正常より小さい．
e．× ARO（acetabular roof obliquity）は正常より大きい．
- 標準整形外科学．第14版．622-623, 626．

問 5-8-41

| 正解 c, e | 人工股関節全置換術（THA） |

a．× 初回THAの脱臼頻度は1～5％である．
b．× 初回THAの深部感染の発生頻度は0.1～1％である．
c．○ 32 mm径以上の骨頭の使用は脱臼率を減少させると報告されている．
d．× メタルオンメタルTHAは他の摺動面のTHAに比べ再置換率が高い．
e．○ 高度架橋ポリエチレンは従来型（非架橋，低架橋）に比べ有意に摩耗が少ないとする質の高いエビデンスがある．
- 日本整形外科学会ほか監．変形性股関節症診療ガイドライン2016．第2版．南江堂，2016：153, 157, 172, 181．

問 5-8-42

| 正解 b | 寛骨臼形成不全，変形性股関節症 |

a．○ 寛骨臼形成不全による変形性股関節症

では骨盤前傾が増強する．
b．× 寛骨臼形成不全による変形性股関節症では腰椎前弯が増強する．
c．○ 寛骨臼形成不全による変形性股関節症では大腿骨頚部長が短い．
d．○ 寛骨臼形成不全による変形性股関節症では大腿骨頚部の前捻角が大きい．
e．○ 寛骨臼形成不全による変形性股関節症では寛骨臼前・後壁の低形成を認める．
● 日本整形外科学会ほか監．変形性股関節症診療ガイドライン2016．第2版．南江堂，2016：32, 41．

問 5-8-43

| 正解 a 変形性股関節症 |

a．× 変形性股関節症の発症年齢は平均40〜50歳である．
b．○ 変形性股関節症の発症に遺伝の影響がある．
c．○ 有病率は男性0〜2.0％，女性2.0〜7.5％である．
d．○ 寛骨臼形成不全と萎縮型は進行の予測因子である．
e．○ 重量物作業の職業，寛骨臼形成不全，発育性股関節形成不全の既往は危険因子である．
● 日本整形外科学会ほか監．変形性股関節症診療ガイドライン2016．第2版．南江堂，2016：10, 13, 17, 19, 23．

問 5-8-44

| 正解 a, b 人工股関節再置換術 |

a．× 塊状骨移植は，移植骨が生体力学的に正常の骨組織になるには2〜3年かかると考えられるため，この間に荷重をかけると圧潰をきたす恐れがある．
b．× セメントの充填固定寛骨臼側の骨母床が悪い状態では良好なセメンティングが行いがたい．
c．○ 大径セメントレスソケットは既存の骨量が減少するため将来の再々置換術に対して骨量の確保ができないなどの欠点があるが，比較的安定した固定が得られる．
d．○ インパクション同種骨移植は母床骨量の回復が期待できる．
e．○ 骨移植とサポートリングを併用するセメントソケットでの再建は母床骨量の回復と比較的安定した固定性が得られる．
● Canale ST（ed）．Campbell's Operative Orthopaedics 10th ed. Mosby, 2003：452-459．

問 5-8-45

| 正解 a, c 急速破壊型股関節症 |

a．○ 65歳以上の高齢者に多く，女性に多い傾向がある．
b．× 大半は片側性である．
c．○ 強い疼痛を訴えるが股関節の可動域は保たれている．
d．× 形態的に比較的正常な股関節に発症することが多い．
e．× 単純X線像では反応性の増骨性変化は認めないのが特徴である．

急速破壊型股関節症（rapidly destructive coxarthropathy：RDC）は変形性股関節症の亜型であり，高齢者の女性に多い特徴がある．本来は1年以内に急速に関節列隙の狭小化と関節破壊が進行する疾患としてPostelらにより報告されたが，1〜3年程度で破壊が進行する例も認められる．骨形態異常としては，ごくわずかな寛骨臼形成不全が存在することもあるが，ほとんどは正常の股関節である．症状としては強い疼痛を訴えるが，比較的関節可動域が保たれる特徴がある．そのため，神経病性関節症や関節

リウマチなどと鑑別を要する．単純 X 線像では，急速に破壊が進行するため骨棘や骨硬化などの造骨性変化が認められない点が特徴である．
- 標準整形外科学．第 14 版．631．

問 5-8-46

| 正解　b　　股関節骨切り術 |

a．○　進行期〜末期股関節症に対し大腿骨外反骨切り術が適応になる．
b．×　壊死巣が骨頭外側にある大腿骨頭壊死症では大腿骨内反骨切り術は適応にならない．
c．○　壊死巣が骨頭前方にある大腿骨頭壊死症では大腿骨頭前方回転骨切り術が適応になる．
d．○　寛骨臼形成不全による初期股関節症では寛骨臼移動術が適応になる．
e．○　寛骨臼形成不全による初期股関節症では臼蓋形成術が適応になる．

股関節疾患手術治療検討において，関節温存手術の適応を理解しておくことは専門医にとって重要である．大腿骨内反骨切り術は壊死巣が骨頭外側に及んでいない場合に適応がある．同部の健常部が内反骨切り後に内側に移動し，荷護部を支えるようになることが期待される．
- 標準整形外科学．第 14 版．638．
- 日本整形外科学会ほか監．変形性股関節症診療ガイドライン．第 2 版．南江堂，2016：124-148．

問 5-8-47

| 正解　a，e　　股関節の画像診断 |

仰臥位で骨盤の傾きがなく，下肢は膝蓋骨が真上を向いた肢位で両股関節の前後像を撮影する．左右に傾いていると腸骨翼や閉鎖孔が左右対称にならない．

骨盤が前方に傾けば，小骨盤腔が大きな円形となり閉鎖孔が小さくなる．後方に傾けば，小骨盤腔が小さくなり，閉鎖孔は大きく縦長となる．

股関節が外旋位で撮影されると小転子は大きくみえる．

発育期によっては，成長に伴って大腿骨頭や大転子の骨化が進行するため，年齢によって異なる X 線所見となる．大腿骨頭の骨端核は生後 3 カ月頃に出現する．

涙痕は解剖名ではなく，単純 X 線像上の名称で，骨盤の基準点となる．外側は寛骨臼底に一致し内側は小骨盤腔に一致する．
- 標準整形外科学．第 14 版．602-603．

1）OA（保存，HTO，TKA）

問 5-9-1

| 正解　e　　変形性膝関節症 |

変形性膝関節症は原因の明らかでない一次性と原疾患に続発する二次性に分類され，日本では一次性の内側型関節症が大部分を占める．二次性の変形性膝関節症は，外傷，関節炎，代謝性疾患，骨系統疾患など様々な疾患に続発するが，長期間の膝の固定も変形性膝関節症の原因となりうる．

肥満が変形性膝関節症の危険因子であることは多くの疫学的研究で指摘され，特に女性においてはその傾向が顕著に認められる．

X 線 Rosenberg 撮影は，立位で膝関節を屈曲 45°とし，X 線の入射軸を 10°遠位に傾ける撮影法であり，変形性膝関節症の初期病変をとらえることができる．
- 標準整形外科学．第 14 版．673-676．

問 5-9-2

> 正解　c, d　　外側型変形性膝関節症

外側型の変形性膝関節症は日本ではまれであるが，①女性に圧倒的に多い，②高齢者により多くみられる，③内側型に比べて肥満者は少ない，④可動域制限を生じることが少ない，などの特徴を有するとされている．

外側円板状半月や骨系統疾患に続発することが多く，大腿骨外側顆の低形成がみられることが多い．

進行した例では，歩行サイクルの接地時に外反が増強する内側への横ぶれ（medial thrust）が観察される．

変形が軽度なものでは脛骨近位での内反骨切りが選択されることもあるが，術後に関節面の傾斜が生じる可能性が高いため，一般には大腿骨顆上部での内反骨切りが行われる．

- 神中整形外科．改訂23版，下巻．1080-1087．
- 小林晶編．変形性膝関節症．南江堂，1992：50．

問 5-9-3

> 正解　c, d, e　　変形性膝関節症

変形性膝関節像の単純X線像では，関節軟骨の摩耗とともに関節裂隙が狭小化し，軟骨下骨の骨硬化，骨棘形成，関節内遊離体などを認めるようになる．

関節面の摩耗の状態を評価するには立位正面像が不可欠であり，特に45°屈曲位での立位正面像（Rosenberg撮影）は初期変化の描出に有用である．

関節裂隙の狭小化に伴い下肢アライメントの変化を示すが，その評価には大腿脛骨角（FTA：正常は約176°）や下肢機能軸（Mikulicz線：正常は膝関節のほぼ中央を通過する）が用いられる．

変形性膝関節症での軟骨下骨嚢胞形成は変形性股関節症に比べて比較的まれである．

- 標準整形外科学．第14版．673-676．

問 5-9-4

> 正解　a, b, c　　変形性膝関節症，運動療法

変形性膝関節症に対する運動療法としては，筋力訓練，ストレッチング，ウォーキングなどが行われる．

筋力訓練では等尺性訓練を行うのが安全かつ効果的であり，疼痛がある場合や高齢者では，大腿四頭筋に対する下肢伸展挙上（SLR）訓練を中心に，股関節内外転筋の訓練を組み合わせて行う．筋力訓練単独でも比較的短期間で良好な結果が報告されている．

ハムストリングのストレッチングは，病期の進行に伴い生じる屈曲拘縮の改善・予防に有用である．

歩行時痛，腫脹などの急性症状が治まった後に，平地でのウォーキングを徐々に開始する．ウォーキングは心肺機能を含めた運動機能の維持改善を目的に手軽にできる運動として有用である．

- 整形外科クルズス．第4版．578．
- 標準整形外科学．第14版．675-676．

問 5-9-5

> 正解　a, b, e　　膝蓋大腿関節症

膝蓋大腿関節症では階段や坂道歩行を避けるなどの日常生活動作の注意，消炎鎮痛薬の投与，大腿四頭筋強化訓練，膝屈筋のストレッチ体操などの保存療法で症状は軽減する．

難治例で疼痛が強く日常生活が著明に制限される例には，外側支帯切離や脛骨粗面前進術な

どの手術治療を行う．

内側膝蓋大腿靱帯再建術は，膝蓋骨脱臼の治療に行われる．

人工膝単顆置換術は，大腿脛骨関節の変性が内側もしくは外側で著明な場合に行われる．

- 神中整形外科学．改訂23版．下巻．1082-1084．
- 標準整形外科学．第14版．169-173，674-675．

● 標準整形外科学．第14版．672，676．

問 5-9-6

| 正解 b, c | 変形性膝関節症，保存療法 |

変形性膝関節症で痛みが強い例に対しては非ステロイド性抗炎症薬(NSAIDs)が使用されるが，特に高齢者では胃腸障害などの副作用の発生も看過できないため，漫然と長期投与することは慎むべきである．胃粘膜への副作用の回避を目的に坐剤，腸溶錠，プロドラッグなどが開発されている．しかし吸収後に血行を通じて胃粘膜に作用するので，副作用を完全に防止することはできない．

ピラノ酢酸系(エトドラク)，オキシカム系(メロキシカム)の薬剤はCOX-2選択性が高く，非選択的な薬剤に比較し胃腸障害の発生頻度が低いことが報告されている．

副腎皮質ステロイドの関節内注入は有効な方法で，抗炎症効果に優れ，除痛，腫脹の軽減が得られる一方，頻回の投与により固有感覚の低下，関節軟骨変性，骨萎縮を助長する可能性がある．また鎮痛に伴って歩行能力の改善が得られると，力学的ストレスが加味されてステロイド関節症を誘発する恐れがあるので注意を要する．

また近年ではヒアルロン酸の関節内注入も日本では広く行われ，比較的初期の例に対しては効果を発揮するとされるが，進行例での有用性には限界がある．

● 神中整形外科学．改訂23版．上巻．45-46，516-517．

問 5-9-7

| 正解 a, e | 変形性膝関節症，鏡視下デブリドマン |

変形性膝関節症にはまず保存療法を行い，十分な改善が得られない場合，手術療法を選択する．鏡視下デブリドマンでは，断裂した変性半月の切除，変性軟骨や骨棘の切除，骨軟骨の遊離体の摘出，骨膜切除などが行われる．

比較的初期の関節症，半月の変性断裂や遊離体などによる機械的な障害が症状に直接関連している例がよい適応である．

この術式でみられる効果は関節内の軟骨片(debris)や関節軟骨破壊酵素などの化学物質を洗浄・除去することによるとの報告がある．

変形性関節症に対する根本的な治療ではないので，高度の関節症では長期間の症状改善は得られにくく，関節症性変化そのものを変えることはできない．

辺縁部の縦断裂で出現することの多い嵌頓症状や誘発試験で症状が明らかな場合は別として，水平断裂を認めるMRI所見だけではデブリドマンの適応とはならない．

- 神中整形外科学．改訂23版．下巻．1084．
- 標準整形外科学．第14版．675-677．

問 5-9-8

| 正解 c, d | 人工膝関節全置換術，膝蓋骨トラッキング |

人工膝関節全置換術後の膝蓋骨トラッキングの異常は術後成績に大きな影響を与える．種々の要因が膝蓋骨トラッキングに関連している．

膝蓋骨コンポーネントの内側設置と大腿骨コ

ンポーネントの外旋位設置により，膝蓋大腿関節の適合性は向上する．膝蓋骨切除量が少ないと，膝蓋大腿関節の面圧の上昇と膝蓋骨コンポーネントの外側偏移を起こしやすい．逆に膝蓋骨切除量が多すぎると骨折の危険性が増加する．コンポーネントを設置した際，ほぼ術前の厚みを維持するような切除量を心がけるべきである．

joint lineの低位あるいは高位が存在する場合にも，膝蓋大腿関節の適合性は低下する．術中，屈曲時に膝蓋骨の外側偏移を認めた場合には，外側支帯解離により改善が期待できる．

その他，脛骨コンポーネントの回旋や膝蓋骨骨切り角によっても，膝蓋骨トラッキングは影響を受け，脛骨コンポーネントの過度内旋位設置で膝蓋骨のトラッキングが不良となる．

- 整形外科クルズス．第4版．838．

問5-9-9

正解　b, d, e　　人工膝関節全置換術，感染

人工膝関節全置換術後の深部感染の場合，抗菌薬のみで沈静化するのは20％程度といわれている．

起炎菌でもっとも多いのは黄色ブドウ球菌であり，MRSAの頻度も高いので，起炎菌が同定されていないときにはMRSAとMSSAに活性がある抗菌薬を使用する．

一期的再置換術より二期的再置換術が行われることが多いが，再置換術後の再感染率に差があるかどうかはいまだ結論が出ていない．

セメントスペーサーとして用いるセメントの中に抗菌薬を注入する場合は，1パック（40g）あたり3～4gの抗菌薬を混入する術者が多いが，固定のためのセメントにはセメント強度の問題があるため，通常1パック（40g）あたり1g程度の抗菌薬を混入する．

洗浄，抗菌薬入りセメントスペーサー留置などの初回手術の後，どの時期に再手術を行うのがよいかは結論が出ていないが，通常4～6週間隔をあけて行うことが多く，症例によってはさらに長期間経過をみることもある．

- Sim FH(ed). Instructional Course Lectures 50. AAOS, 2001：409.
- 日本整形外科学会診療ガイドライン委員会ほか編．骨・関節術後感染予防ガイドライン．南江堂，2006：21.

問5-9-10

正解　d, e　　人工膝関節全置換術，大腿骨コンポーネント

人工膝関節全置換術の際，大腿骨コンポーネントの回旋アライメントは屈曲位の安定性や膝蓋骨のトラッキング，脛骨コンポーネントとの接触形態などに影響を及ぼす重要なポイントである．

大腿骨の骨軸は冠状面と矢状面のアライメントの指標の1つである．

脛骨を骨軸に垂直に骨切除し，大腿骨コンポーネントの後側顆部が対称性のデザインのものを用いる，いわゆる通常の手技の場合，外側上顆と内側上顆を結んだ線（上顆ライン）に平行に入れるべきという意見が多い．後側顆ラインに平行に設置すると，上顆ラインより内旋位に設置されることになり，膝蓋大腿関節の問題などが危惧される．

標準的な手技では，外旋させる角度は3°前後であり，0°から7°までの間におさまる．

AP軸（Whiteside line）はほぼ上顆ラインと直交することが知られており，大腿骨回旋アライメントの指標の1つである．

- Garrin K et al(ed). Orthopaedic Knowledge Update：Hip and Knee Reconstruction 2. AAOS, 2000：281.

問 5-9-11

正解　c, d　　人工膝単顆関節置換術

人工膝単顆関節置換術(unicompartmental knee arthroplasty：UKA)は，特発性膝骨壊死に対してよい適応となる．術後の冠状面のアライメントについては外反よりも中間位から軽度内反が推奨される．

人工膝関節全置換術(total knee arthroplasty：TKA)と比較し侵襲が少なく，可動域が比較的保たれるという利点があるが，長期成績はやや劣る．

術中，前十字靱帯は温存される．再置換では通常TKAに移行することになる．

●神中整形外科学．改訂23版．下巻．1087．

問 5-9-12

正解　a, e　　神経病性膝関節症

a．×　疼痛を感じる神経の障害による関節症のため，疼痛は軽微である．
b～d．○
e．×　人工関節置換術は部分折損や弛みが生じやすいことから，その適応は議論のあるところである．

●標準整形外科学．第14版．679-680．

問 5-9-13

正解　c, e　　内側型変形性膝関節症

a．×　正常は約176°，立位では男性178°，女性176°．内側型変形性関節症ではこれらの値以上になる．
b．×　関節軟骨の変性を基盤とした疾患である．
c．○　変形性膝関節症の関節液は淡黄色透明，粘稠である．偽痛風や化膿性関節炎では混濁する．
d．×　脛骨は大腿骨に対して外旋する．
e．○　関節裂隙の狭小化の判定は荷重時のX線像で判断する．

●標準整形外科学．第14版．648，673-675．

問 5-9-14

正解　e　　人工膝関節全置換術

a．×　バランスなどを考慮して適宜骨切除を行う．
b．×　差はない．
c．×　差はない．
d．×　垂直ではなく，機能軸を考慮して適宜検討する．
e．○　内旋設置は脱臼の原因になる．

2）骨壊死など

問 5-9-15

正解　d　　膝の特発性骨壊死

60歳以上の高齢女性に多く，大腿骨内側顆部関節面に好発する．病態は骨粗鬆症を基礎として発生する軟骨下脆弱性骨折である可能性が指摘されている．そのため，通常もっとも力学的負荷がかかる大腿骨内側顆部荷重面に好発する．

●標準整形外科学．第14版．678-679．

問 5-9-16

正解　a, e　　膝の特発性骨壊死

多くの症例で急激な疼痛で発症することが，変形性膝関節症と対照的である．夜間痛も特徴の1つである．

問 5-9-15の解説も参照．

a．○

b．× 60歳以上の高齢女性に多い．
c．× 急激な疼痛で発症する．
d．× 病巣が小さければ保存療法のみで予後は良好である．
e．○
- 標準整形外科学．第14版．678-679．

問 5-9-17

| 正解 a, d, e | 膝の特発性骨壊死 |

問5-9-15, 問5-9-16の解説も参照．

a．○ 内側顆部に多い．
b．× 多くは一側性．
c．× 60歳以上の女性に多い．
d．○ 脆弱性骨折であるとの報告がある．
e．○ 急激な疼痛で夜間痛が特徴．
- 標準整形外科学．第14版．678-679．

3）その他

問 5-9-18

| 正解 a, b, d | 関節鏡 |

現在一般に使用されている関節鏡は，硬性鏡が主流である．

関節鏡の外套管を含めた直径は，2〜6 mmと幅があるが，膝関節では5 mm程度の大きさのものが一般に使用されている．なお手関節や小児では，1.7〜2.7 mmのものが使用される．

30°斜視鏡は，硬性鏡を上下左右に動かさなくても回転させることにより，鏡視範囲が広がるために，直視鏡よりも第1選択として使用されることが多い．関節鏡の鏡視に際しての媒体は生理食塩水が一般的である．

膝関節に対するアプローチは外側・内側膝蓋下穿刺孔が一般的であるが，前者が頻用される．

化膿性関節炎をはじめとした関節の感染症は，診断としては生検により確定診断，治療としては鏡視下滑膜切除として有用であり，よい適応である．
- 標準整形外科学．第14版．156, 203-204, 231-232, 657．
- 神中整形外科学．改訂23版，上巻．140．

問 5-9-19

| 正解 c, e | 鏡視下手術 |

滑膜骨軟骨腫症では関節内遊離体の摘出と滑膜切除が行われ，膝関節では鏡視下に行われることが多い．

特発性膝関節血症で頻回に出血を繰り返すものでは，出血部位の検索をかねて鏡視下滑膜切除術の適応となる．

間欠性関節水症は自然治癒することが多く，また滑膜にも軽度の炎症所見しかみられず，鏡視下手術の適応となる可能性は低い．

血友病性関節症では，関節内出血を防止し関節破壊の進行を抑制することを目的に，凝固因子の補充療法のもとに鏡視下滑膜切除術が行われる．

神経病性関節症の手術療法としては関節固定術や人工関節置換術が行われ，通常は鏡視下手術の適応とはならない．
- 井上一編．新図説臨床整形外科講座第8巻．大腿・膝．メジカルビュー社，1996：174．
- 神中整形外科学．改訂23版，上巻．603．
- 神中整形外科学．改訂23版，下巻．1093-1094．

問 5-9-20

| 正解 d | 膝窩嚢胞 |

膝窩嚢胞は50歳台以降の女性に好発し，変形性関節症や関節リウマチに合併して生じるものが多い．

嚢胞の穿刺により粘稠な黄色〜淡黄色の透明

な関節液が得られる．

約50％の頻度で関節腔と交通しているが，その頻度は加齢とともに増加する．小児に発生した膝窩嚢胞では関節腔と交通していないことが多い．

小児の膝窩嚢胞ではしばしば自然治癒がみられる．

- 標準整形外科学．第14版．684-685．
- 神中整形外科学．改訂23版．下巻．1114-1115．
- 整形外科クルズス．第4版．591．

問 5-9-21

| 正解 | c | 膝関節，滑液包炎 |

膝関節の周囲には臨床的に重要ないくつかの滑液包炎が発生する．日常診療で見逃されていることが多く，変形性関節症に由来する膝痛の鑑別診断に際して，知っておく必要がある．

膝窩嚢胞（Baker嚢胞）は半膜様筋腱と腓腹筋内側頭の間の滑液包炎で，50歳以上の女性に多く，変形性関節症や関節リウマチに合併して生じるものが多い．

滑膜ひだ障害は若年女性に好発する．保存的治療が選択されるが，難治性の場合には鏡視下手術が行われることもある．

膝蓋前滑液包炎はhousemaid's kneeとも呼ばれる．

膝蓋下滑液包炎は皮下膝蓋下包，深膝蓋下包，脛骨粗面下包に起こる．深膝蓋下包に発生した場合はHoffa病やOsgood-Schlatter病と鑑別を要する．

鵞足滑液包炎は，変形性膝関節症患者に併発することが多い．単独に発生してスポーツ選手の膝痛の原因になることもある．

- 標準整形外科学．第14版．658-659．
- 神中整形外科学．改訂23版．下巻．1112-1115．

問 5-9-22

| 正解 | e | 先天性膝関節脱臼 |

先天性膝関節脱臼はまれな疾患で，骨盤位分娩で多くみられる．

ほとんどが前方脱臼で，片側例と両側例がほぼ同数である．前方脱臼の場合，膝は反張膝をなし，膝屈曲は自動的にはほとんど不能で，他動的に多少可能である．他に股関節脱臼，内反足，肘の拘縮や全身性の関節弛緩を伴うことがある．

治療は生後できるだけ早期に行う必要があり，保存療法が優先される．整復が可能なものは，整復後，副子またはギプスで固定する．整復が困難なものは，介達牽引後に整復を試みる．整復不能なものは手術的に整復する．

- 神中整形外科学．改訂23版．下巻．1022-1023．
- 日本小児整形外科学会教育研修委員会編．小児整形外科テキスト．メジカルビュー社，2004：62．

問 5-9-23

| 正解 | a | 分裂膝蓋骨，Saupe分類 |

分裂膝蓋骨は，発育期の複数ある膝蓋骨の骨化中心が一体化せずに線維性に結合した状態である．分離の部位により分類したSaupe分類が用いられるが，typeⅢ（外上方が分離）がもっとも多く，typeⅡ（外側端が分離）が次に多い．

多くは保存療法で症状が改善する．

- 神中整形外科学．改訂23版．下巻．1026-1027．
- 標準整形外科学．第14版．662，890．

問 5-9-24

| 正解 | e | 先天性多発性関節拘縮症 |

先天性多発性関節拘縮症（arthrogryposis multiplex congenita）は単一の疾患ではなく，

多くの原因によって主に四肢の関節可動域制限をきたす病態を総称する概念である．

進行性の神経疾患ではない．遺伝性のものも含まれる．

患児の関節に皮膚のしわが乏しく，筋肉は変性，萎縮している．

ギプス矯正や可動域訓練には反応が不良で，内反足は難治性である．

多数回の手術を要することが多いが，機能的肢位が獲得されれば，知能が正常なことも手伝って社会生活上の予後はよい．

- 標準整形外科学．第14版．314-315.
- 日本小児整形外科学会教育研修委員会編．小児整形外科テキスト．メジカルビュー社，2004：104.

問 5-9-25

| 正解 | d, e | 内反膝 |

正常の乳児の下肢は，膝関節が内反した内反膝である．歩行開始後より徐々に内反が減りはじめ，2～6歳頃まではやや外反膝傾向となり，7歳頃以降は膝の外反はやや減少し，成人では4～5°の外反を呈する．乳児期に内反が異常に強い場合，特に歩行開始が早い場合などに，脛骨近位の発育障害であるBlount病が問題となる．

脛骨の骨幹部の長軸と骨幹端の内外側を結ぶ軸の垂線がなす角をmetaphyseal-diaphyseal angleといい，これが11°を超えるとBlount病が発生する危険が高い．

- 標準整形外科学．第14版．659.
- 日本小児整形外科学会教育研修委員会編．小児整形外科テキスト．メジカルビュー社，2004：122, 130.

問 5-10-1

| 正解 | b, d, e | 足関節鏡 |

前外側穿刺は浅腓骨神経損傷の危険が，足関節前中央穿刺は前脛骨動脈の損傷の危険がある．損傷を防ぐため，メスでの切開は皮膚のみとし，皮下組織は鈍的に剥離する．

標準的な穿刺部位は前内側と前外側であり，後内側穿刺は血管神経束損傷の危険があり一般的ではない．

足関節鏡視下手術の適応疾患は滑膜炎や距骨滑車骨軟骨損傷，関節内遊離体，インピンジメント症候群などである．

日本人では2.7 mm径の斜視鏡を使うことが多いが，大柄な患者では4.0 mmを使うことがある．

- Canale ST(ed). Campbell's Operative Orthopaedics. 10th ed. Mosby, 2003：2592-2593.

問 5-10-2

| 正解 | d, e | 足関節・足の機能解剖 |

距骨下関節では，主に内がえし/外がえしの動きを行う．

中足趾節関節は蝶番関節であるが，屈曲よりも伸展方向の可動域が大きい．

足は横足根関節（Chopart関節），足根中足関節（Lisfranc関節）により，後足部，中足部，前足部に分けられる．

Chopart関節は距骨と舟状骨，踵骨と立方骨から構成される．

足底腱膜は踵骨隆起から基節骨基部に停止する．足趾が背屈することにより足底腱膜が牽引され，足の縦アーチが上昇する（巻き上げ機構，

windlass mechanism).

　Lisfranc 関節は第1～5中足骨と第1～3楔状骨および立方骨で構成される．第1～3中足骨は第1～3楔状骨と第4, 5中足骨と，第4, 5中足骨は立方骨と関節をなしている．
　●標準整形外科学．第14版．688-690．

問 5-10-3

| 正解　c, e　足関節・足の解剖 |

　頚靱帯は足根洞部で距骨と踵骨をつなぐ靱帯である．
　三角靱帯は前脛距部，脛舟部，脛踵部，および後脛距部からなる．
　ばね靱帯は底側踵舟靱帯のことであり，舟状骨と踵骨をつなぐ．距舟関節を下から支え，内側縦アーチの形成に大きく関与している．
　二分靱帯は，踵骨前方突起と舟状骨外側端をつなぐ踵舟部と，踵骨前方突起と立方骨背側面をつなぐ踵立方部からなる．
　Lisfranc 靱帯は第1(内側)楔状骨と第2中足骨基部をつなぐ．
　●標準整形外科学．第14版．689．

問 5-10-4

| 正解　a, c　足関節・足の神経 |

　脛骨神経は，下腿では腓腹筋，ヒラメ筋に，下腿から足関節・足に付着する筋群のうち後脛骨筋，長母趾屈筋，長趾屈筋に分枝を出している．腓骨神経は，腓骨頭で外側方を回り，浅・深腓骨神経に分かれる．
　深腓骨神経は前脛骨筋，長母趾および長趾伸筋に，浅腓骨神経は長・短腓骨筋に分枝する．
　●標準整形外科学．第14版．691．

問 5-10-5

| 正解　b, c　足部変形 |

　多趾症は第5趾列に多く，母指列に多い上肢とは異なる．
　先天性内反足は定義上，尖足を伴うことが必須である．
　先天性垂直距骨では，後足部の尖足に加え Chopart 関節の足背脱臼を認め，全体では舟底足変形を呈する．
　先天性内転足は保存療法に反応するものが多い．
　先天性外反踵足は胎内肢位によるもので，通常は成長とともに自然消失する．
　●標準整形外科学．第14版．697-700．

問 5-10-6

| 正解　b, d, e　先天性内反足 |

　先天性内反足の変形は骨形態の異常，骨配列の異常，これらに対応した軟部組織の異常からなる．
　踵骨について，輪郭は正常であるが，大きさは小さいことが多い．
　踵骨は距骨の下へ入り込む，いわゆる roll in の状態になっている．
　骨配列の異常では，舟状骨は距骨頭の内下方へ偏位する．
　骨形態の異常では，距骨頚部の短縮・内反と距骨体部の低形成などが報告されている．
　●標準整形外科学．第14版．109, 697-698．

問 5-10-7

| 正解　a, b, d　先天性内反足 |

　先天性内反足の発生頻度は約1,500人に1人で，2：1の割合で男児に多い．

片側例と両側例の頻度は同程度であり，一般に両側例のほうが重症である．

尖足変形は必須の診断項目であり，尖足を簡単に徒手矯正できるならば，胎内肢位による見かけ上の変形や内転足を疑うべきである．ギプスによる矯正治療は，生後できるだけ早く開始する．

Ponseti法は世界でスタンダードな治療法になりつつある．はじめに前足部の内転と回内をギプスにより矯正する．1週間毎に計5〜6回の矯正ギプスを巻く．

残った尖足変形に対して，生後6〜8週頃にアキレス腱の皮下切腱を行う．

● 標準整形外科学．第14版．109，697-698．

問 5-10-8

| 正解　a，b，c　母趾種子骨障害 |

母趾では通常MTP関節に2個とIP関節に1個種子骨がある．

母趾MTP関節の内側，外側種子骨とも底側板（plantar plate）内に存在する．

障害は内側種子骨に多い．

母趾の伸展強制で痛みが生じる．

まず足底挿板などの保存療法を行い，症状が改善しない場合は種子骨摘出などの手術を考慮する．

● 標準整形外科学．第14版．707．

問 5-10-9

| 正解　a，d，e　足根管症候群 |

足根管とは足関節内果下方で屈筋支帯と距骨および踵骨で囲まれたトンネルで，脛骨神経と後脛骨動静脈が走行している．足根管症候群は，この部分で脛骨神経が絞扼されることにより生ずる神経障害である．ガングリオン，距踵間癒合症による骨性隆起が原因となることが多いが，原因を特定できない特発性も存在する．

症状は，足関節内側から足底に放散する痛みとしびれである．感覚障害は内側足底神経に生じることが多い．

足関節内果の後下方に叩打痛と足底への放散痛を呈するTinel様徴候を認める．

治療は足根管内への副腎皮質ステロイド注入が有効であるが，明らかな圧迫病変がある場合は手術を行う．

● 標準整形外科学．第14版．109，709．

問 5-10-10

| 正解　a，c，e　外反母趾 |

外反母趾に関連する解剖学的特徴として，母趾が第2趾と比較して長い，基節骨外反，第1中足骨内反などが挙げられる．

しばしば母趾の回内変形を認め，母趾種子骨は第1中足骨頭に対して外側に偏位する．

● 標準整形外科学．第14版．110，704-706．

問 5-10-11

| 正解　a，b，d　Morton病 |

Morton病は，中足骨頭間で底側趾神経が圧迫されて起こる絞扼性神経障害である．

中年以降の女性に好発する．

発症部位は第3・4趾間にもっとも多く，次いで第2・3趾間にみられる．

症状は中足部の痛みや足趾のしびれであり，足趾の痛覚鈍麻などの感覚障害を生じることがある．

不適切な靴を履かないなどの生活指導や，副腎皮質ステロイドの局所注射などの保存療法が有効である．保存療法に抵抗する場合には神経

切除を行う.
● 標準整形外科学. 第14版. 110, 695, 708-709.

問 5-10-12

| 正解　　c, d, e　　ハンマートウ |

近位趾節間(PIP)関節が屈曲変形をきたしたものがハンマートゥ(hammer toe)である. 母趾中足趾節(MTP)関節の変形性関節症は強剛母趾(hallux rigidus)と呼ばれる.

遠位趾節間(DIP)関節が屈曲している変形を槌趾(mallet toe), 近位趾節間(PIP)関節の屈曲に加えてMTP関節が伸展したものを鉤爪趾(claw toe)と呼ぶ.

二分脊椎やCharcot-Marie-Tooth病などの麻痺足に伴う内在筋麻痺が原因となるが, 外反母趾に伴うことも多い.

ハイヒールやtoe boxが小さい靴, 関節リウマチや外傷が原因となることもある. 靴によりPIP関節背側, 趾尖部などの突出部が圧迫され有痛性胼胝を生じる.
● 標準整形外科学. 第14版. 110, 706-707.

問 5-10-13

| 正解　　a, c　　足部の無腐性壊死 |

Köhler病は舟状骨の一過性の無腐性壊死で, 5〜6歳の男児に好発する. 2年ほどの自然経過で自然治癒する.

Freiberg病(第2 Köhler病)は中足骨骨頭の骨軟骨損傷で, 第2中足骨に多いが, 第3, 4中足骨にも発生する. 10〜17歳の女児に多い.
● 標準整形外科学. 第14版. 110, 710.

問 5-10-14

| 正解　　a　　足根骨癒合症 |

足根骨癒合症(tarsal coalition)は10歳前後に発症することが多い. 距・踵骨癒合と踵・舟状骨癒合が大部分である.

距・踵骨癒合は後距踵関節の内側に多く, X線診断には足関節外旋斜位像が有用である.

踵・舟状骨癒合は踵骨前方突起と舟状骨の間に起こり, X線診断には足部内旋斜位像が有用である.

時に腓骨筋痙性扁平足(peroneal spastic flatfoot)を呈し, 内がえしが制限される.
● 標準整形外科学. 第14版. 702-703.

問 5-10-15

| 正解　　b　　脛骨神経麻痺, 足関節可動域 |

足関節の関節可動域は, 背屈20°, 底屈45°である.

a. × 足関節拘縮は軟部組織が原因で関節運動が制限された状態をさす. 関節拘縮があると自動運動, 他動運動で関節可動域が制限される.
b. ○ 脛骨神経は下腿三頭筋, 後脛骨筋, 長趾屈筋, 長母趾屈筋に分枝する. 脛骨神経麻痺では足関節の底屈が不能になる.
c. × 総腓骨神経は腓骨頭部分で外側から側方に回り込み浅腓骨神経と深腓骨神経に分枝する. 前者は長・短腓骨筋, 後者は前脛骨筋, 長母趾伸筋, 長趾伸筋に分枝する. 総腓骨神経麻痺では足関節の背屈が不能になる(下垂足).
d. × 足背部の下伸筋支帯の下で総腓骨神経が圧迫されることにより生じる疾患である. 第1・2趾間へ放散する痛みや感覚障害が認められる. ガングリオンなどによる場合が多い.
e. × 下腿三頭筋以外の底屈筋の作用により足関節の自動底屈は可能であるが, つま先立ち

はできない．

- 標準整形外科学．第14版．118-119，694，709-713，762-763，941．

問 5-10-16

| 正解　e　　変形性足関節症 |

内反型変形性足関節症の単純X線正面像である．非荷重時単純X線像では関節裂隙の狭小化がみられないことがあり，診断には荷重時単純X線像が必須である．

a．○　中年以降の女性に好発する．
b．○　同上．
c．○　わが国では外反型よりも内反型の頻度が高い．
d．○　発症には関節の不安定性が関与しており，捻挫後に関節症になることもある．
e．×　内反型には外側楔のついた足底挿板が有効である．

- 標準整形外科学．第14版．109，704．

問 5-10-17

| 正解　b，e　　足部疾患，外反母趾 |

a．×　内反小趾は女性に多く，靴を履いたときに疼痛を生じる．
b．○　外反母趾では母趾は外反と同時に回内する．
c．×　第3・4趾間，第2・3趾間に多い．
d．×　鉤爪趾変形はMTP関節で伸展，PIP関節で屈曲する．二分脊椎やCharcot-Marie-Tooth病などの麻痺足に生じる．槌趾mallet toe変形では，DIP関節が屈曲する．
e．○　強剛母趾は母趾MTP関節の変形性関節症で，関節可動域が減少することからこの名前が付けられている．

- 標準整形外科学．第14版．110，704-708．

問 5-10-18

| 正解　c，e　　足根骨癒合症 |

a．○
b．○
c．×　不完全癒合型である軟骨性，線維性癒合が疼痛をきたしやすい．
d．○
e．×　足根管症候群は距踵骨癒合症に好発する．

- 標準整形外科学．第14版．702-703．
- 高倉義典監．図説 足の臨床．第3版．メジカルビュー社．2010：101．

問 5-10-19

| 正解　a　　成人期扁平足 |

後脛骨筋断裂を伴う成人期扁平足の身体所見を問う問題である．

a．×　成人期扁平足では踵部は外反する．
b～e．○　いずれも身体所見としてみられる．

- 標準整形外科学．第14版．703-704．

問 5-10-20

| 正解　c　　変形性足関節症 |

末期変形性足関節症(高倉・田中分類 Stage IV)の症例である．
保存療法は温熱療法や運動療法，装具療法，症状が強い場合には副腎皮質ステロイドの関節内注入療法などが行われる．
末期であり手術療法であれば関節固定術ないしは人工足関節全置換術の適応である．
関節裂隙全体が消失している場合，脛骨骨切り術の適応はない．

- 標準整形外科学．第14版．109，704．

問 5-10-21

| 正解　c, d　　足底腱膜炎 |

a．○
b．○
c．×　足底腱膜付着部内側に強い圧痛がある．
d．×　踵骨棘と症状は関連がない．
e．○
　●標準整形外科学．第14版．109, 715, 892.

問 5-10-22

| 正解　d, e　　外反母趾 |

a．×　母趾は回内する．
b．×　約10：1の割合で女性に好発する．
c．×　疼痛の程度と変形の重症度は必ずしも相関しない．
d．○
e．○
　●標準整形外科学．第14版．110, 704-705.

問 5-10-23

| 正解　b, c, e　　強剛母趾 |

a．×　中足趾節関節の変形性関節症である．
b．○　特発性が多いが，外傷や痛風が原因となることもある．
c．○
d．×　第1中足骨頭背側の骨棘が特徴である．
e．○　その他，末期では関節固定術などを行う．
　●標準整形外科学．第14版．110, 706.

外傷

6 外傷

1 軟部組織損傷
Q ▶ p.168-173

問 6-1-1
正解　c, d　　筋挫傷

肉ばなれは，急激な筋の過伸張，筋の過大な自動収縮，予期せぬ筋の運動などにより発生する筋腱移行部の筋線維または筋膜の部分断裂，過伸長，出血である．

二関節筋に多く，ハムストリングスが最多で，腓腹筋，大腿四頭筋，股関節内転筋がこれに次ぐ．ハムストリングスの肉ばなれは，陸上短距離選手やサッカー選手に多い．テニスのサーブ時に特有な膝伸展，足関節底屈回外位より急に背屈を強制された際に起こる腓腹筋の肉ばなれをテニス脚と呼ぶ．神経断裂の合併はほとんどない．

治療は保存的に行われ，急性期にはRICE(rest, ice, compression, elevation)が推奨される．

筋肉内の浮腫や出血が，MRI T2強調像で高信号領域に描出される．

手術を行うことは通常ないが，完全断裂の重症例は手術適応となる．

- 標準整形外科学．第14版．761, 881.
- 今日の整形外科治療指針．第6版．医学書院，2010：106.

問 6-1-2
正解　c　　挫滅(圧挫)症候群

挫滅(圧挫)症候群は，重量物などにより四肢や骨盤あるいは腹部が長時間圧迫されたのち，これを取り除いた場合に発生する．病理としては，圧迫部位より末梢の循環障害によって壊死に陥った筋肉から放出される大量のミオグロビンやカリウムが全身循環に放出されて，ショック様の症状に至る．

治療は初期のショックに対して輸液はカリウムを含まないものを用いる．すでに血液は濃縮されているので全血輸血は行ってはならない．

区画症候群をきたした場合は緊急筋膜切開を行う．壊死した筋肉が感染を起こすと菌血症で致命傷となることがあり，壊死部の十分な切除と抗菌薬の投与を行う．

ミオグロビン結晶が沈着して発生する腎尿細管壊死による急性腎不全は致命傷となる．この際は，血液のpHを補正し，アルカリ性に維持するように努めるが，血中のカリウム，BUNが進行性に増加する場合は血液透析を開始する．

- 標準整形外科学．第14版．770-772.

問 6-1-3
正解　a　　動脈損傷

動脈損傷の典型的な末梢症状としては，動脈拍動の消失または減弱(pulselessness)，蒼白(pallor)，疼痛(pain)，感覚異常(paresthesia)，および麻痺(paralysis)があり，「5P's」といわれ

ている．その他，四肢末梢のチアノーゼがみられる．運動障害と感覚障害は，末梢神経の支配分布に一致せず，上肢では手袋状，下肢では靴下状の感覚障害となる．病勢が進行すると完全感覚麻痺を生じ，筋肉も麻痺して筋拘縮あるいは硬直状態になる．

● 標準整形外科学．第14版．764-766．

問 6-1-4

| 正解　a, b　腱の皮下断裂 |

腱の皮下断裂はアキレス腱や腱板に多く発生し，上腕二頭筋腱断裂の発生は少ない．

腱断裂の発生は加齢による腱の変性が関与し，骨の近傍で発生する．

腱板や屈筋腱，上腕二頭筋腱などのように断裂した腱を縫合する場合もあるが，アキレス腱のように保存的に加療する場合もある．

腱縫合術を行った場合は，周囲との癒着を避け腱の治癒を促進させるために早期運動療法を行う．

● 標準整形外科学．第14版．761-762．

問 6-1-5

| 正解　b, e　区画症候群 |

区画の内圧が上昇すると，神経障害や筋壊死に至る．ギプスなどによる長時間の圧迫や骨折などが原因となる急性区画症候群と，長距離走やスポーツ動作の反復運動などによる慢性区画症候群がある．

下腿には，前方，外側，浅後方，深後方の4区画があり，前腕には，掌側，背側，橈側の3区画がある．このうち，Volkmann拘縮は，前腕の掌側区画症候群が原因である．

必ずしも，末梢部の動脈拍動が減弱したり消失するとは限らない．

区画内圧が，30〜45 mmHg以上あるいは拡張期血圧から20〜30 mmHgを減じた値以上の場合には，緊急で筋膜切開をしなければならない．

● 標準整形外科学．第14版．768-770．

問 6-1-6

| 正解　a, b, c　内側側副靱帯，外側側副靱帯，輪状靱帯 |

内側側副靱帯は，前斜走線維，後斜走線維，横走線維からなり，前斜走線維が安定性にもっとも重要である．

外側側副靱帯は，肘関節の内反や前腕の過回外を防ぐ働きがある．

輪状靱帯は，橈骨頭を尺骨につなぎ止める靱帯で，橈骨頭が輪状靱帯内を回旋する．

● 標準整形外科学．第14版．453-454．

問 6-1-7

| 正解　a　関節包，靱帯 |

関節包の外層は線維層，内層は滑膜層であり，線維層の一部が束状に肥厚したものを関節包靱帯（capsular ligament）と呼ぶ．

関節包とは独立して，関節包の内外に存在する靱帯を各々，関節包内靱帯，関節包外靱帯と呼び，これらをまとめて副靱帯（accessory ligament）と呼ぶ．

関節包や靱帯は，組織学的に平行に並んだコラーゲン線維束（主としてⅠ型コラーゲン）と線維細胞からなる．

● 標準整形外科学．第14版．48-58，766-768．

問 6-1-8

| 正解　a, c, d | 捻挫，靱帯損傷 |

　捻挫とは「関節を構成する軟部組織の挫滅であり，脱臼までに至らないすべての状態をいう」と神中は定義しており，捻挫の中には靱帯の完全断裂も含まれる．

　捻挫，靱帯損傷の程度については O'Donoghue の分類（表1）がよく用いられ，第1度（mild sprain），第2度（moderate sprain），第3度（severe sprain）に分けられる．第1度損傷では関節の異常可動性がなく，ストレスＸ線撮影でも関節裂隙の開大はみられない．

　外傷直後では腫脹は軽度であり，数時間以内に関節が腫脹してきた場合は関節内の出血を疑う．

　関節血症ではただちに関節穿刺を行い，脂肪滴の有無を調べる．

　また受傷時には固定される場合が多いが，外固定の期間は損傷の程度により異なる．

- 標準整形外科学．第14版．766-768．

問 6-1-8／表1　O'Donoghue による捻挫の分類

第1度捻挫 (mild sprain)	靱帯の一部線維の断裂で，関節包は温存されている
第2度捻挫 (moderate sprain)	靱帯の部分断裂で，関節包も損傷されることが多い．時には線維が引き伸ばされた状態になることもありうる
第3度捻挫 (severe sprain)	靱帯の完全断裂で，関節包断裂を伴う

問 6-1-9

| 正解　d | 手根不安定症，近位手根列背側回転型手根不安定症（DISI），近位手根列掌側回転型手根不安定症（VISI），SLAC |

　舟状月状骨解離には舟状月状骨靱帯の修復，または腱移植による再建が行われる．月状三角骨解離には月状三角骨靱帯の修復，または腱移植による再建が行われる．

　手根不安定症は手根骨の配列異常のために変形性手関節症に至る．これを SLAC（scapholunate advanced collapse）wrist と呼ぶ．

　問 6-3-86 の解説も参照．

- 越智隆弘総編．最新整形外科学大系．15A 手関節・手指 I．中山書店，2007：239-245．
- 標準整形外科学．第14版．488-489．

問 6-1-10

| 正解　e | 手根靱帯 |

　手関節は橈骨，尺骨と8個の手根骨，三角線維軟骨複合体（triangular fibrocartilage complex：TFCC）および靱帯より構成される（図1，2）．

　種子骨である豆状骨以外には筋腱の付着はなく，支持性は靱帯構造に依存する．

　手根骨間の靱帯を intrinsic（内在）靱帯，橈骨と手根骨間の靱帯を extrinsic（外来）靱帯と呼ぶ．extrinsic 靱帯は，掌側にある radioscaphocapitate, radiolunotriquetral, radioscapholunate, ulnolunate, ulnotriquetral 靱帯が強靱である．

　SNAC（scaphoid nonunion advanced collapse）は舟状骨偽関節による手根配列異常により生じた変形性手関節症の総称である．

　橈骨遠位端骨折の関節内骨折では舟状骨と月状骨間に剪断力が働き，舟状月状骨靱帯が断裂

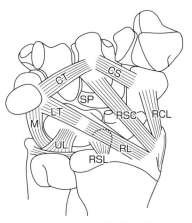

問 6-1-10／図 1　手関節掌側靱帯

近位外来靱帯：RCL(橈側側副靱帯), RSC(橈骨舟状有頭骨靱帯), RL(橈骨月状骨靱帯), RSL(橈骨舟状月状骨靱帯), UL(尺骨月状骨靱帯), M(メニスクス類似体).
内在靱帯：CS(有頭舟状骨靱帯), CT(有頭三角骨靱帯), LT(月状三角骨靱帯). CS と CT は合わせて V 靱帯と呼ばれる. SP (Poirier 腔)
(Taleisnik J：The Wrist. p14, Churchill Livingstone, 1985 を参考に作成)

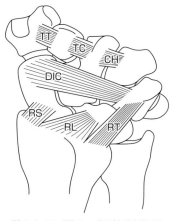

問 6-1-10／図 2　手関節背側靱帯

近位外来靱帯：RS(橈骨舟状骨靱帯), RL(橈骨月状骨靱帯), RT(橈骨三角骨靱帯)3 者を合わせて背側橈骨手根靱帯と呼ぶ.
手根〔骨〕間靱帯：DIC(背側手根間靱帯), 骨間靱帯：TT(大菱形小菱形骨靱帯), TC(小菱形有頭骨靱帯), CH(有頭有鉤骨靱帯).
(Taleisnik J：The Wrist. p23, Churchill Livingstone, 1985 より引用)

することがある.
● 神中整形外科. 改訂 23 版, 下巻. 552-555.

問 6-1-11

| 正解　b　手, 外傷 |

　三角線維軟骨複合体(TFCC)損傷の受傷機転として, 手をついて倒れるか, 手が過度に回内され受傷することが多い.
　舟状月状骨解離では, 月状骨が背屈し舟状骨が掌屈する. したがって, 単純 X 線側面像で舟状骨月状骨角が 80°以上になる. 正面像でも両者間の関節裂隙が開大する.
　基節骨基部骨折は MP 関節の過伸展強制によって生じ, MP 関節過屈曲によって整復され, MP 関節屈曲位にて固定される.
　尺骨突き上げ症候群の治療法には, 尺骨短縮骨切り術, 尺骨頭切除術や Sauvé-Kapandji 法

などがある.
　母指 MP 関節橈側側副靱帯は強靱な靱帯であり, これを損傷すると基節骨の橈側, 掌側への亜脱臼が生じる.
● 標準整形外科学. 第 14 版. 772-840.

問 6-1-12

| 正解　a, d　三角線維軟骨複合体 |

　三角線維軟骨複合体(TFCC)は, 関節円板と掌側・背側橈尺靱帯, 尺側側副靱帯で構成される.
　深層と浅層に分かれ, 尺骨小窩に付着する深層の役割が重要である.
　転倒による軸圧や, 過度の回内で損傷される. 変性断裂では切除術が行われるが, 外傷性辺縁断裂では修復術が適応になる.
● 標準整形外科学. 第 14 版. 490.

問 6-1-13

| 正解　c, e　　膝半月の解剖 |

　半月がどのように脛骨に付着するかは，半月損傷の診断と治療にとって不可欠な知識である．
　内側半月の前角は，ほとんどが脛骨粗面付近に付着し，脛骨関節面に付着するものは少ないが，後角はすべて脛骨関節面に接した部分に付着する．外側半月の前角と後角は，ほとんどが脛骨関節面に接した部分に付着する．
　内側半月，外側半月の前節から後節は，外側の膝窩筋腱溝を除き，冠靱帯を介して脛骨顆に付着し，脛骨半月関節腔を形成する．
　外側円板状半月の前角と後角は，ほとんどが脛骨関節面に接した部分に付着するが，後角はWrisberg 靱帯（後半月大腿靱帯のこと．Humphry 靱帯は前半月大腿靱帯と呼ばれる）を伴うものが多い．
　半月実質部には血管神経が認められないが，外周縁部（10〜25％）には血行があることが死体膝の血管造影で確かめられている．この部分の半月損傷は自然治癒しやすいし，縫合術の癒合率も高い．

- 池内宏ほか編．関節鏡．南江堂, 1995：8-12.
- 木村雅史．膝関節鏡視下診断・手術のテクニック．金原出版, 1995：31.
- 標準整形外科学．第14版．57, 647-652.

問 6-1-14

| 正解　a, b, c　　膝半月，ねじ込み運動 |

　膝屈曲時には半月は後方にずれ，伸展に伴って前方に出るが，可動域をコントロールするものではない．
　screw-home movement（ねじ込み運動）の主な担い手は前十字靱帯である．
　半月の機能については，古くは King が 1936 年，① 衝撃吸収による関節軟骨の保護，② 安定性への関与，③ 潤滑，④ 弾力性と可動性のあるワッシャーの役割，を推定している．

- 石井良章ほか編．股関節の外科．医学書院, 1998：26-37, 148-161.
- 臨スポーツ医 1994；11：1113-1143.

問 6-1-15

| 正解　a, d　　MRI，膝半月損傷 |

　半月損傷の診断には，MRI の矢状断像・冠状断像が用いられる．
　正常半月は T1, T2 強調像いずれも低信号に描出されるが，断裂があると関節液が断裂部に浸潤することによる増強効果が出現するため，T2 強調像あるいは T2 強調類似像が有用となる．
　外側半月後角部では，膝窩筋腱が貫いており，周囲の滑膜が高信号像となるため，断裂と誤りやすい．
　また骨端線閉鎖前の小児半月は豊富な血管網のためしばしば高信号を呈する．

- Reicher MA et al. Am J Roentgenol 1985；145：895-902
- 標準整形外科学．第14版．663-664.

問 6-1-16

| 正解　c　　McMurray テスト |

　半月損傷の誘発テストとして McMurray テストが広く用いられている．McMurray テストは，膝を最大屈曲位とし内外側関節裂隙に手指を当て，下腿に回旋ストレスを加えながら膝を伸展させる．一般に外側半月損傷では下腿内旋で膝を伸展させるときに，内側半月損傷では下腿外旋で膝を伸展させるときに疼痛やクリックが認められる．
　反復性膝蓋骨脱臼では，膝蓋骨を外方へ押し，下腿を外旋した状態で膝を屈曲させようと

すると脱臼の恐怖感を訴える（脱臼不安感テスト，apprehension test）．

前十字靱帯損傷に対する徒手検査としてLachmanテストやN-テスト（pivot shift test），前方引き出しテストなどが行われる．Lachmanテストは，膝軽度屈曲位とし，大腿遠位部を固定し脛骨近位部を前方に引く．N-テストは，膝約40°屈曲位とし，膝外反・下腿内旋のストレスを加えながら伸展させる．

後十字靱帯損傷に対する徒手検査に後方引き出しテストがあり，膝90°屈曲位とし，脛骨近位部を後方へ押す．

- 標準整形外科．第14版．663-664，666-672．

問 6-1-17

| 正解　a，b　　外側円板状半月 |

小児期に生じる半月損傷の原因として多いのは円板状半月で，ほとんどは水平断裂である．

欧米に比し日本に多く，離断性骨軟骨炎の誘因と考えられている．そのため日本における離断性骨軟骨炎は，大腿骨外側顆に比較的多く認められる．

円板状半月も断裂し顆間に嵌頓することで，伸展制限をきたすことがある．

全切除は変形性膝関節症の原因となるので，できるだけ形成的な切除を心がけるべきである．

- 標準整形外科．第14版．663-664．
- Fujikawa K et al. J Bone Joint Surg Br 1981；63B：391-395．

問 6-1-18

| 正解　a，b，c　　膝半月損傷 |

半月損傷形態は，基本的に縦断裂，横断裂，水平断裂，辺縁剥離断裂，変性断裂，およびこれらの複合に分類される．

年齢別に損傷形態をみると若年層では縦断裂が多く，年齢とともに水平断裂，変性断裂が増加する．

辺縁1/3の血行部red-red zone，red-white zoneの縦断裂は縫合術の適応である．一方，半月遊離縁側1/3（無血行部，white-white zone）縦断裂，弁状損傷，限局性水平断裂は部分切除の適応となる．半月の50〜60%を温存できれば，荷重伝達機能の40〜60%を期待できるという．

半月全切除術術後は変形性膝関節症がほぼ必発であり，可及的に温存を図ることが望ましい．

円板状半月の日本人での発生頻度は，外国人に比しかなり高い．

前十字靱帯を損傷した場合の半月損傷合併頻度は20〜25%であるが，スポーツを続けていると2年後には半月損傷の合併は80%に及ぶといわれる．その損傷形態は内側半月の中後節の縦断裂，辺縁剥離損傷のことが多い．

- 廣畑和志ほか編．膝関節の外科．医学書院，1996：202-205．

問 6-1-19

| 正解　c　　膝半月損傷 |

半月損傷は，内側・外側半月とも中節から後節にかけて断裂をきたしやすい．

若年者ではスポーツ外傷による前十字靱帯損傷に引き続いて起こることが多い．

新鮮前十字靱帯損傷には外側半月損傷の合併が多く，靱帯損傷後の経過とともに内側半月損傷が増加してくる傾向がある．

小児で明らかな外傷を伴わない場合，そのほとんどは円板状半月の水平断裂である．

中高年では，中後節移行部付近に横断裂や水平断裂を生じる．

辺縁部の縦断裂では，断裂した半月が顆間窩

に嵌頓し，膝が屈曲位のまま伸展不能となる（ロッキング）．このような断裂形態をバケツ柄状断裂と呼ぶ．

- 廣畑和志ほか編．膝関節の外科．医学書院，1996：202-205．
- 標準整形外科学．第14版．663-664．

問 6-1-20

| 正解　c, d　　足関節捻挫 |

足関節捻挫でもっとも断裂しやすい靱帯は前距腓靱帯で，前距腓靱帯と踵腓靱帯の複合損傷がこれに次ぐ．二分靱帯損傷も前距腓靱帯に次ぐが，足関節の靱帯ではない．

- Lutter LD et al(eds). Orthopaedic Knowledge Up-date：Foot & Ankle. AAOS, 1995：231-232.

問 6-1-21

| 正解　e　　Lisfranc 靱帯，Lisfranc 関節 |

Lisfranc 靱帯は第2中足骨基部と内側楔状骨を結ぶ靱帯であり，損傷したときは第1・2中足骨基部間にフレーク状の骨片を伴うことが多い．

受傷機転は過底屈状態の前足部への過大な軸圧で生じることが多い．

Lisfranc 靱帯は損傷しても，第1・2中足骨基部間，内側・中間楔状骨間の解離にとどまることが多く，必ずしも Lisfranc 関節の全脱臼は伴わない．

- Lutter LD et al(eds). Orthopaedic Knowledge Up-date：Foot & Ankle. AAOS, 1995：245-246.

問 6-1-22

| 正解　a, b, d　　足関節の靱帯損傷 |

足関節および足部の内がえし強制により，まず前距腓靱帯損傷が起こり，重傷例では関節包の断裂とともに踵腓靱帯損傷も合併する．

踵腓靱帯が単独で断裂することはまれである．

小児の場合には同様の受傷機転で，靱帯損傷よりも靱帯付着部の裂離骨折が起こる頻度が高い．

足部を内がえしして起こす靱帯損傷として，他に，前脛腓靱帯損傷，二分靱帯損傷がある．

内側靱帯である三角靱帯は深層と浅層に分かれ，単独で損傷をきたすことは少なく，しばしば果部骨折に合併して起こる．

- 増原建二監．図説　足の臨床．改訂版．メジカルビュー社，1998：218-240．
- 神中整形外科学．改訂23版．下巻．1160-1165．

問 6-1-23

| 正解　b, c　　肉ばなれ |

肉ばなれは，筋の過大な自動収縮（特に遠心性収縮）などによって発生する筋腱移行部の筋線維または筋膜の部分断裂，過伸長，出血である．直達外力によるものは筋打撲傷である．

肉ばなれは二関節筋に多く，ハムストリングスが最多で，約40％を占める．

ハムストリングスの肉ばなれは陸上競技の短距離やサッカーに多い．

テニス脚は，腓腹筋の肉ばなれである．

- 標準整形外科学．第14版．880-881．
- 中嶋寛之監．新版スポーツ整形外科学．南江堂，2011：259-264．

問 6-1-24

| 正解　b, e　　壊死性筋膜炎 |

a．× 筋膜と脂肪組織の感染症であり，ガス壊疽と異なり筋組織は通常侵されない．

b．○ 局所には境界不鮮明な発赤や腫脹，著明な圧痛がみられ，3～5日で皮膚に水泡が発生

する．
c．× 軟部組織の握雪感はガス壊疽の特徴的所見で，嫌気性グラム陽性桿菌であるクロストリジウム族が発生させるガスの皮下貯留のために生じる．
d．× これもガス壊疽の特徴的所見で，筋膜や筋間も壊死するために単純X線像やCT像にて羽毛状のガス像の広がりを認める．
e．○ 代表的起炎菌の1つがA群溶血性連鎖球菌で，劇症型溶血性連鎖球菌感染症は感染症法において5類感染症（全数把握の感染症）に指定されているため，診断後7日以内に保健所へ届け出ることが義務づけられている．

● 標準整形外科学．第14版．218-225．

問 6-1-25

| 正解　a，c，e　　破傷風 |

破傷風は開放創，熱傷などの合併症として生じる感染症で，原因菌は，嫌気性グラム陽性桿菌の *Clostridium tetani* である．致死率が成人で20〜50％，新生児では80〜90％と高い致命的疾患で，本疾患を疑った場合にはただちに治療を開始する必要がある．治療は，破傷風毒素に対する特異的治療薬である抗破傷風免疫グロブリンの投与が最重要で，局所の洗浄・デブリドマン，抗菌剤投与も行う．感染症法においては，全数把握対象の5類感染症に指定されており，診断した医師は7日以内に最寄りの保健所に届け出なければならない．

a．○ 抗神経性の毒素による開口障害が初発になることが多い．筋硬直が進行し，痙攣，嚥下困難，項部硬直を呈する．これらは，音や光などのわずかな刺激に反射的に誘発される．交感神経過緊張のため，頻脈，血圧上昇，発汗過多が認められる場合もある．最終的に全身痙攣のために弓なり緊張（後弓反張）となり，呼吸筋痙攣のため呼吸停止をきたす．
b．× 潜伏期間は3〜21日といわれ，短いほど予後不良である．
c．○ 原因菌の *Clostridium tetani* は，土壌中や動物の消化管に常在する
d．× 破傷風の臨床像の本体は菌体外毒素（神経毒）のテタノスパミンで，これが脳や脊髄の運動抑制ニューロン（γ-ニューロン）に作用して全身の強直性痙攣を引き起こす．
e．○ 予防策として，外傷後に破傷風の危険があるときには徹底的なデブリドマンを行う．また，トキソイドによる基礎免疫がない場合には，トキソイドと破傷風ヒト免疫グロブリンを投与する．

● 標準整形外科学．第14版．222-223．
● 山内裕雄ほか編．今日の整形外科治療指針．第3版．医学書院，1995：48．
● 神中整形外科学．改訂23版．上巻．200．
● 黒川清ほか編．内科学．2分冊版．文光堂，1999：1880

問 6-1-26

| 正解　a，b，e　　区画（コンパートメント）症候群 |

a．○
b．○ 区画内の筋を他動的に伸展させると疼痛が増強される（passive stretch test）．
c．× 下腿では脛骨前面の伸筋群に生じる前脛骨区画症候群が代表的である．
d．× 動脈の拍動の消失（pulselessness）がみられた場合は，病態はかなり進行しており，緊急に筋膜切開を要する．つまり，発生初期から認められるとは限らない．
e．○ 区画内圧を測定することで診断は確定する．

● 標準整形外科学．第14版．768-770．

2 骨折・脱臼総論

Q ▶ p.173-181

問 6-2-1

正解　b　　出血性ショック

出血性ショックの重症度を簡便に判定するには，心拍数を収縮期圧で割ったショック指数が簡便である．この基準値は 0.5 前後であるが，1.0 以上は重症であると判定できる．他に尿量，意識状態，呼吸状態，base excess，中心静脈圧などからショックの程度を判定することが可能である．

- 神中整形外科学．改訂 23 版．上巻．192-193．
- 標準整形外科学．第 14 版．733-734．

問 6-2-2

正解　d，e　　出血性ショック

出血性ショックの治療においては，出血している局所の治療に目を奪われることなく，全身管理が大切である．

血圧低下により頻脈，脈拍微弱，乏尿となっている．したがって，まず血管確保を行い，失われた血液に対して輸血による循環血液量不足の是正が必要である．

出血性ショックでは，酸素供給が減少し，意識障害や代謝性アシドーシスが生じる．

したがって，呼吸管理による脳への酸素供給および重炭酸ナトリウムによるアシドーシス補正が重要である．

輸液や輸血を行っても血圧が回復しない場合は，昇圧薬を用いる．

- 神中整形外科学．改訂 23 版．上巻．196-198．
- 標準整形外科学．第 14 版．733-734．

問 6-2-3

正解　a，c　　骨折で推定される出血量

骨折で推定される出血量は，骨盤で 1,000〜5,000 mL，大腿骨で 500〜1,000 mL，脛骨で 500 mL，上腕骨で 350 mL と推定される．

開放骨折では，皮下骨折の 2 倍程度の出血量を見込む必要がある．

- 標準整形外科学．第 14 版．733-734．

問 6-2-4

正解　a，d，e　　脂肪塞栓症候群

脂肪塞栓症候群は，外傷の後などに何らかの原因で脂肪滴が塞栓として毛細血管や細動脈を閉塞している状態である．しかし，物理的に閉塞するばかりでなく，塞栓した脂肪が分解されて放出される脂肪酸による炎症が影響するとも考えられている．そのため，電撃型のように播種性血管内凝固症候群（DIC）を合併し，死亡する症例もある．

大基準は，① 皮膚・網膜の点状出血，② 呼吸不全および胸部単純 X 線像の snow storm パターン，③ 頭部外傷と無関係な意識障害である．中基準は，① 呼吸不全による低酸素血症，② Hb 値の低下であり，小基準は，① 頻脈，② 発熱，③ 尿中脂肪滴，④ 血小板減少，⑤ 赤沈値の亢進，⑥ 血清リパーゼの上昇，⑦ 血中遊離脂肪滴である．

- 神中整形外科学．改訂 23 版．上巻．222-223．
- 山内裕雄ほか編．今日の整形外科治療指針．第 3 版．医学書院．1995：44．
- 標準整形外科学．第 14 版．745-746．

問 6-2-5

正解　c　　成長軟骨板損傷

成長軟骨板損傷においては Salter-Harris 分

類がもっとも広く用いられている．

　type Ⅰ：骨端と骨幹端の完全な分離で骨折は伴わない．

　type Ⅱ：もっとも頻度の高い型で，成長軟骨板の分離に骨幹端の三角骨片を伴う．

　type Ⅲ：type Ⅱとは逆に成長軟骨板の分離に骨端の骨片を伴い，関節内に骨折線が及ぶまれな損傷．

　type Ⅳ：関節面から成長軟骨板を越えて骨幹端に至る，縦に走る骨折．

　type Ⅴ：長軸方向の外力によって成長軟骨板が圧挫された型の損傷．

　●標準整形外科学．第14版．749-750．

問 6-2-6

| 正解　e　　新鮮開放創の処置 |

新鮮開放創に対して cleansing and brushing および挫滅組織の切除を行うデブリドマンは必須である．

受傷後6時間のいわゆる最適期(golden time)内に十分な創の処置が完了すれば，一次的に創を閉鎖してもよい．

開放骨折に伴って皮膚欠損がある場合には，遊離皮弁，筋皮弁などの植皮を行う．

Gustilo 分類の type Ⅰから type ⅢA までの開放骨折で，汚染部が小範囲で，早期に徹底的なデブリドマンができた場合には，内固定しても感染は起こりにくいとされているが，type ⅢB では原則として創外固定を行う．

神経は原則として一次縫合するが，創の状態が悪い場合は二次的に行う．

　●標準整形外科学．第14版．741-750．

問 6-2-7

| 正解　a, b, e　　骨折の治癒過程 |

骨折が生じると，そこには血腫が生じ間隙を埋め，骨折端部の骨細胞は血流の遮断により死滅する．

その後，血腫の中に組織球や線維芽細胞の浸潤がみられ毛細血管が侵入し，次第に肉芽組織(軟性仮骨，soft callus)によって置換される．

軟性仮骨の主な構成成分はⅠ型コラーゲンであり，これにミネラルが沈着して幼弱な線維骨(woven bone)が形成される．

両骨折端はまず線維骨の仮骨により連結されるが，この段階ではまだ力学的に脆弱であり，十分な支持性は期待できない．その後，形成された仮骨は吸収と新生を繰り返しながら，徐々に皮質骨と海綿骨の構造を整えていく．

骨折の治癒過程で形成される仮骨の骨量は，骨折部の安定性と関連し，骨折部の微細な動き(micromovement)は仮骨形成を促進し，強固過ぎる固定は仮骨の形成を阻害する．特に，外科的に骨折部を正確に整復して金属プレートで骨折端同士を強固に圧迫して固定すると，仮骨はほとんど認められず，ハバース管での生理的な再造形過程のみによって骨折部が治癒することがある(一次癒合，primary healing)．

　●標準整形外科学．第14版．40-47, 727-731．
　●神中整形外科学．改訂23版．上巻．211-223．

問 6-2-8

| 正解　c, d　　異所性骨化，骨化性筋炎 |

骨化性筋炎(myositis ossificans)と呼ばれるが，筋肉が骨化するわけではなく，外傷により骨膜や関節包が骨より剥離し，出血が起こって血腫が形成され，これが骨化に関連すると考えられている．

肘関節や股関節の脱臼および骨折などに合併することが多い.

異所性骨化が疑われた場合，すぐに徒手矯正を中止させ，急性期には局所の安静を保つべきである.

切除は，局所熱感が消失し，単純X線像で骨化の辺縁が鮮明になってから行う.

- 井澤淑郎ほか編. 小児骨折の実際. 南江堂, 1990：140.
- 標準整形外科学. 第14版. 283-284, 464.

問 6-2-9

| 正解　a, e　　Volkmann拘縮, 筋膜切開 |

Volkmann拘縮は，幼少期における肘関節周辺骨折に合併することが多い．上腕動脈の血流障害による阻血が生じ，前腕屈筋群が阻血性壊死に陥る.

著明な疼痛を訴えることが多く，区画内圧測定が診断に有用である.

治療として筋膜切開が行われるが，十分に除圧を行うことが必要である.

定型的変形としては，指屈曲，前腕回内，手関節掌屈位で拘縮する.

- 津下健哉. 手の外科の実際. 第7版. 南江堂, 2011：219.
- 標準整形外科学. 第14版. 491, 768-770.
- 神中整形外科学. 改訂23版. 上巻. 219-221.
- 神中整形外科学. 改訂23版. 下巻. 656-659.

問 6-2-10

| 正解　b, d, e　　外傷後の合併症 |

骨折などで筋組織に損傷が加わり血腫を生じると，異所性骨化が起こることがある．治療は筋炎の消退を待つことであり，局所の安静を保つことが大切である．切除術を行う場合は，術前に骨シンチグラフィーなどで筋炎の消退を確認して行う．筋炎が起こっているときに切除術を行うと増悪する.

下肢牽引中の腓骨神経麻痺予防のため，外旋位をできるだけ避けることが大切である.

Sudeck骨萎縮は四肢の末梢部の損傷によって起こりやすい．免荷，安静，挙上では症状は改善せず，除痛と機能維持のために関節の自動運動，温熱療法，交感神経ブロックなどを行う.

軟部組織の挫滅によって高度の瘢痕を形成した開放骨折では，筋肉の瘢痕化によって著しい関節拘縮をきたしやすい.

ギプス固定中にしびれや疼痛の増強がみられれば，区画症候群の発症が疑われる．その際はただちにギプスをカットし，症状の改善の有無をチェックし，区画内圧を測定する．区画内圧が30〜40 mmHg以上で，症状の改善がなければ早急に筋膜切開を行う.

- 津下健哉. 手の外科の実際. 第7版. 南江堂, 2011：132.
- 標準整形外科学. 第14版. 282-284, 768-770.

問 6-2-11

| 正解　a, b, e　　骨端線損傷 |

上腕骨骨端離開はほとんどがSalter-Harris分類のtype Ⅱであり，成長障害がほとんど起こらないため保存療法を原則とする.

大腿骨近位骨端離開では，骨端への栄養血管が破綻するため高頻度に成長障害，骨頭壊死が生じ，予後不良である.

成長軟骨板(骨端線)は，細胞形態により静止層，増殖細胞層，肥大細胞層に分けられる．成長軟骨板の損傷は，細胞外基質が少なく力学的な弱点になっている肥大細胞層，あるいは石灰化層で生じる.

Salter-Harris分類のtype Ⅳは，骨端から骨幹端に直線上に骨折線が走るもので，整復が正

確に行われないと成長障害が生じる．Salter-Harris分類のtype Vは，成長軟骨板が圧挫されて生じる損傷であり，受傷時単純X線像に変化がなく，捻挫と誤診されることがある．

基節骨の基部骨端線損傷はtype IIが多く成長障害はあまり生じないが，回旋変形を正確に整復しないと交差指(cross finger)を生じる．

- DePalma AF. DePalma's the Management of Fractures and Dislocations. 3rd ed. WB Saunders, 1981：146, 193.
- 標準整形外科学．第14版．749-750, 835-836.
- 神中整形外科学．改訂23版．上巻．291-293.

問 6-2-12

| 正解 | b | 骨折治療の原則 |

小児の骨折に対して整復位保持などの目的で牽引療法を行う場合，一般に5歳以下では介達牽引法，それ以上の年齢では直達牽引法が選択される．

小児の骨幹部骨折では，旺盛な自家矯正力によってある程度の屈曲や短縮変形は矯正しうる．しかし，回旋変形についてはほとんど自家矯正されないので，できる限り回旋転位を残さないように注意する．

汚染の強い開放骨折では，受傷後6時間以内の最適期(golden time)に大量の生理食塩水で創部を洗浄して汚染物質をできる限り除去し，挫滅した軟部組織や血流の悪い組織を徹底して切除する(デブリドマン)．

特に，土で汚染された開放骨折では破傷風の発生を念頭に置き，破傷風トキソイドの追加免疫と抗破傷風ヒト免疫グロブリン250 IUを投与する．

骨折の治療後は，できるだけ早期からリハビリテーションを開始することが望ましい．ギプス治療を選択した場合でも，固定後できるだけ早期からギプス内での等尺性訓練を行わせて筋肉の廃用性萎縮を予防する．

- 標準整形外科学．第14版．723-750.

問 6-2-13

| 正解 | c | 遷延癒合，偽関節 |

遷延癒合は，骨癒合過程が非常に緩慢ながら修復反応は残っており，骨癒合障害因子を除去することによって骨癒合は進行する．一方，偽関節は，骨癒合過程が止まった状態であり，骨折端の骨髄腔は硬化した骨で閉鎖されている．

不十分な固定，感染，開放骨折，骨欠損などが遷延癒合・偽関節の主な原因となる．

骨シンチグラフィーは，骨折端の生物学的活性の有無をみることができる有用な検査で，萎縮型偽関節では骨癒合過程が止まった状態でありRI集積もみられない．

一般に偽関節の骨欠損部位には骨移植が行われるが，大きな欠損偽関節では血管柄付き骨移植術や仮骨延長法などが必要となる．

低出力超音波パルスは骨癒合期間短縮効果を有し，安全で簡便な骨折治療促進方法である．

- 標準整形外科学．第14版．729-731.
- 神中整形外科学．改訂23版．239-242, 286-289.

問 6-2-14

| 正解 | a | 小児の骨折の特徴 |

成長段階にある小児の骨の損傷は成人と異なる多くの特徴があり，決して成人の小型版ではない．小児は成人と比べて骨折の頻度が高く，骨膜が厚くて骨形成が旺盛で弾力性に富む．

骨癒合が早く自家矯正能がある，靱帯損傷や脱臼はまれである，出血に対する抵抗性が低いなどの特徴がある．

長管骨ではある程度の短縮を残して癒合した場合，成長軟骨板で過成長を起こして，長さは

ある程度補正される．

　脛骨が骨折して転位した場合などに，腓骨が単純X線像では骨折線が認められないにもかかわらず全体に弯曲することがあり，これを急性塑性変形という．経時的に弯曲の凹側に仮骨形成されるので，骨折線は認めなくても一種の骨折である．

　成長軟骨板の損傷は成長障害や変形の原因となる．

　あたかも若木を折り曲げたときのように，骨折線が完全に骨を横断しない不全骨折を若木骨折という．

● 標準整形外科学．第14版．749-750．

問 6-2-15

| 正解　b，c　　開放骨折のGustilo分類 |

　開放骨折は皮膚や軟部組織に創が存在し，骨折部と外界が直接交通するものである．感染の危険性が高く，初期治療の段階で皮下骨折とは異なる注意を要する．Gustiloの開放骨折の分類を用いるのが一般的である．

[Gustilo分類]

　type Ⅰ：開放創が1cm未満で汚染の少ないもの．

　type Ⅱ：開放創が1cm以上であるが，広範な軟部組織損傷や弁状創を伴わないもの．

　type ⅢA：広範な軟部組織の剥離や弁状創を伴うが，軟部組織で骨折部を被覆可能なもの．

　type ⅢB：骨膜の剥離を伴う広範な軟部組織損傷と，著しい汚染を伴うもの．

　type ⅢC：修復を要する動脈損傷を伴うもの．

● 標準整形外科学．第14版．727-728．

問 6-2-16

| 正解　a，b，c　　外傷性脱臼 |

　先天性脱臼が関節包内脱臼であるのに対し，外傷性の完全脱臼では骨頭は関節包を突き破って包外に脱出している．

　陳旧例であっても，関節造影像で骨頭が関節包外にあるのが確認できる．

　脱臼の頻度は肩関節がもっとも高く，次いで肘関節，以下，肩鎖関節，指関節，股関節などである．

　脱臼の整復が遅れると，骨頭の循環障害，関節液による灌流障害などにより，骨頭壊死や関節軟骨の変性の原因となり，予後は不良となる．24時間以内の整復が必要である．

　小児では骨端線損傷を起こし，脱臼となることはまれとされているが，股関節では成人の約9%(Epstein)，肘関節で6%(Blount)の報告がある．

● 標準整形外科学．第14版．772-840．

問 6-2-17

| 正解　d　　脱臼，骨折 |

　骨折を伴わない外傷性橈骨頭脱臼のほとんどの例に尺骨塑性変形がある．尺骨塑性変形を整復することによって橈骨頭が整復される．

　ボタン穴変形(buttonhole deformity)はPIP関節掌側脱臼の際，基節骨骨頭が中央索(central slip)と側索(lateral band)の間から背側に飛び出している状態である．したがって，指の牽引による徒手整復では両者が頸部を絞扼するので整復は困難である．

　肩鎖関節脱臼については，問6-3-32の解説を参照．

● 標準整形外科学．第14版．772-840．
● 越智隆弘総編．最新整形外科大系．14 上腕・肘関

節・前腕．中山書店，2008：222-231．
● 金谷文則編．手の外科の要点と盲点．文光堂，2008：179．

問 6-2-18

| 正解 d 外傷性脱臼，手術適応 |

靭帯，筋，腱あるいは関節包で骨頭が絞扼されている場合，関節支持組織や関節軟骨片あるいは骨片が介在物となって徒手整復ができない場合，関節面の正しい適合性が得られない場合では，手術的に整復障害の原因を除去して完全な整復位を獲得する必要がある．骨片が大きかったり，靭帯損傷のため安定性を欠いたりして容易に再脱臼する場合には，骨片の整復固定や靭帯の修復が必要となる．

脱臼に合併する神経麻痺は整復により急速に回復することが多く，ただちに手術適応とはならない．

整復後2～4週間経過観察し回復傾向がみられない場合，手術により神経の状態を確認する必要がある．

整復後も末梢の循環障害が改善しない場合，主要血管の損傷が考えられ，血管造影を行って損傷部位や程度を確認して，対策を講じる必要がある．

陳旧性脱臼では徒手整復が困難なため観血的整復術が必要となる．

● 標準整形外科学．第14版．723．

問 6-2-19

| 正解 c 脱臼，骨折，整復 |

腹臥位の肩関節の整復法はStimson法である．
Monteggia脱臼骨折では，尺骨骨折を整復すれば橈骨頭脱臼は整復される．
中手骨頚部骨折の屈曲変形はMP関節を最大屈曲させて軸圧を介して整復し，屈曲位のまま固定する．MP関節の伸展位固定は禁忌である．

踵骨骨折の関節内骨折の治療には，経皮的に鋼線やWesthues釘を用いて骨折を整復後にギプス固定を行うWesthues法があるが，プレートを用いた整復固定も行われる．

小児の大腿骨骨幹部骨折には股関節90°，膝関節90°で牽引するWeber牽引が回旋変形のコントロールに優れている．

● 標準整形外科学．第14版．772-840．

問 6-2-20

| 正解 b 脱臼，治療 |

指関節脱臼は，多くは遠位方向への徒手牽引で容易に整復される．しかし，示指MP関節背側脱臼，示指PIP関節掌側脱臼や母指MP関節背側脱臼は，観血的整復が必要である．母指MP関節背側脱臼は，徒手整復では，掌側に飛び出した中手骨骨頭がMP関節掌側板を乗り越えず，中手骨頚部は母指球筋腱部により絞扼されるため，観血的整復術の適応である．

肩鎖関節脱臼の保存療法として，鎖骨を押さえ，上腕骨を軸方向に突き上げる装具（Kenny-Howard装具）療法がある（図1）．

股関節中心性脱臼に対する大腿骨大転子部での側方直達牽引は，手術を選択する場合，感染

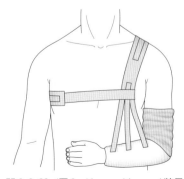

問 6-2-20／図 1　Kenny-Howard 装具

の危険性が高くなるので推奨されない．

　膝蓋骨脱臼の整復は，膝を伸展しながら膝蓋骨を内方へ圧迫する．整復後は膝伸展位で内側の軟部組織修復のため固定を行う．

　Lisfranc関節脱臼は，徒手整復は可能であるが，整復位の保持は容易でなく，Kirschner鋼線やスクリューを用いた内固定を追加したほうがよい．

●標準整形外科学．第14版．772-840.

問 6-2-21

| 正解　a　　疲労骨折 |

　疲労骨折は脛骨に多い．疼痛があっても初期は単純X線像上所見を認めないことも多く，3～4週後に骨膜反応や仮骨形成を認めてはじめて診断できることも少なくない．したがって，経過を追ってX線撮影を行うことが大切である．

　早期診断には骨シンチグラフィーやMRIが有用である．MRIではT1強調像で骨折部に一致し帯状の低信号を呈し，脂肪抑制画像の1つであるSTIR (short inversion time recovery) では高信号を呈する．過労性脛部痛（シンスプリント）と疲労骨折の早期鑑別診断にはMRIが有効である．

　原因となったスポーツ活動を制限することで改善することが多いが，脛骨中央1/3部に生じる跳躍型骨折，第5中足骨のJones骨折のように難治性の疲労骨折もある．

●標準整形外科学．第14版．724, 885-887, 891-892.

問 6-2-22

| 正解　a, d　　疲労骨折 |

　疲労骨折は，健常な骨に，通常は骨折を起こさない程度の負荷が繰り返し加わった場合に生じる骨折である．

　腕相撲骨折は投球骨折と同様，自家筋力の捻転力によるものである．

　スポーツで発生する以外にも，股関節周囲の異常によって恥骨枝や恥骨坐骨結合部に外傷がなくて発生することがある．

　脛骨遠位1/3部の疲労骨折は，圧力が加わる脛骨後内側に好発し，走る競技によって発生することが多く，疾走型と呼ばれる．

　高齢者の脊椎圧迫骨折は骨粗鬆症が基盤にあり，極めて小さな外力で発生する．

　疲労骨折に対する治療は，一部例外があるものの基本は安静である．

●標準整形外科学．第14版．885-887, 891.

問 6-2-23

| 正解　e　　胸椎・腰椎損傷 |

　胸腰椎では屈曲伸張外力により脊椎の後方から前方に至る水平断裂をきたすことがある．車運転中のシートベルト装着者に多いことからシートベルト損傷とも呼ばれる（腹部のシートベルトを支点に上体が前方および頭側に伸張される）．

●神中整形外科学．改訂23版．下巻．237-238.

問 6-2-24

| 正解　a, c, d　　開放骨折 |

　創内の感染は時間経過とともに指数関数的に増加する．創傷感染が成立する前に，初期治療可能な医療機関に搬送することが重要である．少数の細菌が付着しただけでは感染を起こすことはないが，組織1g当たり10^5個以上の細菌に汚染されると免疫による防御機構を凌駕し，感染リスクが高くなるとされている．

　出血に対しては，清潔なガーゼによる適度な

圧迫で止血を図り，大きな動脈損傷に伴う出血で，やむをえず止血帯を使用する場合は，駆血時間を正確に把握する．

新鮮開放創に対しては，感染を防止し，創の一期的治癒を目指して治療を妨げる壊死組織の切除を行うデブリドマンと大量の滅菌生理食塩水による洗浄は必須である．

患肢の早期機能回復を獲得するため，慎重な軟部組織評価を行い，軟部組織の適切な再建による開放創の早期治癒，解剖学的なアライメントによる骨癒合の獲得，早期運動リハビリテーションの実施を目指し治療方針を計画する．

Gustilo type Ⅰから type ⅢA までの開放骨折で，汚染部が小範囲で，早期に徹底的なデブリドマンができた場合には即時内固定も可能であるが，Gustilo type ⅢB では，軟部組織損傷が高度で，創の汚染も著しく感染発生率が高いため，二期的手術を計画する．

- 神中整形外科学．改訂23版，上巻．198-202，283-286．

問 6-2-25

| 正解　c　　骨折，固定法 |

引き寄せ鋼線締結法は，筋収縮による張力で骨折部が離開する骨折で，張力を圧迫力に変換して固定力を増し，筋収縮による間欠的な圧迫力で骨癒合を促進する．膝蓋骨骨折，肘頭骨折，足関節果部骨折の固定に優れた効果を発揮する．

支持プレート固定法は，関節面の転位した骨片を整復した際，整復した骨片が再び陥没転位することを防ぐため，プレートに支持機能を期待する方法である．

架橋プレート固定法は，粉砕の強い骨折で，粉砕骨折部を展開して整復することなく，主骨片のみを固定する方法で通常前腕骨骨幹部単純骨折には用いられない．

髄内釘固定法は，軟部組織を剥離，骨折部の展開をしないので侵襲が少なく骨癒合に有利で，長管骨を骨軸の中心である髄内から固定するため力学的に優れるなどの利点を有しており，大腿骨および脛骨骨幹部骨折の横骨折と短い斜骨折によい適応である．

創外固定は，開放骨折，特に骨，軟部組織の欠損を伴う Gustilo type ⅢB の開放骨折で適応となることが多い．

- 神中整形外科学．改訂23版，上巻．260-283，283-286．

問 6-2-26

| 正解　c，d　　ギプス，矯正ギプス |

ギプスとは，もともと石膏（硫酸カルシウム粉末）のことで，石膏を塗布した包帯をぬるま湯に浸して巻き，硬化させたものである．

小児の矯正ギプスでは細かな矯正が必要であり，またギプス更新時に前もって家庭で除去できるように樹脂ではなく石膏ギプスを用いることが多いが，現在では，一般的には合成キャストが用いられている．

合成キャストは常温の水に浸けると数分で硬化する．

骨折の場合，骨折部の上下2関節を含めて固定することで筋の起始と停止部を固定することができ，整復位を保持できる．

下巻きはまずメリヤス筒（ストッキネットなど）で患肢を包み，その上に綿包帯をしっかりと巻く．特に骨性隆起部には厚めに巻く．

- 標準整形外科学．第14版．176-177，697-699，735．

問 6-2-27

> 正解　c, d　　新鮮下腿骨幹部骨折，キャスト（ギプス）固定

a．×　まずメリヤス筒（ストッキネットなど）で患肢を包み，その上に綿包帯をしっかりと巻く．特に骨性隆起部は圧迫防止のためにしっかりと巻く．綿包帯が薄すぎたり，キャスト材が突出していたりするなど，適切な処置がなされていないと，血管・神経損傷や褥瘡の原因となるので注意を要する．

b．×　ギプス装着後に患部が浮腫や出血で腫脹すると，筋内圧が上昇し，循環障害［区画（コンパートメント）症候群］をきたす危険がある．

c．○　外傷の重症度とは関係なく，キャスト内で四肢を不動状態におくことで，深部静脈血栓や複合性局所疼痛症候群（CRPS）Ⅰ型，反射性交感神経性ジストロフィー（RSD）を発症することがあるので予防が必須である．予防にはギプス中でも実施可能な等尺性運動を実施することが，廃用予防の観点からも重要である．

d．○　一般に骨折の場合の固定範囲は，上下2関節を含めることで筋肉の起始と停止部を固定することができ，整復位を保持することができる．

e．×　過度の圧迫を防ぐため，キャスト材には緊張をかけずに巻く．

●標準整形外科学．第14版．175-177．

問 6-2-28

> 正解　e　　合成キャスト（ギプス）

キャスト（ギプス）の材料として石膏，水硬性樹脂（プラスチック），熱可塑性樹脂（プラスチック）がある．それぞれの特徴にあった製材を用いることが重要である．合成キャスト（synthetic cast，プラスチックキャスト）は近年よく用いられている．

1）材質
・ガラス繊維の織布が素材
・水で硬化するポリウレタン樹脂を滲みこませたもの
・その他，いくつかの材質のものが用いられる．

2）特徴
・石膏キャストに比べ，①通気性がよい，②軽量である，③X線透過性がよい，④弾力性がある，⑤硬化時の発熱が少ない，⑥水に強く濡れても壊れない，などがある．

3）巻き方
・ギプス包帯と同じ．
・耳（タック，折り返し）はできない．
・樹脂のポリマーが皮膚に付くと，外すのは容易でなく手袋を用いなければならない．

●標準整形外科学．第14版．176．

問 6-2-29

> 正解　b, c　　hanging cast（吊り下げギプス包帯）

1）適応
・上腕骨骨幹部の斜骨折や螺旋骨折

2）方法
・肢位：肘90°屈曲で前腕回内外中間位
・範囲：骨折部より2cm近位まで，手指の動きは自由となる．
・方法：手関節部に紐を通して首に吊るす．
・運動：早期より肩関節の自動運動が可能（振り子運動）である．
・夜間：上半身半坐位で就寝する．仰臥位にするときは，夜間のみ上腕の軸方向に軽い牽引力をかける．
・X線撮影：毎週整復状態をチェックする．

●標準整形外科学．第14版．779．
●Bucholz RW et al (eds). Fractures in Adults. 5th

問6-2-30／表1　介達牽引と直達牽引

	介達牽引(skin traction)	直達牽引(skeletal traction)
牽引方法	皮膚を介した牽引	骨にピンを刺入し直接骨に力を加える牽引
重　錘	2〜3 kg まで	10 kg 以上も可能
物　品	ラバーフォーム 粘着テープ	Kirschner 鋼線（鋼線緊張器が必要） Steinmann ピン ヘイローリング，Crutchfield tongs，Gardner tongs
適　応	小児の骨折	成人の骨折
代表例	牽引の種類（適応）： 　Dunlop 牽引（上腕骨骨折） 　Bryant 牽引（大腿骨骨折） 　キャンバス牽引（骨盤骨折，恥骨結合離開） 　Glisson 牽引（頸部痛） 　骨盤牽引（腰痛） 　頭上方向牽引（先天性股関節脱臼）	刺入部位（適応）： 　中手骨（橈骨骨折） 　肘頭（上腕骨骨折） 　大腿骨遠位（大腿骨骨折） 　脛骨骨近位（大腿骨骨折） 　踵骨（下腿骨骨折） 　頭蓋骨（頸椎脱臼骨折）
注意点	表皮剥離，水疱 毎日皮膚の状態をチェック	刺入部感染 骨萎縮が強い場合に骨が切れる 刺入時，神経血管に注意（神経血管のあるほうから刺入する）

ed. Lippincott Williams & Wilkins, 2001：113-180.

問 6-2-30

| 正解　a，b　　介達牽引，直達牽引 |

牽引法は2つに大別できる（表1）．
- 標準整形外科学．第14版．174-175．
- 神中整形外科学．改訂23版．上巻．256-259．
- Bucholz RW et al (eds). Fractures in Adults. 5th ed. Lippincott Williams & Wilkins, 2001：113-180.

問 6-2-31

| 正解　a，e　　牽引 |

　牽引治療の目的は，骨折や脱臼の愛護的な整復と整復位の保持，安静による筋緊張や炎症の鎮静化，術前の関節拘縮の除去，椎間板や関節の内圧低下による疼痛の緩和などである．安静を強いる長期的牽引の場合，逆に筋萎縮や拘縮をきたすことがあるので注意を要する．
a．○　Dunlop 牽引は小児上腕骨顆上骨折に対して用いられ，1939年 Dunlop によって報告された．上腕を重りで引き下げつつ，肘屈曲45°で前腕を遠位方向に牽引する．
b．×　Russel 牽引は小児大腿骨骨幹部骨折の保存療法の際に用いられる．膝下を吊り上げ，ベッドから下腿を浮かせた状態で遠位方向へ牽引する．
c．×　Glisson 係蹄を下顎と後頭骨にかけ，頸椎を前屈10〜30°で頭方向に牽引する．
d．×　上記参照．
e．○　直達牽引は鋼線を刺入して直接骨に牽引力を作用させる方法である．鋼線刺入時は，関節包や神経・血管の損傷には十分に注意する．
- 標準整形外科学．第14版．174-175，734-735，916．
- 神中整形外科学．改訂23版．上巻．71-75，256-259．下巻．447

問 6-2-32

| 正解　b，d，e　　牽引 |

　骨折の整復保持のための下肢牽引には，乳幼児以外は直達牽引が用いられる．

Crutchfield tongs を用いる頭蓋骨牽引は，頚椎損傷に対する意識下の slow reduction 法によい適応がある．

大腿骨骨折に対して直達牽引とする場合，大腿骨遠位または脛骨近位に Kirschner 鋼線を刺入する．

- 標準整形外科学．第 14 版．174-175, 837, 734-735.
- 神中整形外科学．改訂 23 版．上巻．71-75.
- 越智隆弘ほか編．最新整形外科学大系 3．運動器の治療学．中山書店，2009：138-143.

問 6-2-33

| 正解 | b, c, d | 牽引 |

a．× 牽引のみで骨折部の転位を矯正不可能の場合，徒手的に整復操作を加えることを躊躇してはならない．
b．○ 皮膚・軟部組織を介して牽引する介達牽引は，牽引力は弱いものの低侵襲で合併症のリスクが低く，安静保持の目的であれば通常は十分である．
c．○ 膝関節の感染や関節内拘縮が生じるリスクを低減するため，関節構成体を傷害しない部位に刺入する．
d．○ 小児大腿骨骨幹部骨折の完全骨折に対する保存療法では，3～4 歳の症例に対しては Bryant 牽引（垂直介達牽引）法を行う．5～10 歳の症例には，脛骨粗面か大腿骨遠位部に Kirschner 鋼線を通して，90°-90° 牽引法を行う．
e．× Glisson 頚椎牽引は，Glisson 係蹄を下顎と後頭骨にかけ，頚椎を前屈 10～30° で頭方向に牽引する．

- 標準整形外科学．第 14 版．174-175, 836-837.

問 6-2-34

| 正解 | a, e | 小児大腿骨骨幹部骨折 |

大腿骨骨幹部骨折の保存療法では，徒手的に整復してその位置を保ってギプス固定を行うことは実際上非常に困難であり，一時的徒手整復法はほとんど行われない．

3～4 歳までは垂直介達牽引法を行う．

5～10 歳では 90°-90° 牽引法が行われ，股関節ならびに膝関節 90° 屈曲位で脛骨粗面か大腿骨遠位部に鋼線を通し大腿骨の骨軸方向へ牽引する．

90°-90° 牽引法は回旋転位のコントロールに優れる方法である．

- 標準整形外科学．第 14 版．836-837.

問 6-2-35

| 正解 | c, e | 牽引 |

牽引治療の目的は，骨折や脱臼の愛護的な整復と整復位の保持，安静による筋緊張や炎症の鎮静化，術前の関節拘縮の除去，椎間板や関節内圧低下による疼痛の緩和などである．一方，安静を強いる長期的牽引の場合，筋萎縮や拘縮をきたすことがあるので注意を要する．

- 標準整形外科学．第 14 版．174.

問 6-2-36

| 正解 | c | 牽引，大腿骨骨幹部骨折 |

3～4 歳では Bryant 牽引（垂直介達牽引法）を行うが，皮膚の障害を生じないように 3～5 kg で牽引する．

5～10 歳では 90°-90° 牽引を行うが，股関節と膝関節を 90° 屈曲位とし，脛骨粗面か大腿骨遠位部に Kirschner 鋼線を通して大腿骨の長軸方向に牽引を行う．

- 標準整形外科学．第 14 版．836-837.

問 6-2-37

| 正解　a, c, e　　脆弱性骨折 |

a．○　椎体，骨盤，大腿骨頚部に好発する．
b．×　疲労骨折とは別である．
c．○　脆弱性骨折（insufficiency fracture）は，強度が低下した骨に日常生活程度の軽微な負荷で生じる骨折である．
d．×　非定型骨折（atypical fracture）についての説明となる．
e．○　原因として骨粗鬆症，骨軟化症が多く，長期透析なども原因となる．
●標準整形外科学．第14版．327, 724.

問 6-2-38

| 正解　b, c, e　　外傷性脱臼 |

a．×　青壮年，男性に多い．顎関節脱臼は女性に多い．
b．○　外傷性脱臼の好発部位は肩関節が最多で50％を占める．
c．○　他動的に動かすとばねのような弾力のある抵抗を示す．
d．×　大部分はてこの原理で介達外力による．
e．○　脱臼方向は遠位側の転位方向で表現する．
●標準整形外科学．第14版．723.

問 6-2-39

| 正解　a　　長管骨の骨折 |

　一般に骨折治癒過程は，炎症期，修復期，リモデリング期にステージ分類される．炎症期は，骨折直後から数日の期間で，骨折端は壊死に陥り，壊死組織から炎症性サイトカインが放出される．これにより，骨折部の血腫内に好中球，マクロファージ，線維芽細胞が遊走し，凝血塊を生じる．
　修復期には，仮骨を形成するが，初期仮骨は力学的に脆弱な線維性骨（woven bone）である．
　リモデリング期は，形成された線維性骨が，再造形により層板骨（lamellar bone）に置換される時期で，皮質骨と骨髄腔が形成されていく．
●標準整形外科学．第14版．40-43.

問 6-2-40

| 正解　d, e　　成長軟骨板損傷 |

　成長軟骨板損傷は，力学的にもっとも弱い肥大軟骨細胞層や石灰化層で生じることが多い．
　Salter-Harris分類のtype Ⅳは，関節面から成長軟骨板を超えて骨幹端に至る骨折で，完全な整復が得られないと成長障害が起こりやすい骨折である．
　上腕骨は近位端での成長が80％と大きいため，小児の上腕骨近位端骨折は自家矯正能力が大きく，保存的な治療が基本である．
　大腿骨の近位骨端核の血流は骨幹端側から流入するため，大腿骨近位骨端離解では，ほぼ全例に骨頭壊死が起こる．
　大腿骨遠位のSalter-Harris分類typeⅡでは，正しく整復しないと将来膝の内・外反変形を起こす可能性がある．
●標準整形外科学．第14版．749-750, 829, 835-836.

問 6-2-41

| 正解　b, d　　開放骨折 |

a．○
b．×　一次縫合が原則である．
c．○
d．×　早急な動脈修復が必須である．
e．○
●標準整形外科学．第14版．728, 742-745.

問 6-2-42

| 正解 c | 骨折の治癒過程 |

骨癒合には一次骨癒合と二次骨癒合がある．前者は正確な整復が行われ，強固に固定が施された場合に生じるもので，仮骨を形成せず，接触した骨同士がハバース管による生理的骨改変により癒合が完成する現象である．多くの骨折では，仮骨形成を伴う二次骨癒合の過程を経て修復される．

骨再生能は若年者ほど高く，加齢により低下する．

リモデリング期は，形成された線維性骨が，再造形により層板骨（lamellar bone）に置換される時期で，皮質骨と骨髄腔が形成されていく．

● 標準整形外科学．第14版．40-43．

問 6-2-43

| 正解 b | 異所性骨化 |

腱の付着部に好発し，脊髄損傷患者の膝関節，股関節周囲に認めることが多い．石灰化とは異なり骨梁構造がみられる．

外傷による刺激，粗暴な徒手整復などに続いて起こることが多く，骨折・脱臼に際して愛護的整復操作が予防になる．

急性期の治療としては局所安静が重要で，エチドロネートの投与は骨化の抑制に効果がある．

● 標準整形外科学．第14版．137，283-284，464．

問 6-2-44

| 正解 d | FRAX® |

FRAX®（fracture risk assessment tool）は，WHOが開発したもので，骨粗鬆症患者の骨折リスクを評価し，個人レベルにおける10年間の骨折確率を推計し，これを治療開始基準とすることを提案している．

ここで使われている危険因子は，年齢，性，大腿骨頸部骨密度（骨密度がない症例ではBMI），既存骨折，両親の大腿骨近位部骨折歴，喫煙，飲酒，ステロイド使用，関節リウマチ，続発性骨粗鬆症である．

● 標準整形外科学．第14版．330．

3 骨折・脱臼各論

Q ▶ p.181-211

1）脊椎・脊髄損傷

問 6-3-1

| 正解 d, e | 上位頸椎損傷 |

環椎破裂骨折は通常Jefferson骨折と呼ばれ，脊柱管が拡大する方向に骨片が転位するため，脊髄麻痺症状を伴うことはまれである．

上位頸椎損傷の中でもっとも頻度が高い軸椎歯突起骨折は，頭部に対する屈曲力に対し強固な環椎横靱帯が作用して発生する．その際，環椎前方転位を生じるが，十字靱帯などの作用で致命的になるほどの転位を生じることは少ない．歯突起基部骨折であるAnderson分類type Ⅱがもっとも多い．翼状靱帯，歯尖靱帯ともに遠位骨片に付着するため不安定型の骨折であり，保存療法であれば，骨癒合不全（偽関節）になりやすく手術療法が推奨される．偽関節例で不安定性を認める症例には遅発性脊髄損傷の危険性が高いため，環軸関節固定術の適応となる．環椎歯突起間距離（atlantodental interval：ADI）が3 mm以上離開する場合（小児では5 mm）には横靱帯断裂の可能性が高い．

ハングマン（hangman）骨折は軸椎関節突起間骨折の別名であり，C2/3椎間のすべりが3 mm以上，もしくは椎間関節に脱臼を伴えば不

安定型となり，整復後のヘイローベスト固定や手術療法が推奨されている．

後咽頭腔の拡大は，頸椎骨折・脱臼に伴う軟部組織の損傷や血腫を示唆する所見であり，基準値は3～4 mm（咽頭後壁－軸椎椎体前縁）である．

- 林浩一郎編．新図説臨床整形外科講座3巻．頸椎・胸椎・胸郭．メジカルビュー社，1995：184-198.
- White AH et al(eds). Spine Care：Diagnosis and Treatment. Vol. 2. Mosby, 1995：1320.
- 標準整形外科学．第14版．850-852，859-861.
- 神中整形外科学．改訂23版，下巻．215-218

問 6-3-2

| 正解　c　　脊椎骨折 |

Jefferson骨折は頭頂部への圧迫力で生じ，前弓と後弓に各1カ所以上の骨折を生じ，環椎環が破裂したように転位したものである．

ハングマン(hangman)骨折は過伸展圧迫力で生じるtype Ⅰがもっとも多く，type Ⅱは屈曲力に伸延力または圧迫力が作用して生じる．

Chance骨折は屈曲伸延力による棘突起から椎体までの水平骨折である．

シャベル作業者骨折(clay shoveler's fracture)は棘突起単独骨折で，棘突起に付着する筋の急激な筋収縮により発生する．

スライス(slice)骨折は，屈曲回旋力により椎体の骨折と椎間関節の脱臼を生じたものである．

- 林浩一郎編．新図説臨床整形外科講座3巻．頸椎・胸椎・胸郭．メジカルビュー社，1995：184-198.
- 標準整形外科学．第14版．849-861.

問 6-3-3

| 正解　b，d，e　　環軸関節回旋位固定 |

環軸関節回旋位固定(atlantoaxial rotatory fixation)の発症原因は軽微な外傷，熱発後，頸部手術後など多岐にわたり，原因不明なことも多い．

側屈・屈曲・対側に回旋したいわゆるcock robin positionと呼ばれる特徴的な斜頸位を呈することが多い．

単純X線側面像にて環椎歯突起間距離(atlantodental interval：ADI)の増大，開口位単純X線正面像にて軸椎側塊の大きさと歯突起側塊間距離の左右差，および片側の外側環軸関節の関節裂隙の消失(wink sign)を認める．

確定診断にはCT（三次元CTがより有用）にて環軸関節回旋位を確定し，さらに動態撮影において環軸関節回旋角が左右軸回旋にて変わらないことを確認する．

保存療法が原則である．数日間で改善が得られなければ消炎鎮痛薬の投与や頸椎カラーでの局所安静を図る．通常は整復されるが，1週間以上症状の改善がみられなければ，入院のうえ頸椎牽引を行う．3カ月以上固定している例では手術治療が考慮されるため，初期治療には十分慎重を期するべきである．

- An HS(ed). Principles and Techniques of Spine Surgery. Williams & Wilkins, 1998：338-343.
- White AA et al. Clinical Biomechanics of the Spine. 2nd ed. Lippincott Williams & Wilkins, 1990：208-209, 299-300.
- 標準整形外科学．第14版．532-533.
- 神中整形外科学．改訂23版．下巻．11-13.

問 6-3-4

| 正解　c，e　　頸髄損傷における機能レベルとADL |

機能レベルがC4の患者では，通常顎を使って電動車椅子を操作する．手動車椅子を操作できるのは，C6以下である．

C6以下では，ベッドと車椅子の移乗が可能で，C8以下になると床から車椅子の移乗もできる．

自助具なしで上肢のADLが自立するのはC8以下である.
● 標準整形外科学. 第14版. 846.

問 6-3-5

| 正解 b, d | 頸髄損傷の高位診断に用いるkey muscles |

American Spinal Injury Association (ASIA) が提唱する key muscles とその損傷高位は以下の通りである.

C5 肘関節屈曲
C6 手関節伸展
C7 肘関節伸展
C8 中指屈曲
T1 小指伸展
L2 股関節屈曲
L3 膝関節伸展
L4 足関節背屈
L5 母趾伸展
S1 足関節底屈

● 標準整形外科学. 第14版. 843.

問 6-3-6

| 正解 b | 胸腰椎移行部損傷 |

胸腰椎移行部損傷の治療方針決定のためには安定型か不安定型かの診断が重要であり,損傷形態には Denis 分類がよく用いられる.脊柱を anterior column, middle column, posterior column の3部分に分けるが,このうち middle column がもっとも安定性に重要である.

神経損傷は脊髄円錐と馬尾の両方に起こるが,円錐部の損傷は不可逆的であるのに対し,馬尾損傷は可逆的である場合が多い.

破裂骨折に関する術中所見では(110例,芝ら),靱帯の完全断裂は前縦靱帯では皆無で

あったが,後縦靱帯では70例(64%)にみられ,損傷の確率がもっとも高い.

シートベルト損傷(Chance 骨折)は脊椎の前方から後方に至る骨折であり,flexion-distraction 型骨折である.

椎間関節のロッキングを呈する脱臼骨折のうち,片側例は脱臼位で比較的安定しているのに対し,両側例は動揺性が強く,新たな脊髄障害をきたさないよう配慮が必要である.

● 神中整形外科学. 改訂23版, 下巻. 234-243.
● 整形外科クルズス. 第4版. 277-279.

問 6-3-7

| 正解 b, c, e | 胸椎・腰椎損傷 |

上中位胸椎は胸郭による強固な支持のために脊髄損傷の頻度は少ない.ただし損傷された場合には完全麻痺が多い.下位胸髄損傷ほど呼気筋や腹筋が残存するので喀痰排出が容易となり,体幹バランスも良好となる.

胸腰椎移行部は中下位頸椎部に次ぐ脊椎損傷の好発部位である.不動部の胸郭と可動部の腰椎に挟まれているため応力集中をきたしやすく損傷しやすい.

Chance 骨折はシートベルト損傷や転落など脊椎の後方支持要素に伸延力が作用して発生する.椎弓と椎弓根の水平骨折が特徴である.

胸椎は解剖学的に脊柱管が狭く,さらに脊髄への血流も豊富でないため,胸椎損傷による完全麻痺が多い.

胸腰椎の破裂骨折で後方要素の損傷が高度でない場合,椎体高の減少が50%以下の場合,後弯が20°以下の場合はTLSO コルセットなどによる保存療法が適応となる.

● 標準整形外科学. 第14版. 853-861.
● 小宮節郎監訳. The Spine. 脊椎脊髄外科. 原著5版. 金芳堂, 2009:1147-1148.

問 6-3-8

| 正解　c, e　　胸腰椎部脱臼骨折 |

スライス(slice)骨折は flexion-rotation により起こる脱臼下位椎体上面の骨折であり，椎間関節の脱臼や骨折を合併する．

上・中位胸椎では，椎間関節部よりも主として posterior arch(後弓)の複数の骨折により，posterior column(脊柱後方部)が断裂する．

下位胸椎では主として両側の椎間関節脱臼とロッキングが起きる．

- 標準整形外科．第14版．853-861．
- 神中整形外科．改訂23版．下巻．236-237．

問 6-3-9

| 正解　d　　上位頚椎損傷 |

a．○　環椎破裂骨折を Jefferson 骨折という．
b．○　後頭環椎関節脱臼はきわめて不安定な損傷であり，同部位の損傷での生存例はまれである．
c．○　軸椎関節突起間骨折をハングマン骨折という．
d．×　歯突起骨折のうちもっとも頻度の高い基部の骨折(Anderson 分類Ⅱ型)は不安定型の骨折であり，保存治療では骨癒合不全(偽関節)になりやすい．
e．○　軸椎関節突起間骨折(ハングマン骨折，外傷性軸椎すべり症)で 3 mm 以上の C2 すべりが生じた場合，不安定型骨折と判断し，ヘイローベスト固定や手術が推奨される．

- 標準整形外科．第14版．850-851．

問 6-3-10

| 正解　a　　脊髄損傷の神経学的評価 |

1969年 Frankel らが脊髄損傷の機能障害・歩行能力の評価分類を報告し，以後 Frankel 分類として広く用いられてきた．近年，国際的には ASIA(American Spinal Cord Injury Association)の提唱する評価法が広く用いられている．key muscle や key sensory points について，系統的に神経学的評価を行う．

a．×　脊髄ショックでは，弛緩性麻痺を呈する．
b．○　脊髄ショックの間は完全麻痺や不全麻痺の判断はできない．
c．○　脊髄ショック離脱後に肛門周囲の感覚回復や括約筋の収縮がみられない場合は完全麻痺と判断する．一方，下肢が完全麻痺でも，肛門周囲の感覚や随意収縮が温存されている(sacral sparing)場合は，麻痺の改善の可能性がある．
d．○　脊髄障害の重症度評価には Frankel 分類が用いられる．
e．○　麻痺高位の推察には ASIA(American Spinal Cord Injury Association)の key muscle や key sensory point の評価が有用である．

- 標準整形外科．第14版．842-849．

問 6-3-11

| 正解　b, d　　骨粗鬆症，脊椎骨折 |

a．×　椎体骨折後に遅発性に圧壊が生じると脊髄や馬尾神経を圧迫し，麻痺が生じることがある．
b．○　胸腰椎移行部に発生することが多い．
c．×　中央支柱に損傷が及んだ場合は，遷延治癒や偽関節などの骨癒合不全に至りやすいため注意深く経過観察する必要がある．
d．○　骨粗鬆症による骨折，圧壊にみえても，多発性骨髄腫や脊椎腫瘍，脊椎炎などによるものもあるので，注意深く鑑別を進める必要がある．

e．× 椎体内の vacuum cleft は骨癒合不全の所見であり，単純 X 線機能写（前屈，後屈）または臥位と坐位の側面像で確認する．

- 標準整形外科．第 14 版．552，860-861．
- 神中整形外科．改訂 23 版，下巻．304-308．

問 6-3-12

| 正解　a，d　　中心性脊髄損傷 |

中心性脊髄損傷は，頸髄の過伸展外力による損傷が多く，脊髄の灰白質を中心とした損傷である．

上肢を支配する神経線維が脊髄中心部近くに位置するため，運動麻痺は上肢に強いのが特徴である．

a．○
b．× 脊髄灰白質を中心とした損傷である．
c．× 運動麻痺は灰白質の障害が原因である．
d．○
e．× 予後は良好なことが多く，手術療法が選択されることは少ない．

- 神中整形外科．改訂 23 版，下巻．59-60．

問 6-3-13

| 正解　b　　脊髄損傷，ASIA（American Spinal Cord Injury Association） |

麻痺高位の診察には，ASIA の key muscle や key sensory point を参考にし（表 1），上下肢・皮膚表在反射，球海綿体反射，病的反射といった神経学的データを組み合わせ，神経機能が残存している最下位の髄節を評価する．

C6 は手関節伸展である．

- 標準整形外科．第 14 版．843．

問 6-3-13／表 1　神経学的評価に有用な key muscle と key sensory points

	key muscle	key sensory points
上肢		
C4	—	肩鎖関節
C5	肘関節屈曲	前肘窩外側
C6	手関節伸展	母指近位節背側
C7	肘関節伸展	中指中節の背側
C8	中指屈曲	小指中節の背側
T1	小指伸展	—
体幹		
T4	—	乳頭高位
T10	—	臍高位
T12	—	鼠径靱帯中央
下肢		
L2	股関節屈曲	大腿前面中央
L3	膝関節伸展	大腿骨内顆
L4	足関節背屈	足関節内顆
L5	母趾伸展	第 3 中足骨背部
S1	足関節底屈	踵部外側
S2	—	膝窩部
S3	—	坐骨結節
S4，5	—	肛門近傍

問 6-3-14

| 正解　e　　脊椎損傷 |

a．× 環軸椎前方脱臼では，① 横靱帯の断裂・付着部の骨折，または，② 歯突起骨折を疑う．
b．× 屈曲伸延（flexion-distraction）損傷である．
c．× anterior と middle column の骨折である．
d．× Ⅲ型の軸椎歯突起骨折は，海綿骨の豊富な椎体部分にあるため保存療法で骨癒合が得られやすい．一方，頻度の高い Ⅱ 型は，保存治療では骨癒合不全（偽関節）になりやすい．
e．○

- 標準整形外科．第 14 版．851-856，507-508．

問 6-3-15

| 正解 | d | 脊髄損傷，反射異常，Frankel 分類 |

1969年Frankelらが脊髄損傷の機能障害・歩行能力の評価分類を報告し，以後Frankel分類（表1）として用いられてきた．近年，国際的にはASIA（American Spinal Cord Injury Association）の提唱する評価法が標準となっている．

- 標準整形外科学．第14版．843-844．

問 6-3-15／表 1　Frankel 分類

A	complete：感覚，運動ともに完全麻痺．
B	sensory only：感覚はある程度温存されているが，運動は完全麻痺．
C	motor useless：運動機能はあるが実用性がない．
D	motor useful：有用な運動機能が温存されており，補助歩行ないし独歩が可能である．
E	recovery：感覚，運動ともに正常である．反射の異常はあってもよい．

問 6-3-16

| 正解 | b，e | 軸椎歯突起骨折 |

軸椎歯突起骨折は，骨折部により3タイプに分類される（Anderson 分類，1974年）．
- Ⅰ型：まれな損傷型で，歯突起先端部の斜骨折で翼状靱帯の付着部裂離骨折である．
- Ⅱ型：歯突起基部の骨折である．翼状靱帯・歯尖靱帯ともに遠位骨片に付着するため不安定型の骨折であるため，偽関節になりやすく手術療法が推奨される．
- Ⅲ型：骨折部が海綿骨の豊富な椎体部分にあるため保存療法で治癒が得られやすい．

a．×　ハングマン骨折は軸椎関節突起間骨折である．
b．○　骨癒合不全（偽関節）になりやすく手術療法が推奨される．
c．×　屈曲ないし伸展で生じる．
d．×　本症例は歯突起基部の骨折である（Anderson Ⅱ型）．
e．○　Anderson Ⅱ型は頻度のもっとも高い損傷型である．

- 標準整形外科学．第14版．850-851, 507-508．

問 6-3-17

| 正解 | c，e | 胸腰椎損傷 |

1983年にDenisの提唱したthree column theoryでは，脊柱を前方支柱（前縦靱帯，椎体と椎間板の前半分），中央支柱（後縦靱帯，椎体と椎間板の後半分），後方支柱（椎弓根より後方の椎間関節・関節包・棘突起・棘上・棘間靱帯）に分類して，脊柱不安定性を評価する．

a．○　T1-10胸椎は胸郭によって，L4-S1腰仙部は腸腰靱帯によって可動性が制限されており力学的に安定で損傷頻度は低い．一方で，T11-L2胸腰椎移行部は応力が集中しやすい．
b．○　横突起骨折・肋骨骨折や，肺・腹腔内臓器損傷の合併にも留意すべきである．
c．×　破裂骨折は，前方および中央支柱に損傷を伴った骨折である．
d．○　脊椎脱臼骨折は，three column損傷である．
e．×　前方支柱には，前縦靱帯および椎体と椎間板の前半分が含まれる．

- 標準整形外科学．第14版．853-856．
- 神中整形外科学．改訂23版．下巻．234-243．

問 6-3-18

| 正解 | c | 頚髄損傷 |

脊髄損傷の急性期管理においては，詳細な病歴，全身状態（随伴症状）・神経障害・合併損傷（頚髄損傷ならば頭部損傷や椎骨動脈・脳血管損傷など）の評価などを手早く行うことが重要

である.

a. ○ 副交感神経優位となり徐脈を生じる.
b. ○ 膀胱も弛緩性麻痺となり尿閉が生じる.
c. × 血管が拡張し低血圧を生じる. 低血圧は中枢神経損傷を悪化させることがあるため, 受傷後7日間は平均動脈圧を85〜90 mmHgに維持することが推奨される.
d. ○ 気道分泌量が増加し, 無気肺や肺炎に陥りやすい.
e. ○ 消化性潰瘍は急性期にも慢性期にも発生する. 迷走神経刺激による分泌亢進などが原因となる. 穿孔しても患者の訴えが乏しく, 診断の遅れには注意を要する.

- 標準整形外科学. 第14版. 843, 846-848.
- 神中整形外科学. 改訂23版. 下巻. 244-250.

2) 肩甲帯〜上腕

問 6-3-19

正解　e　上腕骨顆上骨折, Volkmann拘縮

上腕動脈の血行不全, 前腕の区画症候群の結果として, 前腕屈側の筋が壊死・瘢痕化をきたし, 非可逆性の手指の拘縮を生じる病態をVolkmann拘縮と呼ぶ.

上腕骨顆上骨折の急性期には頻繁に橈骨動脈の拍動をチェックするなど, 5P's徴候[pain(疼痛), paresthesia(感覚異常), paralysis(運動麻痺), pulselessness(脈拍消失), pallor(蒼白)]に留意しなければならない.

Volkmann拘縮への進行を防ぐには, 早急にコンパートメント(筋区画)内の血行改善を図る必要があり, まずギプス包帯を除去する.

改善しない場合は上腕下部から前腕遠位まで十分な筋膜切開が必要である.

- 標準整形外科学. 第14版. 768-770, 828-832.

問 6-3-20

正解　d, e　肋骨骨折

肋骨骨折においては通常, 骨折部とは異なる前後・左右から胸郭を圧迫すると骨折部に疼痛を生ずる. さらに骨折部において圧痛とともに軋音を認めることがある.

皮下血腫は打撲後にみられ, 特に緊急性を示すものではない.

奇異性呼吸(paradoxical respiration)とは, 吸気時に骨折部が陥凹し, 呼気時に膨隆する現象である. 動揺胸郭(flail chest)の所見であり, 換気障害の恐れがあるため, ただちに血液ガス検査などを行い呼吸管理を行う必要がある.

胸部の握雪感は皮下気腫を示す所見であり, 外傷性気胸の可能性が高く早急に気胸の程度を確認する必要がある.

- 整形外科クルズス. 第4版. 185, 270.
- 標準整形外科学. 第14版. 538, 793-794.

問 6-3-21

正解　a　動揺胸郭

動揺胸郭(flail chest)は, 多数の肋骨が2カ所以上で骨折している場合にみられ, 吸気時に骨折部が陥凹し, 呼気時に膨隆する現象である. 換気量の著しい減少をきたし, また肺挫傷・血胸・気胸などを伴う場合が多いことも相まって呼吸状態が悪化する. したがって呼吸状態の悪化を認めた場合, ただちに気管挿管による陽圧換気を行う必要がある. 高度の動揺胸郭と胸郭変形を認める例に限り手術療法が行われる場合もあるが, 初期治療としては呼吸管理が優先される.

一方, 外傷性気胸のうち, 胸部単純X線像にて縦隔の移動を認める場合, 緊張性気胸の可能性が高く, 緊急に胸腔排液法(drainage)を行う

必要がある．

動揺胸部のみられない肋骨骨折は，バストバンド固定などの外固定を行う．

- 標準整形外科学．第14版．538, 793-794．

問 6-3-22

| 正解　a，e　外傷性肩関節脱臼 |

外傷性肩関節脱臼は 90% 以上が前方脱臼である．

合併症は，肩甲骨関節窩前縁や上腕骨大結節の骨折があり，高齢者では腱板断裂や腋窩神経損傷の頻度が高い．

反復性肩関節脱臼は 10〜20 歳台の若年者の外傷性肩関節前方脱臼に続発して生じる場合が多く，特に 10 歳台ではその 90%，20 歳台ではその 80% に生じたとする報告もある．

高齢者では反復性に移行する頻度は若年者と比較して低い．

- 整形外科クルズス．第4版．208．
- 標準整形外科学．第14版．774-776．
- 神中整形外科学．改訂23版．下巻．382-385．

問 6-3-23

| 正解　d　肩関節の初回前方脱臼 |

肩関節の初回前方脱臼の症例に関節鏡検査を行うと，Bankart 損傷や Hill-Sachs 損傷がすでに形成されているのが確認される．

一般に，若年者ほど反復性脱臼に移行しやすく，肩関節の初回前方脱臼後の再脱臼率は，12〜22 歳で 66.6%，23〜29 歳で 58.3%，30〜40 歳で 26.3% と報告されている．

従来の内旋位固定を 3 週間行っても再脱臼率には変化がないことが知られている．

上腕骨大結節の骨折は脱臼整復時に整復されることが多く，反復性に移行する例は少ない．

完全な上腕骨外科頸骨折を伴う症例では整復操作を行っても脱臼した骨頭に力が及ばないので，観血的脱臼整復とともに骨折を内固定する．

- 神中整形外科学．改訂23版．下巻．382-385．
- 標準整形外科学．第14版．774-776．

問 6-3-24

| 正解　b，c　肩関節前方脱臼の整復法 |

Stimson 法は，台上で腹臥位とし，患肢を台から下に下げ，錘りを手首に下げて整復する方法である．

牽引法は，手拭いなどを腋窩部に通し助手に反対側に牽引させ，上腕軸に平行にゆっくり牽引することにより整復する方法である．

Kocher 法は上腕骨外科頸骨折の合併が多く報告されている．

- 神中整形外科学．改訂23版．下巻．377-379．

問 6-3-25

| 正解　b，e　肩関節脱臼，合併損傷 |

高齢者においては，関節周囲の靱帯・筋あるいは神経の柔軟性や伸展性が低下してくる．

肩関節脱臼が起こると若年者には Bankart 損傷を生じることが多いのに対して，高齢者では腱板や関節包が過度に牽引され，その結果，腱板断裂や三角筋へ進入している腋窩神経の麻痺が起こる．脱臼のみに目を奪われていると見逃しやすい．

- 整形外科クルズス．第4版．208．
- 標準整形外科学．第14版．774-776．

問 6-3-26

正解　b, c, e　　肩関節前方脱臼に合併する骨折

　肩関節前方脱臼に合併する骨折は，関節窩前下縁骨折（骨性Bankart損傷）や上腕骨頭後外側陥没骨折（Hill-Sachs損傷）の頻度が高く，中高齢では大結節骨折の合併が多い．

● 神中整形外科学．改訂23版，下巻．382-383．

問 6-3-27

正解　a, e　　反復性肩関節脱臼の手術

　前方関節包の弛緩の修復にはinferior capsular shift法が有用である．
　Bristow法は烏口突起を烏口腕筋・上腕二頭筋短頭をつけたまま肩甲骨頚部前面へ烏口突起を立ててスクリュー1本で移行する方法である．対してLatarjet法は横置き（寝かした状態）して，スクリュー2本で関節窩前縁に固定する方法である．
　Oudard-神中法は骨移植を用いた烏口突起延長法である．
　近年，行われている反復性肩関節脱臼の手術は関節鏡視下にBankart修復術が行われることが多く，鏡視下Bankart修復術と呼ばれている．Bankart修復術は剥離した関節唇・関節上腕靱帯を関節窩前縁に縫着する方法である．しかし，再脱臼率が高い関節窩骨欠損やコンタクトコリジョンスポーツ選手では烏口突起移行術（Bristow法，Latarjet法）が行われている．

● 筒井廣明企画・編集．関節外科．2016；35．

問 6-3-28

正解　a, e　　上腕骨近位端骨折

　小児の近位端骨折の大部分はSalter-Harris分類typeⅡの骨端離開であり，11〜15歳の間に多発する．内側の関節包は骨端線より遠位の骨幹側に付着し，頚部内側後部の骨膜が強靱なため，骨幹端の内側後部が三角状の骨片となり，骨頭側につくためtypeⅡとなる．
　吊り下げギプス包帯（hanging cast）は，上肢の自重とギプスの重量とにより持続的に牽引力を長軸方向に働かせ，整復と固定を得る方法である．固定力に欠けることと，過牽引となって偽関節となったり亜脱臼を生じたりすることもあるので，慎重に行うべきである．
　合併症として腋窩神経損傷がある．腋窩神経は肩甲下筋の前方を走り，四辺形間隙（quadrilateral space）より後方に出て，肩峰先端より約7cm下方で三角筋後方に進入している．
　骨片の転位方向については，骨頭は中間位をとり，骨幹側は大胸筋の作用により前内方に転位することが多い．
　上腕骨近位端骨折の80％は小転位型であり，三角巾固定で十分治療しうる．

● 整形外科クルズス．第4版．205-207．
● 標準整形外科学．第14版．776-779．
● 神中整形外科学．改訂23版，下巻．387-390．

問 6-3-29

正解　a, c, e　　上腕骨近位端骨折

　解剖頚骨折はまれであるが，上腕骨頭壊死の可能性が大きい．
　外科頚骨折では，遠位骨片は大胸筋に牽引され前内方に転位しやすい．
　大結節骨折は，棘上筋・棘下筋に牽引され上方ないし後方に転位しやすい．
　小結節骨折は，肩甲下筋に牽引され内側に転位しやすい．
　また，小結節骨折は，単純X線正面像のみでは上腕骨頭と重なり見逃されやすいため，肩甲

骨 Y 撮影や腋窩撮影で確認する必要がある．
- 神中整形外科学．改訂 23 版．下巻．387-390．

問 6-3-30

| 正解　b　　上腕骨近位端骨折，AO 分類，Neer 新分類 |

　上腕骨近位端骨折については，AO 分類や Neer 分類が治療方針を決めるうえで実用的であり，臨床の場で広く用いられている．AO 分類では関節外骨折は type A, B であり，関節内骨折が type C となる．

　Neer 分類では，上腕骨近位端部分を骨頭，大結節，小結節，骨幹部の 4 部に分け，骨折の部位により，2 分節骨折(2-part fracture)，3 分節骨折(3-part fracture)，4 分節骨折(4-part fracture)に分けている．

　骨片の転位が 1 cm 以上または転位角度が 45°以上なければ分節とは扱わず，小転位型(minimal displacement)に分類する．
- 池上博泰編．整外最小侵襲術誌．2014；70．
- 標準整形外科学．第 14 版．755-761．

問 6-3-31

| 正解　a, b　　肩甲骨骨折 |

　肩甲骨は胸郭との間の自由度が高く，また周囲筋群の緩衝作用があるため，骨折は全骨折の 1％とまれである．大部分は転落，交通事故などの直達外力による骨折で，多発外傷に伴うことが多く，そのために見過ごされやすい骨折の 1 つである．

　烏口突起の単独骨折はまれであるが，他の肩甲骨骨折，鎖骨骨折，肩関節脱臼を伴う．突起基底部の骨折が多いが，突起に付着する諸靱帯の断裂がなければ転位は起こらない．

　体部の骨折がもっとも多く約 70％を占めるが，大部分は保存療法が可能である．軽度の転位があっても機能的予後は良好である．

　X 線撮影では骨端癒合不全の肩峰骨(os acromiale)を肩峰骨折と誤診しないように注意を要する．

　肩甲棘基底部骨折は，肩甲上神経損傷を合併することがある．

　肩関節前方脱臼は関節窩前下縁の骨折を伴うことがあり，この骨片が大きいと脱臼を整復しても容易に再脱臼を起こす．
- 神中整形外科学．改訂 23 版．下巻．370-373．
- 整形外科クルズス．第 4 版．205．
- 標準整形外科学．第 14 版．774．

問 6-3-32

| 正解　a, c　　肩鎖関節脱臼 |

　肩鎖関節脱臼の受傷原因としては，交通事故やラグビー，柔道などのコンタクトスポーツが多い．

　完全脱臼では，鎖骨遠位を頭側から圧迫すると容易に整復されるが，手を離すと元に戻るのが特徴で，piano key sign と呼ばれる．

　鎖骨遠位端の突出が明らかでない場合，立位で両手に 5 kg の重錘をつけて X 線撮影を行い，左右を比較すると診断に有用なことがある．

　完全脱臼新鮮例に対する治療法については，若年者を中心に手術療法が選択されることが多い．手術術式としては，肩鎖関節の整復固定が第 1 選択である．鎖骨遠位端切除は，陳旧例や運動時痛の強い症例に対して行われる．

　肩甲上神経麻痺を合併することはまれである．
- 標準整形外科学．第 14 版．776．

問 6-3-33

| 正解　b，c　　肩鎖関節脱臼，分類 |

以前は Tossy 分類が使用されていたが，現在では Rockwood 分類が多く使用されている．Type Ⅳ，Ⅴ，Ⅵは手術適応であるが，type Ⅲ はいまだ手術適応については議論がされている．保存療法には絆創膏固定，三角巾，装具，早期リハビリなどがあり，新鮮例にも有効である．陳旧例で症状の訴えが多ければ Neviaser 法，鎖骨遠位端切除などが有効な場合がある．

Rockwood 分類では，type Ⅰは捻挫に相当する．

type Ⅱは亜脱臼に相当し，肩鎖靱帯の断裂はあるが，烏口鎖骨靱帯の断裂はないものである．

type Ⅲは脱臼に相当し，肩鎖靱帯と烏口鎖骨靱帯とも断裂しているものである．

type Ⅳは，肩鎖靱帯と烏口鎖骨靱帯の断裂があり，鎖骨遠位端が後方に転位するものである．

type Ⅴは，鎖骨遠位端の上方転位が著しく（烏口鎖骨間距離が健側より 100〜300％ 増大），鎖骨から三角筋と僧帽筋が剥離したものである．

type Ⅵは，鎖骨遠位端が烏口突起の下方に転位したものである．

- 整形外科クルズス．第4版．207-208．
- 標準整形外科学．第14版．776-777．

問 6-3-34

| 正解　c，d　　外傷性胸鎖関節脱臼 |

胸鎖関節脱臼はまれであり，Rowe によると肩甲帯損傷の 0.8％ である．

後方脱臼の発生は前方脱臼の 1/20 から 1/4 である．外傷性のものが多いが，非外傷性（特発性亜脱臼）のものもある．

前方脱臼では，局所の疼痛・鎖骨胸骨端の膨隆があり，後方脱臼では，頸部や上肢の静脈うっ滞，嗄声，呼吸困難，心血管損傷，気胸などをきたす．

診断には，X線撮影（40°仰角撮影）および CT が有用である．

前方脱臼では全身麻酔下に両肩の間に砂袋を置いて胸を反らせ，患側上肢を外転・伸展させ，同時に鎖骨胸骨端を前方から圧迫して整復する．後方脱臼では同様にして，指や布鉗子で鎖骨内側を把持して前方へ引き出す．

- 神中整形外科学．改訂23版．下巻．367-368．

問 6-3-35

| 正解　c　　上腕骨骨幹部骨折の合併症 |

上腕骨骨幹部骨折の合併損傷として留意すべきものに神経麻痺がある．もっとも多いのは橈骨神経麻痺であり，上腕骨骨幹部骨折の 5〜10％ に合併する．

- 神中整形外科学．改訂23版．下巻．424-425．
- 整形外科クルズス．第4版．200．

問 6-3-36

| 正解　d，e　　上腕骨骨幹部骨折の手術適応 |

上腕骨骨幹部骨折の絶対的手術適応として，開放骨折，多発骨折，両側骨折，病的骨折，floting elbow，血管損傷，徒手整復時の橈骨神経麻痺，偽関節が挙げられる．

もっとも多い橈骨神経麻痺の多くは，神経断裂ではなく過度の伸展や圧迫によることが多いため，数カ月で回復する場合が多い．しかし，徒手整復後の麻痺は絶対的手術適応となるので注意が必要である．

- 標準整形外科学．第14版．779-780．

問 6-3-37

| 正解　c　　肩関節，脱臼機序 |

　外傷性肩関節脱臼では，肩関節の外転，外旋，過伸展に伴って上腕骨頭が前方（正確には前下方）へ脱臼する場合，すなわち肩関節前方脱臼がほとんどである．

　その次にはまれではあるが，交通外傷などにより前方から肩を強打し，上腕骨頭が後方へ脱臼する場合，すなわち肩関節後方脱臼がある．

　上肢が下方へ引っぱられて下方脱臼したり，上方へ振りかざして上方脱臼したりすることは，素因に動揺性がない限り生じない．

- 山本龍二監．肩関節の外科．第2版．南江堂，2000：175．
- 標準整形外科学．第14版．774-776．

問 6-3-38

| 正解　d，e　　肩関節，外傷性前方・後方脱臼 |

　外傷性肩関節脱臼は，10歳台後半から20歳台の男性（男女比4：1）に多い．動揺性肩関節（loose shoulder）は，明らかな外傷がなく肩関節の不安定性を呈する．

　Bankart損傷の診断には，MR関節造影が有用である．

　Hill-Sachs損傷のX線診断には，内旋正面像，関節窩軸射像やStryker法が有用である．

　時に関節包靱帯の上腕骨側での損傷を起こすこともあり，HAGL（humeral avulsion of the glenohumeral ligament）と呼ばれる．

　反復性脱臼への移行は，10歳台で90％以上，20歳台で80％，30歳台で50％とされている．

　後方脱臼は肩関節内旋・外転位，肘伸展位で手を強く着いたときに生じることが多く，前方脱臼と比べてきわめて少ない．X線像では診断できることは少なく見逃される例も少なくない．脱臼位のまま1週間以上放置された場合，整復困難になることが多い．

- 標準整形外科学．第14版．774-776．

問 6-3-39

| 正解　a，b　　肩関節前方脱臼，合併骨折 |

　肩関節前方脱臼の20～25％に肩周辺の骨折が合併し，なかでも大結節骨折を合併することがもっとも多い（約15％）．

　次いで多いのは関節窩前縁骨折（約5％）で，外科頸骨折，鎖骨骨折，肩峰骨折を合併することは少ない．

- McLaughlin HL et al. Am J Surg 1950；80：615-621．

問 6-3-40

| 正解　a，c，e　　肩関節前方脱臼，徒手整復法 |

　外傷性肩関節前方脱臼の古典的徒手整復法には，Kocher法，Hippocrates法などがある．

　Kocher法は脱臼した上肢を牽引しながら外転し，徐々に外旋する．次に内旋させながら内転させる．上腕骨頭が胸壁を梃子の支点として整復される方法であるが，整復操作による骨折や神経・血管の損傷が報告されている．特に高齢者には危険である．

　Hippocrates法は，脱臼肩の腋窩部に足を当て，患肢を外旋位にして牽引しながら足を梃子として整復する．両整復法とも必ずしも手技が容易かつ安全とはいえない．

　Lorenz法は先天性股関節脱臼の治療法，Bryant法は幼児大腿骨骨幹部骨折の牽引法である．

　患者をベッド上で腹臥位にして上肢を下垂し，約3～5kgの重錘を用いて牽引して自然整

復させる Stimson 法，ゼロポジション（zero position）で牽引する挙上牽引法，挙上位整復する Milch 法は比較的安全な方法である．

- 福田宏明ほか編．肩診療ハンドブック．医学書院，1998：132．
- 標準整形外科学．第 14 版．774-776．

前方脱臼に比べ変形が少なく，肩関節の回旋制限，特に外旋制限を認めるが，屈曲が可能な例もあり，特徴的な所見が少ない．

- 福田宏明ほか編．肩診療ハンドブック．医学書院，1998：129．
- 立石昭夫．関節外科 1992；11：1593-1601．
- 標準整形外科学．第 14 版．774-776．

問 6-3-41

| 正解 a，e | 肩関節後方脱臼，身体所見 |

肩関節後方脱臼では，肩関節前方の膨隆はなくなり平坦となり，烏口突起が突出したようにみえる．

一方，肩後方の膨隆が顕著になる．

患肢は強度の内旋外転位あるいは下垂位内旋位に固定されており，挙上外旋は強制しようとしてもブロックされ不可能である．

下方脱臼では肩峰の隆起が顕著になる．

- 福田宏明ほか編．肩診療ハンドブック．医学書院，1998：129．
- 標準整形外科学．第 14 版．776．

問 6-3-43

| 正解 a，b，c | 反復性肩関節前方脱臼，病態 |

上腕骨頭の後外側に骨欠損が起きることがあり，Hill-Sachs 損傷（posterolateral notch）と呼ばれている．

反復性肩関節前方脱臼にみられる病態として，前方に脱臼するので下関節上腕靱帯，前下方の関節包や関節唇が剝離断裂し，Bankart 損傷，関節包の弛緩を生ずる．

合併損傷としては大結節骨折や腱板断裂などがあるが，いずれも若年層にみられることは極めてまれである．

- 福田宏明ほか編．肩診療ハンドブック．医学書院，1998：138．

問 6-3-42

| 正解 a，b，e | 肩関節後方脱臼，理学所見 |

後方脱臼は肩関節屈曲内転・内旋位で生じ，交通外傷やてんかん発作によるものが多い．発生頻度は前方脱臼に比べて低いが見逃される場合が多く，診断が特に重要である．

単純 X 線像で脱臼方向の確認も困難であり，正面像で上腕骨頭は内旋位で肩甲骨関節窩との重なりが少ない（vacant glenoid sign）ことが特徴である．

上腕骨頭前方の impression fracture（reverse Hill-Sachs lesion）がしばしば認められ，小結節の裂離骨折を合併する場合もある．

問 6-3-44

| 正解 a，b，d | 反復性肩関節前方脱臼，画像診断 |

単純 X 線像で Hill-Sachs 損傷を描出するためには，Stryker 撮影または内旋位正面像が必要である．Stryker 撮影法は，患者は背臥位で検側の肩関節を 90°屈曲・内外旋 0°の肢位で手を前頭部に置く．X 線を頭側に 30°傾斜させ，腋窩を中心に入射する．骨頭後外側に病変があるので内旋位正面像が有用である．

Bankart 損傷を描出するためには，従来，関節造影や造影 CT が用いられてきたが，Gd-

DTPAなどにより関節造影を行った後にMRIを撮像すると，明瞭にBankart損傷を描出することができる．

肩関節造影後の肩峰下滑液包への造影剤の漏出は腱板断裂でみられる．

小さい骨性Bankart損傷は単純X線像では描出しにくく，CTが必要である．

反復性肩関節脱臼では素因としての肩関節不安定性を有する症例が少ないので，挙上位単純X線像での上腕骨のスリッピングは一般的には認められない．

- 三笠元彦編．整形外科痛みへのアプローチ5巻．肩の痛み．南江堂，1998：60-61．

問 6-3-45

| 正解 c，d 反復性肩関節前方脱臼，診断・診察法 |

反復性肩関節脱臼は若年者のスポーツ選手に発生することが多く，20歳以下で初回脱臼が生じると80〜90％が反復性に移行するといわれている．

脱臼の原因は前方関節唇(Bnakart)損傷に伴う下上腕関節包靱帯(IGHL)の機能不全が本態である．

またIGHLの実質部断裂である関節包断裂や上腕骨側での損傷HAGL損傷も原因として挙げられる．所見としてはanterior apprehension sign(外転・外旋肢位で脱臼不安感)が有名である．

動揺性肩関節はあらゆる方向への不安定性を呈し，関節腔の拡大がみられる．多方向不安定症とも呼ばれ，保存療法中心の治療が薦められている．

- 標準整形外科学．第14版．439-442．

問 6-3-46

| 正解 b，c 習慣性肩関節後方脱臼 |

習慣性肩関節後方脱臼は肩関節多方向不安定症を基盤として発症し，肩関節の特定の肢位で脱臼または亜脱臼を起こす．

患者の意志では脱臼・亜脱臼を防止できない不随意性である．発症には外傷は関与しない．肩を90〜100°前方挙上すると後方(亜)脱臼を起こし，水平外転すると明瞭な轢音とともに整復される症例が93.2％で，最大挙上域で前方(亜)脱臼を起こす症例が6.8％である．

発症年齢は84.6％が10歳台である．

14.8％で自然治癒が認められている．

(亜)脱臼時および整復時の疼痛はあっても軽度である．

- 三笠元彦編．整形外科痛みへのアプローチ5巻．肩の痛み．南江堂，1998：135-148．
- 黒田重史．MB Orthop 1998；11：79-86．
- 標準整形外科学．第14版．454-455．

問 6-3-47

| 正解 c，e 肩鎖関節脱臼，治療 |

Rockwood分類 Type Ⅰ，Ⅱは保存療法であり，Type Ⅳ，Ⅴ，Ⅵは手術適応である．しかしtype Ⅲはいまだ手術適応については議論されている．保存療法には絆創膏固定，三角巾，装具，早期リハビリなどがあり，新鮮例にも有効である．新鮮例での手術法は多々あり，一般化された手術法はない．

Bosworth法は烏口鎖骨靱帯を再建する方法で，固定の際はスクリューを用いる．

Phemister法は烏口鎖骨靱帯の縫合と肩鎖脱臼の整復しワイヤー固定する方法である．

陳旧例で症状の訴えがあればNeviaser法(烏口肩峰靱帯を烏口突起部で小骨片をつけたまま切離し，鎖骨に移行する方法である)，鎖骨遠位

端切除などが有効な場合がある．
● 標準整形外科学．第14版．776．

問 6-3-48

| 正解 a, b | 肩鎖関節脱臼 |

装具や絆創膏固定では，固定を除去すると再び脱臼位となる場合があるが，脱臼の程度が軽度の場合，すなわち単純X線像上Tossy分類grade IおよびgradeIIの肩鎖関節脱臼では，通常保存療法で十分である．

また，患部の皮膚を観察し，鎖骨遠位端が突出している場合には保存療法は困難である．

sulcus signは肩関節下方不安定性（下垂位）における理学所見である．

腕落下徴候（drop arm sign）は腱板断裂の診断に，また脱臼不安感徴候（apprehension sign）は肩関節の脱臼不安感を調べるときに用いられる．

● 標準整形外科学．第14版．776．

問 6-3-49

| 正解 b, d | 外傷性肩関節脱臼 |

a．× 前方脱臼が90％程度ともっとも多い．
b．○ 運動麻痺を生じるケースは少ないものの電気生理学的検査では多くのケースで麻痺が生じている．
c．× 若年者のほうが高齢者よりも反復性に移行しやすい．
d．○
e．× Bankart損傷とは，関節窩前下方における関節唇と下関節上腕靱帯の剥離損傷である．関節窩前下縁の骨折を起こしている場合は，骨性Bankart損傷と呼ばれる．

● 標準整形外科学．第14版．774-776．

問 6-3-50

| 正解 b, c | 上腕骨近位端骨折 |

a．× 骨粗鬆症に伴い高齢者に発生することが多い．
b．○ 遠位骨片（骨幹部）は大胸筋の作用により前内側に転位することが多い．
c．○ 大結節骨片は棘上筋・棘下筋の作用で後方・上方に転位する．
d．× 2分節骨折（2-part fracture）には外科頸骨折が多い．
e．× 4分節骨折（4-part fracture）では骨頭壊死の可能性が高い．

● 標準整形外科学．第14版．774-776．

問 6-3-51

| 正解 c | 外傷性肩関節前方脱臼 |

a．× もっとも多いのは前下方の烏口下脱臼である．
b．× 高齢者ではしばしば腱板断裂を合併するが，若年者ではまれである．
c．○ 上腕骨頭の後外側に陥没骨折を伴うことが多く，Hill-Sachs損傷と呼ばれている．
d．× 神経の合併損傷としては，腋窩神経損傷がもっとも多い．
e．× 若年者では半数以上が再脱臼を起こして反復性脱臼になる．

● 標準整形外科学．第14版．774-776．

問 6-3-52

| 正解 c | 肩鎖関節脱臼，Rockwood type III |

a．× ポパイ徴候は上腕二頭筋長頭腱断裂にみられる．
b．× 肩甲上神経麻痺を合併することはまれ

である．
c．○　本症例は，肩鎖靱帯と烏口鎖骨靱帯がともに断裂して上方に転位する Rockwood type Ⅲ に分類される．
d．×　鎖骨遠位端を頭側から圧迫すると容易に整復されるが，手を離すと基に戻るのが特徴で，piano key sign と呼ばれる．
e．×　新鮮例に対する手術としては肩鎖関節の整復固定が第一選択であり，鎖骨遠位端切除は陳旧例や運動時痛の強い症例に対して行われる．
● 標準整形外科学．第 14 版．776．

問 6-3-53

| 正解　c　　上腕骨近位端骨折 |

a．×　腋窩神経の麻痺をしばしば合併するが，肩甲背神経の麻痺を生じることはまれである．
b．×　画像上は 4-part dislocation fracture に分類される．
c．○
d．×　本症例では骨頭骨片の脱臼がみられるため，保存治療は好ましくない．
e．×　リバース型人工肩関節全置換術ガイドラインでは，高齢者(70 歳以上)の上腕骨近位端骨折新鮮例で，大小結節部の骨癒合が期待できず，腱板機能の再建が困難な症例に対しては，反転型人工肩関節置換術の適応を検討してもよいとされている．
● 標準整形外科学．第 14 版．776-779，447-448．
● リバース型人工肩関節全置換術ガイドライン．日本整形外科学会 HP 会員専用ページ〈https://www.joa.or.jp/member/topics/2017/files/20170220_guideline.pdf〉．

問 6-3-54

| 正解　b，d　　肩甲骨骨折 |

a．○　肩甲骨の角状変形さえ気を付ければ機能障害は少ない．
b．×　頚部骨折は肩を打ち付けたときの介達外力によって生じる．
c．○　Os Acromiale との鑑別を要する．
d．×　肩甲棘基底部骨折に合併するのは肩甲上神経損傷である．
e．○　関節窩横径の 20〜25％を超える骨折を関節窩前下縁骨折といい，それ以下の骨折を骨性 Bankart 病変という．
● 標準整形外科学．第 14 版．774．

問 6-3-55

| 正解　a，b，e　　外傷性肩関節脱臼 |

a．○　前方脱臼が 90％程度である．
b．○　若年者の初回脱臼は 50〜70％が再脱臼する．
c．×　上腕骨頭には Hill-Sachs 損傷がみられる．
d．×　多くの場合，自然に回復する．
e．○　整復後，外旋位で固定することで前方の関節唇が解剖学的位置に生着することで再脱臼率が低下すると報告されている．
● 標準整形外科学．第 14 版．774-776．
● Itoi E et al. J Bone Joint Surg Am 2007 ; 89 : 2124-2131．

3）肘〜手関節・手

問 6-3-56

| 正解　c　　肘関節靱帯損傷 |

内側側副靱帯損傷は外反強制の結果生じるの

で，橈骨頭・頚部骨折に5～10%の頻度で合併する．

投球障害は反復される肘外反ストレスの結果，肘関節内側側副靱帯損傷が発生する．

反復性肘関節脱臼の原因は，尺骨鉤状突起骨折や外側靱帯複合体損傷が多い．外側靱帯複合体の中でも外側尺側側副靱帯の損傷が後外側回旋不安定症(posterolateral rotatory instability：PLRI)の原因となる．

肘関節脱臼骨折後には，しばしば側副靱帯周辺に異所性骨化がみられる．

靱帯損傷後の関節の緩みの評価には，前腕の重さを利用したgravityテスト，徒手や器具を用いたストレス下のX線撮影や超音波検査が用いられている．

●標準整形外科学．第14版．451-460, 782-783, 889.

問 6-3-57

| 正解　b　　上腕骨顆上骨折 |

小児では，伸展損傷により上腕骨顆上骨折の遠位骨片は後方に転位することが多い．

肘頭，上腕骨外側上顆，内側上顆で形成する三角(Hüter三角)は正常である．肘関節脱臼ではこの三角が乱れる．

また内側顆上縁が後方にずれると偏心性内旋転位も一般的で，矯正が不十分だと単純X線側面像でanterior spikeがみられる．

単純X線像による整復位の確認は難しいが，正しい前後像でBaumann角を計測することによって判定する．

●標準整形外科学．第14版．828-832.

問 6-3-58

| 正解　c, d　　上腕骨顆上骨折，区画症候群 |

区画症候群の発症原因としては，受傷時の上腕動脈損傷による断裂・閉塞が直接の原因であるとはいえない．受傷時の損傷がなくても骨片が整復されないと，前方に突出した骨片による持続的圧迫により経時的に攣縮をきたし，かつ出血，浮腫も加わって側副血行，静脈還流が障害されて動脈血行障害と区画内圧上昇により発生する．逆に上腕動脈が受傷時断裂・閉塞されていても，骨折部が良好に整復され，側副血行，静脈還流が維持されれば発症しないこともある．

末梢での橈骨動脈拍動の微弱・消失は絶対的ではなく，触知されても安心できず経時的な拍動の微弱化に注意する．

前腕筋膜腔の内圧測定は有効で，拡張期血圧より10～30 mmHg低い値を上回ったときに筋膜切開とする考えもあるが，あくまでも補助的診断とすべきで，臨床症状で少しでも疑いがあれば筋膜切開を考慮する．

骨片の転位が高度な場合，早期に整復を行えば上腕動脈への圧迫と静脈還流障害の進展を阻止しうる．したがって，本症候群を予防するためには早期の整復がもっとも重要と考えられる．末梢の動脈血行障害が出現するか，あるいは整復後も改善されないとき，上腕動脈展開や前腕筋膜切開を行う．

小児では神経麻痺症状の訴えが明瞭ではなく，痛みのために運動・感覚麻痺が客観的にもとらえにくく，かつ本骨折では骨折転位による固有神経損傷の可能性があり鑑別が難しい．

●整形外科クルズス．第4版．727-728.

問 6-3-59

| 正解　b, c, d　　上腕骨外側顆骨折，外反肘 |

小児の上腕骨外側顆骨折の頻度は肘関節周辺骨折の約20%を占め，上腕骨顆上骨折に次いで多い．

保存療法の適応は 2 mm 以内の側方転位例であり，3 mm 以上では癒合不全がほぼ必発で，回旋転位例とともに手術療法の絶対適応である．

1 mm ほどの側方転位であっても固定期間中に転位が進行することもあり，固定期間も上腕骨顆上骨折の場合に比べ長めの 4～6 週間を要する．

癒合不全や偽関節は外反肘変形の原因となる．

● 整形外科クルズス．第4版．728-729．

問 6-3-60

| 正解　d　　遅発性尺骨神経麻痺 |

小児期の骨折による変形に起因し数年～十数年経過して生じる尺骨神経麻痺を遅発性尺骨神経麻痺という．上腕骨顆上骨折による内反肘でも遅発性尺骨神経麻痺を生じることがあるが，外側顆骨折偽関節による外反肘により生じる頻度が高い．

上腕骨外側顆骨折で偽関節を生じた場合，年齢とともに外反肘が進行し肘部管で尺骨神経に牽引力が加わり発症する．

症状の1つに鉤爪変形があり，骨間筋麻痺により環指と小指に生じる．

麻痺は進行性で，保存療法は無効なため，尺骨神経の前方移行術（皮下・筋層下）を行う．

● 標準整形外科学．第14版．460-461．

問 6-3-61

| 正解　a, c　　肘関節脱臼骨折 |

肘関節の後方脱臼には，しばしば橈骨頭骨折とともに尺骨鉤状突起骨折を合併する．後者は Morrey により type 1：鉤状突起先端のみの骨折，type 2：突起部の 50% 未満の骨折，type 3：50% 以上の骨折に分類されている．type 2 の一部と type 3 では脱臼整復後も不安定で，再脱臼を生じやすい．特に橈骨頭骨折を合併する場合は，再脱臼は必至である．鉤状突起骨折が大きい場合は，速やかに Kirschner 鋼線や軟鋼線を利用した観血的整復・内固定を行う．

合併する橈骨頭骨折の整復・内固定や靱帯修復も行い，早期機能訓練が可能な状態にすべきである．

診断・術前計画では三次元再構成 CT が有用である．

● 神中整形外科学．改訂23版．下巻．466-469．

問 6-3-62

| 正解　a, d, e　　肘関節脱臼骨折 |

骨折を伴う肘関節後方脱臼の整復後，早期に再脱臼をきたす原因として，鉤状突起の 50% を超える Regan 分類 type III の尺骨鉤状突起骨折，骨片の転位がみられる Mason-Morrey 分類 type II，III の橈骨頭骨折，前腕屈筋群の損傷を伴う内側側副靱帯損傷，外側側副靱帯損傷などが挙げられる．

肘関節後方脱臼では，一般に上腕二頭筋腱や三頭筋腱の断裂は合併しない．

● 神中整形外科学．改訂23版．下巻．466-469，472-479．

問 6-3-63

| 正解　a, d　　肘頭骨折 |

肘頭骨折は，肘頭部に直達外力が働いて起こる場合と，上腕三頭筋の牽引力による介達外力によって起こる場合がある．前者では粉砕骨折が多く，後者では横骨折のかたちをとることが多い．

転位がわずかな症例では，肘伸展位で約3週間ギプス固定を行い，保存的に治療することも可能である．

横骨折で転位が大きい場合は，早期に引き寄せ鋼線締結法などによる手術を行う．

合併症として，神経麻痺を起こす症例は少ない．

- 標準整形外科学．第14版．780-781．

問 6-3-64

| 正解　a，d，e　　槌指 |

治療方針の異なる2つの槌指（mallet finger）があることを認識する必要がある．1つは指を急激に屈曲されて起こる伸筋腱の損傷であり，もう1つは長軸方向からの強い外力によって起こる関節内骨折である．診断には正・側の正しい2方向撮影を必要とする．

大きな骨片を伴ったものは，伸展機構そのものに損傷がないので指の伸展は可能である．

骨片の小さなものはDIP関節の自動伸展が不可能となる．

放置するとPIP関節の過伸展変形を生じてスワンネック変形に移行する．

DIP関節に亜脱臼がない場合，装具あるいは経皮的に鋼線で6～8週間固定する．

転位のある大きな骨片や掌側への亜脱臼を伴ったものは手術療法の適応となるが，現在ではextension block pinを利用した経皮的鋼線固定（石黒法）が好んで行われている．

- 標準整形外科学．第14版．486-487．
- 神中整形外科学．改訂23版，下巻．768．

問 6-3-65

| 正解　a，e　　基節骨骨折 |

基節骨骨折は，典型的には掌側凸の転位パターンをとる．MP関節の側副靱帯は，指伸展時に弛み，屈曲時には緊張する構造になっており，伸展位に保持すると靱帯そのものが不可逆性の短縮を起こす．

外固定する際には必ずMP関節を屈曲位に保持し，靱帯の緊張を維持することが大切である．

骨折部と周囲軟部組織との癒着を予防するため，手の挙上と指の屈伸運動を早期から積極的に行わせることが大切である．隣接指をシーネ代わりとしての早期運動療法が有効なことも多い．

不安定型基節骨骨折の治療としては，経皮的鋼線固定や観血的整復固定が適応となることが多く，牽引療法の適応は限られたものとなる．

回旋変形は自家矯正されないので，交差指（cross finger）の有無を慎重に判断しなければならない．

- Bucholz RW(ed). Rockwood and Green's Fractures in Adults, Volume 1, 7th ed. Lippincott Williams & Wilkins, 2010：737-748.
- 神中整形外科学．改訂23版，下巻．631-635．

問 6-3-66

| 正解　a，c　　基節骨骨折 |

基節骨骨折は手の骨折のうち，もっとも多い．

骨間筋，虫様筋，屈筋，伸筋の作用により，骨折部で掌側凸の転位がみられるのが普通である．

掌側凸のまま放置されると，浅・深指屈筋腱相互の間や腱と骨折部の間に癒着が生じて，指節間関節の運動は著しく障害される．

整復は手関節をできるだけ背屈，MP関節30～40°屈曲，PIP関節80°屈曲位として，徒手牽引と局所の圧迫とにより整復を行う．整復後はMP・PIP・DIP関節とも屈曲位に固定，もしくはMP関節のみ屈曲70～90°で固定し，PIP・DIP関節を自動屈伸させる．

指の回旋変形が残存すると，指屈曲時に交差指（cross finger）が生じる．これを予防するためには各指の屈曲時の長軸が手関節掌側の1点

である舟状骨結節の部に集まるよう注意する必要がある．

- Bucholz RW (ed). Rockwood and Green's Fractures in Adults, Volume 1, 7th ed. Lippincott Williams & Wilkins, 2010：737-748.
- Burkhalter W et al. Bull Hosp Jt Dis Orthop Inst 1984；44：145-162.

問 6-3-67

| 正解　c，e　　橈骨遠位部骨折 |

Colles 骨折は特に骨粗鬆症を有する高齢者に多発し，典型的な骨折線は橈骨遠位掌側から斜め背側近位方向へ向かい，遠位骨片は背側に転位する．

Smith 骨折は再転位しやすく，また palmar tilt の増大は，Colles 骨折における palmar tilt の減少に比べて，前腕の回旋障害を生じやすい．

手関節掌・尺屈および前腕回内位とする Cotton-Loder 肢位は，Colles 骨折の整復位であるが，長期に及ぶと手根管症候群や手関節・指の拘縮を生じやすく，固定肢位としては好ましくない．

小児の若木骨折では単純 X 線像上角状変形を呈し，片側の皮質骨の連続性が保たれるため整復が困難なことが多い．また整復しても固定期間が短いと，しばしば角状変形が再発する．

- 整形外科クルズス．第4版．213．
- 標準整形外科学．第14版．786-788．
- Bucholz RW (ed). Rockwood and Green's Fractures in Adults, Volume 1, 7th ed. Lippincott Williams & Wilkins, 2010：833-843.

問 6-3-68

| 正解　a，e　　橈骨遠位部骨折 |

Smith 骨折は，手関節掌屈位での転倒や，自転車，オートバイのハンドルを握った状態での転倒で起こることが多い．骨折線は遠位背側から近位掌側に走り，遠位骨片は掌側に転位する．遠位骨片が背屈転位を生じるのは Colles 骨折である．

橈骨の関節内骨折で，遠位骨片が手根骨とともに掌・背側に転位しているものは Barton 脱臼骨折という．Bennett 脱臼骨折は，第1中手骨基部関節内骨折である．

Colles 骨折は手関節伸展位で転倒した際に生じる．整復固定には，Kirschner 鋼線を骨折部より刺入して，梃子として骨片を整復し，固定を行う intrafocal pinning 法（Kapandji 法）が有用である．

thumb spica ギプス固定は運転手骨折（chauffeur 骨折）や舟状骨骨折に対する固定法である．

- 神中整形外科．改訂23版．下巻．605-610，628-630．
- 標準整形外科学．第14版．786-788．

問 6-3-69

| 正解　c，e　　橈骨遠位部骨折 |

Smith 骨折は，手関節掌屈位での転倒や，自転車，オートバイのハンドルを握った状態での転倒で起こることが多い．

運転手骨折（chauffeur 骨折）は橈骨茎状突起骨折であり，chauffeur（自動車運転手）がエンジンのスターティングハンドルの逆回転で橈骨背側を強打して起こしたために，この名前がある．

内側楔状骨折は月状骨に対する橈骨関節面の陥没骨折である．骨片は die-punch fragment と呼ばれる．

背側 Barton 骨折は，遠位骨片が手根骨とともに背側へ転位する脱臼骨折で，掌側手根靱帯の近位列手根骨への付着部の断裂がみられる．

掌側 Barton 骨折は，遠位骨片が手根骨とともに掌側へ転位する脱臼骨折である．

● 神中整形外科学. 改訂23版. 下巻. 606-607.

問 6-3-70

| 正解　a, c　　橈骨遠位部骨折 |

Chinese finger trap を用いた整復が有用なことがある.

徒手整復は手関節最大掌屈, 尺屈, 前腕回内位(Cotton-Loder 肢位)で行うが, この肢位でのギプス固定は神経麻痺, 血行障害, 手指の腫脹をきたすので避けるべきである.

Smith 骨折の整復操作は, 遠位方向への牽引と, 手関節を背屈, 前腕を回外して遠位骨片を背側に圧迫してこのまま肘上からのギプス固定を行うが, 再転位をきたしやすいため手術的に治療されることが多い.

背側 Barton 骨折の整復法は, 牽引を加え, 手関節を背屈させ, 脱臼した手根骨を整復しギプス固定する.

整復後のギプス固定は通常肘上から手までを行うが, 重篤な手指関節拘縮をきたすため, 手指MP関節, 母指CM関節を含めてはいけない.

● 神中整形外科学. 改訂23版. 下巻. 605-610.
● 標準整形外科学. 第14版. 786-788.

問 6-3-71

| 正解　a, c　　橈骨遠位部骨折 |

橈骨遠位部骨折では, 正中神経損傷がもっとも多い. 受傷時からみられる場合と, 仮骨や整復不良の骨片による遅発性の手根管症候群を起こすことがある.

腱断裂では, 橈骨 Lister 結節部での, 骨片の摩擦による長母指伸筋腱の断裂がもっとも多い.

橈骨が短縮した場合, 尺骨が相対的に長くなって, 尺骨頭と手根骨の間に存在する三角線維軟骨複合体(TFCC)が損傷される.

背側 Barton 骨折および掌側 Barton 骨折は, 関節包や靱帯の損傷があるので, 整復とその保持は難しい.

Colles 骨折に対するギプスは, 以前行われていた Cotton-Loder 肢位(強い掌屈と尺屈)での固定では正中神経麻痺などの合併症が起きるので, 掌屈と尺屈は軽度にして固定する.

● 標準整形外科学. 第14版. 786-788.

問 6-3-72

| 正解　b, d　　Colles 骨折 |

新鮮時に整復されずにあるいは整復が不十分なものは, 橈骨短縮, 橈側偏位, 背側偏位を残して変形癒合する. 橈骨短縮によって相対的に尺骨が長くなったり, 尺骨頭が背側に脱臼すると, 前腕の回旋, 手関節の尺屈による尺骨頭部の疼痛とクリックや軋音を伴い, 機能障害を起こすことがある. これを尺骨突き上げ症候群(ulnocarpal abutment syndrome)という.

神経損傷では正中神経損傷がもっとも多く, 受傷時の直接の衝撃または近位骨折端による圧迫によるものもあるが, 整復不良の際の骨折端による直接の圧迫, 仮骨の形成, 瘢痕などによって, 遅発性に手根管症候群を起こすこともある.

腱の損傷では長母指伸筋腱の皮下断裂がもっとも多い. 断裂部位は Lister 結節部が多く, 骨片による摩擦, 局所の循環障害が原因となる.

Volkmann 拘縮は, 小児の上腕骨顆上骨折に合併して起こることが知られているが, その他に, 局所の出血, 阻血後の腫脹, 長期の上肢圧迫や熱傷により起こることがある.

不完全な整復位や不必要に広い範囲の長期間の固定は手指の浮腫, チアノーゼ, 関節拘縮, 皮膚萎縮, 骨萎縮など, 反射性交感神経性ジストロフィーをきたすことがある.

●標準整形外科学．第14版．786-788．

問 6-3-73

| 正解 | e | 尺骨突き上げ症候群 |

　尺骨突き上げ症候群は手関節尺側にかかる過剰な負荷で生じ，尺骨頭が三角線維軟骨複合体（TFCC）と三角骨に衝突することが原因の1つと考えられ，尺骨プラス偏位で生じやすい．原因として，橈骨遠位端骨折後の橈骨短縮により相対的に尺骨が長くなり発生する例が多い．
　尺骨頭が背側に脱臼すると，前腕の回旋，手関節の尺屈で尺骨頭部に疼痛，軋音が生じる．
　尺骨頭と手根骨の間にある TFCC が尺骨頭に突き上げられて損傷する．
　一般に尺骨短縮骨切り術や橈骨矯正骨切り術が適応となるが，遠位橈尺関節に関節症が存在する場合はその適応はない．救済手術としてSauvé-Kapandji 法や hemiresection interposition arthroplasty（Bowers 法）などがあるが，尺骨プラス偏位が強い場合には Bowers 法は禁忌である．

●標準整形外科学．第14版．489-490, 788．
●整形外科診療実践ガイド．文光堂，2006：627-629．

問 6-3-74

| 正解 | b | 手根骨の骨折と脱臼 |

　月状骨脱臼は，手関節が背屈位で遠位方向から強い力が働いて，月状骨が有鈎骨と橈骨の間に挟まれ，はじき出されるように掌側に転位して生じる．受傷後2日以内であれば，徒手整復できる．
　有鈎骨鈎骨折は，握っていたゴルフのクラブやテニスのラケットなどが鈎部に当たって生じる．手関節2方向単純X線像では診断できないこともあり，手根管撮影やCTが有用である．
　月状骨周囲脱臼は，月状骨脱臼と同じような受傷機序で生じる．月状骨以外の手根骨が背側に転位する．月状骨周囲脱臼は，受傷後早期であれば徒手整復できる．
　舟状骨骨折に対してギプス固定をする場合は，前腕から母指基節骨まで固定する（thumb spica）．

●標準整形外科学．第14版．735, 789-790．

問 6-3-75

| 正解 | e | 舟状骨骨折 |

　舟状骨骨折は，通常の4方向撮影（正・側・両斜位）だけでは骨折線が認められないことがある．そのため手関節尺屈位での正面像や断層撮影，MRIなどが必要なこともある．そのほとんどが，転落・転倒などで手をついて手関節が過伸展されたときに起こる．
　臨床的には手関節部の腫脹，疼痛，可動域制限などであるが，いずれも軽度であるため捻挫と診断されやすい．嗅ぎタバコ窩（anatomical snuff box）に圧痛があるのが特徴的である．
　舟状骨の栄養血管はほとんどが遠位側より入るため，近位側で骨折した場合，近位骨片の血行が遮断され骨癒合が遷延されたり，偽関節となりやすい．
　しかし中央や遠位側での骨折では血行は温存されるため，転位が大きくない限り保存療法で治癒する．

●標準整形外科学．第14版．789．

問 6-3-76

| 正解 | c, e | Monteggia 脱臼骨折 |

　尺骨骨折に橈骨頭脱臼を伴う骨折を Monteggia 脱臼骨折という．Monteggia 脱臼骨折の Bado 分類は橈骨頭の脱臼方向をもとに4型に

分けられ，成人における頻度はそれぞれ type Ⅰ（前方）が 60%，type Ⅱ（後方）が 15%，type Ⅲ（側方）が 20%，type Ⅳ（橈骨骨折合併）は 5% 以下である．

type Ⅱ では，後骨間神経が回外筋の辺縁（Frohse のアーケード）により牽引されるため，しばしば麻痺を合併するが，早期に整復すれば大部分は自然に回復する．

成人の Monteggia 脱臼骨折では，尺骨はプレート固定のよい適応で，Kirschner 鋼線などによる髄内固定ではアライメントの完全な回復は得られず，しばしば橈骨頭の再脱臼を起こす．

- Bucholz RW(ed). Rockwood and Green's Fractures in Adults, Volume 1, 7th ed. Lippincott Williams & Wilkins, 2010：885.
- Morrey BF(ed). The Elbow and its Disorders, 4th ed. Saunders Elsevier, 2009：424-433.

問 6-3-77

| 正解　d，e | Galeazzi 脱臼骨折 |

Galeazzi 脱臼骨折は，橈骨骨幹部遠位骨折と遠位橈尺関節脱臼の合併例である．

通常，骨折部が整復されると脱臼も整復されるが，橈骨の骨折部の安定性が悪い場合はプレートにて内固定する．

靱帯形成術の必要性はない．

遠位橈尺関節の脱臼が整復されない場合は尺側手根伸筋腱が嵌入している可能性がある．

- 標準整形外科学．第 14 版．785-786.
- 神中整形外科学．改訂 23 版．下巻．604.

問 6-3-78

| 正解　a，d | 前腕骨骨幹部骨折 |

橈骨近位 1/3 の骨折では，近位骨片は上腕二頭筋・回外筋の作用により回外位をとり，遠位骨片は円回内筋・方形回内筋の作用により回内位をとる．したがって保存療法の際は，前腕の固定肢位を回外位としなくてはならない．中央 1/3 以遠の骨折では，近位骨片は回内・回外作用筋が拮抗し中間位をとり，遠位骨片は方形回内筋により回内位をとる．したがって保存療法の際は，前腕の固定肢位は中間位でよい．

しかし，前腕の骨幹部骨折は整復が難しく，成人では軽度の変形治癒でも前腕の回旋障害を生じやすいので，10°以上の屈曲転位例では手術療法の適応となる．

また，50% 以上の側方転位例，粉砕骨折例，Monteggia 脱臼骨折，Galeazzi 脱臼骨折も手術療法の適応で，これらは髄内釘よりも回旋に対する固定性に優れる金属プレートによる内固定が好ましい．

しかし，特に橈骨では固定したプレートを長期に残すと橈骨の横径がしばしば縮小し，抜釘後に再骨折をきたしやすいので注意が必要である．

- 標準整形外科学．第 14 版．784-785.
- Bucholz RW(ed). Rockwood and Green's Fractures in Adults, Volume 1, 7th ed. Lippincott Williams & Wilkins, 2010：881-901.

問 6-3-79

| 正解　a，d，e | 橈骨頚部骨折 |

肘関節伸展位で倒れ外反位の力が働くと，橈骨頭は上腕骨下端に衝突して橈骨近位端の骨折を生じる．成人では橈骨頭の骨折を，小児では橈骨頚部の骨折を起こしやすい．このとき，肘関節内側側副靱帯損傷または上腕骨内側上顆骨折を合併したり，肘頭または尺骨近位部骨折を合併することがある．Jeffery 型骨折とも呼ばれる．

- Jeffery CC. J Bone Joint Surg 1972；54B：717-719.
- 標準整形外科学．第 14 版．833.
- 神中整形外科学．改訂 23 版．下巻．469-470.

問 6-3-80

| 正解 | c, d | 小児橈骨頚部骨折 |

小児の橈骨近位端骨折のほとんどは頚部骨折である．肘伸展位で手をついた場合に，頚部に外反力が加わり，上腕骨小頭を通じて衝撃が橈骨の骨端線や骨幹端部に及んで頚部骨折が生じることが多い．

橈骨頭の転位は年少児で 30°以下は許容範囲とされるが，年長児では 15°以下とすべきとの報告があり，できるだけ整復することが望ましい．これらの転位は前腕の回内・回外制限および肘関節外反動揺性を発生する可能性がある．

徒手整復不良例や，回旋制限が著明なものなどには観血的整復が行われることがあるが，合併症として橈尺骨癒合症，虚血性壊死，あるいは骨頭肥大などがある．

- 標準整形外科学．第 14 版．833．
- 神中整形外科．改訂 23 版．下巻．469-470．
- 井上博．小児四肢骨折治療の実際．第 2 版．金原出版，2002：155-171．

問 6-3-81

| 正解 | d | 橈骨頚部骨折 |

まず前腕の長軸方向に牽引を加え，橈骨頭を指で圧迫して徒手整復を試みるが，徒手整復困難な場合は小切開での整復が可能であり，決して骨頭を切除すべきではない．

橈骨頭が脱転している場合でさえ整復を試みるべきである．

小切開で小エレバトリウムなどを挿入して，愛護的に整復する方法や，橈骨遠位部より先端を曲げた Kirschner 鋼線を骨髄内に挿入して，鋼線の先端で橈骨頭を持ち上げて整復する方法などがある．

骨折部の必要以上の剥離操作は橈骨頭の壊死を生じる可能性があり注意を要する．

- 標準整形外科学．第 14 版．781-782．
- 神中整形外科学．改訂 23 版．下巻．471-472．

問 6-3-82

| 正解 | c, d, e | 橈骨頭骨折 |

成人橈骨頭骨折に対して一般に Mason 分類が用いられる．type Ⅰ：転位のない骨折，type Ⅱ：骨頭の一部の転位（傾斜または陥没），type Ⅲ：粉砕骨折，type Ⅳ：肘関節後方脱臼に合併する骨折である．治療は骨折型を参考とするが，一般に Mason 分類 type Ⅰ は保存療法，type Ⅱ，Ⅲ では徒手整復は困難で手術療法が適応となる．

粉砕骨折で整復が困難な場合は全切除もやむをえないが，骨頭全切除は肘関節の外反動揺性を残すほか，橈骨の近位移動のため手関節障害を生ずる可能性もある．これらの合併症を予防するためには人工骨頭置換術が望ましい．

type Ⅳ では脱臼の整復後，type Ⅰ〜Ⅲ と同様に治療するが，内側側副靱帯損傷を合併しうる．顕著な外反動揺性を認める場合は，靱帯修復も考慮することが必要である．

- 標準整形外科学．第 14 版．781-782．
- 神中整形外科学．改訂 23 版．下巻．466-469．

問 6-3-83

| 正解 | e | 肘関節脱臼骨折 |

肘関節脱臼は 10 歳台の年齢層に多く，多くはスポーツ時に受傷し，もっとも高頻度の脱臼は橈・尺骨後方脱臼である．

前方，後方，側方，分散に分類されるが，屈伸運動が中心の肘関節では側副靱帯に比し前後の関節包の支持性が弱く，また前後方向の力に対する抵抗性は後方の肘頭よりも前方の鉤状突起のほうが弱いため，後方脱臼が多い．

後方脱臼の受傷機序は，手をつき，肘関節の過伸展の強制と考えられている．
- 標準整形外科学．第14版．782-784．

問 6-3-84

| 正解 b 肘関節脱臼骨折 |

外側靱帯複合体の一部である外側尺側側副靱帯の損傷は，後外側回旋不安定性(posterolateral rotatory instability：PLRI)の原因となる．

肘関節脱臼に合併する重要な骨折は，成人では尺骨鉤状突起骨折，橈骨頭骨折である．

内側上顆骨折を合併した場合は，骨片が屈筋群起始部とともに腕尺関節間に嵌頓することがある．

脱臼整復後に肘関節を鋭角屈曲位に保持していないと再脱臼する場合は，合併した骨・靱帯損傷の修復手術を要することが多い．

外傷性脱臼の発生は肩関節がもっとも多く，次いで肘関節が多い．
- 越智隆弘総編．最新整形外科大系．14 上腕・肘関節・前腕．中山書店，2008：234-248．

問 6-3-85

| 正解 b, c 月状骨周囲脱臼，舟状月状骨解離，SLAC |

月状骨周囲脱臼は，手掌をついて倒れ，手関節背屈位で遠位方向から強い力が加わり受傷する．月状骨の位置は正常だが，その他の手根骨が背側に転位する．

舟状月状骨靱帯が断裂し，舟状月状骨解離が生じ，月状三角骨靱帯が断裂し，月状三角骨解離が生じる．

しばしば骨折を伴い，橈骨茎状突起骨折，舟状骨骨折，有頭骨骨折，三角骨骨折などを伴う．新鮮例には，徒手整復後にギプス固定や鋼線固定が行われる．しかし観血的整復，靱帯修復を推奨する意見も多い．

整復後はギプス固定を8～10週間行う．月状骨周囲脱臼ではしばしば近位手根列背側回転型手根不安定症(dorsal intercalated segment instability：DISI)となる．

関節症変化が進行するとSLAC(scapholunate advanced collapse)wristになる．受傷後3～12週の陳旧例は観血的整復，靱帯再建術，受傷後12週以上では近位手根列切除術や橈骨手根関節固定術などが行われる．
- 標準整形外科学．第14版．790．
- 越智隆弘総編．最新整形外科大系．15A 手関節・手指Ⅰ．中山書店，2007：239-245．

問 6-3-86

| 正解 a 外傷，手根不安定症 |

舟状月状骨靱帯が断裂すると舟状骨-月状骨間の解離が生じ，月状骨は三角骨とともに背屈し，有頭骨が背側に移動する．このパターンを近位手根列背側回転型手根不安定症(dorsal intercalated segment instability：DISI)と呼ぶ．

月状三角骨靱帯が断裂すると月状骨-三角骨間の解離が生じ，月状骨が舟状骨とともに掌屈し，有頭骨が掌側に移動する．このパターンを近位手根列掌側回転型手根不安定症(volar intercalated segment instability：VISI)と呼ぶ．

DISIの単純X線側面像では，月状骨は背屈し，舟状骨月状骨角は増大(80°以上)する．VISIでは月状骨は掌屈し，有頭骨月状骨角が増大(30°以上)する．舟状骨はDISI，VISIとも掌屈する(図1)．

舟状月状骨解離(DISI)の単純X線正面像では，舟状骨-月状骨間が2mm以上開き，舟状骨結節部の輪状像(cortical ring sign)がみられる(図2)．月状三角骨解離(VISI)では近位手根列

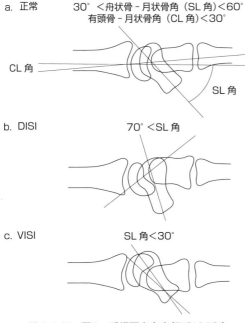

問6-3-86／図1 手根不安定症(DISI/VISI)

手関節基準撮影側面像で舟状月状骨(SL：scapho-lunate)角，有頭月状骨(CL：capitolunate)角を計測．
a．正常：30°＜SL角＜60°，CL角＜30°
b．DISI：SL角＞70°，CL角＞30°
c．VISI：SL角＜30°，CL角≧30°
（標準整形外科学．第14版．489より引用）

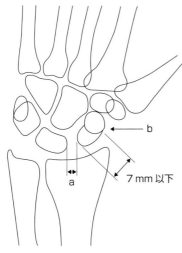

問6-3-86／図2 舟状月状骨解離(Terry-Thomas徴候)

3mm以上で舟状月状骨靱帯断裂を疑う(a).
Cortical ring sign：舟状骨結節部の骨皮質が丸くみえ，ringと舟状骨近位までが7mm未満で陽性(舟状骨が掌屈)(b).

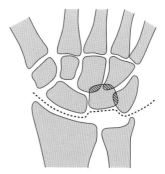

問6-3-86／図3 月状三角骨解離
点線はアーチの乱れ，斜線は骨の重なりを示す．

のアーチが乱れる（図3）．

● 標準整形外科学．第14版．489．

問 6-3-87

| 正解　a，c，d　　指関節脱臼 |

母指MP関節背側脱臼では，掌側に転位した中手骨骨頭が，掌側板と母指球筋腱部により頸部で絞扼され，徒手的には整復されない．

示指MP関節背側脱臼では，掌側に転位した中手骨骨頭が，掌側板，屈筋腱，虫様筋などにより頸部で絞扼され，徒手的には整復されない．

示指PIP関節掌側脱臼では，基節骨骨頭が中央索と側索の間から背側に転位し，指を牽引するとますます頸部が絞扼されて，徒手的には整復されない．

● 標準整形外科学．第14版．792．

問 6-3-88

| 正解　b，c　　上腕骨顆上骨折 |

a．× Fat pad signの有無，臨床症状などを合わせて診断する必要がある．
b．○ Bauman角の正常は年長児で10°以上ある．
c．○ 回旋転位は整復の適応となる．

d．× 内反変形・回旋変形の自家矯正はほとんど起こらない．
e．× 内反・内旋変形の残存による内反肘で生じることがある．
　●標準整形外科学．第14版．454, 829-831.

問 6-3-89

| 正解　b, c, d　橈骨遠位端骨折 |

a．× 浅指屈筋腱，橈側手根屈筋腱は解剖学的にプレートと接触しない．
b, c．○ 手掌骨皮質の上に置いた掌側ロッキングプレートに屈筋腱が接触し，すり切れる可能性がある．
d．○ Lister結節部で長母指伸筋腱断裂がもっとも多い．骨折部での摩擦が原因である．
e．× 浅指屈筋腱，橈側手根屈筋腱は解剖学的にプレートと接触しない．
　●標準整形外科学．第14版．471, 786-789.

問 6-3-90

| 正解　d, e　上腕骨顆上骨折 |

a．× 伸展型損傷が多い．
b．× 単純X線正面像ではなく，側面像である．
c．× 神経麻痺は自然回復するので経過観察する．
d．○
e．○
　●標準整形外科学．第14版．829-831.

問 6-3-91

| 正解　a, e　Monteggia骨折 |

a．○
b．× 若木骨折でも生じる．

c．× 尺骨の急性塑性変形では矯正に強い力が必要であり，手術室などで麻酔管理下に施行することが好ましい．
d．× 後骨間神経麻痺が多い．
e．○
　●標準整形外科学．第14版．786, 832-833.

4）骨盤・下肢

問 6-3-92

| 正解　a　骨盤裂離骨折 |

　骨盤裂離骨折は骨端核の癒合する直前の中高校生に好発し，スポーツ中に筋肉の急激な収縮が原因で骨盤の筋肉起始部に生じる骨折である．
　縫工筋による上前腸骨棘骨折，大腿二頭筋による坐骨結節骨折，大腿直筋による下前腸骨棘骨折が代表的である．
　さらに，まれではあるが中殿筋による腸骨稜裂離骨折の報告もある．数週間の安静により症状は軽快する．転位が大きい場合でも機能障害が残りにくいのが特徴である．
　●標準整形外科学．第14版．835, 884-885.

問 6-3-93

| 正解　a, d, e　骨盤骨折 |

　骨盤骨折は，まず骨盤輪の破綻の有無により分類する．
　Malgaigne骨折は，高所からの転落などにより垂直剪断力が働き，骨盤の前方および後方の2カ所で骨盤輪の破綻をきたす．
　骨盤輪の破綻のない骨折には，付着する筋収縮による上前腸骨棘，下前腸骨棘や坐骨結節の裂離骨折(avulsion fracture)，また直達外力による腸骨翼単独骨折(Duverney骨折)や仙骨横骨折がある．骨盤輪骨折には前後方向の圧迫に

よるもの，側方からの外力によるもの，垂直剪断力によるものがある．

open book 型骨折は，前後方向の圧迫により恥骨結合が離開したものをさす．

跨座(straddle)骨折は安定型骨折に分類されているが，両側恥骨・坐骨の縦骨折で骨盤輪は破綻する．骨盤骨折では，骨盤輪の破綻をきたすものは重症度が高い．

- Rockwood and Green's. Fractures in Adults. 7th ed. Lippincott Williams & Wilkins, 2010：1425-1432.
- Müller ME et al(eds). Manual of Internal Fixation. 3rd ed. Springer, 1991：488.
- 標準整形外科学．第14版．796-797.

問 6-3-94

| 正解 | d | 骨盤骨折 |

L5 横突起骨折および仙棘靱帯付着部の裂離骨折は，単純X線像上不安定性を示す重要な所見である．

Malgaigne 骨折は垂直剪断型であり，跨座(straddle)骨折は前後圧迫型で両側の恥骨上下枝骨折である．

仙骨骨折における神経損傷の合併頻度は仙骨翼で5.9%，仙骨孔部で28%，仙骨管内で87%と報告されている(Denis)．

- Canale TS. Campbell's Operative Orthopaedics. 10th ed. Mosby, 2003：2939-2984.
- Rockwood and Green's. Fractures in Adults. 7th ed. Lippincott Williams & Wilkins, 2010：1425-1432.
- 村地俊二ほか編．骨折の臨床．第3版．中外医学社，1996：128-129.

問 6-3-95

| 正解 | a, b | 骨盤骨折 |

第5腰神経は仙骨翼前面を下降し，第5腰椎横突起の側を下降してきた第4腰神経の分枝と一緒になり腰仙神経叢を形成する．その後，大坐骨切痕近傍で第1～4仙骨神経と合流し，坐骨神経と陰部神経に分かれる．したがって，腸骨後方部や仙骨など骨盤輪後方部の骨折によりこれらの神経は損傷を受けやすい．坐骨神経を含む腰仙神経叢の障害は，Huittinen らによると全骨盤骨折中10～12%の発生頻度で，Malgaigne の不安定型骨折では46%に合併したとしており，まれなものではない．

第5腰椎横突起骨折や仙骨棘突起の裂離骨折の合併は，不安定性を示す所見である．

女性の尿道の長さは3～5cmと短いため，尿道損傷の合併は圧倒的に男性に多い．

出血性ショックをきたす重傷骨盤骨折の多くは，仙腸関節付近の骨盤後方部に骨折・転位がみられる．これは内腸骨動脈から分かれた分枝が骨盤後方部で骨に近接し，上殿動脈がこの部位で大坐骨切痕をくぐり抜けるという解剖学的位置関係により損傷されやすいためである．

後腹膜腔出血が著しい場合は，経カテーテル動脈塞栓術(transcatheter arterial embolization：TAE)が第1選択であり，手術的止血を行うことはまれである．その理由は，後腹膜を開くことによってタンポナーデ効果が解除され，術中に多量の出血をもたらしてしまうからである．

- 越智隆弘編．最新整形外科学体系．16 骨盤・股関節．中山書店，2006：336-359.
- Huittinen VM et al. Acta Chir Scand 1972；138：571-575.

問 6-3-96

| 正解 | d | 寛骨臼骨折 |

寛骨臼を構成する骨は，大きく前柱と後柱に分けられる．AO分類では，このどちらかの損傷のみのA型，これに横方向の骨折が加わったB型，両柱の骨折であるC型に分けられる．

A 型：部分関節内骨折，両柱のうち1つの柱のみの骨折．

A1：後壁骨折，A2：後柱骨折，A3：前柱または前壁骨折．

B 型：部分関節内骨折，横骨折成分を含む．

B1：単純横骨折，B2：T字状骨折，B3：前柱＋後方半横骨折．

C 型：完全関節内骨折（両柱骨折）．

C1：腸骨骨折高位型，骨折は腸骨稜に達する，C2：腸骨骨折高位型，骨折は腸骨前縁に達する，C3：仙腸関節に及ぶ骨折．

- 標準整形外科学．第14版．802-803．

問 6-3-97

| 正解　a，b，e　　骨盤骨折 |

尿道口より出血のある場合は尿道断裂を伴っていることが多く，バルーンカテーテルを挿入しても膀胱内に入らず，尿道の損傷部をさらに拡大する．そのため，まず尿道造影を行い断裂が確認されれば，膀胱瘻造設が必要である．

骨盤骨折の初期治療として骨盤周囲に巻いたシーツを緊縛し open book 型損傷の整復を行う sheet wrapping 法があり，短時間に骨折部の簡易固定が可能な方法として有用である（図1）．

Malgaigne 骨折は骨盤後方部の破綻を伴う骨盤輪不安定骨折であり，創外固定のみでは十分な固定力が得られず早期荷重歩行は行えない．骨盤骨折の死亡原因でもっとも頻度が高いのは出血であり，これに対して創外固定や動脈塞栓術が有効である．

血行動態不安定性が骨盤不安定性による場合には，ただちに緊急の安定化を行う．骨盤Cクランプや創外固定を用いると有効な安定化が可能である．安定型骨折の straddle 骨折ではCクランプを用いることはない．

Malgaigne 骨折では，患側下肢が頭側へ転位するため下肢直達牽引を行う．

- 越智隆弘編．最新整形外科学体系．16 骨盤・股関節．中山書店，2006：336-359．
- Rockwood and Green's. Fractures in Adults. 7th ed. Lippincott Williams & Wilkins, 2010：1418-1424．

問 6-3-98

| 正解　d　　骨盤骨折，出血性ショック |

骨盤内出血は骨盤骨折のもっとも重篤な合併症であり，出血性ショックを引き起こし，しばしば死因ともなりうる．単純な骨盤骨折のみの場合の出血量は通常 1,000 mL 以下であるが，

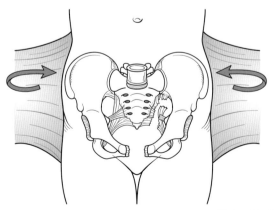
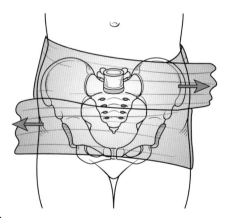

問 6-3-97／図1

尿路損傷を合併するものでは 1,000〜3,000 mL に達する．ショック症状を認めて腹腔内臓器の損傷を伴うものでは，出血量は 3,000〜5,000 mL といわれている．

出血源としては骨折部や骨盤内静脈叢，および内腸骨動脈分枝が考えられている．

● 神中整形外科学．改訂 23 版．下巻．812.

問 6-3-99

| 正解 b，e | 寛骨臼骨折，大腿骨頭骨折 |

寛骨臼は腸骨稜前部から恥骨に至る前柱（anterior column）と，腸骨下部から坐骨にいたる後柱（posterior column）によって逆Y字状に取り囲まれて支持されており，これに前壁と後壁を加えた4つが構成要素となっている．

寛骨臼骨折の的確な分類法である Letournel 分類では，基本骨折として前柱，後柱，前壁，後壁の各々の骨折と構成要素を横断する横骨折の5つを挙げ，複合骨折として基本骨折の2つ以上を含む5つの骨折を挙げて合計10型に分類している．

寛骨臼骨折で転位がある場合，まず大腿骨遠位部または脛骨近位部で下肢の直達牽引を行う．良好な整復位が得られた場合は引き続き保存療法を行うが，2〜3日たっても整復位が得られない場合は，観血的整復の適応となる．大腿骨大転子部での側方直達牽引は，手術を選択する場合，感染の危険性が高くなるので推奨されない．

寛骨臼骨折の手術における万能なアプローチはなく，骨折型によって後方アプローチ，前方アプローチ，拡大もしくは合併アプローチを適切に選択する必要がある．

大腿骨頭骨折は高エネルギー損傷として，股関節の後方脱臼に合併することが多い．Pipkin 分類では，type Ⅰ：円靱帯付着部より下方の骨折，type Ⅱ：円靱帯付着部を含む骨片を伴う骨折，type Ⅲ：type Ⅰ またはⅡに頸部骨折を伴う骨折，type Ⅳ：type Ⅰ またはⅡに臼蓋縁の骨折を伴う骨折，の4型に分類している．このうち，type Ⅰ は荷重に影響がないため脱臼の整復によって骨片も整復されることが多く，その場合は放置してよい．

● 越智隆弘編．最新整形外科学体系．16 骨盤・股関節．中山書店，2006：348-368.
● 標準整形外科学．第 14 版．802-803.

問 6-3-100

| 正解 c，d | 骨盤輪骨折 |

Pennal らは骨盤輪骨折について外力の作用方向による分類を提唱している．すなわち前後方向からの圧迫（anteroposterior compression），側方からの圧迫（lateral compression），垂直剪断力（vertical shear）の3群に分けている．

open book 型骨折は前後方向からの圧迫による骨折の代表であり，恥骨結合部の骨折あるいは離開に仙腸関節離開を伴い，あたかも本を開いた形に似ているため，このように呼ばれる．

Duverney 骨折は腸骨翼の単独骨折であり側方からの直達外力により起こり，骨盤輪の安定性は保たれる．

Malgaigne 骨折は，垂直方向の剪断力により前方閉鎖孔における骨盤輪離断と同側の腸骨後方の垂直骨折を合併し，上方へ転位するものである．

寛骨臼骨折は高所よりの転落や大転子への衝撃が原因であることが多い．

straddle 骨折は主に前方からの外力による両側の恥骨両枝骨折のことである．

● 神中整形外科学．改訂 23 版．下巻．804-809.
● 標準整形外科学．第 14 版．796-801.

問 6-3-101

| 正解　a，b，c　　寛骨臼骨折 |

　寛骨臼骨折は，間接的外力によって生じることがもっとも多く，大転子，屈曲した膝，膝伸展位で足に作用した外力が大腿骨を介して作用する．そのため下肢骨折を伴うことが多い．

　寛骨臼骨折のうち後壁骨折では，20％前後に股関節の後方脱臼を伴い，坐骨神経麻痺をしばしば合併する．

　股関節脱臼は，坐骨神経圧迫の解除と大腿骨頭壊死のリスクを減少させる意味から，迅速に整復する必要がある．

　寛骨臼骨折の治療において外傷後変形性関節症を防ぐ最大のポイントは，関節面の正確な整復を行い，適合性のよい股関節を得ることにある．ゆえに，プレートや螺子を用いた内固定がもっとも一般的である．

　ただし，高度の骨粗鬆症が存在する場合は強固な固定を行うことが難しく，内固定の最大の禁忌である．

- 糸満盛憲ほか編．AO法骨折治療．医学書院，2003：324-339．

問 6-3-102

| 正解　d　　大腿骨頚部構築 |

　大腿骨頚部は骨幹部と頚体角をなし力学的弱点となっているが，それを補うために特有な構造をもっている．荷重がもっとも大きくかかる大腿骨頚部内側の骨皮質はよく発達して，いわゆる Adams 弓をなしている．

　また，大腿骨頚部海綿骨の構築はその部に加わる圧力・張力に抗する形で配列する Pacquard-Meyer 線を形成する．この骨梁の配列により大腿骨頚部の構造は著しく強化されている．その骨梁群には，大転子下部から弓状に走

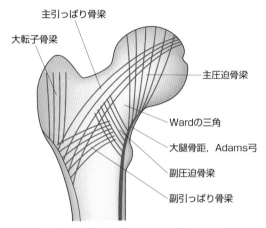

問 6-3-102／図1　大腿骨近位の骨梁構造

り骨頭下部に向かう主引っぱり骨梁（principal tensile trabeculae），大転子下部から小転子に向かう副引っぱり骨梁（secondary tensile trabeculae）と Adams 弓部から骨頭上部に走る主圧迫骨梁（principal compressive trabeculae），Adams 弓部から大転子方向に走る副圧迫骨梁（secondary compressive trabeculae）の走行などがある．

　この設問では主圧迫骨梁の走行が Adams 弓から骨頭下内部となっているのは誤りで，骨梁の走行は骨頭上部に向かっているのが正しい（図1）．

- 神中整形外科学．改訂23版．下巻．835-836．
- 標準整形外科学．第14版．842-861．

問 6-3-103

| 正解　a　　大腿骨頚部骨折，発生機転 |

　大腿骨頚部骨折は関節内骨折であり，関節包の損傷を伴わない限り骨折部からの出血は関節腔内にとどまり，広範な腫脹，皮下出血はみられない．

　本骨折は高齢女性に多く発生し，骨粗鬆症による骨密度低下や骨脆弱性が基盤となっている．

　骨折を生じる原因としては転倒が圧倒的に多

いが，つまずいて下肢を外旋した際に頚部骨折を生じ，その結果として転倒することもある．

骨折により典型的転位が起これば，患肢は短縮，内転・外旋位をとる．

大腿骨頚部骨折の分類ではGarden分類がよく用いられる．Garden分類のstage Ⅰは不全骨折，stage Ⅱは転位のない完全骨折であり，外転骨折で骨折部が嵌入している場合は安定性がよく，自動運動が可能なだけでなく歩行もできる場合があるので注意を要する．

●標準整形外科学．第14版．804-807．

問 6-3-104

| 正解　a，d，e | 大腿骨頚部骨折のGarden分類 |

大腿骨頚部骨折の分類には単純X線像での骨折線の走行によって分類するPauwels分類や転位の程度によって分類するGarden分類などがある．Garden分類は高齢者の大腿骨頚部骨折は力学的ストレスの繰り返しによって起こるとの考えから，骨折の発生段階を4つに分けた進行度分類である．

Stage Ⅰ：不完全骨折（内側で骨性連続が残存しているもの）．

Stage Ⅱ：完全骨折・最小転位（多くの場合，骨片は嵌合し軽度外反位をとる．軟部組織の連続性は残存している）．

Stage Ⅲ：完全骨折・転位（Weibrecht支帯の連続性は残存しており，内側からの骨頭への血行はある程度保たれる．遠位骨片が転位すると，この支帯に引っぱられて骨頭は回転転位を起こす．したがって下肢を牽引すると，この支帯の緊張によって整復される）．

Stage Ⅳ：完全骨折・転位（Weibrecht支帯が断裂し，骨頭への血行は途絶する．頚部周囲の支帯がすべて断裂しているために骨頭は回転

せず，主圧迫骨梁は正常の大腿骨と同じ走行を示す）．

Stage Ⅰ，Ⅱでは保存療法が可能である．Stage Ⅲで牽引により容易に整復できるものは骨接合術を行うことがある．Stage Ⅳでは骨癒合がほとんど期待できないので，人工骨頭置換術を行う．合併症として骨癒合不全や大腿骨頭壊死がある．特に若年者においては，高齢者の骨折とは違って高エネルギー外傷による場合が多く，Stage Ⅰ，Ⅱにおいても大腿骨頭壊死は生じうる．

●標準整形外科学．第14版．803-805．

問 6-3-105

| 正解　a | 大腿骨近位部骨折の危険因子 |

1型糖尿病において，大腿骨近位骨折リスクは約6倍，2型糖尿病では1.4〜1.7倍である．

メタボリック症候群・脂質異常症では骨折リスクは低く，高血圧・動脈石灰化・虚血性心疾患では結果は一致していない．

●日本骨粗鬆症学会生活習慣病における骨折リスク評価委員会．生活習慣病骨折リスクに関する診療ガイド．ライフサイエンス出版，2011：11．

問 6-3-106

| 正解　d | 大腿骨転子部骨折 |

大腿骨転子部骨折は大腿骨頚部骨折と並んで高齢者に発生する代表的な骨粗鬆症関連骨折である．本骨折の発症機転はほとんどすべてが立位からの転倒であり，軽微な外力でも発生する頚部骨折とは異なる．

大腿骨近位部骨折の中では，統計上，転子部骨折のほうが頚部骨折より発生年齢が高い．

転子部骨折は，頚部骨折と比べ血流は良好で，骨癒合には有利であり，この部位での骨

で偽関節や骨頭壊死が続発することはまれである．

転子部骨折では，骨皮質が菲薄で骨梁が粗になっており脆いため，骨折線は複雑になりやすく，しばしば3分節骨折（3-part fracture），4分節骨折（4-part fracture）になる．

- 標準整形外科．第14版．805-807．
- 越智隆弘編．最新整形外科学体系．16 骨盤・股関節．中山書店，2006：377-388．

問 6-3-107

| 正解　a, c, e　　大腿骨転子部骨折，Evans 分類 |

大腿骨転子部骨折の分類には，日本ではEvans分類が広く用いられている．この分類では，主骨折線が大転子部から内下方，小転子側へ向かうものをtype Ⅰ，逆に主骨折線が小転子側から外側遠位に向かうものをtype Ⅱと分類している．

type Ⅰで転位のないものと整復後安定性の得られるものを安定型に分類し，type Ⅰで整復後も安定性が得られないものとtype Ⅱを不安定型に分類する．

type Ⅰで転位があっても整復し安定性が得られれば安定型に分類されるためbは誤りであり，たとえ小転子が離れていても整復でき安定性が得られれば安定型になるのでdも誤りである．

- 石井良章ほか編．股関節の外科．医学書院，1998：339．
- 神中整形外科学．改訂23版．下巻．957-960．

問 6-3-108

| 正解　b, d, e　　大腿骨転子部骨折不安定型の手術療法 |

大腿骨転子部骨折の治療は，強固な内固定を行い，早期離床を進めていくことが原則であり，特に，不安定型骨折（Evans分類 Type 1—group 3, 4, Type 2）では，内固定材料の選択に注意が必要となる．

sliding hip screw（CHS，DHS）は安定型骨折によい適応があるが，不安定型骨折ではラグスクリュー刺入部と小転子レベルでの骨折部との距離が近く，術中に大転子基部に新たな骨折が生じ，その結果，遠位骨片が著明に内方へ移動し高度のtelescope現象を起こして骨癒合が遷延する場合がある．

そのため，sliding hip screw 単独でなくbuttress plate を併用する必要がある．

また，telescopeを減少させる目的でつば付きのsliding hip screw も用いられる．

short femoral nail（gamma nail，intramedullary hip screw など）は，安定型から不安定型まで広い適応があるが，リーミングによる大腿骨骨幹部骨折や術後大腿部痛などの合併症が発生する危険性がある．

sliding hip screw と cannulated cancellous screw の併用は，転子部骨折の亜型としての大腿骨頚部基部骨折に用いられる．

- 越智隆弘編．最新整形外科学体系．16 骨盤・股関節．中山書店，2006：377-388．
- 標準整形外科．第14版．805-807．
- 松下隆編．整形外科 Knack & Pitfalls．骨折治療の要点と盲点．文光堂，2009：112-115．

問 6-3-109

| 正解　a, b　　大腿骨骨幹部骨折 |

大腿骨骨折は皮下骨折でも500〜1,000 mLの

内出血が起こるため，血圧低下，ショックなどの全身症状を呈することがある．

徒手整復し，外固定だけでその位置を保つことが難しく，変形治癒や膝関節の拘縮が起こることがある．

大腿骨中1/3部骨折の手術法は，髄内釘が早期より荷重できる点からもっともよい適応である．

近年はスクリューがプレートにロックされるlocking compression plate(LCP)を小切開プレート骨接合 mini-incision plate osteosynthesis(MIPO)で使用し，下肢人工関節周囲骨折に用いられる．

創外固定は，開放骨折の場合や，多発外傷で長時間の麻酔に耐えられない場合などには適応となる．

- 神中整形外科学．改訂23版，下巻．986-994．
- 村地俊二ほか編．骨折の臨床．第3版．中外医学社，1996：455-470．
- 標準整形外科学．第14版．807-808．
- 越智隆弘編．最新整形外科学大系．17 膝関節・大腿．中山書店，2006：349-355．

問 6-3-110

正解　d, e　　大腿骨骨幹部骨折

大腿骨骨幹部骨折の治療には髄内釘がもっともよく用いられる．

髄内釘がプレート固定に勝る点は，大腿骨の中心で固定するために内固定材に対する力学的負荷が少ない，大腿骨にかかる圧迫・曲げ・ねじれの力を骨とともに分散し良好な骨皮質の再建に有利である，骨折部を展開しないために正常な骨折治癒過程を障害しない，骨折部の応力遮蔽(stress shielding)が少ない(抜釘後の再骨折が少ない)などである．

全身状態が極めて悪い患者での固定には創外固定の適応がある．閉鎖性髄内釘はX線透視が不可欠で，牽引による会陰部の圧迫障害がしばしば起こる．

- 神中整形外科学．改訂23版，下巻．991-992．

問 6-3-111

正解　d　　大腿骨骨幹部骨折の治療，合併症

大腿骨骨幹部骨折は高エネルギー外傷であり，転落や交通事故により成人のみならず小児でも発生する．3～4歳の症例では，両股関節90°屈曲位，膝関節伸展位としてベッド上に組んだ枠組みからプーリーを介して3～5 kgの力で介達牽引を行う．5～10歳では股関節および膝関節をともに90°屈曲位として直達牽引を行う．

成人では保存療法は長時間を必要とするため，手術療法が選択され，髄内釘固定がもっともよい適応であるが，locking compression plate(LCP)などを用いたプレート固定も有用である．

出血性ショックと脂肪塞栓症候群は致命的な合併症として注意が必要である．大腿骨骨幹部骨折では500～1,000 mLの出血が予想される．開放骨折においてはその2倍程度の出血が見込まれ，急性期に適切な処置が行われないと致命的となる．もっとも重篤な合併症は脂肪塞栓症候群である．肺，脳，腎に脂肪による塞栓を生じ，多彩な臨床症状を呈する．死亡率は10～20％といわれている．

変形癒合を生じた場合，10歳までの小児であれば1～2 cmの短縮はよく矯正されるが，回旋変形は矯正されない．

また，成人例では15°以上の屈曲変形は起立歩行を含めた障害が大きく，矯正骨切り術を行うべきである．

- 標準整形外科学．第14版．807-808．
- 神中整形外科学．改訂23版，下巻．986-994．

問 6-3-112

| 正解　a, c, e　　大腿骨骨幹部骨折, 治療法 |

　横止め髄内釘(interlocking nail)法は従来の髄内釘法では適応外とされた粉砕骨折, 髄腔拡大部に適応することができる.

　static lockingは骨皮質で十分な固定性の得られない螺旋骨折, 粉砕骨折, 斜骨折の骨折型に短縮予防, 回旋予防として行われる.

　中央部横骨折は一般的にstatic lockingは必要ではないが, 時に必要となる場合がある.

　近位部横骨折はstatic lockingの必要はないが, リーミングをしない場合(unreamed nail使用時)には必要となる.

- Canale ST(ed). Campbell's Operative Orthopaedics. 9th ed. Mosby, 1998 : 2140-2144.
- 神中整形外科学. 改訂23版, 上巻. 273-283.
- 神中整形外科学. 改訂23版, 下巻. 987-994.

問 6-3-113

| 正解　e　　小児の大腿骨骨折の自家矯正 |

　小児の骨折後のある種の変形は, 骨折部のモデリングと成長軟骨板における過成長により自家矯正されうる. 小児の大腿骨骨折では, 屈曲転位はよく矯正され, 5歳以下では30°, 8歳くらいまでには20°程度の屈曲変形は, ほとんど完全に矯正される.

　側方転位もまたよく矯正されるが, 回旋転位はほとんど矯正されないので正しく整復しておく必要がある.

　成長軟骨板で過成長が起こるので, 短縮変形もまた矯正されうる.

　年少児ほど自家矯正能力が旺盛で, あらかじめ1cm程度短縮させた位置(横転位した位置)での牽引が望ましい.

　骨幹端部は骨幹部よりも自家矯正力が大きい.

- 標準整形外科学. 第14版. 835-836.
- 井上博. 小児四肢骨折治療の実際. 第2版. 金原出版, 2002 : 338-339.

問 6-3-114

| 正解　e　　大腿骨顆上骨折, 合併症 |

　大腿骨顆上骨折の近位骨片は大内転筋の力により前内方に転位し, 大腿四頭筋を損傷する. 遠位骨片は腓腹筋の力により後方に転位するため膝窩動脈を損傷することがあり, 時に脛骨神経も圧迫, 伸展され麻痺をきたすことがある.

　もっとも緊急を要する合併症は血行障害をきたす膝窩動脈損傷である.

- 村地俊二ほか編. 骨折の臨床. 第3版. 中外医学社, 1996 : 473.
- 神中整形外科学. 改訂23版, 下巻. 1061-1063.

問 6-3-115

| 正解　d, e　　大腿骨転子下骨折 |

　大腿骨転子下骨折は高齢者にも起こるが, 若年者に多発する. 高エネルギー外傷を原因とし, 多発外傷の一部としてみられることも多い. Seinsheimer分類がよく知られている.

　type Ⅰは転位のないもの, type Ⅱはtwo parts骨折, type Ⅲは第3骨片を伴うもの, type Ⅳは4つまたはそれ以上に粉砕された骨折, type Ⅴは骨折線が転子部に及ぶものである.

　症状は付着する筋の牽引力によって, 近位骨片は屈曲・外旋(腸腰筋), 外転(中殿筋), 遠位骨片は内転(内転筋)する.

- 標準整形外科学. 第14版. 807.

問 6-3-116

| 正解　c　　膝蓋骨骨折 |

　膝蓋骨骨折の受傷機転は大腿四頭筋の急激な収縮による介達外力と膝前面を強打する直達外力があり，それぞれ横骨折，粉砕骨折となることが多い．粉砕骨折は直達外力で生じるが，軟部組織損傷が軽度であり，転位があっても少ないが，関節内血腫を認める．

　横骨折では転位がないときは保存療法が適応となる．しかし，膝蓋骨骨折は関節面の骨折であり，しかも膝伸展機構の支点として働く重要な場所であるため，治療に際しては膝伸展機構の再建，関節面の整復が重要であり，3mm以上の離開があれば骨接合術が必要となる．

　10歳前後の小児にみられる膝蓋下端剥離骨折はsleeve骨折と呼ばれ，単純X線像では薄い骨片しかみえないが，膝蓋骨高位や関節内血腫を認める．

- 標準整形外科学．第14版．811-813．
- 神中整形外科学．改訂23版，下巻．1065-1067．

問 6-3-117

| 正解　c, d　　膝蓋骨骨折，治療 |

　転位がなくても放置すれば転位することがあるので，外固定などの保存療法は必要である．

　引き寄せ鋼線締結法（tension band wiring）は，膝関節屈曲時に骨折部に圧迫が加わるため，通常は術後外固定は行わない．また，引き寄せ鋼線締結法では縦骨折には圧迫力が加わらない．

　関節面は可及的に整復する必要があり，転位は2mm以下が許容範囲である．

- 標準整形外科学．第14版．811-813．
- 神中整形外科学．改訂23版，下巻．1065-1067．

問 6-3-118

| 正解　a, e　　膝蓋骨骨軟骨骨折 |

　膝蓋骨骨軟骨骨折は，膝蓋骨が脱臼すると反射的に大腿四頭筋が収縮し急激に整復され，膝蓋骨内側関節面が大腿骨外側顆と衝突して発生する．そのため内側関節面に発生する．膝蓋骨脱臼の原因として，大腿四頭筋異常，大腿骨顆部形成不全，脛骨粗面の外方偏位，全身関節弛緩，膝蓋骨高位，外反膝など多くの因子がある．

　10～20歳台に起こりやすい．放置すると骨片が遊離体となり症状を起こすため，骨片の切除，あるいは整復などの手術が必要である．骨折部からの出血により関節血症をきたす．

- 冨士川恭輔編．図説　膝の臨床．メジカルビュー社，1999：146-149．
- 標準整形外科学．第14版．815．

問 6-3-119

| 正解　e　　脛骨顆間隆起骨折 |

　脛骨顆間隆起骨折は，前十字靭帯に加わった外力を介してその付着部が剥離する骨折である．

　10歳前後の小児に多く発生し，成人での前十字靭帯断裂に対応する外傷である．

　臨床症状は膝の腫脹と関節血症を認め，膝関節は40～60°の屈曲位を呈し，屈曲・伸展ともに激痛を伴う．

　単純X線側面像での転位の程度によるMeyers & McKeever分類がよく用いられており，typeⅠ：わずかに剥離したもの，typeⅡ：骨折の前方部が転位したもの，typeⅢA：骨片が母床より完全に離れたもの，typeⅢB：骨片が母床より離れて回転したもの，に分類される．

　治療法はMeyers & McKeever分類のtypeⅠ，Ⅱでは転位が小さく保存的に治療されることもある．転位が大きく，整復，固定が困難な

症例は手術的に治療される．前十字靱帯の機能不全を残さないことが治療上もっとも重要な点である．

- 村地俊二ほか編．骨折の臨床．第3版．中外医学社．1996：527-531．
- 神中整形外科学．改訂23版，下巻．1070-1071．

問 6-3-120

| 正解　a, b　　脛骨顆部骨折 |

脛骨顆部骨折のうち，外側顆骨折60％，両側顆骨折20～25％，内側顆骨折10～25％といわれる．

局所的陥没骨折は脆弱な骨に比較的小さな力が加わったときに生じ，高齢者の高所からの転落や，階段の踏みはずしなどの介達外力により発生する．

介達外力による骨折では，健常者の膝は生理的に外反しているため，外側顆骨折の頻度が高い．

割裂骨折は海綿骨が緻密で，陥没に抵抗した結果発症するため若年者に多い．

直達外力によるものは若年者で自動車のバンパーとの衝突などによるもの（bumper fracture）が多く，外側から外力を受ける機会が多いことから，多くは外側顆骨折となる．

- 村地俊二ほか編．骨折の臨床．第3版．中外医学社．1996：516．
- Heppenstall RB. Fracture Treatment and Healing. WB Saunders, 1980：735.
- 神中整形外科学．改訂23版，下巻．1067．

問 6-3-121

| 正解　d, e　　前脛骨筋症候群 |

下腿骨骨折では前方コンパートメントが障害されることが多く，前方コンパート内に位置するものは，前脛骨動・静脈，前脛骨筋，長母趾伸筋と深腓骨神経である．

- 標準整形外科学．第14版．768-770．

問 6-3-122

| 正解　a, b　　下腿骨開放骨折 |

下腿は開放骨折になりやすい部位である．骨癒合と感染防止には早期に骨折部を血行の豊富な軟部組織でおおうことが重要である．

デブリドマン後，創縁の緊張がない小さな創は直接縫合して創を閉じる．創が大きい場合は皮膚移植を行う．ただし，創が骨の真上にある場合は生着しにくいので，創面は直接縫合して減張切開をし，そこに皮膚移植を行う（一次創閉鎖）．創部の緊張が強い場合や感染の恐れがある場合には，デブリドマン後に創面をガーゼで湿潤ドレッシングする．2～3日後に観察し，可能であれば縫合ないしは皮膚移植により創を閉鎖する（繰り延べ一次創閉鎖）．

受傷後6時間以内の最適期（golden time）を越えていたり，感染のおそれが強い場合は創を開放のままとし，肉芽形成と感染の鎮静化を待ってから創を閉鎖する（二次創閉鎖）．

- 標準整形外科学．第14版．817．

問 6-3-123

| 正解　a　　脛骨骨幹部骨折，偽関節 |

脛骨は広範囲にわたり海綿骨を欠如し，しかも骨幹上部後面から入る1本の主血管のみで血液供給されている．また中下1/3では，周囲組織は腱が主体で筋肉に乏しいという解剖学的特徴をもつ．それゆえ開放骨折となりやすく，骨折部への筋肉などの周辺組織からの血行は不十分であり，骨癒合が遷延しやすい．

骨折線の走行によって骨折面の接触面積は影響を受ける．螺旋骨折は横骨折と比べると，骨

折面の接触面積が大きく骨癒合に有利である．
- 村地俊二ほか編．骨折の臨床．第3版．中外医学社，1996：538．

問 6-3-124

| 正解　e　　脛骨骨幹部骨折，特徴 |

脛骨に対し直達外力は屈曲力(angulatory force)として働くものが多く，屈曲骨折がほとんどで，骨幹部中央に生じるものが多い．横骨折・短斜骨折を示し，脛骨と腓骨の骨折部位がほぼ同じ高さであるのが特徴である．二重骨折・粉砕骨折を認めることもある．

介達外力は回旋力(rotational force)として働くものが多く，螺旋骨折を示す．

脛骨の単独骨膜下骨折は小児に多い．

外旋骨折の場合，骨折線は脛骨外側面上方から脛骨前面を経て内側面下方に至り，近位骨片先端は内側にあるのに対し，内旋骨折の場合は，骨折線は反対に内側面上から前面を経て外側面下方に下降し，近位骨片先端は外側にあるという所見を示す．

脛骨は中下1/3境界部で，また腓骨は近位1/3で骨折するものが多い．
- 村地俊二ほか編．骨折の臨床．第3版．中外医学社，1996：539-541．
- 神中整形外科学．改訂23版．下巻．1137-1141．

問 6-3-125

| 正解　c，d，e　　遠位脛腓関節離開 |

a．×　15〜20°内旋位像(Motise view)が有用である．CTが必要なこともある．
b．×　離開の著しいものは螺子固定を行うこともある．ただし，この螺子は荷重と運動によって折れやすいので荷重前に抜去する．近年では，ボタン付き人工靱帯による内固定が行われる場合も多い．
c．○　Lauge-Hansen分類の回内・外旋(pronation-external rotation：PER)型骨折のstage Ⅲ，Ⅳが疑われるので，stage Ⅱで生じる遠位脛腓関節離開は生じていることになる．
d．○　スパイクシューズによって足部が地面に固定された状態で，下腿外側からの外力が加わることにより，中間位〜背屈位の足関節に過大な外反・外旋負荷がかかって発生する．
e．○　遠位脛腓関節離開のある果部骨折は，Lauge-Hansen分類の回内・外旋型骨折のstage Ⅱが疑われるので，stage Ⅰで生じる三角靱帯損傷か内果骨折を伴うことになる．
- 村地俊二ほか編．骨折の臨床．第3版．中外医学社，1996：581．
- 標準整形外科学．第14版．818-822．
- 神中整形外科学．改訂23版．下巻．1165-1167．

問 6-3-126

| 正解　c，d　　果部骨折，回外・内転(supination-adduction：SA)型骨折 |

Lauge-Hansen分類の回外・内転(supination-adduction：SA)型骨折のstage Ⅱが疑われるので，stage Ⅰである腓骨遠位部横骨折か外側靱帯損傷を生じている．内転した距骨が内果に衝突し，内果はほぼ垂直方向に骨折する．
- 村地俊二ほか編．骨折の臨床．第3版．中外医学社，1996：576．
- 標準整形外科学．第14版．818-819．

問 6-3-127

| 正解　c，d，e　　果部骨折，回内・外旋(pronation-external rotation：PER)型骨折 |

Lauge-Hansen分類の回内・外旋(pronation-external rotation：PER)型骨折のstage Ⅰは内果骨折あるいは三角靱帯断裂，stage Ⅱ

は前下脛腓靱帯断裂による遠位脛腓関節離開が加わる．stage Ⅲは腓骨の高位骨折が加わり，stage Ⅳでは後下脛腓靱帯の断裂あるいは後果骨折を伴う．

- 村地俊二ほか編．骨折の臨床．第3版．中外医学社，1996：578．
- 標準整形外科学．第14版．818-819．

問 6-3-128

| 正解　a　　距骨骨折，距骨脱臼 |

足関節への強度背屈強制で脛骨前縁が衝突することにより，距骨頸部骨折を起こす．

外力が大きいと果部骨折の合併や距骨後方脱臼の合併（Hawkins Ⅲ型）を生じることがある．

後方突起骨折は，逆方向の受傷機転（過底屈強制）で発生するが，三角骨との鑑別が必要である．

距骨下関節脱臼では強力な内がえし（内反，内転，底屈）力が加わって発症する内方脱臼が多いが，外がえし力による外方脱臼も存在する．

- 標準整形外科学．第14版．822-823．
- 村地俊二ほか編．骨折の臨床．第3版．中外医学社，1996：601．
- 神中整形外科学．改訂23版．下巻．1167-1170，1181-1182．

問 6-3-129

| 正解　a，b　　距骨骨折後壊死 |

距骨頸部骨折後の合併症として重要なものは距骨体部の無腐性壊死である．距骨は，大半の部位を関節軟骨に囲まれて栄養血管の流入部位が限定され，血流障害時の血管再生が不利な条件にある．

特に距骨体部は，中央～内側後方部までの広い範囲が後内側部から流入する血管の支配下にあり，頸部骨折に同血管の損傷が合併すると，体部壊死が高率に発生する．体部壊死の発生率は，受傷時の体部骨片転位の程度に大きく依存し，転位が最小限のHawkins Ⅰ型では20％未満とされるが，距骨下関節の亜脱臼を伴う同Ⅱ型では50％程度となり，体部骨片の後方脱臼を伴う同Ⅲ型では90％程度となる．

Hawkins徴候は受傷後1～2カ月で認められる軟骨下骨萎縮のことで，血流が保たれているときに観察される．逆に萎縮がまったく認められないときには，壊死が疑われる．もっともHawkins徴候の感度は53％，特異度は71％にとどまるとの報告もあり，特に部分的壊死の診断には，現在ではMRI，骨シンチグラフィーが用いられている．壊死の部位により荷重の可否が判断される．

距踵関節固定術は壊死を防止できるものではない．

- Hawkins LG. J Bone Joint Surg 1970；52-A：991-1002．
- 標準整形外科学．第14版．822-823．
- 神中整形外科学．改訂23版．下巻．1172．
- 村地俊二ほか編．骨折の臨床．第3版．中外医学社，1996：601．

問 6-3-130

| 正解　a，b　　踵骨骨折 |

踵骨骨折は，ほとんどが高所からの墜落による着地時に踵骨が強い圧迫力を受けて生じる破裂型の骨折で，両側性の場合も多く，高頻度に胸腰椎移行部の圧迫骨折など他部位の損傷を合併するので注意が必要である．画像診断においては，踵骨全体の変形の他に関節面転位を正確に把握する必要があるため，単純X線撮影に加えてCT撮影を要する場合が多い．病態分類は，単純X線側面像におけるEssex-Lopresti分類と足底面と垂直なCT冠状断像を用いたSanders分類が用いられる場合が多い．踵骨外側面

は皮下組織が薄いため，外側壁の破裂部からの出血により腫脹が生じると，皮膚の循環障害が生じて水疱が形成され，この軟部ダメージが治療のアレンジに大きな影響を及ぼす場合が多い．
a．× 舌状骨片の前方部部は後距踵関節面の外側部を含むため，関節内骨折である．
b．× 受傷後早期には比較的に腫脹が軽度で，徐々に増悪する場合が多い．腫脹を高度化させると外側皮膚の循環障害が生じて水疱形成が起こる（受傷後早期に大本法による徒手整復を行うと，腫脹の高度化を予防できる）．
c．○ 高所からの墜落外傷の場合が多く，胸腰椎移行部の圧迫骨折を高頻度に合併する．
d．○ Anthonsen 撮影は，足部外側をカセッテ上に載せ，X線束を後方30°・頭側20〜25°より内果下端に向けて照射して撮影する方法で，後距踵関節面の評価に用いられる．
e．○ 関節面転位の観察には，特に足底面と垂直な冠状断面での評価が有用で，Sandersの重症度分類にも用いられる．

- 土屋弘行ほか編．今日の整形外科治療指針．第7版．医学書院，2016：841-842．
- 標準整形外科学．第14版．823-825．

問 6-3-131

| 正解 e 踵骨骨折後疼痛 |

踵骨骨折後の陳旧性の疼痛でもっとも多い原因は，変形癒合による距踵関節面の不適合，さらに二次性の距骨下関節症である．また，外側に突出転位した踵骨骨片と腓骨遠位端に腓骨筋腱がインピンジする場合がある．
扁平足は踵骨体部の骨折後に多く起立歩行時の疼痛を生じる．
Sudeck骨萎縮はギプス固定などの不動化の結果発生するが，踵骨骨折後は踵骨のみでなく距骨や足根骨，中足骨など足部に広範にみられ，夜間痛や自発痛を生じることもある．
踵骨は海綿骨であるため血流は豊富で偽関節が起こることはまれである．

- 標準整形外科学．第14版．823-825．

問 6-3-132

| 正解 e Lisfranc関節損傷，脱臼骨折，靱帯損傷 |

Lisfranc関節は足根中足関節であり，前足部への強い衝撃力やジャンプの着地時などに，足関節底屈位で前足部に軸圧とともに回旋負荷や外転負荷が加わって損傷される．
脱臼骨折の場合には，遠位の前足部は上方・外側に転位することが多い．また，第2〜第4中足骨には中足骨間靱帯が存在するが，第1〜第2中足骨間にはないため，第1〜第2中足骨間が大きく離開分散する場合（分散脱臼）もある．
Lisfranc靱帯（第1中足骨〜第1楔状骨）損傷でも同様に，立位にて第1〜第2中足骨間の離開が認められる．受傷早期から腫脹が高度化する場合が多く，足部コンパートメント症候群が起こると前足部への血流障害により皮膚壊死などの重篤な合併症を生じるため，可及的早期に（状況が許せば当日中の緊急手術で）脱臼整復を行うことが望ましい．
Lisfranc関節脱臼骨折では麻酔下に前足部を牽引することで比較的容易に整復されることが多いが，整復位の保持は困難で鋼線による内固定が必要となる場合が多い．足背動脈損傷や内・外側足底神経損傷を合併する場合もあり，注意が必要である．

- 標準整形外科学．第14版．825-827．

問 6-3-133

| 正解 a, d | 中足骨骨折, MP関節脱臼 |

a．× 長距離ランナーの疲労骨折の好発部位は,第2・3中足骨の骨幹部で,軍隊の重装備強行軍でも発生するため行軍骨折(march fracture)とも呼ばれる.
b．○ 第5中足骨の茎状突起には短腓骨筋腱が付着しており,足関節外側靱帯損傷と同様の内がえし受傷機転で,前足部に内反底屈強制がかかると裂離骨折が発生する.
c．○ 第5中足骨近位骨幹端部は,サッカー選手の疲労骨折の好発部位で,近位骨片には短腓骨筋腱,底側中足間靱帯,底側足根中足靱帯が付着するため持続的ストレスが骨折部にかかり,偽関節,遷延治癒を生じやすい..
d．× 第2～第5中足骨骨折では側方転位があっても保存的に治療可能であるが,第1中足骨骨折で転位のあるものや各中足骨で足背もしくは足底への突出がある場合には手術適応となる.
e．○ 中足骨頭骨折や頸部骨折は骨癒合遷延や変形癒合した場合には疼痛残存や関節症性変化を生じることがあり,整復が困難で安定性も悪い場合には手術適応となることが多い.

- 標準整形外科学. 第14版. 827-828.
- 村地俊二ほか編. 骨折の臨床. 第3版. 中外医学社, 1996：627.
- 神中整形外科学. 改訂23版. 下巻. 1177-1180.
- 越智隆弘総編. 最新整形外科学大系. 18下腿・足関節・足部. 中山書店, 2006：388-398.

問 6-3-134

| 正解 b, c, e | 外傷性股関節脱臼 |

外傷性股関節脱臼の分類としては,後方脱臼,前方脱臼,中心性脱臼とするのが一般的である.後方脱臼が圧倒的に多い.頻度は報告者により違いはあるが,前方脱臼が10～20%台である.

後方脱臼は股関節屈曲位で前方から強い外力が大腿骨軸の方向に加わったときに起こり,典型的な変形肢位は内転・内旋・軽度屈曲位となる.前方脱臼のうち恥骨上脱臼では,下肢は通常,伸展・外旋位をとり,閉鎖孔脱臼では屈曲・外転・外旋位をとる.中心性脱臼では股関節は軽度外転位か中間位をとり股関節運動は制限される.

強力な外力が加わったダッシュボード損傷(dash-board injury)では膝-大腿-股関節にストレスが作用し,膝蓋骨,大腿骨骨幹部・頸部などの骨折を合併するので,この部のX線撮影が必要である.

また後方脱臼では,半数以上に寛骨臼骨折,大腿骨頭骨折,大腿骨頸部骨折など股関節の構造を損傷する骨折を合併する.

- 標準整形外科学. 第14版. 802-817.

問 6-3-135

| 正解 e | 外傷性股関節前方脱臼 |

転落などで大腿のみが何かに引っかかると,股関節は強い外旋位を強制されることになる.このような場合に大腿骨頭は前方に脱臼する.

股関節は,閉鎖孔脱臼で外旋・外転位をとり,腸骨部・恥骨上脱臼では伸展位をとる.ばね様固定があり,自動・他動運動は不能である.脱臼した骨頭を股関節前方やや内側に触れる.

- 標準整形外科学. 第14版. 802-803.

問 6-3-136

| 正解 d, e | 外傷性膝関節前方脱臼 |

交通事故などの強い外力により膝関節の過伸

展が強制されたときに生じる．

　脱臼時に膝関節周辺の靱帯損傷を伴い，特に十字靱帯は完全に断裂する．脱臼後の脛骨近位端の位置によって，前方，後方，内側，外側，回転脱臼に分類する．前方が約2/3を占める．

　ただちに整復する必要がある．麻酔下に大腿骨遠位端を固定し，下肢を牽引しながら脛骨上端を圧迫すると容易に整復できる．

　整復後は靱帯損傷のために不安定性があり，膝関節軽度屈曲位で大腿上部から足先まで副子またはギプス固定を行う．8週以上固定したのちに靱帯損傷を再評価し，著しい不安定性を示す場合には靱帯再建術を行う．

- 標準整形外科学．第14版．814．

問 6-3-137

| 正解　a | 膝蓋骨脱臼 |

　外傷性膝蓋骨脱臼では内側広筋と内側支帯の一部が断裂し，激痛と関節血症を生じる．受傷機序の多くは，膝関節軽度屈曲，外反，下腿外旋位で，大腿四頭筋が急に収縮した場合に起こると考えられ，そのほとんどが非接触損傷で生じる．膝くずれ(giving way)や膝不安感を主訴とすることが多く，また来院時には脱臼が自然整復されている場合が多いため，半月や靱帯損傷と間違えやすい．

　大腿骨内顆部や膝蓋骨内側縁に圧痛があるが，膝関節不安定性は生じない．膝蓋骨を外方へ押し，下腿を外旋した状態で膝を屈曲させようとすると脱臼の恐怖感を訴える(脱臼不安感テスト：apprehension test)．

　膝蓋骨内側縁が大腿骨顆部の突出した外側縁に当たって骨折する場合が多く，特に剪断性骨軟骨骨折(tangential osteochondral fracture)と呼ばれる．

　反復性脱臼や習慣性脱臼の例には，外側支帯解離術(lateral retinacular release)や内側支帯の縫縮や内側広筋の移動術(proximal realignment)などが行われるが，最近では内側膝蓋大腿靱帯の再建術が一般的になりつつある．

- 整形外科クルズス．第4版．582-586．
- 標準整形外科学．第14版．670-671．

問 6-3-138

| 正解　b，c，e | 膝蓋骨脱臼 |

　膝蓋骨脱臼は強力な直達外力により発生する場合を除いては，患者のもつ要因が何らかのかたちで大きく関与している．

　局所因子としては膝伸展機構の異常，すなわちX脚，内側広筋の形成不全，内側支帯の菲薄化と外側支帯の肥厚，大腿骨の内捻と脛骨の外捻，結果としてQ角の増大，大腿骨膝蓋面の形成不全，膝蓋骨高位などが挙げられる．

　また全身因子としては，全身性の関節弛緩が挙げられ，特に男女での発生頻度が1：6と圧倒的に女性に多いことから，この因子の関与も重要である．

- 中嶋寛之編．スポーツ整形外科学．第2版．南江堂，1998：250-261．

問 6-3-139

| 正解　b，d，e | 膝蓋骨脱臼・亜脱臼の診断 |

　膝蓋骨脱臼・亜脱臼は素因が関与することが多いため，単純X線像でもいくつかの特徴的所見が認められる．

　正面像では膝蓋骨外側偏位による内旋位撮影，側面像では膝蓋骨高位(patella alta)，滑車形成不全(trochlea dysplasia)，また膝蓋骨が傾くことにより見かけ上厚くみえる thick patella などが認められる．

また，軸写像において膝蓋骨の外側偏位や傾斜の増大(lateral shift & tilt)を認めることがあるが，CT のほうがより有用である．

Segond 骨折は脛骨外側顆の関節包付着部の裂離骨折であり，ACL 損傷の際に認められることがある．

● 中嶋寛之編．スポーツ整形外科学．第2版．南江堂，1998：250-261．

問 6-3-140

| 正解 c　　外傷性膝関節脱臼 |

外傷性膝関節脱臼は比較的まれな外傷である．受診時にすでに自然整復されている例があり注意を要する．診断後ただちに整復することが重要である．

脱臼時に膝関節周辺の靱帯損傷を伴い，十字靱帯は通常断裂している．整復後は外固定を行い，断裂した十字靱帯に対して再建術が行われる．

合併症として腓骨神経麻痺と膝窩動脈損傷がある．特に膝窩動脈損傷は，放置すると下腿・足部の壊死をきたすため緊急的対応を要する．

ただちに血管造影検査を行い，損傷があれば血管の修復・再建を行う．

また，整復直後に足背動脈が触知可能であっても，動脈の内膜損傷のため後に動脈閉塞をきたすことがある．

● 標準整形外科学．第14版．814-815．
● 神中整形外科学．改訂23版．下巻．1078-1079．

問 6-3-141

| 正解 b, d　　非定型大腿骨骨折 |

a．○　外傷なしか，立った高さからの転倒時のような軽微な外傷に関連する．
b．×　非定型大腿骨骨折の骨折線は，典型的には外側骨皮質より始まる横骨折だが，大腿骨内側への骨折の進展時に斜骨折にもなりうる．斜骨折転子下螺旋骨折に連続する転子間骨折は，非定型骨折の定義から除外される．
c．○　長期間に渡り蓄積した骨質の劣化が基盤にあるため，遷延癒合をきたしやすい．
d．×　約30％が両側性に発生する．
e．○　ビスフォスフォネート製剤の使用歴と関連が指摘されており，骨代謝回転の抑制による骨リモデリング障害が骨質の劣化をきたし，本症の要因となる．

● 標準整形外科学．第14版．809-810．

問 6-3-142

| 正解 b, d　　大腿骨骨幹部骨折 |

a．○　屈曲転位はもっともよく矯正される．
b．×　回旋転位は自家矯正がほとんど働かない．
c．○　自家矯正能力は骨年齢に反比例し，骨折部に近い成長軟骨板の成長能力に比例する．
d．×　c に示す．
e．○　長管骨では，ある程度の短縮を残して癒合した場合，成長軟骨板で過成長を起こして，長さはある程度補正される．骨折部に生じた炎症性変化に対して，骨幹端部で血管床が反応性に増加するためであろうと考えられている．

● 標準整形外科学．第14版．750．

問 6-3-143

| 正解 a, b　　膝蓋骨骨軟骨骨折 |

a．○　膝蓋骨脱臼に合併することが多い．
b．○　10〜20歳台に起こりやすい．
c．×　膝蓋骨骨軟骨骨折は膝蓋骨が脱臼したとき，反射的に大腿四頭筋が収縮し急激に整復されるときに，膝蓋骨内側関節面が大腿骨外側

顆と衝突して発生する．そのため内側関節面に発生する．
d．× 原則として手術により整復固定する．小さいものは切除のみとすることもある．
e．× 関節血症のために腫脹し，脂肪滴を認める．
- 標準整形外科学．第14版．814-815．

問 6-3-144

| 正解 a，d，e 足部の骨折・脱臼 |

a．× 距骨頚部骨折後6～8週間で軟骨下骨の透過性を示すHawkins signを認めれば，距骨体部への血行が保持されていることを示す．
b．○ Böhler（ベーラー）角（単純X線側面像で踵骨隆起の上端と踵骨の上方頂点を結ぶ線でなす角）は通常20～30°であるが，踵骨体部骨折があると減少する．
c．○ Chopart関節脱臼骨折は，高所からの転落での前足部への強い衝撃や交通事故での捻転力などの高エネルギー外傷である．
d．× Lisfranc関節脱臼骨折後では麻酔下に後足部を固定し前足部を牽引すると整復できるが，整復位の保持は困難である．解剖学的整復位を保つためには，内固定を要する．
e．× 第5中足骨基部の裂離骨折は短腓骨筋腱の牽引力で生じる（下駄骨折）．
- 標準整形外科学．第14版．822-828．

問 6-3-145

| 正解 a，b 関節内骨折，股関節 |

荷重部の関節内骨折で，転位があるため観血的整復固定が必要である．坐骨神経損傷は16.4％に合併し，後方脱臼の場合には40％という報告もある．術後の異所性骨化が時に問題となる．外転筋群の剥離を要する後方アプローチでの発症が多い．
- 標準整形外科学．第14版．799-801．
- PV Giannoudis et al. J Bone Joint Surg[Br] 2005；87-B：2-9．

問 6-3-146

| 正解 a，b 大腿骨頚部骨折 |

Garden分類が頻用されているが，近年ではStage ⅠとⅡを非転位型，ⅢとⅣを転位型として治療法を選択することが推奨されている．このため，外反陥入型骨折は非転位型骨折として扱われる．

高齢者では非転位型に対しては骨接合術が，転位型には人工骨頭置換術が選択されることが多い．

不安定型骨折に対する人工骨頭置換術と骨接合術とを比較し，手術時間，創合併症，死亡率，歩行能力に差はないが，人工骨頭置換術では出血量，輸血量が多い．

手術時期に関しては，最近の報告では緊急で24時間以内に手術する必要はないものの，内科的合併症で手術が遅れる場合を除いて，できるだけ早期に手術を行うべきであるという報告が多くなっている．

中間部剪断型骨折（Pauwels Ⅲ型）は，骨折部に剪断力が作用するため，スクリュー固定では内反転位をきたしやすい．
- 標準整形外科学．第14版．728，805．
- 日本整形外科学会ほか監．大腿骨頚部/転子部骨折診療ガイドライン．第2版．南江堂．2011．

問 6-3-147

| 正解 c 外傷性膝関節脱臼 |

外傷性膝関節脱臼は比較的まれな外傷で，その2/3が前方脱臼である．

受診時にすでに自然整復されている例があり注意を要する．診断後ただちに整復することが重要である．

脱臼時に膝関節周辺の靱帯損傷を伴うが，早期の靱帯手術は可動域制限をきたしやすいため，二期的治療が選択されることが多い．

合併症として腓骨神経麻痺と膝窩動脈損傷がある．特に膝窩動脈損傷は，放置すると下腿・足部の壊死をきたすため緊急的対応を要する．ただちに血管造影検査を行い，損傷があれば血管の修復・再建を行う．

また，整復直後に足背動脈が触知可能であっても，動脈の内膜損傷のため後に動脈閉塞をきたすことがある．

- 標準整形外科学．第14版．814．
- 神中整形外科学．改訂23版．下巻．1078-1079．

問 6-3-148

| 正解 | a, b | 距骨頚部骨折 |

距骨体部は表面の70%が軟骨におおわれており，栄養血管の進入路が限られているため，骨折による血行途絶により骨壊死を起こしやすい．

受傷後6〜8週の単純X線像で軟骨下骨の透過性を示すHawkins徴候が認められれば，距骨体部への血行が保持されていることがわかるが，早期診断にはMRIが有用で，T1強調像で壊死部は低信号となる．

距踵関節固定術は，距骨体部が壊死に陥り荷重時の疼痛が強い場合に行う治療法で，壊死の発症を予防するわけではない．

- 標準整形外科学．第14版．711，822-823．

問 6-3-149

| 正解 | b, e | 大腿骨骨折 |

- a．× 骨折が荷重面にかかるため骨接合する．
- b．○ 高齢者の大腿骨近位部骨折の受傷1年後死亡率は10%以上である．
- c．× 外転する．
- d．× 原則，径を太くした髄内釘を使用する．
- e．○ 顆上骨折では骨折部に後方凸変形を生じる．

- 標準整形外科学．第14版．803-811．
- 日本整形外科学会ほか監．大腿骨頚部／転子部骨折診療ガイドライン．第2版．南江堂．2011

問 6-3-150

| 正解 | d, e | 膝蓋骨骨折 |

- a．○ 一般に直達外力と介達外力による損傷がある．粉砕陥没のため直達と考えられる．
- b．○ 転位が大きく膝蓋支帯の損傷がある．
- c．○ 環状鋼線締結法を併用する．
- d．× 2mm以下が許容範囲である．
- e．× 通常外固定は行わない．本症例では固定次第で使用することもあるが，膝拘縮予防のため早期に外固定を除去することが望ましい．

- 標準整形外科学．第14版．811-814．
- Rockwood and Green's Fracture in Adults. 9th ed. Wolter Kluwer. 2020.

4 末梢神経損傷

Q▶ p.211-213

問 6-4-1

| 正解 | c, d | 神経修復術 |

神経修復術とは末梢神経が連続性を失ったとき，直接縫合あるいは神経移植を介し神経の連

続性を獲得し機能の回復を目的とする神経縫合術や神経移植術をさす．この神経修復の予後に影響する因子として，患者年齢，損傷高位，損傷神経，損傷から修復までの期間が挙げられる．

神経再生能力が高い小児の成績は良好であることに対し50歳以上は一般に成績が不良とされる．

損傷高位が高いほどその成績は不良である．これは神経再支配まで長期間を要することと，損傷部位が高位であるほど神経内での運動神経と感覚神経の混在率が高いためである．

損傷から修復までの期間が長ければ長いほど脱神経の期間も長くなりその分成績も悪化することとなる．神経断裂と診断されれば可能な限り早く修復すべきで受傷後3週間頃がもっともよく，少なくとも3カ月以内に修復することが望ましい．

脱神経が1年以内なら終板の構造が保たれ機能回復を期待できるといわれ，成人で9カ月以内，小児においては強い再生能力を考慮し1年以内とされる．

- 神中整形外科学．改訂23版．上巻．116-117．
- 標準整形外科学．第14版．868-869．

問 6-4-2

正解 b, d 　　深腓骨神経麻痺

腓骨神経は腓骨頭部分で外側から前方に回り込み浅腓骨神経と深腓骨神経に分岐する．

浅腓骨神経→長・短腓骨筋，深腓骨神経→前脛骨筋・長趾伸筋・長母趾伸筋に分枝を出す．

a．× 浅腓骨神経
b．○
c．× 脛骨神経→下腿三頭筋・後脛骨筋・長趾屈筋・長母趾屈筋に分枝を出す．
d．○
e．× 脛骨神経は内・外側足底神経へ分岐し，足底の感覚を司る．

- 標準整形外科学．第14版．691．

問 6-4-3

正解 a, c, d 　　総腓骨神経麻痺

a．○ 外傷性膝関節脱臼の25〜36％に合併するとされる．
b．× 感覚障害の領域は，下腿外側から足背ならびに第5趾を除いた足趾背側に発生する．
c．○ 下腿前方コンパートメントと外側コンパートメントの筋群に麻痺が生じるため，足関節の背屈と足趾の背側が障害され，下垂足を呈する．
d．○ 外側関節包の牽引にエレバトリウム等の細長い器械を使用すると，先端が腓骨後方まで深く挿入されて総腓骨神経麻痺を起こす危険があるので注意を要する．
e．× 大腿骨骨幹部骨折の受傷時には通常合併しないが，手術待機中の直達牽引時や内固定術後早期に下腿外旋位となって腓骨頭部が外部から長時間の圧迫を受けると，総腓骨神経麻痺が起こる．

- 標準整形外科学．第14版．863-864，874．

問 6-4-4

正解 e 　　神経麻痺

a．○ 腋窩神経の単独損傷はまれ(0.3〜6.0％)であるが，肩関節脱臼に伴う牽引損傷として発生することが多い．
b．○ 主に小児期に発生する骨折で，初期治療を誤ると偽関節化して外反肘を呈し，遅発性尺骨神経麻痺を生じることがある．主な症状としては，前腕尺側と小指・環指小指側1/2の掌背側の感覚障害と環小指の屈曲障害，母指球を除く手の中の筋肉が麻痺し巧緻運動障害が生

じ，かぎ爪変形も生じる．
c．○　小児でもっとも頻度が高い骨折の1つであり，転位が大きいと正中神経麻痺を合併する場合がある．主な症状としては，母指から環指母指側1/2までの掌側の感覚障害と，手関節屈曲，手指屈曲，母指球筋の筋力障害が起こる（橈骨・尺骨神経麻痺が合併する場合もある）．
d．○　橈骨神経は上腕骨骨幹中央部で骨のすぐ後方に沿って外側へと回り込んで走行するため，骨幹部骨折時に橈骨神経麻痺が合併する場合がある．この部位で橈骨神経傷害の症状は，母指・示指・中指の背側を含む手背から前腕の母指側の感覚の障害が生じ，下垂手となる．ただし，この受傷形態で橈骨神経に断裂が生じていることはまれで，ほとんどが軸索断裂か一過性神経伝導障害であるため，2～3カ月での自然治癒することが多い．
e．×　本骨折は，尺骨近位1/3骨折に橈骨頭前方脱臼を伴った受傷形態を示し，肘関節前方で橈骨神経から分枝した後骨間神経が回外筋入口部の狭いトンネル部（Frohseのアーケード）での圧迫を受けて麻痺を生じることがある．主な症状としては，知覚障害は上腕レベルの橈骨神経麻痺と同様だに前腕から手背の母指側，母示中指の背側の感覚の障害が生じるが，下垂手にはならない．

- 標準整形外科学．第14版．779-786, 829-834, 873-874．
- 日本整形外科学会HP．症状・病気をしらべる〈https://www.joa.or.jp/public/sick/〉[2021年4月閲覧]．

問6-4-5

正解　c，d　　副神経麻痺

a．○　副神経（第XI脳神経）麻痺のもっとも頻度の高い原因は，頭頸部癌に対する頸部リンパ節郭清術や頸部リンパ節生検などの手術による医原性神経損傷であり，腕神経叢損傷を伴うことは少ない．リンパ節生検による損傷の頻度の高い部位は，頸部の後方三角（胸鎖乳突筋後縁）であり，胸鎖乳突筋の神経支配部位よりも遠位であるため，胸鎖乳突筋の麻痺は生じにくい．
b．○　翼状肩甲は，典型的には前鋸筋（長胸神経支配）麻痺の症状であるが，副神経損傷による僧帽筋麻痺，三角筋拘縮による肩関節外転拘縮，棘下筋拘縮など肩関節外旋拘縮や，進行性筋ジストロフィーなどでも同様な症状が認められる．
c．×　肩甲挙筋は肩甲背神経（C4～C6）の支配を受け，副神経障害では僧帽筋が麻痺する．
d．×　肩関節の弛緩性を評価するための徒手検査で，上肢の下方牽引時に肩峰と上腕骨頭間のくぼみ（sulcus）ができる状態を陽性とする．三角筋麻痺や動揺性肩関節で出現する．
e．○　僧帽筋の麻痺により，90°以上の肩関節の外転挙上は困難となる．ただし僧帽筋萎縮は損傷後2～3カ月は明らかでないため，比較的判別しやすい僧帽筋上部の筋収縮の有無により診断する（肩をすくめる動作による）．

- 日本整形外科学会HP．症状・病気をしらべる〈https://www.joa.or.jp/public/sick/〉[2021年4月閲覧]．

問6-4-6

正解　b，d　　筋の脱神経徴候，筋電図

筋電図検査は，筋細胞の電位の変化を計測することで，被検査筋の麻痺の有無や程度を評価することができる．麻痺の原因が神経原性か筋原性かを判断することができる．表面筋電図と針筋電図に大別されるが，通常は針電極を被検査筋に直接刺入する後者を用いて検査する．針筋電図では，針刺入時・安静時・最小随意運動時・最大随意運動時の4つの相で電位を記録する．筋緊張性ジストロフィーでは，刺入時放電が長く持続（ミオトニー放電）し，急降下爆撃音

(dive bomber sound)と呼ばれる特徴ある音色を認める．安静時電位は正常筋からの自発放電を認めないが，脱神経後2週以降に陽性鋭波(positive sharp wave)や線維自発電位(fibrillation potential)などの脱神経電位(denervation potential)が認められる．神経再支配時には，巨大電位(giant potential)や多相活動電位(polyphasic action potential)が認められる．

a．× 神経再支配時に出現する．
b．○
c．× 筋緊張性ジストロフィーを含むミオトニー疾患にみられる．
d．○
e．× 神経再支配時に出現する．
　　●標準整形外科学．第14版．858-861．

問 6-4-7

正解　e　末梢神経損傷

　Seddonは末梢神経損傷の病態に応じて，一過性神経伝導障害(neurapraxia)・軸索断裂(axonotmesis)・神経断裂(neurotmesis)の3つに分類した．一過性神経伝導障害は，器質的異常がないかあっても髄鞘にごく軽度の異常があるのみで，軸索に異常を認めない．麻痺は自然回復する．軸索断裂は，神経内膜/周膜が正常で完全回復がえられるものから，内膜/周膜損傷部が瘢痕で置換され回復が期待できないものまで多岐にわたる病態が存在する．神経断裂は，解剖学的に神経幹あるいは神経束の連続性が絶たれた状態を指す．軸索断裂(axonotmesis)と神経断裂(neurotmesis)では，損傷部以遠はWaller変性に陥り，回復時には伸長する軸索先端にTinel徴候が認められる．神経断裂(neurotmesis)では，再生軸索の過誤支配が生じる．

a．× 過誤支配は生じない．
b．× Tinel徴候はみられない．
c．× 軸索に異常はない．
d．× 自然回復は期待できない．
e．○
　　●標準整形外科学．第14版．856-857．

問 6-4-8

正解　a，c，e　副神経損傷

　副神経損傷は頸部リンパ節生検，皮下腫瘍切除など，医原性に起こることがほとんどである．術直後より肩周囲の重苦感，肩こり，肩関節機能障害を訴え，徐々に僧帽筋の萎縮が明らかとなる．3カ月以上回復傾向がない場合，手術を考慮する．診断には筋電図が有効で，頸椎の単純X線撮影は通常参考にならない．手術では神経損傷部の展開を行い，損傷の状態に応じて，神経剥離術や神経縫合術あるいは移植術を行う．

a．○
b．× 通常，参考にならない．
c．○
d．× 自然回復は期待できず手術適応である．
e．○
　　●標準整形外科学．第14版．869．

1）上　肢

問 6-5-1

正解　e　肩関節前方不安定症，関節内インピンジメント，肩峰下インピンジメント，腱板損傷，SLAP損傷，Bennett損傷，肩甲上神経麻痺

　投球による障害では各相ごとに生じやすい障

害の種類がある程度決まっている．コッキング期から加速期には，肩関節前方不安定症，関節内インピンジメント，肩峰下インピンジメント，腱板断裂，上方関節唇損傷[superior labrum anterior and posterior（SLAP）損傷]が生じやすく，フォロースルー期ではBennett損傷（肩甲骨関節窩後縁の骨性増殖）や肩甲上神経麻痺が生じやすい．

腱板断裂や上方関節唇損傷は主にコッキング期に痛みがみられることが多く，Bennnett損傷ではフォロースルー期に痛みがみられることが多い．

●標準整形外科学．第14版．448-449．

問 6-5-2

正解　c, e　　鎖骨骨折，肩関節脱臼，肩鎖関節脱臼，胸鎖関節脱臼

鎖骨骨折の好発部位は中1/3で保存療法が原則である．

しかし，烏口鎖骨靱帯の損傷などにより，骨折部が不安定になる外側骨折では偽関節の発生率が高く，手術適応となる．

鎖骨を上方より圧迫することで整復されるが，手を離すと元に戻るpiano key signを認める肩鎖関節脱臼は，Rockwood分類のtype Vに分類される．肩鎖関節脱臼で装具などの保存療法を行う場合，まれに運動時の痛みが残ることがあり，鎖骨遠位端切除術を行う．

胸鎖関節は靱帯支持組織が強靱であり，もっとも脱臼しにくい関節の1つであるが，衝撃などの外力により肩が過度に後方へ牽引されたときには，鎖骨近位端は第1肋骨を支点として前方に脱臼することが多い．

●標準整形外科学．第14版．773-776, 795-796．
●神中整形外科学．改訂23版．下巻．365-370．

問 6-5-3

正解　a, b, c　　Bennett損傷，Little Leaguer's shoulder

Bennett損傷は肩甲骨関節窩後縁の骨性増殖をさす．

上方関節唇損傷はしばしばSLAP（superior labrum anterior and posterior）損傷と呼ばれ，上腕二頭筋腱への牽引力，肩関節にかかる剪断力などによって生じるとされる．

肩峰下インピンジメントは加速期に生じやすい．

投球骨折は上腕骨中1/3と下1/3にかかる螺旋骨折の形をとる．

Little Leaguer's shoulderは骨端線離開と骨膜反応が特徴である．

●標準整形外科学．第14版．455-456．

問 6-5-4

正解　b, e　　Little Leaguer's shoulder，関節内インピンジメント，野球肘，テニス肘，ジャージ損傷

Little Leaguer's shoulderは，投球動作による回旋力などのストレスで骨端線が損傷され，単純X線像上，骨端線の拡大（疲労骨折），偏位，一部硬化像などがみられる．

関節内インピンジメントはコッキングから加速期において肩関節外転，外旋時に腱板と後上方関節唇が衝突することで起こり，前方不安定性が関係しているといわれている．

内側型野球肘は，加速期からフォロースルー期において，内側側副靱帯および上腕骨内側上顆部周囲に引っぱりストレスがかかり発症する．

上腕骨外上顆炎の多くはテニス以外で発症し，30～50歳台の女性に多い．

ジャージ（jersey）損傷は，ラグビーなどで

ジャージを強く握った状態で指に過度の伸展位を強制され，深指屈筋腱が末節骨付着部で断裂するもので環指に多い．

● 神中整形外科学．改訂23版，上巻．862-875．
● 標準整形外科学．第14版．439-450, 457-463, 884-890．

問 6-5-5

| 正解　d, e　　上腕骨外側上顆炎 |

上腕骨外側上顆炎はバックハンドテニス肘とも呼ばれる．

30～50歳に多くみられ，テニス以外の日常生活上でも発生する．

治療は原則的には保存的に行われるが，難治例に対しては外側上顆部の筋剥離術，短橈側手根伸筋の延長術が行われる．

疼痛誘発テストとして，椅子挙上テスト（chair test），Thomsen テスト，中指伸展テストなどが重要である．

● 標準整形外科学．第14版．463-464．

問 6-5-6

| 正解　a, b　　上腕骨外側上顆炎 |

上腕骨外側上顆炎はテニス肘とも呼ばれ，30歳台後半から50歳台にかけて発症する．

テニスプレーヤーでは硬式テニスのバックハンドストローク時に疼痛を生じる．

病態は短橈側手根伸筋を中心とする腱起始部の腱付着部炎である．

画像検査では，長期経過例になると単純X線像で上腕骨外側上顆の骨棘，MRIでは上腕骨外側上顆に起始する外側支持機構の高信号化がT2強調像でみられる．

治療はまず保存療法が行われるが，頑固な症例には手術療法も行われる．短橈側手根伸筋起始部腱変性部の切除を直視下，鏡視下に行う．

● 神中整形外科学．改訂23版，上巻．872-873．

問 6-5-7

| 正解　b, d, e　　上腕骨小頭離断性骨軟骨炎 |

上腕骨小頭離断性骨軟骨炎は小頭骨軟骨障害とも呼ばれ，10～12歳頃に発生すると考えられている．

本態は外反と剪断ストレスの結果，先に小頭軟骨下骨の壊死が発生し，二次的に軟骨の亀裂，脱落が生じる．

初期では症状の乏しい例が多く，病状が進行してから来院する例が多い．

X線撮影は正側2方向のみでは見逃されることがあるので，45°屈曲位正面像を加えなければならない．

初期例では保存療法の適応となるが，完全修復には1年以上を要する例が多い．

● 神中整形外科学．改訂23版，上巻．870．

問 6-5-8

| 正解　a　　上腕骨小頭離断性骨軟骨炎の画像検査所見 |

上腕骨小頭離断性骨軟骨炎は，単純X線像で初期・進行期・終末期の3期に分類される．

初期は透亮像に特徴があり，45°屈曲位正面像では外側に病巣が好発する．

初期例は保存療法の適応であるが，修復は外側から中央に進む傾向があり，中央部の修復は遅れがちである．

遊離体は腕尺関節内など単純X線像では診断困難な場所に存在することもあり，終末期ではCTを活用するほうがよい．

もっとも早期にはMRIのT1強調像で，小頭

内に低～等信号変化が現れるとされているが，スクリーニング検査には不向きである．

スクリーニング検査として，最近では外来やスポーツ現場で超音波検査が活用されるようになってきている．

- 神中整形外科学．改訂23版，下巻．500-502．

問 6-5-9

> 正解　c　肘離断性骨軟骨炎，上腕骨外側上顆炎，尺骨神経障害，肘頭疲労骨折

肘離断性骨軟骨炎の発生部位は圧倒的に上腕骨小頭に多く，少年野球の投手に好発する．

肘頭疲労骨折の早期には単純X線像で骨折線を認めないことが少なくない．2～4週後のX線撮影やCT，MRIにて骨折が明らかとなり診断が確定するので注意が必要である．

上腕骨外側上顆炎に対するステロイド注射は短期的には優れているが，1年後の成績は経過観察よりも劣っていた．

6カ月以上の保存療法に抵抗する難治性の外側上顆炎には短橈側手根伸筋付着部のデブリドマンが有効であり，近年では関節鏡視下手術も行われている．

スポーツ選手の肘関節内側痛の原因の1つとして尺骨神経障害があり，小指のしびれを自ら訴えることが少ないので診断には注意を要する．

- 標準整形外科学．第14版．457-464．
- 神中整形外科学．改訂23版，下巻．500-502．
- 伊藤恵康ほか．整形外科 2007；58：912-920．

問 6-5-10

> 正解　c　槌指，skier's thumb，ボクサー骨折

槌指は球技による突き指で起こるDIP関節部での指伸展機構の損傷であり，中指・環指に多い．

放置するとPIP関節の過伸展変形を生じスワンネック変形に移行する．

skier's thumbは母指MP関節の尺側側副靱帯の損傷であり，完全断裂では断裂した靱帯の近位断端が，母指内転筋腱膜の後縁に反転するStener損傷を起こしていることが多い．保存療法を行っても不安定性が残存することが多く，手術療法が望ましい．

ボクサー骨折では中手骨頚部が掌側に変位する．

- 標準整形外科学．第14版．486-492，792，882-884．
- 越智隆弘総編．最新整形外科大系．15A 手関節・手指Ⅰ．中山書店，2007：259-267．

問 6-5-11

> 正解　e　橈骨遠位部骨折，舟状骨骨折，有鉤骨鉤骨折，中手骨頚部骨折

橈骨遠位部骨折は，高齢者ではほとんどが関節外骨折である．しかし，青壮年ではスポーツなどの強力な外力を受けて発生し，関節内骨折となることが多い．

舟状骨骨折は，手根骨骨折の中でもっとも発生頻度が高いが，通常の2方向撮影では見逃され，偽関節となることも多いので注意を要する．骨折が疑われるときにはX線4方向撮影を行う．

有鉤骨鉤骨折は，野球・ゴルフ・テニスなど，バット・クラブ・ラケットを握ってボールを打つときに発生する．この骨折は，通常の手関節X線2方向撮影では診断が困難で，手根管撮影が有用である．

中手骨頚部骨折は普通，第4・5中手骨に発生することが多いが，ボクサーでは第2・3中手骨に発生しやすく，ボクサー骨折と呼ばれる．

- 神中整形外科学．改訂23版，下巻．605-610，615-

- 631.
- 標準整形外科学. 第14版. 486-492, 786-793, 882-884.
- 越智隆弘総編. 最新整形外科大系. 15A 手関節・手指I. 中山書店, 2007：181-279.

問 6-5-12

| 正解 b 有鉤骨鉤骨折 |

有鉤骨鉤骨折は野球・ゴルフ・テニスなどで発生しやすい．

テニスのフォアハンドストロークやゴルフスイングの繰り返しで徐々に疼痛が出現し，疲労骨折と考えられる場合が少なくない．

野球の右打者では，グリップエンドが左手に当たるため左手に多い．

プロスポーツ選手では早期復帰のため骨片摘出術が行われることが多い．

- 越智隆弘総編. 最新整形外科大系. 15A 手関節・手指I. 中山書店 2007：231-238.
- 標準整形外科学. 第14版. 882-884.

問 6-5-13

| 正解 b, d 有鉤骨鉤骨折, 肩甲骨骨折, 肋骨疲労骨折, 上腕骨骨折, 尺骨疲労骨折 |

スポーツ選手における有鉤骨鉤骨折では早期復帰の目的で手術療法が用いられる場合も少なくない．

肩甲骨骨折は，スポーツでは発生はまれで，その治療法はほとんどが保存的に行われる．

肋骨骨折はラグビー・柔道などのコンタクトスポーツにおいて直達外力で生じるが，肋骨疲労骨折はゴルフ・野球などのスイングや投球練習によって発生する．

尺骨疲労骨折は，ソフトボールの投手で前腕の内側を大腿の外側にぶつけて投げるときや，剣道で発生することがある．

- 標準整形外科学. 第14版. 774, 790, 887.

問 6-5-14

| 正解 a, b, e Bennett 脱臼骨折 |

母指中手骨基部の関節内 Y 骨折は Rolando 骨折と呼ばれる．

Bennett 脱臼骨折は母指 CM 関節の脱臼骨折である．

第1中手骨長母指外転筋の作用により遠位骨片は近位橈側に脱臼し，母指内転筋の作用により内転位をとる．

ギプス固定では整復位の保持が困難であり，鋼線固定が必要である．

- 標準整形外科学. 第14版. 790.
- 神中整形外科学. 改訂23版. 下巻. 628-630.
- 越智隆弘総編. 最新整形外科大系. 15A 手関節・手指I. 中山書店, 2007：252-258.

問 6-5-15

| 正解 b, e スポーツ外傷・障害 |

有鉤骨鉤骨折は野球，テニス，ゴルフなどで，バット，ラケット，クラブを握ってボールを打ったときの直達外力または繰り返し外力が有鉤骨鉤に加わって発生する．

スキー滑走中に握ったストックによって母指 MP 関節が橈屈を強制されて尺側側副靱帯が損傷されることをスキーヤー母指と呼び，バレーボールやバスケットボールにもみられる．

テニスでは手関節背屈筋群の使いすぎによって上腕骨外側上顆の付着部炎が生じやすい．

ラグビーで，DIP 屈曲位で力を入れてジャージをつかんでいたときに，突然それを切られるような外力が加わって生じる深指屈筋腱の末節骨付着部断裂や剥離骨折をラガージャージ損傷と呼ぶ．

拳の突きによって起こる中手骨頚部骨折をボ

クサー骨折と呼ぶ.
● 標準整形外科学. 第14版. 882-889.

問 6-5-16

正解 b, c, d　テニス肘

a．×　短橈側手根伸筋起始部の変性である.
b．○
c．○
d．○
e．×　肘・手関節伸展, 前腕回内位で行う.
● 標準整形外科学. 第14版. 463-464.

問 6-5-17

正解 c　スポーツ障害, スポーツ外傷

a．○　頭部からのタックルによる頚椎神経根障害である.
b．○　投球による後下方関節窩にできる骨棘であり, 痛みを有すれば有痛性 Bennett 骨棘という.
c．×　テニス・バドミントンなどのラケットスポーツや野球のバッティングなどのグリップエンドによる損傷で生じる.
d．○　スキーのストックによる損傷で別名スキーヤー母指, ステナー損傷ともいわれる.
e．○　マレット指といわれ指DIP関節の伸筋腱で切れれば腱性マレット指, 骨での剥離骨折は骨性マレット指といわれる.
● 標準整形外科学. 第14版. 881, 448-449, 790, 883.

問 6-5-18

正解 a, d　上肢のスポーツ損傷

a．×　手指DIP関節に生じる指伸筋機構の損傷 (腱性または骨性槌指) である.
b．○　パンチによる骨折で第4, 5指に多く発症する.
c．○　スキーのストックによる損傷で別名ステナー損傷ともいわれる.
d．×　上腕骨外側上顆に生じる短橈側手根伸筋の起始部の腱付着部症である.
e．○　投球時の上腕の回旋運動による骨折で螺旋骨折を生じる.
● 標準整形外科学. 第14版. 882-885.

問 6-5-19

正解 a, b, e　投球による肩の損傷

a．○
b．○
c．×　フォロースルー期に後方関節包への牽引力が加わって生じる.
d．×　フォロースルー期に神経が牽引されることで生じる.

問6-5-19／図1　投球動作の5つの相

e. ○
● 標準整形外科学. 第14版. 448-450, 888.

問 6-5-20

| 正解　a, b, d　　手指のスポーツ外傷 |

有鉤骨鉤骨折はラケットスポーツや野球のバッティングなどに多くみられるが，しばしば早期診断が遅れる．手関節の単純X線2方向撮影では骨折部を描出できず，診断には手根管撮影が有用である．

ボクサー骨折はファイター骨折とも呼ばれ，こぶしで叩いた際に中手骨頚部に発生する骨折である．

ラガージャージ損傷は，ラグビーなどで相手のジャージを掴んでDIP関節屈曲位で強く握っているときに，関節を過伸展強制された際に生じる深指屈筋腱の付着部断裂である．

a. ○
b. ○
c. × 中手骨頚部に発生する．
d. ○
e. × 深指屈筋腱付着部断裂である．
● 標準整形外科学. 第14版. 882-884.

問 6-5-21

| 正解　d, e　　上腕骨離断性骨軟骨炎 |

上腕骨離断性骨軟骨炎は外側型野球肘の1つで，投球動作中の圧迫力や剪断力によって生じる．好発年齢は10～14歳である．

内側型の野球肘に次いで頻度が高い．

単純X線撮影のtangential viewが診断に有用である．

透亮期，分離期，遊離期に分類され，透亮期では投球禁止により治癒が期待できる．分離期や遊離期に進行すると，手術的治療が多く選択されるが，野球に復帰できないことも多く変形性肘関節症に移行しやすい．早期診断，早期治療が重要である．

a. × 好発年齢は10～14歳である．
b. × 内側型の頻度がもっとも高い．
c. × 投球動作中の圧迫力によって生じる．
d. ○
e. ○
● 標準整形外科学. 第14版. 457-458, 889.

2）股関節・大腿

問 6-5-22

| 正解　b　　スポーツ障害・外傷 |

短距離走，跳躍競技，ハードル競技，サッカーなどの競技において，瞬間的な筋力の作用で上前腸骨棘（大腿筋膜張筋・縫工筋），下前腸骨棘（大腿直筋），坐骨結節（大腿二頭筋長頭・半腱様筋）が裂離骨折（avulsion fracture）を起こすことが知られている．この部に二次骨化核の出現する10歳台，特に13～16歳に好発し，保存的に治療することが多いが，手術療法を主張する意見もある．

長距離ランナー，バスケットボール，サッカーなどでは恥骨骨炎を起こすことがあり，初期には単純X線像上所見を認めないことも多く注意を要するが，典型例では恥骨辺縁の不整・石灰化像などを認める．一方，坐骨・恥骨結合部は疲労骨折の好発部位として知られている．

仙骨にも疲労骨折が生じることがあるがその頻度は低い．

● 神中整形外科学. 改訂23版. 下巻. 811.
● 越智隆弘ほか編. NEW MOOK 整形外科. No.3. スポーツ傷害. 金原出版, 1999：146-152.

問 6-5-23

| 正解　a, d　　スポーツ損傷 |

a．○　投球骨折――上腕骨骨幹部らせん骨折
b．×　Sinding Larsen-Johansson病――脛骨粗面に生じる骨端症であるOsgood-Schlatter病と同様の機序で膝蓋骨遠位に発生する骨端症
c．×　バーナー症候群――頚部神経過伸展症候群
d．○　ボクサーズナックル――MP関節背側矢状索と関節包の損傷で，約半数に伸筋腱の脱臼を伴う．
e．×　ラガージャージ損傷――深指屈筋腱の末節骨付着部断裂で，裂離骨折を伴うこともある．環指にもっとも多い．

●標準整形外科学．第14版．662-663, 881-884, 888.

問 6-5-24

| 正解　b, c　　骨盤裂離骨折 |

a．○　上前腸骨棘剥離骨折は縫工筋ならびに大腿筋膜張筋の牽引力で生じる．
b．×　大腿直筋の付着部は下前腸骨棘である．
c．×　大腿筋膜張筋の付着部は上前腸骨棘である．
d．○　坐骨結節剥離骨折はハムストリングの強い収縮力で生じる．
e．○

●標準整形外科学．第14版．884.

問 6-5-25

| 正解　a, d, e　　骨盤周囲の裂離骨折 |

上前腸骨棘(e)裂離骨折は頻度がもっとも高く，次いで下前腸骨棘(d)に多い．ハムストリングに強い収縮力が生じると坐骨結節(a)裂離骨折が生じる．

●標準整形外科学．第14版．884.

問 6-5-26

| 正解　a, c　　骨盤周囲の疲労骨折 |

恥骨(c)下枝と坐骨(a)下枝の結合部および恥骨上枝に好発する．

●標準整形外科学．第14版．887.

問 6-5-27

| 正解　a, c, d　　肉ばなれ |

肉ばなれは，急激な筋の過伸張，過大な自動収縮，特に遠心性筋収縮(d)などによって生じる筋線維または筋膜の損傷(c)で，下肢の二関節筋に多く発生する(a)．腓腹筋内側頭の肉ばなれは中高年に多く，テニスレッグと呼ばれている．

●標準整形外科学．第14版．881.

問 6-5-28

| 正解　c, d　　大腿骨寛骨臼インピンジメント(FAI) |

a．○　しゃがみ込み，長時間の坐位後や足を組んだ際に疼痛が生じる．
b．○
c．×　股関節屈曲・内旋で疼痛が誘発される(anterior impingement sign)．
d．×　α角が55°以上であれば，Cam typeが示唆される．
e．○

●標準整形外科学．第14版．624-626.

3）膝関節

問 6-5-29

| 正解 　b，c，d　　膝靱帯損傷 |

スポーツによる膝靱帯損傷で，関節血症の原因となる頻度がもっとも高いのは前十字靱帯損傷である．

前十字靱帯は解剖学的に前内側線維束と後外側線維束に分けられ，その後外側線維束は膝伸展位で緊張し，前内側線維束は膝屈曲位で緊張する．

後十字靱帯損傷があり脛骨が後方に落ち込んでいると，前十字靱帯は弛んでみえる．

新鮮前十字靱帯損傷には外側半月後方の損傷を合併することが多いが，後節周辺部の縦裂や後角の横裂などは血流が豊富で，治癒能力が高いため自然治癒が期待できる．前十字靱帯不全による膝くずれが起こると半月と軟骨が損傷されるが，特に内側半月後節の縦裂，バケツ柄状断裂が経年的に増加する．

- 木村雅史．膝関節鏡視下診断・手術のテクニック．金原出版，1995：56-60．
- 林浩一郎編．新図説臨床整形外科講座 14 巻．スポーツ整形外科．メジカルビュー社，1994：168，173-174．

問 6-5-30

| 正解　　c，e　　膝前十字靱帯損傷 |

前十字靱帯は，徒手検査やMRIなどの向上により確定診断可能であり，関節鏡により診断する必要性は乏しい．

新鮮例で骨片の剥離を伴っている場合は，強固な一次修復を行う．

スポーツ活動を望む患者には自家膝蓋腱や屈筋腱を用いた再建術が適応となる．あまりスポーツ活動を望まない中高年者には，装具療法や筋力訓練を中心とした保存療法を行うことがある．

以前に比べ後療法は加速されたが，過度の早期スポーツ復帰は再断裂の危険が高いため，十分な期間リハビリテーションを行うべきである．

完全スポーツ復帰には通常 6 カ月以上を要する．

- 標準整形外科学．第 14 版．666-668．

問 6-5-31

| 正解　　c，e　　後十字靱帯損傷 |

後十字靱帯は屈曲位で有意な制動を担うため，陳旧例では階段を下りるときなど屈曲位で不安感を訴える．

前十字靱帯損傷と比較し早期に半月損傷をきたすことは少ないが，長期的には半月や軟骨損傷が生じることがある．

単独損傷の機能的予後は比較的良好であることから，新鮮例に対しては保存療法が行われることが多い．

後十字靱帯損傷はスポーツで膝を強打して生じることもあるが，交通事故などの外傷が原因のことが多い．

新鮮例で脛骨に後方ストレスを加えると膝窩部に疼痛を生じる．

- 標準整形外科学．第 14 版．668-669．

問 6-5-32

| 正解　　c，e　　ランナー膝，ジャンパー膝 |

腸脛靱帯炎もランナー膝の 1 つであり，膝関節外側（大腿骨外側上顆部）に疼痛を生じる．

ジャンパー膝は膝前面の疼痛，特に膝蓋骨下極に圧痛を有する例が多く，尻上がり現象を呈することがある．

ランナー膝は，ランニングを主たるスポーツ

活動とするスポーツ選手の膝関節痛に対する用語である．膝周囲の多種多様な病態・症状を含み，ランニングにて増悪する．

Osgood-Schlatter 病の主因は膝蓋腱の牽引による脛骨粗面部に生じる骨端症である．

Sinding-Larsen-Johansson 病は，発育期に単純 X 線像で膝蓋骨下端の透亮像，骨棘，骨片がみられるものをいい，これも広義のジャンパー膝と考えられている．

- 神中整形外科学．改訂 23 版，下巻．1024-1033．
- 標準整形外科学．第 14 版．880-892．

問 6-5-33

| 正解 b, e 有痛性分裂膝蓋骨 |

有痛性分裂膝蓋骨の病因として，①外傷による，②膝蓋骨骨化中心の癒合不全のため一部が分裂成長した，③骨軟骨炎による，などの説が考えられている．

Saupe 分類が一般的であり，Ⅰ型は骨片が下端にあるもの，Ⅱ型は外側にあるもの，Ⅲ型は上外側にあるものである．Ⅲ型がもっとも多く，膝蓋骨の外側広筋付着部に発生する．

10～15 歳の男子に多くみられ，大腿四頭筋を急激に収縮する競技（陸上競技，サッカーなど）と関係が深い．

治療は保存療法を原則とし，手術療法では，外側広筋の付着部を剥離したり，分裂骨片の摘出を行う．

- 神中整形外科学．改訂 23 版，下巻．1026-1027．
- 標準整形外科学．第 14 版．662，890．

問 6-5-34

| 正解 a, b, d 前十字靱帯損傷 |

Lachman テスト，pivot shift test や N test などの不安定性テストは有用であり，除痛の後に行うことが重要である．

Lachman テストは前方引き出しテストよりも陽性率が高い．内側側副靱帯損傷，内側半月損傷を合併したものを unhappy triad と呼ぶ．

単純 X 線像は，多くは正常であるが，脛骨外側の Segond 骨折や大腿骨外側関節面の陥凹（notch sign）がみられることもある．

治療は現在のところ靱帯再建術が第 1 選択である．

前十字靱帯損傷はスポーツにより発生することが多く，コンタクトスポーツよりノンコンタクトスポーツでの頻度が高く，膝関節における靱帯損傷の中では，手術頻度がもっとも高い．

- 標準整形外科学．第 14 版．665-670．
- 神中整形外科学．改訂 23 版，下巻．1014-1016．

問 6-5-35

| 正解 d 後十字靱帯損傷 |

脛骨後方落ち込み徴候が観察され，後方引き出しテスト陽性である．しかし，後方引き出しテストを落ち込みの位置を起点として行うと，誤って陰性と判定しやすい．

後外側回旋不安定性を認める場合は，後外側支持機構損傷を伴った複合靱帯損傷であり，手術療法が必要となる．

後十字靱帯は前十字靱帯に比べ症状の軽いことが多く，受傷直後もそのままスポーツを続けていた症例も少なくない．

単独損傷では保存療法が第 1 選択であり，その機能予後は比較的良好である．

- 標準整形外科学．第 14 版．668-669．
- 神中整形外科学．改訂 23 版，下巻．1053-1054．

問 6-5-36

| 正解　c　　内側側副靱帯損傷 |

内側側副靱帯損傷も頻度の高い膝靱帯損傷である.

不安定性の検査は30°屈曲位で行う.

膝完全伸展位で陽性になる場合は十字靱帯損傷および後方関節包損傷が存在している可能性を疑う.

単独損傷の場合は完全伸展位における外反ストレステストは陰性である.

新鮮損傷では保存療法が第1選択である.

- 神中整形外科. 改訂23版. 下巻. 1055-1056.
- 標準整形外科. 第14版. 665-670.

問 6-5-37

| 正解　b, e　　ジャンパー膝, Osgood-Schlatter病, 有痛性分裂膝蓋骨 |

ジャンパー膝は，ジャンプを多用する競技において急激なストップやジャンプの離着地の際に，膝伸展機構に繰り返しの負荷が加わるために，力学的に脆弱な骨-腱移行部に微小外傷が生じたものと考えられている. 部位別にみると，①大腿四頭筋腱と膝蓋骨上極との境界，②膝蓋下極と膝蓋腱，③膝蓋腱遠位とに分かれる. この中で膝蓋下極と膝蓋腱との境界におけるものがもっとも多い.

Sinding Larsen-Johansson病はジャンパー膝の1つと考えられ，膝蓋骨下極に単純X線像上不規則な骨化像を示す. 病態としてはtraction periostitisや二次骨端核の骨端症(osteochondrosis)などと考えられている.

Osgood-Schlatter病は9～15歳のスポーツを行う男子に好発する. 20～30％は両側性である. 脛骨粗面に発生する骨端症であり，治療法としては大腿四頭筋のストレッチング，運動後のアイシング，装具療法としてのinfrapatellar strapの使用も有効である. 局所への副腎皮質ステロイド注入療法は効果が一時的であり，膝蓋腱の脆弱化をきたすので行わないほうがよい. 成長が終了した段階でなお疼痛が残存している場合には，骨片を外科的に摘出する.

Saupeは単純X線像から有痛性分裂膝蓋骨を，type I：膝蓋骨の下極に分裂線があるもの，type II：外側に分裂線があるもの，type III：上外側に分裂線があるもの，の3型に分けた. スポーツ選手ではtype IIIが多くみられる.

単純X線像では新鮮骨折の鑑別が必要であるが，膝蓋骨新鮮骨折では関節内血腫を認めることが多い.

- 神中整形外科. 改訂23版. 下巻. 1024-1027.
- 標準整形外科. 第14版. 662, 890.

問 6-5-38

| 正解　b, d, e　　Osgood-Schlatter病 |

Osgood-Schlatter病は，大腿四頭筋の過度な収縮の繰り返しにより膝蓋腱の脛骨付着部が慢性の機械的刺激を受けて発症する.

スポーツによる使い過ぎから発症することが多く，12～13歳前後の男子に好発する.

運動時痛が主で，安静時痛はほとんどない.

治療はスポーツ活動の制限，ハムストリングスや大腿四頭筋のストレッチや装具療法が主体で，ストレッチは重要である.

予後良好な症例が多いが，治癒した場合でも脛骨粗面は隆起したままであることが多い.

- 標準整形外科. 第14版. 660-662.

問 6-5-39

| 正解　b, c, d　　膝蓋骨脱臼 |

膝蓋骨の脱臼はその多くが外側脱臼である.

膝蓋骨脱臼の発生機序としては，接触損傷と非接触損傷がある．接触損傷としては，コンタクトスポーツ中に膝関節速報から膝蓋骨に強い外力が加わることで膝蓋骨が外側に脱臼する．一方，膝蓋大腿関節の形態異常など脱臼素因がある場合には，ジャンプの着地時に膝が外反するなどで発症する．

脱臼素因としては，膝蓋骨高位（c），膝蓋骨低形成，大腿四頭筋異常，大腿骨顆部形成不全（b），脛骨粗面外方偏位（d），全身関節弛緩，外反膝などが挙げられる．

●標準整形外科学．第14版．814．

問 6-5-40

正解　a, c　　膝前十字靱帯損傷

a．○　前十字靱帯損傷は，外反強制による受傷が多いとされる．
b．×　関節包の脛骨付着部前外側の剥離骨折であるSegond骨折を認めることがある．
c．○　半月板損傷合併は，新鮮例では外側半月板後節の損傷が多い．
d．×　後十字靱帯損傷時の多い合併損傷である．
e．×　前十字靱帯損傷に伴う骨挫傷は大腿骨・脛骨の外側顆部にみられることが多い．

●標準整形外科学．第14版．666-668．
●越智光夫編著．カラーアトラス　膝・足の外科．中外医学社，2010：42-43．

問 6-5-41

正解　d, e　　外傷性膝蓋骨脱臼

外傷性膝蓋骨脱臼は，自然に整復されることも多く，特に接触損傷で膝蓋骨の不安定性が顕著でない場合は見逃されることもある．単純X線軸射像とMRIで膝蓋大腿関節のアライメ

ントとともに骨軟骨損傷の有無を確認する．アライメント異常が認められない場合でも，MRIで膝蓋骨内側関節面（軟骨下骨）および大腿骨外側顆の骨挫傷（bone bruise）が確認できれば診断の根拠となる．

治療の原則は保存的治療だが，脱臼素因が明らかで反復性になる可能性が高い場合や，骨軟骨骨折を合併している場合には手術療法を選択する．

a．×　半月板損傷の所見は示されていない．
b．×　MRIよりACLは正常である．
c．×　後十字靱帯損傷の所見は示されていない．
d．○　画像所見より反復性膝蓋骨脱臼が考えられる．
e．○　内側膝蓋大腿靱帯再建術と脛骨粗面内方移行術は膝蓋骨脱臼に対する代表的な手術法である．

●標準整形外科学．第14版．666-668．

問 6-5-42

正解　b, e　　膝蓋骨脱臼

病歴から膝蓋骨脱臼と診断される．

a．×　McMurray test 陰性→半月板損傷の診断法である．
b．○　膝蓋骨不安定症の手術時に併用される．
c．×　Lachman test 陰性→前十字靱帯損傷の診断法である．
d．×　posterior drawer test 陰性→後十字靱帯損傷の診断法である．
e．○　膝蓋骨脱臼に対する代表的手術方法である．

●標準整形外科学．第14版．663, 666-672．

問 6-5-43

| 正解　a, d　　膝前十字靱帯損傷 |

a．○　前十字靱帯損傷は，外反強制による受傷が多いとされる．
b．×　後十字靱帯損傷時の多い合併損傷である．
c．×　関節包の脛骨付着部前外側の剥離骨折である Segond 骨折を認めることがある．
d．○　半月板損傷合併は，新鮮例では外側半月板後節の損傷が多い．
e．×　前十字靱帯損傷に伴う骨挫傷は大腿骨・脛骨の外側顆部にみられることが多い．

● 標準整形外科学．第 14 版．666-668.
● 越智光夫編著．カラーアトラス　膝・足の外科．中外医学社，2010：42-43.

問 6-5-44

| 正解　e　　離断性骨軟骨炎，スポーツ |

　関節軟骨の直下で骨組織が関節軟骨とともに母床から離断する離断性骨軟骨炎(osteochondritis dissecans：OCD)の症例である．OCD の治療は，若年者に対しては骨軟骨の明らかな離断や遊離体を認めない限りはまず保存療法を試みる．症状が軽度なものはスポーツを中止し，痛みがなければ単純 X 線検査や MRI などで経過をみながら徐々にスポーツを復帰させる．症状が強いものは杖を用いて免荷を行い，杖歩行にて症状が軽快すれば徐々に荷重をかけていく．外科的治療の適応は，骨軟骨片が離断したもの，免荷を含めた保存療法でも疼痛が改善しないものなどである．
　本症例は，MRI 所見から半月板損傷の所見は認められず，好発部位である大腿骨内顆に OCD を認めるが，骨軟骨片の離断は認めない．また安静時痛はなく運動時痛を認める段階であり，まずはスポーツの中止を指示すべきであり，すぐに骨軟骨移植術などの外科的治療が第 1 選択にはならない．

● 標準整形外科学．第 14 版．659-660.

問 6-5-45

| 正解　a, d　　スポーツ障害，圧痛 |

a．×　鵞足付着部炎の圧痛は脛骨近位内側部である．
b．○
c．○
d．×　有痛性分裂膝蓋骨の圧痛は膝蓋骨下極から外側である．
e．○

● 標準整形外科学．第 14 版．654.

問 6-5-46

| 正解　b, e　　脛骨顆間隆起骨折 |

a．×　10 歳前後に好発する．
b．○　関節内骨折のため関節血症となる．
c．×
d．×
e．○　I，II 型では保存療法，III，IV 型では手術療法である．

● 標準整形外科学．第 14 版．836-838.

4）足部，足関節

問 6-5-47

| 正解　a, c, d　　アキレス腱断裂 |

　アキレス腱断裂の好発年齢は 30～40 歳台でママさんバレーなどスポーツによる受傷が多い．
　断裂部位は踵骨停止部から 2～6 cm 近位であり，断裂部位には陥凹を触知する．

正常では下腿中央で腓腹筋を握りしめると足関節の底屈が起こるが，アキレス腱断裂があると足関節が動かない(Thompsonテスト陽性).
保存療法でも手術療法でも，適切に治療された場合には成績に大きな差はない．
- 標準整形外科学．第14版．762-763．
- 神中整形外科学．改訂23版．下巻．1142-1143．

問 6-5-48

| 正解　b，c　シンスプリント，スポーツ障害 |

a．○　代表的な使いすぎ(over use)によるスポーツ障害である．
b．×　発生に関連する危険因子として，下腿-踵部角の過大外反，足内側アーチの低下，回内足が挙げられている．
c．×　下腿中央〜遠位1/3部の脛骨内後方に疼痛と圧痛が生じる．
d．○　明確な画像上の変化が認められないこともあるが，MRIでは骨膜の炎症所見(T2強調脂肪抑制像の高信号変化など)が認められる場合が多い．また，疲労骨折に認められるような明確な骨髄浮腫像は認めないため，鑑別に有用である．超音波画像では，健側と比較しての骨膜肥厚や血流増大が認められる場合もある．
e．○　局所の相対的安静を指示し，負荷増大の原因となった筋拘縮があればストレッチなどの運動療法を指導する．使い過ぎの原因となったスポーツの練習方法や靴を含めた周辺環境も見直し，再発予防策を講じる．回内足があればインソールによる矯正を行う場合もある．
- 標準整形外科学．第14版．891．

問 6-5-49

| 正解　c　慢性労作性下腿区画症候群，コンパートメント症候群，スポーツ |

区画(コンパートメント)症候群は，主に骨折や筋損傷などの外傷時に急性発症するが，スポーツ時の筋肥大に伴って慢性発症する場合もある．

a．○　30歳未満の若いスポーツ選手に発生する場合が多い．
b．○　両側性が50〜70%を占めるとされる．
c．×　前方区画に発生することが多く，外側および浅後方区画の発生はまれである．
d．○　通常は休息で軽快する．
e．○　まずはスポーツ活動の制限やストレッチ指導などが行われるが，こうした保存療法の有効性は低いとされるため，スポーツ継続希望が強ければ筋膜切開手術の適応が検討される．
- 標準整形外科学．第14版．768-770，891．

問 6-5-50

| 正解　b　アキレス腱断裂 |

a．×　好発年齢は30〜40歳台で，スポーツ活動中の受傷が多い．高齢者では日常生活中の転倒で生じる．
b．○　アキレス腱の肥厚は腱の退行性変化の存在を示唆し，かつアキレス腱断裂発生の危険因子となりうる．
c．×　Simmondsによるsqueezing testの原法では，腹臥位で膝伸展位として実施する．腓腹部を把握してsqueeze(圧搾，搾りだし)操作を行い，足関節の底屈がみられない場合にアキレス腱断裂を示唆する(陽性)とする．
d．×　Thompson testでは，腹臥位で膝屈曲位として，腓腹部を把握しても底屈がみられない場合にアキレス腱断裂を示唆する(陽性)とす

る.

e．× 腓腹神経は，アキレス腱外側の皮下（腱鞘外）を走行しており，直視下手術ではその走行を十分に意識して慎重に展開すれば，損傷を確実に回避することが可能である．経皮縫合術では，この神経の近傍の小皮切から縫合針を刺入する操作を伴うため，神経損傷予防に十分な注意を払う必要がある．こうした合併症を予防できれば，腱への血流を確保しつつ早期からの積極的なリハビリテーションが可能となる点で有効な方法といえる．

● 標準整形外科学．第14版．713-714, 762-763.
● 日本整形外科学会ほか監．アキレス腱断裂診療ガイドライン2019．第2版．南江堂，2019.

問 6-5-51

| 正解 | a, d, e | 疲労骨折 |

a．○ 跳躍型疲労骨折で，脛骨より後方走行する足関節屈筋群の強力な収縮のために骨折部には牽引力が加わるために難治性となる．単純X線側面像で特徴的な骨改変層と呼ばれる亀裂線が認められる．

b．× 好発部位は遠位1/3（疾走型）と近位1/3（跳躍型）で，いずれの場合も通常はスポーツ制限に再発予防の運動療法を組み合わせた保存療法で治癒が得られ，予後良好である．

c．× 長距離歩行やランニングにおける着地時の衝撃とアキレス腱の牽引力によって発生するとされ，通常はスポーツ制限に再発予防の運動療法を組み合わせた保存療法で治癒が得られ，予後良好である．

d．○ 内側縦アーチへの荷重に伴う圧迫負荷で発生するとされ，遷延治癒や偽関節になりやすい．単純X線画像での診断がしばしば困難で，MRIやCT検査が有用となる．早期発見症例でもスポーツ制限だけでは治癒しにくく，

6～8週間の免荷とギプス固定が勧められる．難治性症例には，手術療法も行われる．

e．○ この部の疲労骨折はサッカー選手に多くみられ，保存療法ではしばしば遷延治癒化するため，早期復帰を目指して手術療法が行われることが多い．

● 標準整形外科学．第14版．885-886.

問 6-5-52

| 正解 | b | Lisfranc関節脱臼骨折 |

本症例は，Lisfranc関節脱臼骨折である．非開放性外傷であっても迅速な対応を要し，初期に適切な対応がなされないと機能障害を残存させるリスクが高い要注意外傷といえる．

a．× 脱臼の方向や程度，整復障害因子となる小骨片の把握といった情報を得るためには，CT検査の有用性が高い．

b．○ 腫脹が強いため，早期整復を試みないと軟部組織の損傷が強くなる．通常は麻酔下に後足部を保持して前足部を牽引すると比較的容易に整復可能である．整復位の保持は困難な場合には，経皮的鋼線固定や螺子による内固定が必要となる．

c．× 腫脹が強いと区画（コンパートメント）症候群を起こしやすく，緊急減張切開を要する場合も少なくない．

d．× 荷重は慎重に行ったほうがよく，6週以降から開始する．その後にも足部の横アーチが崩れることを予防するため，アーチサポートの足底板を用いる．

e．× 解剖学的整復が行われないと変形治癒となり，足部痛の愁訴が残存しやすい．

● 標準整形外科学．第14版．825-827.

問 6-6-1

正解　a　挫滅創

　汚染した挫滅創の初期治療としてもっとも大切なことは感染の予防である．したがって徹底的な洗浄，異物除去，創面清掃(débridement)に加えて広範囲スペクトルの抗菌薬の全身投与をただちに開始する．

　一般的に，受傷後8時間以内を最適期(golden time)といい，この時間内に処置ができて皮膚に十分ゆとりのある場合は，一次的に創閉鎖が可能であり，感染の防止も図れる．ただし，最適期(golden time)を過ぎたものや汚染が高度なものは，無理に一次閉鎖を行わず，開放創のまま1週間前後おいて感染がないことを確認してから，二次的に創閉鎖を行う．この決定は創の大きさには依存しない．

　砂や泥などは流水下に洗い流し，油類の汚れはベンジンで落とす．

　骨折がある場合，原則的には内固定を避ける．

　開放創から離れた部位にピンを刺入して創外固定を行うことがある．

- 標準整形外科学．第14版．720-753．
- 整形外科クルズス．第4版．176-180．
- 神中整形外科学．改訂23版，上巻．198-203．

問 6-6-2

正解　a, d, e　脂肪塞栓症候群

　脂肪塞栓症候群は，骨折患者の1～5％に合併する．Gurdの臨床診断基準で，大基準が1つ以上と小基準が4つ以上あれば，脂肪塞栓症候群と診断する．

　大基準には，点状出血斑，呼吸困難と単純X線像上の両肺野の吹雪様陰影，頭部外傷や他の原因によらない脳神経症状の3つがある．

　小基準には，頻脈，発熱，網膜変化(脂肪滴または出血斑)，尿変化(無尿，乏尿，脂肪滴)，Hb値の急激な低下，血小板数の急激な低下，赤沈値の亢進，喀痰中の脂肪滴の8つがある．

- 標準整形外科学．第14版．745-746．

問 6-6-3

正解　a, d　Volkmann拘縮

　Volkmann拘縮は，前腕掌側区画症候群による前腕屈筋群に生じる阻血性拘縮である．深部動脈の完全閉塞，区画内への出血，筋組織の浮腫などが原因で，上腕骨顆上骨折に続発することが多い．手指の他動的伸展で痛みが誘発される．前腕掌側区画の区画内圧が高くなる．

　前腕は回内位，手関節は屈曲位，母指は内転位，中手指節関節(MP関節)は伸展位，近位指節間関節(PIP関節)は屈曲位をとる．

- 標準整形外科学．第14版．747，768-771．
- 津下健哉．手の外科の実際．第6版．南江堂，1985：211-223．

問 6-6-4

正解　b, d　集団災害時の対応

　集団災害時には，患者の救護・治療の優先度を判定(triage)し，適切な医療機関に搬送(transportation)して，適切な治療(treatment)が円滑に行える体制を構築することが重要で，この3つを3T'sという．

　損傷はあるが，歩行ができる受傷者は，待機群と判断し，緑色のタグをつける．受傷者の状態や医療資源の状況ともに刻々と変化するので，いろいろな段階で，繰り返しトリアージを行う．

問6-6-6／表1　トリアージカテゴリー

順位	分類	識別色	傷病状態および病態
1	最優先治療群（重症群）	赤色（Ⅰ）	生命を救うため，ただちに処置を必要とするもの．窒息，多量の出血，ショックの危険のあるもの
2	待機的治療群（中等症群）	黄色（Ⅱ）	ア　多少治療の時間が遅れても，生命には危険がないもの イ　基本的には，バイタルサインが安定しているもの
3	保留群（軽症群）	緑色（Ⅲ）	上記以外の軽易な傷病で，ほとんど専門医の治療を必要としないものなど
4	無呼吸群	黒色（0）	気道を確保しても呼吸がないもの
4	死亡群	黒色（0）	すでに死亡しているもの，または明らかに即死状態であり，心肺蘇生を施しても蘇生の可能性のないもの

［山本保博（監）：トリアージ，ハンドブック，東京都福祉保健局，p 36，2013を参考に作成］

爪床または小指球を圧迫したのち，赤みが戻るまでの時間をcapillary refill timeといい，2秒以上かかるとショックと判断する．

1つの病院に受傷者が集中しないように，近隣の医療機関を総合的に運用する．

● 標準整形外科学．第14版．751-753．

問6-6-5

正解　c　　トリアージ

優先度の第1位は，生命の危機的状態で，ただちに処置の必要なものである．具体的には，気道閉塞または呼吸困難，重症熱傷，心外傷，大出血または止血困難，開放性胸部外傷，ショックなどである．

第2位は，2～3時間処置を遅らせても悪化しない程度のものである．具体的には，熱傷，脊髄損傷，合併症のない頭部外傷などである．

第3位は，軽症で，通院加療が可能なものである．具体的には，小骨折，外傷，小範囲熱傷（体表面積の10％以内で気道熱傷を含まないもの），精神症状を呈するものなどである．

第4位は，死亡，生命徴候のないものである．

● 標準整形外科学．第14版．751-753．
● 整形外科クルズス．第4版．170-172．

問6-6-6

正解　b，d　　集団災害

集団災害とは，多人数の被災者が発生する災害である．多人数の負傷者が短時間のうちに発生するため通常の医療体制では対応できない．地震，鉱山事故，構造物の解体作業中の事故などで起こることが多い．

このような災害時には，患者の救護・治療の優先度を判定(triage)し，適当な医療機関に搬送(transportation)して，もっとも適した時期に適切な治療(treatment)が円滑に行えるような体制(3T's)と，統制のとれた救護活動および輸送経路の確保，受け入れ医療機関の整備とがあらかじめ確立されていることが必要である．

重症度の判定トリアージとは患者の救急度，重症度を評価し，救護，搬送および治療の優先順位を決定する手法をさす（表1）．選択肢ではb，dはⅠ，c，eはⅡ，aは0に相当する．

● 標準整形外科学．第14版．751-753．

問6-6-7

正解　a，c，e　　挫滅（圧挫）症候群

挫滅（圧挫）症候群は，重量物などによって四

肢，骨盤あるいは腹部が長時間圧迫されたのち，これを取り除いた場合に起こるショック様の症状に始まる一連の病態である．

筋肉は壊死に陥り，大量のミオグロビンやカリウムが血中に放出される．

カリウムを含む輸液を用いてはならない．大量のミオグロビンやカリウムが全身循環に放出されて，致命的な臓器障害，特に腎尿細管壊死による急性腎不全を生じることがある．

持続的な圧迫による組織の無酸素状態によって，血管透過性が亢進し，血漿成分が血管外に大量に漏出するため，局所に著明な浮腫が生じる．

破壊された組織から放出された乳酸塩やリン酸塩によって，尿は強く酸性に傾く．

- 標準整形外科学．第14版．770-771．
- 整形外科クルズス．第4版．186-187．
- 神中整形外科学．改訂23版．上巻．202-203．

問 6-6-8

| 正解 a 挫滅（圧挫）症候群 |

挫滅（圧挫）症候群とは，身体の一部が重量物によって長時間圧迫されたあと，これを取り除いた際に起こるショック様の症状に始まる一連の病態である．

初期のショックに対して大量輸液が必要であるが，筋組織からのカリウムの流出と乏尿によって高カリウム血症を起こしているためカリウムを含む輸液は禁忌である．

急性腎不全に対しては血液透析を，区画症候群を呈する場合は筋膜切開を要する．

高カリウム血症やアシドーシスが改善しない場合は，救命のため患肢切断を要することもある．

代謝性アシドーシスをきたすため炭酸水素ナトリウム投与によるアシドーシス補正を行う．

- 標準整形外科学．第14版．770-771．
- 神中整形外科学．改訂23版．上巻．202-203．

問 6-6-9

| 正解 c 救命救急 |

救命救急処置の部位別優先順位は，①胸部，②腹部，③頭部，④骨盤部，⑤四肢である．

心タンポナーデの3徴候は，低血圧，頸静脈怒張，奇脈である．

前胸部に外傷のある原因不明の低血圧患者で，輸液を行っても状態がむしろ悪化する場合は，心タンポナーデをまず考える．

管腔臓器損傷でもっとも頻度が高いのは小腸である．これは，その占める体積がもっとも大きいことによる．

動揺胸郭（flail chest）は多数の肋骨が2カ所以上で骨折した場合にみられる．これは骨折部（flail segment）が呼吸運動とは逆の動きをするもので，有効換気量を著しく減少する．呼気時に胸壁が外方に突出し，吸気時に陥没する．

- 標準整形外科学．第14版．751-753．
- 整形外科クルズス．第4版．172-176，270．
- 神中整形外科学．改訂23版．下巻．344．

リハビリテーション

リハビリテーション

1 理学療法，作業療法，運動療法

Q ▶ p.228-230

問 7-1-1

正解　b, c, d　　温熱療法

電流と同様に組織の水分含有量が多いほど熱の伝導性は速くなる．

ホットパックなどの温熱療法では患部に皮膚感覚障害が存在する場合，熱傷の危険性があるため使用は禁忌である．

パラフィン浴は，アレルギー性の皮膚疾患がある場合は症状が悪化する可能性があるため禁忌である．

パラフィンは熱伝導が水の約1/3と極めて小さく，55～60℃の高温を使用しても熱傷を起こさない．また，パラフィンの被膜を形成することにより，保温性にも優れる．

極超短波療法は，プレートなどの金属やペースメーカーなどが挿入されている部位での使用は禁忌である．

- 嶋田智明ほか. 物理療法マニュアル. 医歯薬出版, 1996：25-64.
- 神中整形外科学. 改訂23版, 上巻. 935-938.

問 7-1-2

正解　d, e　　温熱療法

温熱療法は急性炎症以外の疼痛に有効である．温熱療法によって疼痛閾値を上昇させ，コラーゲンの伸張性を改善することができるため，関節可動域訓練の前処置としても有効である．

寒冷療法によって毛細血管の透過性が低下し，急性浮腫の抑制，代謝の低下による炎症の沈静，疼痛改善が得られる．

- 標準整形外科学. 第14版. 180.

問 7-1-3

正解　c, d　　水治療法

水中では，水の密度（および粘性）による抵抗（動水圧）のため，より多くの筋力が必要となる．

水中では，脊髄損傷などの麻痺患者に浮き具を用いたり介助することにより，陸上ではできない運動をさせることができる．

首，臍，股関節まで浸かるとそれぞれ股関節の約90％，40％，20％の免荷が得られる．

- 嶋田智明ほか. 物理療法マニュアル. 医歯薬出版, 1996：135-142.
- 千野直一編. 現代リハビリテーション医学. 第3版. 金原出版, 2009：251-252.
- 神中整形外科学. 改訂23版, 上巻. 934-935.

問 7-1-4

正解　d　　斜面台，起立訓練

主に自力で立位をとれない患者に対し，立位をとらせるものである．電動で任意の角度を選択することができる機器もある．立位荷重は心肺機能を含めた全身の生理的機能への効果がある．

頸髄損傷者では交感神経の遮断により，起立

性低血圧が著しいので，血圧，脈拍を監視しながら徐々に立位をとらせることにより，耐用能力の向上を図る．

下肢荷重関節，筋骨格系にも同様に重力負荷による生理的な効果が考えられるが，静的な立位の状態であり，下肢循環の促進効果はない．

- 千野直一編．現代リハビリテーション医学．第3版．金原出版，2009：281．

問 7-1-5

| 正解 b, c, d 　　理学療法，作業療法 |

理学療法は患者の基本的な運動能力の改善を図り，大別すると運動療法と物理療法に分けられる．

作業療法の目的は，① 機能的作業療法（可動域・筋力・持久性・協調性の獲得），② 日常生活動作（ADL）と家事・生活関連動作訓練，職業前評価と訓練などがある．

手段に関しても作業活動として日常の諸動作から，仕事，余暇活動，その他の教育参加など手工芸にとらわれない人間生活に関するあらゆる活動が用いられる．

作業療法士による働きかけや気晴らし的な作業活動を通して，精神・心理的な支援を行う．

- 守屋秀繁ほか総編：TEXT整形外科．第3版．南山堂，2006：439-442．
- 千野直一編．現代リハビリテーション医学．第3版．金原出版，2009：525-539．

問 7-1-6

| 正解 a 　　歩行 |

Charcot-Marie-Tooth病では末梢神経障害により下垂足となり，鶏歩が生じる．

筋ジストロフィー症では殿筋の筋力低下のために立脚側の股関節が安定せず歩隔が広がるとともに体幹が動揺するアヒル歩行（waddling gait）を示す．はさみ脚歩行がみられるのは，脳性麻痺などで股関節内転筋に痙縮がある場合である．

疼痛回避歩行では患肢の荷重時の疼痛を少なくするために，立脚期を短縮しようとする．

Trendelenburg歩行は中殿筋の筋力低下で生じる．

正常歩行周期では遊脚期と立脚期の比はおよそ2：3である．

- 標準整形外科学．第14版．905-906．

問 7-1-7

| 正解 d 　　運動療法 |

可動域訓練には，自動運動，他動運動，自動介助運動がある．MMT3以上では全可動域の自動可動域訓練が可能であるが，MMT2未満や疼痛のために自動運動が困難な例では，自動介助運動や他動運動が適応となる．

片脚立ち訓練は，開眼で手による支持のもと，転倒に注意して行う必要があるが，ロコトレとしても高齢者にすすめられている．

筋力訓練には，等尺性訓練，等張性訓練，等運動性訓練がある．

等尺性訓練は，心疾患や高血圧には注意する必要があるが，術後固定中の症例や炎症のある症例に適応となる．

等角速度運動には，専用の機械が必要であるが，全可動域の訓練が可能である．

等張性運動には，遠心性収縮と求心性収縮があり，等尺性運動に比べ心肺機能強化，持久運動に適している．

- 標準整形外科学．第14版．180-184，418-421．
- 日本リハビリテーション医学会監．リハビリテーション医学・医療コアテキスト．医学書院，2018：70-71．

問 7-1-8

| 正解　b, c, e　　日常生活動作訓練 |

　片麻痺患者では，サイズに余裕がある前開きシャツは有用で，麻痺側から袖を通す．
　脳卒中患者では，上肢機能は下肢機能よりも改善が得られにくい．
　上肢機能障害に対して，作業療法士が作成した自助具が有効である．
　杖を用いて階段昇降をする場合，昇るときは健側の下肢と杖を先に上の段に載せ，降りるときは患側下肢と杖を先に下の段におろす．いずれも健側下肢が上段に位置するようにする．

●標準整形外科学．第14版．183, 403, 903.

問 7-1-9

| 正解　a, b, d　　日常生活動作・活動 (ADL) |

　日常生活動作・活動 (activities of daily living : ADL) とは，生活を行ううえで不可欠な基本的動作や活動であり，身の回りの動作が中心の基本的 ADL (basic ADL : BADL) と，応用的な動作を含む手段的 ADL (instrumental ADL : IADL) がある．
　基本的 ADL の評価法として，Barthel Index (Barthel 指数)，機能的自立度評価法 (FIM)，Health Assesment Questionnaire (HAQ, 健康アセスメント) がある．
　基本的 ADL と手段的 ADL の両者をあわせて拡大 ADL (extended ADL : EADL) という．
　高齢者には，障害高齢者の日常生活自立度 (寝たきり度) 判定基準，認知症高齢者の日常生活自立度 (認知症度) 判定基準という評価法があり，介護保険の介護度判定で基準として用いられる．

●標準整形外科学．第14版．906-908.

問 7-1-10

| 正解　a, e　　物理療法 |

　牽引法の禁忌は，化膿性脊椎炎，悪性腫瘍，関節リウマチ，骨粗鬆症など骨脆弱性をきたす疾患，大動脈瘤とされている．
　温熱療法は，急性炎症や出血傾向，悪性腫瘍や意識障害のある患者で禁忌である．禁忌部位は，脳実質，性腺，子宮，胎児，成長期骨端部などである．
　マイクロ波では特にペースメーカ装置の誤作動による熱傷のリスクがある．
　電気刺激療法でもペースメーカは禁忌，深部静脈血栓症のある肢への使用も禁忌である．

●標準整形外科学．第14版．914-916.

問 7-1-11

| 正解　a　　筋力訓練 |

　等尺性収縮運動では，関節の動きを伴わないため，ギプス固定下でも可能であるが，筋の持続的緊張を保つため心拍数上昇や血圧上昇のリスクがあり，心肺機能に障害があるときには注意を要する．
　一定の質量の抵抗 (ダンベルなど) を負荷とする等張性収縮には，遠心性収縮と求心性収縮があり，発揮できる筋力は遠心性収縮のほうが大きい．
　腕立て伏せのときの上腕三頭筋は，肘伸展 (求心性収縮)，肘屈曲 (遠心性収縮) を繰り返している．

●標準整形外科学．第14版．180-182.

問 7-1-12

| 正解　c　　作業療法士 |

　作業療法の基本は，ADL 拡大と QOL の向上

である．基本動作としての，寝返り，起居動作，坐位訓練，ADL訓練としての移乗動作訓練，車椅子や歩行による移動訓練に加え，整容更衣などのセルフケア，応用的な手段的ADL拡大訓練などを行う．

作業療法士は，利き手交換，義手装着・使用，福祉用具の選定など，生活に必要な訓練を中心になって行っていく．

義手の適合判定は医師が行う．

● 標準整形外科学．第14版．183，917-918．

2 装具療法

 Q ▶ p.230-233

問 7-2-1

| 正解 a，e 階段昇降 |

杖使用時には昇りは健側から，降りは患側から行う．片麻痺患者でも手すりなどの設定に問題がなければ同様である．

脊髄損傷対麻痺患者は，両杖歩行では振り出しは体幹の過伸展を伴うため，階段昇降時に前向きに昇降することは恐怖感を感じ困難である場合が多い．

● 越智隆弘ほか編．整形外科外来シリーズ7．リハビリテーション外来．メジカルビュー社，1998：103．

問 7-2-2

| 正解 a，b，c 歩行補助杖 |

杖は健側に使用するのが原則である．この場合，梃子の原理で冠状面における股関節外転モーメントを減弱させ，その結果，股関節に加わる荷重を大きく減弱させることができる．

長さの基準は，先端が足部の15 cm前方，15 cm外側で着地し，肩関節中間位で，肘関節を30°屈曲した状態で，自然にグリップを把持できる位置となる．

関節リウマチで手指など上肢の障害がある場合，杖の使用が困難となり，アンダーアームクラッチなどが適応となることがある．

身体障害者手帳による障害者総合支援法の対象となるが，松葉杖，多点杖など一部の杖に限られる．

● 千野直一編．現代リハビリテーション医学．第3版．金原出版，2009：332-335．

問 7-2-3

| 正解 a 体幹装具 |

胸腰椎移行部の骨折に対し，金属やプラスチックによる3点支持式過伸展装具（Jewett型）が用いられる．

Knight型装具は腰仙部に椅子の背もたれのような形で，金属，またはプラスチック製の枠組みをフィットさせ，腹部を布製キャンバスでおおうようにした装具で，一般的に下位腰椎の可動制限ができる．

Milwaukee型装具とBoston型装具は側弯症矯正装具である．

Williams型装具は腰部脊柱管狭窄症に使用される．

● 日本義肢装具学会監．装具学．第4版．医歯薬出版，2013：117-147．
● 日本整形外科学会ほか監．義肢装具のチェックポイント．第8版．医学書院，2014：240-253．

問 7-2-4

| 正解 e 頚椎装具 |

ヘイロー装具は側屈，前後屈，回旋を制御できるが，頚椎カラーでは回旋に対する抵抗力はほとんどない．

SOMI装具（sterno-occipital mandibular immobilizer brace）は前方では顎を下から支

え，後方は後頭骨を受けて，支柱によって胸郭とつないだものである．完全に制動しようとすると開口できなくなるので余裕をもたせる．

Philadelphiaカラーにはポリエチレンフォームであるプラスタゾートが使用され，頚椎固定性は頚椎カラーより高い．

- 日本整形外科学会ほか監．義肢装具のチェックポイント．第8版．医学書院，2014：250-251．

問7-2-5

| 正解　b，c　　長下肢装具 |

外側支柱の上端は大転子より2～3 cm下，内側支柱の上端は会陰部より2～3 cm下である．

カフ（半月）は大腿近位部と遠位部，下腿近位部（膝継手から大腿遠位部と等距離）の3カ所に付ける．

膝継手は大腿骨顆部のもっとも幅の広いところで，前後径中央と後1/3の間で床面に平行にかつ進行方向に直行させる．

足関節の機能軸は内果の下端と外果の下端を結ぶ線で，これは脛骨長軸と約80°傾斜している．しかしながら，下肢装具の足継手は，内果の下端と外果の中央を結ぶ線の高さに設定される．

膝屈曲拘縮に対しては，両側金属支柱付きの膝装具でダイヤルロック式膝継手が用いられる．矯正力を強めるには，さらに膝当てを用いる．

- 日本整形外科学会ほか監．義肢装具のチェックポイント．第8版．医学書院，2014：228-239．
- 川村次郎ほか編．義肢装具学．第4版．医学書院，2009：217-226．

問7-2-6

| 正解　c　　靴型装具 |

a．○　靴を水平に置いたとき，床面と靴前部底面とのなす角度をトウスプリング（爪先上がり：図1）といい，歩行時の踏み返しに影響を与える．

b．○　高い踵の靴を履けば，矢状面における重心補正のために，歩行時には膝・股関節の屈曲増強がみられる．

c．×　ふまずしん（シャンク：図2）は，靴の中心線と第5中足骨間にあり，外側縦アーチの支持の役目を果たしている．

d．○　中足パッドは横アーチの支えであり，これを用いることにより中足骨頭部への荷重を分散させることができる．

問7-2-6／図1　トウスプリング
（松崎昭夫編．新図説臨床整形外科講座9巻．下腿・足．メジカルビュー社，1994：255より引用）

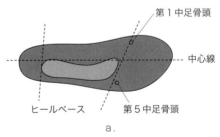

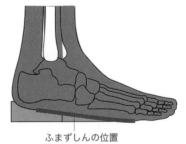

問7-2-6／図2　ふまずしんの位置
（川村次郎編．義肢装具学．第2版．医学書院，2001：256より引用）

e．○　足関節可動域の減少例や前足部障害に起因する荷重時疼痛例では踏み返しが十分にできず，歩行障害を倍加する．この際には，靴底に舟状底(rocker sole)を付けることにより歩行を容易にする．

- 日本義肢装具学会監．装具学．第4版．医歯薬出版，2013：17-47．
- 日本整形外科学会ほか監．義肢装具のチェックポイント．第8版．医学書院，2014：234-236．

問 7-2-7

| 正解 | a | 車椅子 |

a．×　普通型車椅子は後輪に大車輪(18 inch 以上)，前輪に自在輪(キャスター)の付いたもので，これが逆に付いたものは前方大車輪型(トラベラー型)といわれる．トラベラー型は敏速に行動することができない反面，だれでも練習なしで乗ることができるので高齢者に向いている．

b．○　片手駆動型車椅子は片側にハンドリムが二重に付いたもので，同時に操作すると直進する．片麻痺患者に処方されることがあるが，操作は複雑で，普通型を健側の片手片足で操作することのほうが多い．

c．○　リクライニング式車椅子は背もたれの角度を変えることにより，起立性低血圧のため長時間の坐位が困難な障害者に処方される．

d．○　介助用車椅子は，普通型車椅子でハンドリムのない中径車輪(12 inch 以上，18 inch 未満)以上のもの(手押し型A)と，すべての車輪が小車輪(12 inch 未満)でバギータイプといわれるもの(手押し型B)に分けられる．

e．○　リフト式車椅子は，座席の高さを変えることができるもので，移乗時や作業時に座面高を変える必要がある場合に処方される．

- 日本整形外科学会ほか監．義肢装具のチェックポイント．第8版．医学書院，2014：314-341．
- 川村次郎ほか編．義肢装具学．第4版．医学書院，2009：360-374．

問 7-2-8

| 正解 | c | 車椅子 |

a．×　座幅は殿部幅に2.5～3 cm加えた値とされ，利用者を車椅子に座らせて両サイドに手掌が縦に入る程度の幅とする．

b．×　フットレストの高さは床面または地面から5 cmは確保し，フットレスト下端が敷居や出っ張った石に当たらないようにする．

c．○　座長は殿部から膝窩までの距離より5 cm減じた値とされ，膝窩部とシート先端との間に2.5～5 cmの余裕を持たせる．

d．×　背もたれの高さは腋窩より5～10 cm低くする．

e．×　前座高は利用するクッションの厚さにも影響されるが，下肢で操作する場合には下腿長＋0～2 cm，上肢のみで操作する場合には，床面から最低5 cmのフットレストの高さを考慮して，下腿長＋5～8 cmとされている．

- 日本整形外科学会ほか監．義肢装具のチェックポイント．第8版．医学書院，2014：314-341．
- 川村次郎ほか編．義肢装具学．第4版．医学書院，2009：360-374．

問 7-2-9

| 正解 | b, d | 電動車椅子 |

簡易型電動車椅子は手動普通型車椅子のフレームに電動ユニットを取り付けたもので，普通型電動車椅子に比べて外観もコンパクトで軽量である．

電動車椅子の最高速度は，成人の速歩きの速度である6 km/時以下とされ，これにちなみ，道路交通法でも歩行者とみなされる．

最高速度としては4.5 km/時のものと6 km/

時のものがある．

簡易型電動車椅子は，患者状況によっては，介護保険制度でのレンタルが可能である．

障害者総合支援法では，耐用年数は6年と定められている．

- 日本整形外科学会ほか監．義肢装具のチェックポイント．第8版．医学書院，2014：314-341．
- 補装具の種目，受託報酬の額等に関する基準．平成16年10月29日改正，厚生労働省告示．
- 鈴木宏康．電動車いす・電動三輪車（四輪者）の開発と安全性．日義肢装具会誌 2002；18：293-300．

問 7-2-10

| 正解 d 脳性麻痺，装具療法 |

装具は，変形予防や矯正位保持，支持性の付加，不随意運動を抑える，などの目的に用いる．

脳性麻痺の反張膝変形は，痙性尖足があるために二次的に生じることが多い．

膝の支持性が良好な場合，足関節底屈制限を加え踵を高めにした短下肢装具が効果的である．

外反扁平足では，尖足を放置して起立・歩行をさせていると前足部への荷重負荷により生じ，さらに進むと舟底足変形となる．内側長軸アーチを支える足底挿板とThomas踵が適応になる．

- 小池文英編．リハビリテーション医学全書15巻．脳性麻痺・その他の肢体不自由．医歯薬出版，1974：262-267．
- 加倉井周一ほか編．新編装具治療マニュアル．医歯薬出版，2000：27-29, 237．

問 7-2-11

| 正解 e 対麻痺 |

車椅子を移動手段として社会参加している対麻痺者では，駆動輪が後方にある普通型車椅子を用いる．

四肢麻痺と違い，手の麻痺はないので，ハンドリムにゴムを巻く必要はない．

通常の体格では駆動輪に24 inch（約60 cm）程度を処方することが多く，車載などの特別な目的で駆動輪を小さくすることはあるが，駆動性能が悪くなる．

座幅は狭いほうが駆動しやすいが，大転子部の皮膚損傷を避けるために，大転子の外側に2.5〜3 cmの余裕をとることが多い．

障害者総合支援法による処方や，労災保険における社会復帰促進等事業で支給対象となる．

- 日本整形外科学会ほか監．義肢装具のチェックポイント．第8版．医学書院，2014：314-341．

問 7-2-12

| 正解 a, b 手・手関節装具 |

上肢装具の望まれる条件は以下の通りである．① 簡単な構造で軽量，② 目立たず，かさばらない，外観がよい ③ 着脱が容易，装着感がよい，④ 破損しにくく，修理・調整しやすい，⑤ 装着部位以外の機能を制限しない，⑥ 清潔を保ちやすい材質，⑦ 経済的負担が少ない．

手・手関節装具では以下の通りである．① 母指の対立位保持ができること，② 母指の外転運動ができること，③ 手掌の知覚機能を利用するためできるだけ手掌をおおわないこと，④ 手関節を背屈25〜30°の機能的肢位に保持すること，などがある．

- 標準整形外科学．第14版．918-919．
- 日本整形外科学会ほか監．義肢装具のチェックポイント．第8版．医学書院，2014：192-193．

問 7-2-13

| 正解 c, d, e 装具 |

a．× 坐骨支持式免荷装具は大腿骨骨折などで下肢免荷が必要な際に用いる装具である．

b．× Perthes 病に対しては，股関節外転位で歩行できる Perthes 病用装具などが用いられる．Riemenbügel 装具は発育性股関節形成不全に用いられる装具である．

c．○ Patellar tendon bearing（PTB）装具は，下腿骨折などの免荷に用いられる装具である．

d．○ シューホーン型装具は下垂足や尖足，足関節不安定症に用いられる装具である．

e．○ Denis Browne 副子は，先天性内反足に用いられる装具である．

注）坐骨支持式免荷装具および PTB 装具を骨折後に処方する際，免荷を十分に行う必要がある場合はパッテン底を用いて，足部が完全に浮く状態で作製する．

- 日本整形外科学会ほか監．義肢装具のチェックポイント．第8版．医学書院，2014：231-232.
- 標準整形外科学．第14版．609-610，615-616，698，921.

問 7-2-14

| 正解 | c, e | 装具療法 |

a．× 外反母趾では，外反母趾装具や足底装具が適応となるが，短下肢装具は，足関節と足に対する ① 変形の矯正 ② 変形の予防 ③ 病的組織の保護 ④ 失われた機能の補助のために使用する．

b．× balanced forearm orthosis（BFO）は，頸髄損傷などによる上肢麻痺で上肢の挙上位保持ができない場合に処方する．

c．○ 人工関節置換術後脱臼防止目的に股関節外転装具を用いることがある．

d．× 橈骨神経麻痺による下垂手に処方する．

e．○ 長下肢装具は，膝関節と足関節の制動が可能であり，膝関節のコントロールができない主に急性期の脳卒中による下肢麻痺例で用いられる．

- 標準整形外科学．第14版．177-179，918-922.
- 日本整形外科学会ほか監．義肢装具のチェックポイント．第8版．医学書院，2014：222.

問 7-2-15

| 正解 | c, e | 装具療法 |

a．× クレンザック継手は足関節の継手に用いられる．

b．× Boston 型装具は側弯症の保存療法に処方される．

c．○ ナックルベンダとは knuckle（指関節）を曲げる，MP 関節を屈曲するために用いる．

d．× functional brace は骨幹部の骨折の治療に用いられる．骨折部をプラスチックで包み込み，周囲から軟部組織を圧迫することにより骨折部を安定化するものである．

e．○ Denis Browne 副子は内反足の矯正位保持を目的に処方される．両足につけたバーにより，膝関節を動かすことで足には矯正力が働く．

- 標準整形外科学．第14版．178-179，549，698，919.

問 7-2-16

| 正解 | a, c, d | 神経麻痺，装具 |

橈骨神経麻痺による下垂手には手関節装具（カックアップスプリント）を用いる．手関節を背屈 25～30°の機能的肢位に保持する．

短対立装具は，母指を対立位にするための装具である．麻痺手に対して，つまみ動作や握り動作を可能にするために使用する．

短下肢装具には，プラスチック製のシューホーン型やより固定力の強い金属支柱付きがある．腓骨神経麻痺などに伴う下垂足には，シューホーン型装具等の短下肢装具が用いられ

ることが多い.

脳性麻痺に伴う痙直型麻痺例や脳卒中後の片麻痺例のような強い痙縮のある症例では，金属支柱付き短下肢装具が選択される．
- 標準整形外科学. 第14版. 917-918, 920-921.

問 7-3-1

| 正解 | e | 切断手技 |

皮膚切開は魚口状皮切(fishmouth incision)が用いられることが多い.

下肢切断で循環障害があると後方皮膚弁延長法が用いられることが多い.

筋断端同士の縫合は筋形成術(myoplasty)と呼ばれ，骨断端部に穿孔を作製して筋断端を縫着する方法は筋固定術(myodesis)である．筋断端の処置を行わないと切断端に骨断端部が直接接触するために疼痛の原因となりやすく，また筋緊張が不良となり義肢のコントロールが困難になる．
- 標準整形外科学. 第14版. 196.

問 7-3-2

| 正解 | a, e | 切断手技 |

a．○ 通常は前後等長皮弁でよいが，血行障害がある場合や下腿では，後方筋・皮弁の血流が良好なため長後方皮弁を用いることが多い．外傷では断端長を確保するために皮膚瘢痕の位置にはこだわらない．

b．× 主要な動静脈は分離して二重結紮を行う．

c．× 神経腫の発生を防ぐために，軽く遠位に引っぱり，骨端部より約 3 cm 近位で結紮し遠位部を鋭利なメスで切断する．

d．× 骨端は鋭利とならないよう整形し，骨膜は断端高位で切離するが，骨端部をおおうよう縫合することもある．

e．○ 筋縫合には筋形成術，筋固定術があるが，適度の緊張で切断端をおおうよう縫合するのが原則である．
- 川村次郎編. 義肢装具学. 第4版. 医学書院, 2009：24-41.

問 7-3-3

| 正解 | a | 切断手技，術後管理 |

soft dressing 法では遠位から近位に向けて包帯固定を行う．

rigid dressing 法では soft dressing 法より浮腫や出血が生じにくく，不良肢位や幻肢痛の出現頻度が低いといわれるが，実際に行っている医療機関は多くない．

下腿切断では膝伸展位で固定し，大腿切断では患肢を中間位に保持する．

前腕切断では肘関節屈曲 90°に固定し，上腕切断では患肢を中間位に保持する．

semi-rigid dressing 法では弾力性のある材料や透明なエアバッグで断端を包み込む．創の観察が可能で出血や浮腫が生じにくい．
- 標準整形外科学. 第14版. 196-197.

問 7-3-4

| 正解 | b, e | 足部切断 |

a．× Syme 切断では踵の厚い皮膚が残るので，義足なしでも歩行は可能である．

b．○ Syme 切断は，断端末端部が膨隆し，足首の部分(球根部)が太く，外観が悪いため女性には慎重に行うべきである．

c．× Chopart 関節離断では尖足変形に内反

変形が加わったものが多く認められる.

d．× 中足骨切断では前足部が短くなるので, そのままでは踏ん張りや蹴り出しが不十分となる.

e．○ 厚い足底皮弁を長く残して縫合するのが, 足部切断では原則である.

- 日本整形外科学会ほか監. 義肢装具のチェックポイント. 第8版. 医学書院, 2014：179-180.
- 川村次郎ほか編. 義肢装具学. 第4版. 医学書院, 2009：176-188.
- 澤村誠志. 切断と義肢. 医歯薬出版, 2007：37-39, 378-381.

問 7-3-5

| 正解　b, c, e　　大腿義足 |

初期屈曲角は股関節伸展筋, 初期内転角は股関節外転筋の効率をよくする.

ソケットの不適合や, ソケットの初期内転角の不足, 股関節の外転筋力の低下などがあると骨盤を水平に保つことが困難になり, 体幹の側屈を生じる.

ソケットの初期屈曲角の不足は, 腰椎前弯の増強, 膝折れの原因となる.

体幹の側屈は, 立脚中期に体幹を義足側に屈曲させる現象である. 義足が短すぎるときは, 体重心の低下とともに体幹の側屈を生じる.

- 川村次郎ほか編. 義肢装具学. 第4版. 医学書院, 2009：135-156.
- 澤村誠志. 切断と義肢. 医歯薬出版, 2007：303-307.

問 7-3-6

| 正解　c　　大腿義足 |

大腿義足のアライメントで重要なのは, T（大転子）, K（膝）, A（足）を結んだ線（TKA 線）である.

ソケット外壁から大腿骨側方へ圧迫力を加え, 断端を内転位に保持するため初期内転角をつける.

- 日本整形外科学会ほか監. 義肢装具のチェックポイント. 第8版. 医学書院, 2014：129-149.
- 川村次郎ほか編. 義肢装具学. 第4版. 医学書院, 2009：148-153.
- 澤村誠志. 切断と義肢. 医歯薬出版, 2007：296-305.

問 7-3-7

| 正解　c, d, e　　大腿義足 |

大腿義足の膝折れとは, 義足側の立脚相に膝継手の屈曲が起こり転倒する現象である. 義足を装着させて外側からみた大転子(T)-膝(K)-足関節(A)を TKA 線というが, K（膝）の位置が TKA 線よりも前方にあれば膝が不安定となり転倒しやすくなる.

膝継手軸は前方すぎる場合に膝折れが生じる.

股関節の伸筋の筋力が低下していて, 随意的に膝折れを防げない場合や, ソケットの初期屈曲角が不足していて股関節の伸筋を十分に働かせられない場合に生じる.

また足継手の後方バンパーが硬すぎる場合も, 踵接地時に膝折れを生じやすい.

膝継手の遊脚相制御は膝折れとは直接の関係はない.

- 川村次郎ほか編. 義肢装具学. 第4版. 医学書院, 2009：135-156.
- 日本整形外科学会ほか監. 義肢装具のチェックポイント. 第8版. 医学書院, 2014：129-149.
- 澤村誠志. 切断と義肢. 医歯薬出版, 2007：300-303.

問 7-3-8

| 正解　a, b, c　　義肢ソケット |

各切断・離断につき, 汎用されるソケットがおおよそ決まっているが, 新たなソケットの使

用も始まっている．

　片側骨盤切除では一般に第10肋骨まで延長したソケットを用いる．しかし，ソケットが深くなると体幹の前屈を制限するなど注意が必要である．

　大腿義足用ソケットは，従来から四辺形をした坐骨結節支持型の他に，坐骨収納型が使われている．

　下腿義足用ソケットは，PTB(patellar tendon bearing)，PTS(prothèse tibiale supracondylienne)，KBM(Kondylen Bettung Münster)が使用されているが，もっとも使われているのはTSB(total surface bearing)であり，ソフトライナーを使う二重ソケットが一般的である．

　差し込みソケットは，吸着式ソケットと異なり，自己懸垂作用がないため，懸垂装置をつける必要がある．

　四辺形ソケットでは，坐骨収納型ソケットと異なり，大腿骨がソケット内で外転しやすい．

- 日本整形外科学会ほか監．義肢装具のチェックポイント．第8版．医学書院，2014：120，129-132，150-154．
- 川村次郎ほか編．義肢装具学．第4版．医学書院，2009：136-143．

問 7-3-9

| 正解　c　　PTB(patellar tendon bearing)義足 |

a．○　長さの適否は左右の腸骨稜の高さを比較してみる．

b．○　足部の踵クッションが硬すぎると，踵接地期に外旋や膝折れを起こす．

c．×　膝折れは，初期屈曲角が過度の場合に生じる．不足した場合は膝過伸展が起こる．

d．○　ソケットの初期内転角が不足すると，ソケット内壁の圧迫を起こし下腿軸は外方傾斜する．

e．○　PTB義足では，60°以上屈曲すると膝カフは弛む必要がある．

- 川村次郎ほか編．義肢装具学．第4版．医学書院，2009：120-133．
- 日本整形外科学会ほか監．義肢装具のチェックポイント．第8版．医学書院，2014：150-169．
- 澤村誠志．切断と義肢．医歯薬出版，2007：338-343．

問 7-3-10

| 正解　b，e　　切断後患肢機能 |

　下腿切断術後には膝関節屈曲拘縮をきたしやすい．手術時に，断端被覆のため下腿三頭筋が遠位に牽引され緊張が高まることも原因の1つである．術後に膝下に枕を置かないなどの工夫が必要である．

　大腿切断術後には，股関節は屈曲拘縮，短断端例では外転拘縮をきたしやすい．下肢自重の消失による屈曲拘縮のリスク，短断端症例では，内転筋付着部が切離されることによる外転拘縮のリスクがある．早期からの腹臥位訓練が有効である．

　足関節より遠位の切断では，Lisfranc関節離断では足部の尖足変形，Chopart関節離断では内反・尖足変形をきたしやすい．

　前腕切断の際にレバーアーム(断端長)が長いほど回内外動作の力学的高率がよく機能的になる．

　手指切断の際，第2中手骨を温存すると中手骨骨頭の突出により母指と中指によるつまみ動作の妨げになり，手機能の損失につながる可能性がある．

- 標準整形外科学．第14版．196-197．

問 7-3-11

正解　b, e　　切断

　幻肢痛は上肢に多い．
　切断術の際，愛護的に神経を引き出して鋭的に切り，断端を近位に後退，埋没させるようにする．
　Syme切断は足関節の関節面の高さで切断し，機能的には良好といわれているが，外観の問題から女性には不適当とされている．
　義肢装着訓練が進み，日常的に装着できるようになると幻肢痛は消失していくことが多いが，薬剤療法や心理療法も重要である．
　Lisfranc切断では，尖足変形をきたしやすい．
　●標準整形外科学．第14版．196-197．

問 7-4-1

正解　a, c　　頚髄損傷

　頚髄の損傷により交感神経に対する支配が絶たれ，胸部および腹部内臓器は迷走神経支配優位になる．このため気道粘膜は充血し，炎症を起こしやすくなる．
　また気道分泌物の産生が旺盛となるが，腹筋，内肋間筋などの呼息筋のほとんどが麻痺するため，分泌物の喀出ができなくなる．したがって，頚髄損傷の急性期に気道感染症が起こると重篤化しやすい．
　●神奈川リハビリテーション病院脊髄損傷マニュアル編集委員会編．脊髄損傷マニュアル．第2版．医学書院．1996：14．

問 7-4-2

正解　a, c, d　　脊髄損傷

　脊髄損傷に伴う随伴症として，麻痺域の大関節に異所性骨化が生じ，関節拘縮をもたらし，リハビリテーションや日常生活上の障害となる．
　一方で，麻痺域では不動化や神経支配の欠如などで骨萎縮が起きて，長管骨の病的骨折を生じることがある．
　他動的に筋の伸長を行ったときに筋の抵抗が増す状態を痙縮という．
　著しい痙縮が長期間継続すると不良肢位での関節拘縮が進行し，さらに体幹のバランス保持にも障害が起きる．
　女性の性機能はホルモン依存性であり，脊髄損傷であっても妊娠に関しては問題がない．ただし，出産時には自律神経過反射の発生の可能性があり，適切な時期に帝王切開などを行う．
　●越智隆弘ほか編．NEW MOOK 整形外科．No.4．脊椎・脊髄損傷．金原出版，1999：52-61．
　●上田敏ほか編．標準リハビリテーション医学．第2版．医学書院，2000：334-375．

問 7-4-3

正解　a, d, e　　脊髄損傷，自律神経過反射

　脊髄損傷では，腹腔臓器などからの刺激に対する自律神経中枢からの抑制が不可能で，各神経節での交感神経反射が刺激され，血管が収縮して血圧が上昇する．特にT5髄節高位以上の脊髄損傷者では重大な反射亢進が生じ，これを自律神経過反射と呼ぶ．
　血圧上昇は圧受容器を介して脳幹の副交感神経が賦活され，非麻痺域の血管が拡張して頭痛・顔面紅潮・発汗・悪心・徐脈などをきたす．
　誘因としては，膀胱拡張やカテーテル交換などの導尿操作による膀胱刺激，便秘や浣腸など

の直腸刺激，妊娠や分娩などの子宮刺激が多い．

発症時には衣服をゆるめたり，カテーテルトラブルがないかなどの確認を必要とする．

- 井形高明ほか．脊椎脊髄損傷の治療．現代医療社，1996：345-346．
- 武田功編．脊髄損傷の理学療法．第2版．医歯薬出版，2006：42-45．

問 7-4-4

| 正解 | e | 神経因性膀胱 |

脊髄損傷の急性期には利尿筋の収縮反射は消失し，膀胱内の尿は貯留し続け，膀胱は過伸展し，完全尿閉となる．

回復期（受傷後1〜4週）になると利尿筋に収縮運動がみられるようになる．この時期には，膀胱内圧測定や氷水テストをときどき行って排尿筋の収縮がみられれば，カテーテルを抜去して積極的に排尿訓練（手圧）を行う．

慢性期（受傷後2〜6カ月）の核上型膀胱では皮膚-膀胱反射を利用（下腹部を叩打）して排尿を促す．

核・核下型膀胱では手圧・腹圧を加えて排尿が行われていたが，血圧上昇や膀胱への過度の負担から腎機能障害などの合併症が生じるため禁忌である．

不随意性の膀胱反射収縮や外尿道括約筋の痙攣のため排尿困難な例では，α遮断薬の投与や括約筋切開術などによってできるだけカテーテル留置を避けるようにする．長期カテーテル留置は膀胱・尿道のびらんをきたし，麻痺膀胱では難治性の感染源となる．

- 服部奨編．新臨床整形外科全書4巻B．脊椎（頚椎）．金原出版，1982：112-114．
- 武田功編．脊髄損傷の理学療法．第2版．医歯薬出版，2006：153-161．

問 7-4-5

| 正解 | b | 脊髄損傷，頚髄損傷 |

頭側の脊髄損傷では交感神経は遮断されるが，迷走神経（副交感神経）は遮断を免れ，相対的に副交感神経優位の状態に陥る．この結果，徐脈と血管緊張低下による低血圧をきたす．仙髄の副交感神経も脳から遮断され，胃腸管の蠕動運動が障害される．横隔神経は主としてC4神経に由来する．

頻度の高い下位頚髄損傷では横隔膜は損傷から免れているが，肋間筋と腹筋の麻痺により換気率は低下し，奇異性呼吸（吸気時に胸郭はしぼみ腹部は膨れる）を呈する．

膀胱と尿道の括約筋は仙髄を反射中枢としており，脊髄が損傷されると脳との神経伝導路が遮断され，急性期において膀胱は弛緩性麻痺をきたし尿閉となる．

- 越智隆弘ほか編．NEW MOOK 整形外科．No.4．脊椎・脊髄損傷．金原出版，1999：43-51．
- 荻原新八郎訳．四肢麻痺と対麻痺．第2版．医学書院，1999：6-25．

問 7-4-6

| 正解 | a, e | 高位頚髄損傷 |

C7完全損傷患者では，手指の伸筋は機能するが，屈筋や骨間筋は機能しない．

- 神中整形外科学．改訂23版．下巻．252-254．

問 7-4-7

| 正解 | b | 脊髄損傷の合併症 |

麻痺域の大関節周囲（股関節，膝関節，肘関節，肩関節）の腱・靱帯・関節包・筋膜・筋肉に生じる異所性骨化は，完成すれば正常骨組織であり石灰沈着とは異なる．

T5より高位の脊髄損傷では，交感神経遮断

によって，起立による腹部臓器への大量の血液貯留と静脈潅流量の低下が生じ，脳血流の低下のため，眩暈・耳鳴・意識消失などの症状をきたす．

一方，腹腔臓器などからの刺激に対する自律神経中枢からの抑制が不可能で，各神経節での交感神経反射が刺激され，血管が収縮して血圧が上昇する．これを自律神経過反射という．

この誘因としては，膀胱拡張やカテーテル交換などの導尿操作による膀胱刺激，便秘や浣腸などの直腸刺激，妊娠や分娩などの子宮刺激が多い．

- 神中整形外科学．改訂23版．下巻．252-256．
- 二瓶隆一編．頚髄損傷のリハビリテーション．第2版．共同医書出版，2006：83-98．

問 7-4-8

| 正解 d 頚髄損傷，反射 |

自律神経機能障害のため損傷高位以下の発汗は停止する．

頚髄損傷では，骨盤神経核より上位の障害のため核上障害となり，排尿筋反射弓は保たれている．

脊髄ショックから回復すると損傷部位より下位の反射は亢進し，球海綿体反射がみられる．

錐体路の障害側では腹壁反射は消失する．

- 神中整形外科学．改訂23版．下巻．253-254．

問 7-4-9

| 正解 c リハビリテーション評価（法） |

Brunnstrom ステージ分類は脳卒中片麻痺，粗大運動能力尺度は脳性麻痺で用いられ，SF-36はQOL，FIM(functional independence measure)はADLの評価に使用される．

ASIAはAmerican Spinal Injury Associationの略であり，ASIA impairment scaleは脊髄損傷の機能評価に用いられる．日本では現在Frankelの分類に変わってASIAによる評価法が用いられている．

- 神中整形外科学．第23版．上巻．908-914．
- 米本恭三監．リハビリテーション医学．第2版．医歯薬出版，2005：240．
- 標準整形外科学．第14版．401-403，843，907，909．

問 7-4-10

| 正解 d, e 歩行 |

歩行周期は，踵接地から同側下肢が再び踵接地するまでの時間で，遊脚期時間と立脚期時間の和になる．

歩調(cadence)は，1分間あたりの歩数と定義されている．

一定時間に歩いた距離は歩行速度である．

- 土屋和夫監．臨床歩行分析入門．医歯薬出版，1989：11-12．
- 標準整形外科学．第14版．905-906．

関係法規・産業医・医療安全

8 関係法規・産業医・医療安全

Q ▶ p. 240-248

問 8-1

正解　c, d, e　　行政処分

医師法第4条には，次の(1)～(4)のいずれかに該当する者には，免許を与えないことがある，と記載されている．
1) 心身の障害により医師の業務を適正に行うことができない者として厚生労働省令で定めるもの
2) 麻薬，大麻又はあへんの中毒者
3) 罰金以上の刑に処せられた者
4) 前号に該当する者を除くほか，医事に関し犯罪または不正の行為のあった者

医師が医師法第4条に抵触したとき，および医師としての品位を損するような行為があったときには責任を問われる(医師法第7条第1項)．

医道審議会は刑事裁判の判決に関係なく処分ができる．

さらに「厚生労働大臣は，前三項に規定する処分をなすに当っては，あらかじめ，医道審議会の意見を聴かなければならない」とされている(医師法第7条第4項)．

行政処分では罰金刑はないが，医師免許の取り消しや期間を定めての医業の停止処分がなされる．

なお「医師としての品位を損するような行為」とは，強制わいせつ，道路交通法違反，覚せい剤・麻薬取締法違反なども含まれる．

- 医師法.
- 畔柳達雄ほか．わかりやすい医療裁判処方箋．判例タイムズ社，2004：18-21.
- 目澤朗憲．東京都医師会誌 2004；57：897-898.

問 8-2

正解　a, d　　医療従事者，医療業務

医師，歯科医師，診療放射線技師でなければ放射線業務をしてはならない(診療放射線技師法第24条)．

保健師は，傷病者に対する療養上の世話および診療の補助ができる(保健師助産師看護師法第31条第2項)．

保険医は，処方箋の交付に関し，特定の保険薬局において調剤を受けるべき旨の指示等を行ってはならない(保険医療機関及び保険医療養担当規則第2条の5)．

医師は患者または現に看護にあたっている者から薬剤の交付を希望された場合，自己の処方箋により自ら調剤することができる．

また，保険医療機関は，担当した療養の給付に関わる患者の疾病または負傷に関し，他の医療機関から照会があった場合，適切に対応しなければならない(保険医療機関及び保険医療養担当規則第2条の2)．

- 診療放射線技師法.
- 保健師助産師看護師法.

問 8-3

| 正解　e　　医師法，死体検案 |

医師法第24条では，医師は，診療をしたときは，遅滞なく診療に関する事項を診療録に記載しなければならないと規定されている．

医師法第23条では，診察を行ったときは，本人あるいは保護者に対して，療養の方法やその他の保健向上に必要な指導を行わなければいけないと規定されている．

医師法第21条では，死体または妊娠4カ月以上の死産児を検案して異状があると認めたときは，24時間以内に所轄の警察署に届け出ると規定されている．

● 医療六法．

問 8-4

| 正解　c　　X線撮影，安全管理，被曝 |

電離放射線障害防止規則第56条では，X線被曝の健康診断は6カ月毎に行うと規定されているが，医師が必要ではないと認めた場合には，c以外のすべて，または一部を省略できると規定されている．

● 福士政広ほか．放射線管理学入門．医療科学社，2002．

問 8-5

| 正解　c, e　　医師法 |

臨床研修(いわゆる初期研修)は医師法で規定されている(16条の2第1項)．

医師以外の医業は禁じられている(17条)．

死体検案を代理で書くことはできない(20条)．

医師免許の取り消しは医道審議会の意見を聞いて厚生労働大臣が行う(7条)．

医籍の回復は可能であるが，再教育研修を必要とする(7条)．

● 医師法．

問 8-6

| 正解　b, c, d　　医師の法的義務，医師業務の代行 |

近年，医師の業務は厳しい勤務環境に置かれているが，その要因の1つとして医師以外でも対応可能な業務までも医師が行っている現状がある．そこで以下のように医師でなくとも対応可能な業務を整理した．

医師の最終的な責任のもと，事務職員による① 診断書，診療録，処方箋の作成，② 主治医意見書の作成，③ 診察や検査の予約は代行が可能である．

同様に看護師などによる① 薬剤の投与量の調節，② 静脈注射，③ 患者家族への説明なども診療の補助の範疇に属するものとして取り扱うことが可能である．

● 医師及び医療関係職と事務職員等との間での役割分担の推進について．厚生労働省，医政発第12228001号．2007年12月28日．

問 8-7

| 正解　a　　診療録の記載項目 |

処方箋の発行年月日は，薬剤師法で薬剤師が調剤録に記載すべき事項として定められている．

患者の住所・氏名・性別・年齢・病名，および主要症状，治療方法(処方および処置)，診療年月日は，診療録に記載すべき事項として，医師法施行規則第23条に定められている．

● 医師法施行規則．

問 8-8

正解　b　　診療記録，保存期間

　保険医療機関及び保険医療養担当規則第9条で，保険医療機関は，療養の給付（治療費）の担当に関する帳簿及び書類その他の記録（処方箋，X線写真，手術記録等）をその完結の日から3年間保存しなければならない．

　ただし，患者の診療録にあっては，その完結の日から5年間とすると定められている．

- 保険医療機関及び保険医療養担当規則．
- 医科点数表の解釈（平成22年4月版）．社会保険研究所，2010：875-878．

問 8-9

正解　c，e　　診療録，電子カルテ

　医師法24条第1項には「医師は，診察をしたときは，遅滞なく診療に関する事項を診療録に記載しなければならない」第2項では「管理者は診療録を5年間保存しなければならない」とされる．

　診療録は，「診療録」と表題がつけられていなくとも，内容が診察所見，投薬注射，処置内容など特定の患者に対する具体的な記載がなされていれば診療録である．X線写真や諸検査記録も広義の診療録の一部であるが，この保存期間は保険診療の場合3年間である（保険医療機関及び保険医療養担当規則9条）．

　保存期間の起算日は初診日からではなく治療終了日からとされる．

　医療裁判においては，診療録は作成・保存が法的に義務づけられており，虚偽内容の記載は刑事上の制裁を受けるもので証拠価値は非常に高い．

- 医師法（1948年，法201号）．
- 金川琢雄．実践 医事法学．金原出版，2002：37-39．
- 畔柳達夫ほか．わかりやすい医療裁判の処方箋．判例タイムズ社，2004：114-135．
- 厚生省．保発第82号．1999年4月22日．

問 8-10

正解　b，c，d　　医事訴訟，鑑定

　医事訴訟では鑑定人が直接法廷で意見を述べる口頭鑑定という方法も認められている．

　診療録は証拠能力が高い．

　鑑定は裁判官の判断能力の補充に資するものであり，裁判官の判断能力の補充のためのものではない．つまり，裁判において鑑定はあくまでも1つの証拠であり，鑑定結果が裁判官の判断を拘束するものではない．

　刑事訴訟と民事訴訟はまったく異なるものであり，鑑定においても基準は異なるものである．鑑定については公正中立の意識に従い，学術的，客観的な立場で行われていることが求められている．

- 稲垣喬．医事訴訟入門．有斐閣，2003：139-143．

問 8-11

正解　e　　医療事故，過失，裁判，損害賠償

　医療事故が発生し，紛争となった場合は，代理人に処理を依頼するのが，解決にとってもっとも有利な方法である．

　裁判所における紛争の解決手段としては，調停と裁判がある．

　原告（患者側），被告（医療側）とも調停を申し立てることができる．裁判で被告（医療側）が敗訴しても，必ずしも刑事上の過失傷害に問われることはない．民事裁判と刑事裁判は，まったく別の裁判であり，医療事故以外でも，民事裁判で敗訴しても刑事裁判では無罪となった判例もある．

しかし重大な過失とされる患者の取り違え，左右の間違い，異物の体内遺残，異型輸血，薬剤の誤投与，医療器具の明らかな不備や誤操作の場合は，民事裁判の結果に関係なく，業務上過失傷害あるいは致死に問われる．診療録の改竄や事実の隠蔽工作などを行うと，刑罰の程度は重くなるので，決して行ってはならない．損害賠償金の支払いについては，保険会社に相談なく支払うと，保険会社は支払いを拒否できるとの条件があるので，紛争になった場合はただちに保険会社にもその事実を連絡することを忘れてはならない．

● これからの医療訴訟．最高裁判所事務総局民事局，2002 年 6 月．

医療機関への責任追及は債務不履行と不法行為の両者が問われるが，勤務医に対しては不法行為に限られる．

故意または重大な過失，著しい反社会性がなければ刑事訴追を受けることは少ない．

民事裁判は原則として原告側の訴状提出で手続きが始まるが，医療機関側が債務不存在確認訴訟というものを起こすことによって始まることもゼロではない．

一般に，医学的知見には偏りがあるので，医療側も積極的に説明をすべきであるとされるが，そもそも裁判において主張・立証責任は患者側にある．

● 稲垣喬．医事訴訟入門．有斐閣，2003：14-47．

問 8-12

| 正解 | b | 医事調停 |

調停成立後の調停調書には裁判における判決同様，法的効力がある．

調停委員会（弁護士，医療有識者を含む）は担当の判事とともに，申立人（裁判の原告に相当）および相手方（被告に相当），あるいは双方の代理人とともに非公開形式で調停を進める．

医事調停委員の任命権者は最高裁判所である．

診療に関わる調停は，都道府県の地方裁判所に申し立てを行い（民事調停法第 2 条，第 4 条の 2），裁判所が調停委員会で調停を行う（同法第 5 条）．

● 民事調停参考資料．日本調停協会連合会，1995：751-760．

問 8-13

| 正解 | a, d | 医事訴訟 |

証拠保全（情報の収集）は患者側（代理人）の請求に基づき裁判所が決定する．

問 8-14

| 正解 | b, c, e | 和解，示談 |

示談は紛争状態にある当事者が相互に譲歩することにより，その紛争を解決する契約であり定まった形式の書面はない．

裁判上の和解では和解条項が記載された和解調書が作成される．

裁判所は，訴訟のどの段階でも裁判上の和解を試みることができる．

和解には裁判の時間的，経済的負担が軽減される．金銭支払い問題以外の要望などを和解内容に盛り込むことができるなどのメリットがある．示談後に後遺症が生じた場合，予見不能な将来的な後遺症が発生した場合であれば示談の効力は及ばない場合がある．一方，裁判上の和解は判決同様の効力をもつため，一度決まった和解調書の内容は基本的には後から変更できない．

和解には裁判所が関与する裁判上の和解と，裁判外の和解（示談）の 2 種類がある．示談は法律用語ではなく，裁判外の和解に該当する．

- 民法695条，民事訴訟法89条.
- 藤田裕監．患者・家族のための医療訴訟実践手続マニュアル．三修社，2008：76-91.
- 平沼直人．医療訴訟Q&A．労災保険情報センター，2013：139-140, 220-231.

問 8-15

| 正解　b | 保険診療，禁止事項 |

　医療機関及び保険医療養担当規則で，「施術の同意に関して，患者の疾病又は負傷が自己の専門外にわたるものであるという理由によって，みだりに，施術業者の施術を受けさせることに同意を与えてはならない」と規定されている．

　特殊療法等に関して，「特殊な療法又は新しい療法等については，厚生労働大臣の定めるもののほか行つてはならない」と規定されているが，治験に関しては，「厚生労働大臣の定める医薬品以外の薬物を患者に施用し，又は処方してはならない．ただし，治験に係る診療において，当該治験の対象とされる薬物を使用する場合その他厚生労働大臣が定める場合においては，この限りでない」と規定されている．

　診療の具体的方針について，「健康診断は，療養の給付の対象として行つてはならない．各種の検査は，研究の目的をもつて行つてはならない．ただし，治験に係る検査については，この限りでない．単なる疲労回復，正常分べん又は通院の不便等のための入院の指示は行わない」と規定されている．

- 医療機関及び保険医療養担当規則(厚生省令第15号).

問 8-16

| 正解　b | 老人介護，介護保険 |

　介護保険は2000年4月1日より実施されている．

　保健所は保健指導や健康相談などの業務を訪問指導を含めて行うが，訪問介護など介護の実際は行わない．

　老人介護支援センターは介護に関する相談を受けたり，アドバイスを行う．

　介護が必要な老人に対して，介護者の負担軽減などを考慮して，施設への短期入所(ショートステイ)が実施されている．要介護状態の人は在宅・施設いずれかのサービスが，要支援状態の人は在宅でのサービスのみが受けられる．

　介護老人保健施設では，病状が安定し，リハビリテーションを中心とする医療ケアと介護を必要とする場合に入所する．

- 介護保険制度Q&A．日医総研，2001：45, 110.

問 8-17

| 正解　c | 身体障害者，障害程度等級判定，脳性麻痺 |

　身体障害者診断書・意見書の作成に必要な知識である．

　脳性麻痺の場合には，その障害の特性を考慮し，上肢，下肢，体幹に分けた一般的認定方法によらず別途の方法により判定するのが原則である．

　肢体の疼痛または筋力低下等の障害も，筋力テスト，関節可動域の測定，画像所見，筋委縮など客観的根拠に基づき判定できれば機能障害として扱う．

　平成26年4月に認定基準が見直され，医療技術の進歩により，人工関節等の挿入後に日常生活に大きな支障がない方が多いため，従来は関節機能全廃としていた基準を，置換術後の機能障害に基づき判定することになった．

- 厚生労働省ガイドライン「身体障害者障害程度等級表の解説(身体障害認定基準)について」の一部改正

について．平成26年1月21日．障発0121第1号．
- 厚生労働省ガイドライン．身体障害者障害程度等級表の解説（身体障害認定基準）について．平成15年1月10日．障発第011001号．

問 8-18

| 正解　e　インフォームドコンセント（説明と同意） |

インフォームドコンセント（informed consent：IC）は「説明と同意」と訳されているが，正確には「説明を受け，これを理解・納得し，承諾する」医療における手続きをいう．

たとえば手術療法を選ぶか，保存療法を選ぶかという場合に，それぞれの治療法の利害損失（メリットとデメリット）について医師はそれぞれの方法について説明をし，患者側に理解を求め，どちらかの方法を選ぶか患者自身に判断をさせて決定させる（自己決定権を行使させる）ことをいう．

単に最高裁判の判決にあるような説明項目を列挙し，落ちのないように努めることにとどまらず，医師の意見を押し付ける（家長主義，paternalism）のではなく，患者をして治療方法を選ばせることを意味している．したがってこの患者の権利を侵害すれば不法行為となる．

- 畔柳達雄ほか．わかりやすい医療裁判処方箋．判例タイムズ社，2004．
- 山崎典郎．整形外科と医事紛争．金原出版，2003．

問 8-19

| 正解　a, e　インフォームドコンセント |

インフォームドコンセントは「説明と同意」と訳されている．説明と同意に関して，医療法第一条の四第2項に「医師，歯科医師，薬剤師，看護師その他の医療の担い手は，医療を提供するに当たり，適切な説明を行い，医療を受ける者の理解を得るよう努めなければならない」と定められている．

最高裁判所の判例でも，医師は十分な情報の提供と選択肢の提示を行い，患者が納得のうえで最終決定の主体となること，そして医師は患者の判断を手助けする補助的な役割と考えられるようになった．

情報提供に関しては予想されるあらゆることを含む．後に説明されていないトラブルが生じた場合，その責任を問われる可能性もある．

宗教上の輸血拒否患者については，患者の人格権が認められ，その意向を尊重しなければならない．しかしながら，自己決定が困難な未成年者の場合，医師と親との意見対立には裁判所の判断を仰がねばならない．

- 最高裁第3小法廷判決．2000年2月29日．
- 医師の職業倫理指針（第3版）．日本医師会，2016年10月．

問 8-20

| 正解　d　インフォームドコンセント |

インフォームドコンセントは一般に「説明と同意」と訳されているが，その本質は「情報を得たうえでの同意」であり，患者の自己決定権を尊重しようとするものである．

インフォームドコンセントの法的根拠として，医療法第一条の四　第2項「医師，歯科医師，薬剤師，看護師その他の医療の担い手は，医療を提供するに当たり，適切な説明を行い，医療を受ける者の理解を得るよう努めなければならない」が挙げられる．

説明は原則として文書で行うべきであり，文書化することで①医師の説明が効率化され，②患者は家族とその文書を読み返すことにより，侵襲行為に対する理解を深めることができる．説明に納得がいかない場合は，いったん同

意書を提出しても，同意は撤回可能である．

　救急救命現場等の患者の生命・身体に重大な危険をもたらす緊急事態においては，インフォームドコンセントを得ることは省略されることがある．ただし，緊急事態かどうかの判断は，慎重に行わなければならない．

　●山口悟．実践医療法．信山社，2012：115-127．

問 8-21

| 正解　c | 業務上疾病 |

　業務上疾病は，業務上の事由または通勤による労働者の負傷，疾病，障害，死亡などをいう．民事賠償にみられる「過失相殺」や「寄与率」などは考慮せずに，労働基準法第75条により，補償額は責任の有無・程度にかかわらず，労働基準法で定められた額の全額を補償する．

　1961年をピークに，件数は減少してきている．

　WHO国際癌研究機構による発癌性の評価をもとにして，いくつかの種類の癌は業務による疾病と認められている．

　業務上疾病の内訳をみると，負傷に起因する疾病がもっとも多く，2001年では全体の53%を占めている．化学物質などによる疾病は全体の2%である．原疾病に引き続いて発生した持続性疾病，その他，原疾病との間に相当因果関係の認められる疾病も，業務上疾病の範囲内に含まれる．

　●日本整形外科学会編．産業医へのアドバイス．金原出版，1994：101-117．
　●厚生労働省労働衛生課監．産業医の職務 Q & A．第10版．産業医学振興財団，2015：438-442．

問 8-22

| 正解　a | 産業医，産業医制度 |

　産業医の実数は，専属産業医は嘱託産業医より少ない．

　1990年，日本医師会は認定産業医制度を発足させた．

　産業医の選任義務のない常用労働者数50人以下の小規模事業所における労働衛生管理制度を充実させるために，1993年，郡市区医師会は，地域産業保健センターならびに産業医等を支援する都道府県産業保健推進センターを設置した．

　1972年，労働安全衛生法は，労働者が常時50人以上のすべての事業所に産業医の選任を義務づけた．

　●日本整形外科学会編．産業医へのアドバイス．金原出版，1994：101-117．
　●厚生労働省労働衛生課監．産業医の職務 Q & A．第10版．産業医学振興財団，2015：3-14．

問 8-23

| 正解　c，d，e | 産業医 |

　産業医は，労働者の健康管理などを行うのに必要な医学に関する知識について厚生労働省令で定める一定の用件を備えた者でなければならない．

　事業者は，常時50人以上の労働者を使用する事業所では，業種にかかわらず，また，事務部門，作業現場，労働者の性別等に関係なく産業医を必ず選任しなければならない．必要な産業医の選任数は事業場の規模によって定められ，業種に関係ない．

　事業者が労働安全衛生法に違反して産業医を選任しない場合は，罰則（50万円以下の罰金）が適応される．

　労働安全衛生法第13条により，労働者数50人以上3,000人以下の規模の事業場では産業医1人以上を選任，3,000人を超える規模の事業場では産業医2人以上を選任しなければならない．

　厚生労働省が認める産業医の研修としては，日本医師会の産業医学基礎研修と産業医科大学

の産業医学基本講座が該当する.

- 厚生労働省労働衛生課監. 産業医の職務 Q & A. 第10版. 産業医学振興財団, 2015：3-5.

問 8-24

| 正解 | b | 就業制限, 女性労働者 |

慢性疲労により妊娠・出産機能が低下し, 高血圧・糖尿病が増悪することがある.

休憩時間を除き, 週40時間を超える労働をさせてはならない.

夜勤を続けても, ヒトの生体リズムは完全には昼夜の逆転は起こらない. 少しずつ生体リズムの位相がずれていくことが知られている. ずれる位相は, 1日に2時間程度といわれ, 12時間位相をずらすためには6日間かかることになる. また, 位相が12時間ずれたとしても, 生体リズムが完全に逆転したわけではない.

産業医にとって労働者の就労・作業条件を正確に知ること, 職場で過労や健康障害が起きないように配慮することは大切である.

1985年に制定された男女雇用機会均等法により, 男女間の体格・能力の差を理由とする就業制限の必要は認められないとされ, 妊娠・出産機能に有害な業務を除き就業制限が緩和された.

産後1年未満の女子を重量物取り扱い業務に就かせてはならない.

- 日本整形外科学会編. 産業医へのアドバイス. 金原出版, 1994：205-212.
- 安全衛生スタッフ便覧. 平成16年度版. 中央労働災害防止協会, 2004：63.

問 8-25

| 正解 | e | 産業医の職務 |

健康管理には, ① 一般健康診断, ② 特殊健康診断, ③ 歯科医による健康診断, ④ 臨時の健康診断の4つがあり, 各種法規に定められている.

作業管理は, 労働者への有害物質や有害エネルギーの影響を少なくし, 職業性疾病を予防することが目的である. 労働安全衛生法第22条をはじめとする各種法規に定められている.

作業環境管理は, 労働者の健康障害を予防するためにより快適な職場環境を形成することが目的である. 労働安全衛生法第23条に事業者の義務として定められており, 産業医の職務でもある.

労働衛生教育は労働安全衛生法第59条に事業者の義務として定められており, 医学的なことについては産業医が教育を行うとされている.

以上の4つに加え, これらを統合して管理する総括管理(業務管理も含む)の5つが労働衛生管理体制における産業医の基本的な職務である.

- 厚生労働省労働衛生課監. 産業医の職務 Q & A. 第10版. 産業医学振興財団, 2015：8-12.

問 8-26

| 正解 | b, c | 労災保険, 後遺障害 |

後遺障害等級の最終決定は, 管轄の労働基準監督署が行う.

労働者災害補償保険(労災保険)の給付には, 療養給付, 傷病給付, 障害給付などがある. 労災保険法には, 治療を補償する側面と後遺障害に対して補償するという側面の2つがある.

保険の給付でもっとも問題となるのは, 治療後に後遺障害を残した場合に行う障害補償である.

後遺障害の等級に応じて, 障害が重いときは年金[第1級(給付日額の313日)～7級(131日)]が, 軽いときは障害補償一時金(第8～14級)が, それぞれの程度に応じて支給される.

労災患者の治療を考えるうえで大切なことは, 患者の訴えに振り回されず, 労災保険法の

仕組みを理解して治療にあたることである．救済措置だからといってむやみに業務上と認定すべきではなく，長期療養に甘んじてはいけない．労災保険の基本は，被災した労災患者が公平・平等に医療と補償を受ける権利を医療者側が守ることにある．

● 厚生労働省労働衛生課監．産業医の職務Q & A．第10版．産業医学振興財団，2015：438-442．

問 8-27

| 正解　b　　労災保険 |

労災保険の保険料は，全額事業主負担であり，労働者負担はまったくない．

労災保険は，労働者を1人でも使用する事業を適用事業としており，加入が義務づけられている．いわば強制加入となっている．

労災について労災病院もしくは労災保険指定医療機関で療養した場合，または指定薬局で投薬を受けた場合は，現物支給として無料で必要な療養の給付がなされる．労災により労働することができない期間の給与は，賃金を受けない日が4日以上に及ぶ場合には，4日目から1日につき給付基礎日額(1生活日あたりの賃金)の100分の60に相当する額が支給される．

労働者災害補償保険(労災保険)は，業務上の事由または通勤による労働者の負傷，疾病，障害，死亡等に対して必要な保険給付を行う．

● 厚生労働省労働衛生課監．産業医の職務Q & A．第10版．産業医学振興財団，2015：438-442．

問 8-28

| 正解　b，c，e　　振動障害 |

冷水負荷皮膚温テストを行ううえで重要なことは，室温を一定に保つことである．また，季節により影響を受け，夏は異常者でも正常反応を示すことが多いので，検査をする季節としては不適当である．

雇入れ時，振動作業への配置転換時には，手関節・肘関節のX線撮影が義務づけられている．

削岩機などの打撃工具使用者は，年2回(うち1回は冬期に)定期検診を行うことが義務づけられている．

健康管理区分の管理Aは有害作業の影響がほとんど認められない状態，管理Bは要注意の状態，管理Cは要加療の状態を指している．したがって，管理Cでは業務上の認定作業が必然的に伴うことになる．

振動障害は，手持ち振動工具の振動エネルギーが力学的・機械的に生体に作用することによって生じる．その障害は，末梢循環障害，末梢神経障害，骨・関節系の運動器障害の3つに大別される．

● 日本整形外科学会編．産業医へのアドバイス．金原出版，1994：101-117．
● 厚生労働省労働衛生課監．産業医の職務Q & A．第10版．産業医学振興財団，2015：353-356．

問 8-29

| 正解　b　　疫学研究手法 |

記述疫学とは，疾病または健康障害の流行状態を把握し，その特徴と関連性を示す他の現象を見出すことによって，その流行に関与する要因を推定するものである．

ある集団を1回調査し，患者群と非患者群に分類し，ある要因の保有状況を比較するような研究を横断研究と呼ぶ．

症例対照研究では症例群と適切に選択した対照群の間で，以前の要因の保有状況を比較するもので，まれな疾患に適した方法である．

コホート研究は，ある要因の曝露を受ける群と受けない群の2群に分け，疾病の発生頻度を

比較するもので，まれな疾患には適さない．

　介入研究は，ある要因へ曝露させる群と曝露させない群に集団を区分して，各群からの疾病の発生頻度を比較する．

- 廣田良夫．骨・関節・靱帯 2000；4：297-301.

問 8-30

| 正解　b，c，e　　検査，感度，特異度 |

　真陽性とは疾患があるときに疾患があるという結果を正しく検出すること，偽陽性とは疾患が本当はないのに疾患があるという結果を出すこと，偽陰性とは疾患が本当はあるのに疾患がないという結果を出すこと，真陰性とは疾患がないときに疾患がないという結果を正しく検出することである．

　理想としては，真陽性，真陰性の割合が高く，偽陽性と偽陰性の割合が低い検査が好ましい．

　感度は疾患のある患者のうち，検査結果が陽性と出た患者の割合で，特異度は疾患のない患者のうち，検査結果が陰性と出た患者の割合をさし，特異度が高い場合は偽陽性の結果を出す可能性は低くなる．

- Badenoch D ほか．斉尾武郎監訳．EBM の道具箱．中山書店，2002：25-32.

問 8-31

| 正解　b，d，e　　研究デザイン，ランダム化比較試験 |

　治療に関する疑問を解決するためにもっとも重要な研究デザインはランダム化比較試験（randomized controlled trial：RCT）である．これは当然のことながら，前向き研究である．

　バイアスをできる限り減らすために，患者の割付はランダムに行われるべきであり，また理想的な臨床試験では試験参加者は一様に盲検化

される．

　なお，追跡率は 80％以上が妥当である．

　両群ともに介入以外は同等に治療されている必要がある．

- Badenoch D ほか．斉尾武郎監訳．EBM の道具箱．中山書店，2002：16-24.

問 8-32

| 正解　a，b，c　　医師法 |

a．○
b．○
c．○
d．×　診療録は，一連の診療終了から 5 年間保存しなければならない．
e．×　医師法でなく刑法に規定されている．

- 医師法．

問 8-33

| 正解　b　　指定難病 |

　関節リウマチ自体は指定難病ではないが，血管炎をはじめとする関節以外の内臓障害を認め，難治性もしくは重症な病態を伴う場合は，「悪性関節リウマチ」と定義され，指定難病となる．海外では悪性関節リウマチに類似した病態は「関節リウマチに伴った血管炎」との考えから「リウマトイド血管炎（rheumatoid vasculitis）」と呼ばれる．

- 難病情報センター＜https://www.nanbyou.or.jp＞［2021 年 4 月閲覧］．

問 8-34

| 正解　b，c　　身体障害者手帳 |

a．○
b．×　18 歳以上に公布する．

問8-36／表1　臨床研究のエビデンスレベルの例

エビデンスレベル	
I	システマティック・レビュー/randomized controlled trial(RCT)のメタアナリシス
II	1つ以上のランダム化比較試験による
III	非ランダム化比較試験による
IVa	分析疫学的研究（コホート研究）
IVb	分析疫学的研究（症例対照研究，横断研究）
V	記述研究（症例報告やケースシリーズ）
VI	患者データに基づかない，専門家委員会や専門家個人の意見

c．×　7級では手帳は交付されない．
d．○
e．○

●厚生労働省ホームページ．身体障害者手帳＜http://www.mhlw.go.jp/stf/seisakunitsuite/bunya/hukushi_kaigo/shougaishahukushi/shougaishatechou/＞［2021年4月閲覧］．

問8-35

正解　d　　医療事故調査制度

a．×　医療事故調査制度の目的は，医療の安全を確保するために医療事故の再発防止を行うことであり，個人の責任追及を目的としたものではない．
b．×　医療事故調査の対象となるのは，医療に起因，又は起因すると疑われる死亡又は死産で，管理者が予期しなかったものである．
c．×　遺族への説明と医療事故調査・支援センターへの報告の後に，医療機関が院内事故調査を行う．
d．○　管理者が，当該医療の提供される前に，当該医療の提供を受ける者又はその家族に対して当該死亡又は死産が予期されることを説明していたと認めたものは，本制度の対象事案にならない．
e．×　医療法施行規則第1条の10の2第1項第1号では，説明や記録の内容として「医療の提供前に医療従事者等が死亡又は死産が予期されること」を求めているため，単に合併症の発症についての可能性のみの説明では「予期していた」とはいえない．

●厚生労働省ホームページ．医療事故制度について＜http://www.mhlw.go.jp/stf/seisakunitsuite/bunya/0000061201.html＞［2021年4月閲覧］．

問8-36

正解　a，c　　臨床研究，エビデンスレベル

表1にエビデンスレベルの例を示す．選択肢の中でエビデンスレベルが低いのは「a　症例報告」と「c　専門家委員会報告」である．

問8-37

正解　b，c，e　　ヘルシンキ宣言

a．○
b．×　医学研究の主な目的は新しい知識を得ることであるが，この目標は個々の被験者の権利および利益に優先することがあってはならない．
c．×　被験者の保護責任は常に医師またはその他の医療専門職にあり，被験者が同意を与え

た場合でも，決してその被験者に移ることはない．

d．◯

e．× インフォームド・コンセントを与える能力がないと思われる被験者候補が研究参加についての決定に賛意を表することができる場合，医師は法的代理人からの同意に加えて本人の賛意を求めなければならない．被験者候補の不賛意は，尊重されるべきである．

- 日本医師会ホームページ．ヘルシンキ宣言＜http://www.med.or.jp/wma/helsinki.html＞［2021年4月閲覧］．

問 8-38

| 正解 a 身体障害者障害等級 |

a．◯ 一上肢の機能の著しい障害→3級
b．× 両下肢の機能の著しい障害→2級
c．× 一上肢の肩関節の機能を全廃したもの→4級
d．× 一下肢を下腿の1/2以上で欠くもの→4級
e．× 体幹の機能障害により座っていることができないもの→1級

- 標準整形外科．第14版．961-962．

問 8-39

| 正解 c，d 診療報酬，運動器リハビリテーション |

a．× 1単位は20分である．
b．× 作業療法士も算定可能である．
c．◯ 脳血管リハは180日である
d．◯ 1週で108単位である．
e．× 集団リハビリテーションは医療保険では算定できない．

- 診療報酬規程．リハビリテーション料．

問 8-40

| 正解 a，e 柔道整復師法，柔道整復師 |

一般医薬品の貼付薬を使用することは違法ではない．

X線撮影，診断，治療は医療行為であり，柔道整復師が行うことはできない．

診断書発行は医療行為であり柔道整復師は作成できないが施術証明書は発行できる．

超音波検査を柔道整復師が行うことは黙認されているが，診断は医師以外はできない．

- 医師法．
- 柔道整復師法．
- 日本整形外科学会編．整形外科医のための保険診療基礎知識：医業類似行為関連 Q & A．日本整形外科学会医療システム検討委員会，2006．
- 厚生労働省通知医政医発第0909001号．「診断の補助として超音波検査を行うことは，柔道整復の業務の範囲を超えるものである」．

問 8-41

| 正解 e 研究，倫理指針 |

「人を対象とする医学系研究」は「倫理指針」に則って行うことが求められている．専門医には施設内倫理委員会での審査に対して，対象となる研究となるかどうかの理解が必要である．

a．× 他の医療従事者との情報共有を図るために，所属する機関内の症例検討会，機関外の医療従事者の勉強会・学会，医療従事者向けの専門誌で個別の症例を報告する，いわゆる症例報告は，この指針でいう「研究」には該当しない．ただし，個人情報保護に関する配慮は必要である．

b．× 微生物の分析を行うだけで，人の健康に関する事象を研究の対象にしない場合は該当しない．

c，d．× 自施設における医療評価や院内感染防止を目的とする場合は，研究目的ではなく

医療の一環と見なすことができるため,「研究」には該当しない.

e. ○ 侵襲や介入を伴わず,かつ新たに研究対象者から取得する試料・情報を用いず,既存の試料・情報のみを用いる研究でも「人を対象とする医学系研究」に該当する.

- 文部科学省,厚生労働省:「人を対象とする医学系研究に関する倫理指針ガイダンス」平成29年5月29日一部改正.

問 8-42

| 正解 | a, c, d | 介護保険 |

a. ○
b. × 65歳以上である.
c. ○
d. ○
e. × Jは日常生活が自立している状態である.

- 介護保険「主治医意見書記入の手引き」.

問 8-43

| 正解 | d | 法律に基づく医業類似行為 |

カイロプラクティックは整体等と同様,療術業に分類され,法律に基づかない医業類似行為である.

- あはき法(あん摩マッサージ指圧師,はり師,きゅう師等に関する法律).
- 柔道整復師法.
- 日本整形外科学会編. 医師のための保険診療基礎知識:医業類似行為関連 Q & A. 日本整形外科学会医療システム検討委員会, 2006.

問 8-44

| 正解 | a, c, e | 柔道整復師の業務範囲 |

X線撮影やMRI検査の指示,診断は医行為の1つであり,柔道整復師が行うことはできない.

a. ○ 捻挫に対する施術については医師の同意は不要である.
b. × 慢性疾患に施術できない.
c. ○ 応急の場合には,医師の同意なく脱臼の患部に施術することができる.
d. × X線撮影を指示し,診断することができない.
e. ○ 骨折に対し継続的に施術する場合は,医師の同意が必要である.

- 柔道整復師法.
- 療養費の支給基準(社会保険研究所).
- 日本整形外科学会編. 医師のための保険診療基礎知識:医業類似行為関連 Q & A. 日本整形外科学会医療システム検討委員会, 2006.

和文索引

あ

アキレス腱断裂 313,314
悪性関節リウマチ 86,345
悪性骨腫瘍 125,129,135
悪性軟部腫瘍 130,131,136,137
悪性末梢神経鞘腫瘍 134
悪性リンパ腫 135,136
アクチン 11
アグリカン 9
足継手 329
アセチルコリン 12,13
アセトアミノフェン 50
アダマンチノーマ 126
圧挫(挫滅)症候群 146,234,317,318
圧痛 313
アヒル歩行 321
アミロイドーシス 84,85
アミロイド関節症 100
アルカプトン尿症 102
アルカリホスファターゼ 6,30,34

い

医業類似行為 348
異型脂肪腫様腫瘍 137
医師業務の代行 337
医事訴訟 338,339
医事調停 339
医師の法的義務 337
医師法 336,337,345
　　──第4条 336
　　──第21条 337
　　──第23条 337
　　──第24条 337
胃十二指腸生検 85
異常肢位 37
異常発毛 33
異所性骨化 105,243,254
椅子挙上テスト 165
Ⅰ型コラーゲン 4
一次変形性股関節症 212
一次痛 13

一過性神経伝導障害 143,301
遺伝子診断 132
遺伝性運動感覚性神経障害 25
異方性 17
イホスファミド 130
医療機関及び保険医療養担当規則 340
医療業務 336
医療裁判 338
医療事故 338
　　──調査 346
医療従事者 336
インストゥルメンテーション手術 65
陰性造影法 43
インターロイキン-1β 83
インターロイキン-6 83
インディアンヘッジホッグ 7
院内感染 77
インパクション同種骨移植 218
インフォームドコンセント 341
インフリキシマブ 87

う

腕相撲骨折 248
腕落下徴候 268
運転手骨折 273
運動介入 154
運動器管理 154
運動器の痛み 13
運動器慢性疼痛 15
運動器リハビリテーション 347
運動療法 220,321

え

疫学研究手法 344
腋窩神経 150
　　──損傷 262
　　──麻痺 150
壊死 103
　　──性筋膜炎 72,73,240
エタネルセプト 88
エチレンオキサイド滅菌 63

エトポシド 130
エビデンスレベル 346
エピネフリン 58,59
エルデカルシトール 123
遠位脛腓関節離開 291
遠位橈尺関節 173
塩基性リン酸カルシウム 179
炎症 94
　　──性疼痛 13
遠心性収縮 18

お

横隔膜 152
黄色靭帯骨化症 187
黄色靭帯石灰化 182,187
黄色ブドウ球菌 72,77
横靭帯 185
横足根関節 25,226
横断研究 344
横突間筋 195
横紋筋肉腫 46,131,134,138
応力 16
　　──-ひずみ曲線 16
オステオン 4
オピオイド 50
オピオイド系 51
オフロキサシン 65
温熱療法 320,322

か

回外・内転型骨折 291
下位頸髄損傷 189,332
介護 155
　　──保険 340,348
　　──老人保健施設 340
外傷 26,170,278
　　──性肩関節前方脱臼 268
　　──性肩関節脱臼 261,265,268,269
　　──性気胸 260
　　──性胸鎖関節脱臼 264
　　──性股関節前方脱臼 294
　　──性股関節脱臼 208,294

――性軸椎すべり症　257
――性膝蓋骨脱臼　312
――性膝関節前方脱臼　294
――性膝関節脱臼　296,297
――性脱臼　246,247,253
塊状骨移植　218
介助用車椅子　325
回旋位固定　188
回旋脱臼　188
外側円板状半月　32,239
外側型変形性膝関節症　100,220
外側側副靱帯　164,235
外側大腿皮神経　37,150
介達牽引　251,252
階段昇降　323
解糖　12
回内・外旋型骨折　291
回内筋　18
――症候群　147
――反射　26
介入研究　345
開排　215
外反股　216
外反肘　168,270
外反扁平足　117,326
外反母趾　228,230,231,327
開放骨折　242,244,245,248,253,290
開放生検　46
開放的運動連鎖　18
カイロプラクティック　348
鉤爪趾　229
――変形　230
架橋プレート固定法　249
核・核下型膀胱　332
核上型膀胱　332
拡大 ADL　322
仮骨　15
下肢血栓性静脈炎　200
下肢長　27
過失　338
下肢痛　197
下垂足　25,201,229
下垂体腺腫　122
ガス壊疽　71
仮性麻痺　70
鵞足滑液包炎　225
片脚立ち訓練　321
下腿義足用ソケット　330
下腿骨開放骨折　290
下腿骨骨折　290
下腿周径　27
下腿切断　328,330
肩関節　261,265

――外転　18
――鏡　32,33
――鏡視下手術　158
――後方脱臼　266,267
――前方脱臼　161,261,262,263,265,266,267
――前方不安定症　301
――造影　43
――脱臼　32,261,262,302
片手駆動型車椅子　325
肩の外旋作用　162
片麻痺　322
滑液包炎　166,225
カックアップスプリント　327
活性型ビタミン D₃　120
滑膜　10
――血管腫　99
――骨軟骨腫症　98,139,224
――肉腫　46,133,136,139
――ひだ障害　225
――病変　80
括約筋　332
――反射　189
可動域訓練　321
化膿性関節炎　73,91
化膿性屈筋腱腱鞘炎　177
化膿性股関節炎　70
化膿性骨髄炎　70,74
化膿性手関節炎　178
化膿性脊椎炎　71,72,195,202,203
カフェオレ斑　27,33
果部骨折　291
簡易型電動車椅子　325
感覚異常性大腿痛　150
感覚伝導路　12
がん患者　154
ガングリオン　176,178
間欠性関節水症　224
間欠跛行　104,199
還元型ヘモグロビン　40
寛骨臼　281,283
――回転骨切り術　214
――形成術　212
――形成不全　212,213,214,217
――骨折　281,283,284
――底突出症　99
癌骨転移　128,135
環軸関節　185,188
――亜脱臼　89,183,190
――回旋位固定　188,255
――の垂直脱臼　183
関節　17
――液　9,29,80

――液検査　29
――炎　80,178
――温存手術　213
――外症候　79
――可動域　26
――鏡　224
――鏡検査　32
――潤滑　16
――内インピンジメント　301,302
――内血腫　40
――内骨折　297
――軟骨　8,9,16,17
――軟骨組織　9
――ねずみ　167
――包　235
――包外靱帯　235
――包内靱帯　235
関節リウマチ　28,31,44,52,79,80,81,82,83,84,85,86,87,88,89,92,93,94,174,183,190,191,323,345
――分類基準（診断基準）　81,82
感染　55,63,64,65,78,222
――症　76,77
――防止　63,64
――予防　64,65
乾癬性関節炎　90
環椎　185
――横靱帯　21,182
――後頭関節　185
――歯突起間距離　81,186
鑑定　338
感度　345
乾酪壊死　75
寒冷療法　320
がんロコモ　154

き

奇異性呼吸　260
偽陰性　345
偽関節　245,290
義肢ソケット　329
記述疫学　344
偽性麻痺　73
基節骨基部骨折　237
基節骨骨折　272
義足　329,330
偽痛風　29,97,98,178
亀背　75
ギプス　113,249,250,262
――固定　250
基本的 ADL　322
キャスト固定　250

逆行性射精　200
臼蓋角　215
急降下爆撃音　36,142,300
吸収性材料　56
求心性収縮　18
急性化膿性関節炎　73
急性区画症候群　105,235
急性主幹動脈閉塞　103
急性動脈閉塞　102
急性馬尾症候群　196
急速破壊型股関節症　52,214,218
救命救急　318
休薬　93
境界潤滑　17
胸郭出口症候群　104,146,158,162,183,186
胸郭出口部　158
強剛母趾　229,230,231
胸鎖関節脱臼　264,302
鏡視下手術　224
鏡視下デブリドマン　221
共収縮　17,18
偽陽性　345
矯正ギプス　113,249
行政処分　336
鏡像運動　184
強直性脊椎炎　29,52,89,93,195,197
胸椎　256
　　――後縦靱帯骨化症　187
　　――椎間板ヘルニア　194
業務上疾病　342
胸腰椎移行部　256
胸腰椎損傷　259
胸腰椎部脱臼骨折　257
胸肋鎖骨肥厚症　192
棘上筋　152
　　――腱断裂　162
局所的陥没骨折　290
局所麻酔　59
　　――薬　51,58
　　――薬中毒　59
挙睾筋反射　26,34
魚口状皮切　328
距骨下関節　226
距骨頸部骨折　297,298
距骨骨折　292
距骨脱臼　292
距踵角　38
距踵関節固定術　298
距・踵骨癒合　229
巨大電位　37
魚椎変形　75
起立訓練　320

筋萎縮　183,184
　　――性側索硬化症　101,140,153,187
近位手根列掌側回転型手根不安定症　278
近位手根列背側回転型手根不安定症　173,278
近位橈尺関節　163
筋緊張性ジストロフィー　36,142,300
筋形成術　328
筋原性腫瘍　128
筋固定術　328
筋挫傷　234
筋ジストロフィー症　321
筋収縮　12
筋小胞体　11
金製剤　87
筋節　10
筋線維　11
　　――鞘　10
金属アレルギー　57
金属支柱付き短下肢装具　328
金属対金属人工股関節置換術　54
筋電図　36,37,300
筋縫合　328
筋紡錘　12
筋力訓練　321,322
筋力トレーニング　18

く

区画(コンパートメント)症候群　25,103,105,146,235,241,244,270,314
靴型装具　324
屈曲拘縮　324
屈曲反射　12,26,34
クリープ　17
クリーンルーム　63
クリック徴候　215
くる病　118,121,123,125
車椅子　325,326
クレアチンキナーゼ　29
クレチン病　44,207
クレンザック継手　327
クローヌス　12
グロムス腫瘍　131,133
群化放電　37

け

脛骨　290,291
　　――顆間隆起骨折　289,313
　　――顆部骨折　290

　　――骨幹部骨折　290,291
　　――神経　149,227,229
　　――神経麻痺　229
刑事訴訟　338
痙縮　331
　　――型麻痺　112
頸髄症　186,190
頸髄損傷　187,188,255,256,259,331,332,333
頸長筋　185
頸椎　21,185,186
　　――後縦靱帯骨化症　187,190
　　――手術　62
　　――術後合併症　189
　　――症性筋萎縮症　183
　　――症性脊髄症　187,190
　　――装具　323
外科頸骨折　262
下駄骨折　297
結核　75,178
　　――性炎症　178
　　――性関節炎　76,178
　　――性腱鞘炎　178
　　――性骨関節炎　75,76
　　――性脊椎炎　75,76,195
血管芽腫　41
血管腫　205
血管性間欠跛行　104
血管損傷　54
血管肉腫　46
血管柄付き骨移植　58
血管柄付き組織移植　181
血管柄付き腓骨頭移植　181
血管柄付き腓骨皮弁採取　181
血行障害　207
血腫　39,40
月状骨周囲脱臼　275,278
月状骨脱臼　275
月状骨軟化症　106,178
月状三角骨解離　236,278
血小板由来増殖因子　83
血清カルシウム濃度　5
血清酒石酸抵抗性酸ホスファターゼ　31
血清反応陰性脊椎関節炎　90
結節性筋膜炎　131
血友病　96,101,102,193
　　――性関節症　96,99,101,224
　　――性膝関節症　101
牽引　251,252,261,322
研究　344,346,347
　　――デザイン　345
肩甲下筋腱断裂　162

健康管理 343
　　──区分 344
肩甲挙筋 300
肩甲棘基底部骨折 263
肩甲骨 58,263
　　──外側縁 58
　　──高位症 161,162,163
　　──骨折 263,269,305
肩甲上神経麻痺 301
肩甲上腕リズム 18
健康日本21 155
肩鎖関節脱臼 247,263,264,267,268,302
幻肢痛 331
腱鞘巨細胞腫 131
腱鞘切開術 170
腱性マレット指 306
ゲンタマイシン 65
腱断裂 169,235
腱の皮下断裂 235
原発性悪性脊椎腫瘍 204,205
原発性骨腫瘍 135
原発性骨粗鬆症 123
原発性上皮小体機能亢進症 29,121,123,125
原発性脊髄腫瘍 203
原発性副甲状腺機能亢進症 29,121,123,125
原発性良性脊椎腫瘍 205
原発不明癌 136
腱板完全断裂 43
腱板広範囲断裂 160
腱板損傷 301
腱板断裂 159,160,163
腱板不全断裂 43,160
腱皮下断裂 169
肩峰下インピンジメント 301,302
　　──症候群 160

こ

抗MRSA薬 77
抗RANKL抗体 120
高悪性度非円形細胞肉腫 134
高圧注入損傷 170
高位脛骨骨切り術 101
高位頸髄損傷 332
後遺障害 343
高位脱臼股関節 217
高位橈骨神経麻痺 174
抗うつ薬 50
高カルシウム血症 123

抗環状シトルリン化ペプチド抗体 28,79,93
抗菌薬 64,65
行軍骨折 294
抗好中球細胞質抗体 79
後骨間神経 147,166,179
　　──麻痺 167,179
後索 14
好酸球性骨肉芽腫 127
好酸球性肉芽腫 204,205
合指症 172
後十字靱帯 309
　　──損傷 239,309,310
後縦靱帯 185
　　──骨化 186
　　──骨化症 187,190
拘縮 165,171
咬傷 170
甲状腺機能亢進症 121
甲状腺機能低下症 118,121
項靱帯 227
硬性仮骨 15,16
合成ギプス 250
合成キャスト 250
鉤足 117
叩打性筋緊張 142
高度架橋ポリエチレン 217
高尿酸血症 30
高分化型脂肪肉腫 137
興奮収縮連関 12
興奮伝導速度 13
後方進入法 213
後方引き出しテスト 239
後方皮膚弁延長法 328
硬膜外腫瘍 204,206
硬膜外膿瘍 71
硬膜外麻酔 60
硬膜内髄外腫瘍 204,206
肛門反射 27,34
絞扼性神経障害 145,147,150
絞扼輪症候群 146,172
抗リン脂質抗体 79
股関節 19,24,33,38,211,213,219,297
　　──外転装具 327
　　──機能判定基準 211
　　──骨切り術 214,219
　　──造影 42,44
　　──脱臼 42,44,208,214,215,216,284,294
　　──中心性脱臼 247
極超短波療法 320
跨座骨折 281

骨Paget病 121
骨壊死 209,223
骨延長 177
骨改変層 315
骨化核 7,44
骨格筋 10
骨芽細胞 5,6
骨化性筋炎 26,166,243
骨型アルカリホスファターゼ 6
骨間筋 147
骨・関節炎 40
骨幹端異形成症 110
骨幹部骨折 245
骨基質 5
骨枢 70
骨吸収 5,31,120
　　──マーカー 6
骨巨細胞腫 127,128,136,205
骨切り術 100,213
骨形成 4,120
　　──細胞 8
　　──相 4
　　──蛋白 7
　　──不全症 4,109,115,118,193
　　──マーカー 6
骨系統疾患 109,115,118
骨欠損孔 21
骨硬化 39
骨細胞 4,5
骨挫傷 40
骨修飾薬 137
骨腫瘍 125,126,127,128,129,130,135
骨シンチグラフィー 42,245
骨侵入 51
骨髄腫 29,126,127,128,205
骨髄浮腫 94
骨性マレット指 306
骨折 242,243,245,246,247,249,253,275
　　──治癒 15
　　──治癒過程 253
　　──の修復 15
　　──リスク 122
骨セメント 57
骨組織 4,17
骨粗鬆症 119,120,122,123,257
　　──性椎体骨折 120,192
　　──治療薬 120,123,124
骨代謝 31
　　──回転 121
　　──マーカー 6
骨端症 107,108,109
骨端線損傷 244

骨転移　30, 136, 137
骨伝導　7
骨軟化症　118, 119, 121, 122
骨・軟部腫瘍　41, 46, 47
骨肉腫　44, 126, 127, 128, 129, 130, 135
骨年齢　7
骨盤　308
――骨切り術　214
――骨折　280, 281, 282
――内出血　282
――輪骨折　280, 283
――裂離骨折　280, 308
骨皮質　39
骨膜　4, 7
――下骨吸収　118
――反応　127
骨密度　122
骨モデリング　5
骨誘導　7
骨癒合　254
骨溶解　55
骨リモデリング　4
骨量測定　119
小人症　110
コホート研究　344
コラーゲン　4, 9
コルヒチン　30
ゴルフ肘　165
コンパートメント（区画）症候群　25, 103, 105, 146, 235, 241, 244, 270, 314

さ

再生軸索　143
再接着中毒症　182
サイトカイン　83
裁判　338, 339
細胞骨格蛋白質　13
作業環境管理　343
作業管理　343
作業療法　321
――士　322
サクシニルコリン　61
鎖骨下静脈　158
坐骨結節剥離骨折　308
鎖骨骨折　302
坐骨支持式免荷装具　326
坐骨神経麻痺　55
鎖骨・頭蓋異形成症　110
差し込みソケット　330
挫滅（圧挫）症候群　146, 234, 317, 318
挫滅創　316
サラゾスルファピリジン　87

サルコイド脊髄症　205
三角筋　190
三角靱帯　227
三角線維軟骨　172
――複合体　237
――複合体損傷　173
産業医　342, 343
――制度　342
三次元CT　39

し

シートベルト損傷　248, 256
支援　155
自家矯正　288
色素性絨毛結節性滑膜炎　98, 99, 131
軸索断裂　143, 301
軸椎下亜脱臼　183
軸椎歯突起骨折　254, 259
シクロオキシゲナーゼ　86
自己血輸血　62
自己抗体　79
示指MP関節背側脱臼　279
示指PIP関節掌側脱臼　279
四肢主幹動脈結紮　103
四肢循環障害　103
四肢阻血　104
四肢短縮　116
支持プレート固定法　249
思春期側弯症　193
視診　33
シスプラチン　130
死体検案　337
示談　339
膝蓋下滑液包炎　225
膝蓋骨骨折　289, 298
膝蓋骨骨軟骨折　289, 296
膝蓋骨脱臼　238, 248, 295, 311, 312
膝蓋骨トラッキング　221
膝蓋前滑液包炎　225
膝蓋大腿関節症　100, 220
膝窩嚢胞　224, 225
疾患修飾性抗リウマチ薬　87
膝関節　21, 225
――外傷　40
――鏡　32
――脱臼　225, 296, 297
――特発性骨壊死　96
指定難病　345
歯突起　184, 185
――骨　184
シナプス　13
しびれ　185

四辺形ソケット　330
脂肪腫　206
脂肪塞栓症候群　105, 242, 316
脂肪肉腫　130, 132, 137, 138
ジャージ損傷　302
斜角筋三角　158
若年性一側上肢筋萎縮症　183
若年性側弯症　193
尺骨管　147
尺骨神経　166
――障害　304
――麻痺　37, 167, 174, 271
尺骨突き上げ症候群　173, 237, 274, 275
シャベル作業者骨折　255
ジャンパー膝　309, 311
X型コラーゲン　7
習慣性肩関節後方脱臼　267
就業制限　343
周術期血糖コントロール　64
重症筋無力症　142
舟状月状骨解離　236, 237, 278
舟状月状骨靱帯　278
舟状骨骨折　275, 304
舟状底　325
自由神経終末　145
集団災害　316, 317
柔道整復師　347, 348
――法　347
シューホーン型装具　327
終末小骨　184
手関節　236
――鏡　168, 169
――鏡視下手術　169
――腔　44
――屈曲テスト　180
――三角線維軟骨　172
――造影　44
――装具　327
手根管症候群　31, 83, 146, 174, 180, 185
手根骨　7, 275
手根靱帯　236
手根不安定症　174, 236, 278
手指屈筋　19
――反射　190
手指切断　330
手術室感染対策　63
手術部位感染　63, 64, 65, 78
酒石酸抵抗性酸ホスファターゼ　5
手段的ADL　322
出血性ショック　242, 282
術後合併症　37

術後感染症　55
術後管理　328
術後血腫　65
術後末梢神経麻痺　37
術中輸血　62
腫瘍　138
　　──壊死因子α　83
　　──状石灰化症　26
　　──シンチグラフィー　42
　　──性軟化症　136
　　──マーカー　30
潤滑　17
瞬間回転中心　21
循環血液量　62
上位頚椎　182,185
　　──損傷　254,257
　　──病変　191
上衣腫　41,204,206
障害程度等級判定　340
小結節骨折　262
症候性大腿骨頭壊死症　210
踵骨　227,293
　　──骨折　247,292,293
上肢長　27
踵・舟状骨癒合　229
掌蹠膿疱症　91
　　──性骨関節炎　91,93
上前腸骨棘剥離骨折　308
上中位胸椎　256
小児期足部変形　117
上皮小体機能亢進症　29,119,121,123,
　125
上被膜動脈　209
上方関節唇損傷　302
静脈血栓塞栓症　66
症例対照研究　344
上腕筋　33,164
上腕骨外側顆骨折　270,271
上腕骨外側上顆炎　165,168,303,304
上腕骨顆上骨折　260,270,279,280
上腕骨近位端骨折　262,263,268,269
上腕骨骨幹部骨折　264
上腕骨骨折　305
上腕骨骨端離開　244
上腕骨小頭離断性骨軟骨　303
上腕骨離断性骨軟骨炎　307
上腕三頭筋　31
　　──反射　190
上腕周径　27
上腕二頭筋　18,31,152,164
　　──長頭　33
　　──長頭筋腱断裂　159
　　──長頭腱完全断裂　163

初回前方脱臼　261
女性労働者　343
処方箋　337
自律神経過反射　331,333
ジルコニア　56
真陰性　345
侵害受容器　13
侵害受容性疼痛　15
針筋電図検査　14,35,144
神経移植　145
神経因性膀胱　332
神経外剥離　145
神経芽細胞腫　128
神経原性腫瘍　128
神経原性変化　37
神経膠腫　204
神経根　187
神経修復術　144,298
神経障害性疼痛　13,15
神経鞘腫　41,131,132,204,205,206,
　207
神経接合部　13
神経線維　13,14
神経線維腫症　134
　　──1型　205
神経断裂　143,144,145,301
神経電気生理学的検査　144
神経伝達物質　13
神経伝導検査　144
神経伝導速度　34,35
神経内剥離　145
神経病性関節症　97,101,224
神経病性膝関節症　223
神経ブロック　58
神経縫合　144
神経麻痺　25,31,37,55,145,146,149,
　167,174,179,271,299,300,301,327
人工肩関節全置換術　269
人工関節　51,55,56,57,65
　　──全置換術　55
　　──置換術　64,78
人工股関節　53
　　──再置換術　218
　　──全置換術　52,53,54,55,66,67,
　213,217
人工骨頭セメント固定　52
人工骨頭置換術　52
人工膝関節全置換術　55,56,221,222,
　223
人工膝単顆関節置換術　223
人工膝単顆置換術　221
人工神経　145
人工肘関節全置換術　58,166

シンスプリント　314
腎性骨異栄養症　119
新鮮開放創　243,249
新鮮下腿骨幹部骨折　250
新鮮自家骨移植　8
新鮮前十字靱帯損傷　239,309
深・浅両腓骨神経麻痺　149
身体障害者　340
　　──障害等級　347
　　──手帳　323,345
身体所見　33
靱帯損傷　236,240,293
診断書　347
心タンポナーデ　318
伸展反射　12
振動障害　344
深腓骨神経　227
　　──麻痺　299
深部感染　65
深部静脈血栓　29,66,67,102,103
真陽性　345
診療記録　338
診療報酬　347
診療録　337,338,345

す

垂直介達牽引法　252
髄内腫瘍　206
髄内釘　287,288
　　──固定法　249
髄膜腫　41,203,204,205,206
スキーヤー母指　305,306
ステナー損傷　306
ステロイド関節症　98,99
ステロイド性骨粗鬆症　120
ステロイド性膝骨壊死　96,99
ステロイド性大腿骨頭壊死　208
ステロイドパルス療法　210
砂時計腫　203,204,206,207
スポーツ外傷・障害　305,306,307,
　313,314
スポーツ損傷　306,308
スライス骨折　255,257

せ

生検　132
星細胞腫　204,206
静止軟骨細胞層　7
脆弱性骨折　122,123,253
成人期扁平足　230
生体活性　52

生体材料　52,56,57,58
生体不活性セラミック　56
正中環軸関節　183
正中神経　31,166
　──反回枝　147
　──麻痺　37
正中垂線　193
成長軟骨板　7,244
　──損傷　242,253
成長ホルモン過剰　122
生物学的製剤　87,88
赤筋　11
脊索腫　125,126,204,205
脊髄　185,187
　──運動機能　36
　──円錐部神経障害　37
　──空洞症　26,142,186,199,206
　──くも膜下穿刺　60
　──くも膜下麻酔　59,60
　──係留症候群　26,197
　──硬膜内髄外腫瘍　204
　──腫瘍　41,203,204,205,206
　──腫瘍類似疾患　205
　──ショック　257
　──髄内腫瘍　204
　──砂時計腫　203
　──性間欠跛行　104
　──造影　42,45
　──損傷　36,188,257,258,259,331,332
　──伝導路　14
　──半側損傷　189
　──モニタリング　35,37
　──誘発電位　35
　──瘻性歩行　25
脊柱起立筋　195
脊柱靱帯骨化症　187,191
脊柱側弯症　193,194
脊椎　20,185
　──圧迫骨折　248
　──関節炎　92,94,95
　──骨折　255,257
　──手術　61,65,67,201
　──腫瘍　41,203,204,205
　──損傷　258
　──分離症　197
　──分離すべり症　197
施術証明書　347
石灰化　39,182,187
切開生検　132,138
石灰性腱炎　159,160
切除生検　132
切断　328,330,331

　──後患肢機能　330
　──指　181
　──手技　328
　──肢・指再接着術　181
セファロスポリン　65
セメントレス人工股関節全置換術　54
セラミック　53,56
　──骨頭　53
線維化　39
線維芽細胞増殖因子　83
線維自発電位　37
線維性骨　118
　──異形成　127
　──皮質欠損　139
遷延癒合　245
潜函病　208
前鋸筋　152
前脛骨筋症候群　290
仙骨　126
前骨間神経　36,166,179
　──麻痺　37,146,179
仙骨骨折　281
前後等長皮弁　328
前索　14
浅指屈筋　147
前十字靱帯　309
　──損傷　239,309,310,312,313
全身性エリテマトーデス　208
潜水病　208
前脊髄動脈症候群　139
尖足変形　228
剪断性骨軟骨骨折　295
先天性外反踵足　117,227
先天性下腿偽関節症　114
先天性筋性斜頚　115,186,189
先天性絞扼輪症候群　172
先天性股関節脱臼　214,215,216
先天性膝関節脱臼　225
先天性垂直距骨　117,227
先天性脊椎骨端異形成症　110,115,118
先天性多発性関節拘縮症　225
先天性内転足　227
先天性内反足　113,117,227
先天性握り母指症　172
浅腓骨神経　149,227
仙尾椎部脊索腫　205
前方進入法　213
前方大車輪型　325
前立腺癌　128
前腕骨骨幹部骨折　276
前腕切断　328,330

そ

造影法　42
創外固定　249
装具　323,324,326,327
増殖軟骨細胞層　7
総腓骨神経　149,229
　──麻痺　25,149,299
僧帽筋　18,152,300
ソーセージ様指　93
足関節　22,25,226,227,240
　──可動域　229
　──鏡　226
　──拘縮　229
　──捻挫　240
側型椎間板ヘルニア　196
足根管　228
　──症候群　149,228,230
足根骨癒合症　229,230
足根中足関節　25,226
側索　14
足底腱膜　226
　──炎　231
足底神経　149
足底反射　27,34
側頭動脈炎　86
続発性アミロイドーシス　85
続発性副甲状腺機能亢進症　119
足部　22
　──疾患　230
　──切断　328
　──変形　227
側方進入法　213
側弯症　25,192,193,194,195
損害賠償　338

た

第1 Köhler病　107,108,109
第1・第2中足骨角　38
第2 Köhler病　229
第5腰神経　281
体幹装具　323
大結節骨折　262
体軸性脊椎関節炎　95
代謝性骨疾患　118,119
帯状疱疹　74
大腿義足　329
　──用ソケット　330
大腿脛骨角　38
大腿骨外反切り術　213
大腿骨顆上骨折　288

大腿骨寛骨臼インピンジメント(FAI) 308
大腿骨近位部 216
　──骨折 285
大腿骨頚部 284
　──構築 284
　──骨折 52,208,284,285,297
大腿骨骨幹部骨折 247,252,286,287,288,296
大腿骨骨折 252,286,288,298
大腿骨頭核 24
大腿骨コンポーネント 222
大腿骨前捻角 24
大腿骨転子下骨折 288
大腿骨転子部骨折 285,286
大腿骨頭 207
　──壊死 44,52,101,207,208,209,210,211,212
　──骨折 283
　──すべり症 107,207,208
大腿骨内反骨切り術 213,219
大腿三角 211
大腿四頭筋 19
大腿周径 27
大腿切断 330
大理石骨病 44,110,111,115
タクロリムス 87
多剤耐性結核菌 76
多趾症 227
多相性活動電位 37
立ち上がりテスト 155,156
脱臼 117,246,247,275
　──機序 265
　──骨折 271,277,278,293
ダッシュボード損傷 294
脱神経 300
脱分化型脂肪肉腫 138
棚形成術 212,214
多発筋炎 29
多発性関節炎 91
多発性硬化症 140,153,205
多発性骨腫瘍 127
多発性骨髄腫 29,127
多発性骨端異形成症 102
多発性内軟骨腫症 110
多発性軟骨性外骨腫症 111,116
ダプトマイシン 77
タリウムシンチグラフィー 132
多裂筋 195
短下肢装具 327,328
単純性股関節炎 216
男女雇用機会均等法 343
弾性線維腫 131

短対立装具 327
弾発指 171
単発性骨囊腫 126
ダンベル腫瘍 207
断裂腱 169

ち

遅筋 11
チタン合金 57
遅発性感染 55
遅発性尺骨神経麻痺 271
肘外偏角 38
肘関節 18,163,164
　──鏡 163
　──拘縮 165
　──靱帯損傷 269
　──脱臼骨折 271,277,278
　──内遊離体 105
中間部剪断型骨折 297
中手骨頚部骨折 247,304
中心性脊髄損傷 258
中足骨角 38
中足骨骨折 294
中足骨切断 329
中足趾節関節 226
中足パッド 324
肘頭滑液包炎 166
肘頭骨折 271
中毒 59
肘内障 167
肘部管症候群 147,148,164,186
虫様筋 147
超音波検査 45
長下肢装具 324,327
長管骨 253
長後方皮弁 328
腸骨 58
調停 339
　──委員会 339
腸腰筋膿瘍 71
直達牽引 251
貯血式自己血輸血 62
鎮痛薬 50,51,61

つ

椎間孔外ヘルニア 197
椎間板 10,16,21
　──ヘルニア 183,191,194,195,196,197,198,199,200,202
椎体骨折 120,192
対麻痺 326

痛覚神経 14
2ステップテスト 155,156
痛風 91
杖 19,322,323
槌指 174,272,304
包み込み療法 208
爪圧迫テスト 103
吊り下げギプス包帯 250,262

て

低酸素血症 61
低出力超音波パルス 245
底側距舟靱帯 25
剃毛 78
低リン血症性くる病 118
デオキシピリジノリン 6
デオキシヘモグロビン 40
デスモイド 131,134
　──型線維腫症 131
テニス肘 165,168,302,303,306
テニスレッグ 308
デノスマブ 123,124
手袋状剥皮損傷 170
テリパラチド 120,123,124
転移性脊椎腫瘍 203
電気刺激療法 322
電気生理 13
電撃損傷 170
電子カルテ 338
転子間弯曲内反骨切り術 213
電動車椅子 325

と

等角速度運動 321
投球 306
　──骨折 302,308
頭頚移行部 184
凍結肩 159
橈骨遠位端骨折 280
橈骨遠位部骨折 273,274,304
橈骨頚部骨折 276,277
橈骨神経 26,166,300
　──浅枝 148
　──麻痺 31,147,174,327
橈骨頭骨折 277
等尺性訓練 321
等尺性収縮 18
　──運動 322
同種骨移植 8
凍傷 170
豆状骨 7

トウスプリング 324
透析 182
透析性脊椎病変 183
橈側列形成障害 171
等張性運動 321
等張性収縮 18,322
疼痛 13,15,138
　──回避歩行 321
　──誘発テスト 303
糖尿病 153
　──性神経障害 26
　──性ニューロパシー 140
動脈損傷 102,234
動脈閉塞 102,103
動脈瘤様骨嚢腫 205
動揺胸郭 260,318
動揺性肩関節 161,267
ドキソルビシン 130
特異度 345
特発性一過性大腿骨頭骨萎縮症 100,207,208
特発性骨壊死 223,224
特発性膝関節血症 224
特発性膝骨壊死 99
特発性側弯症 192,193,194
特発性大腿骨頭壊死症 101,208,209,210,211
特発性老人性膝関節血症 99
徒手筋力テスト 31,36
徒手整復 265
トラベラー型 325
トラマドール塩酸塩 51
トリアージ 316,317
トロポコラゲン 9

な

内在筋プラス位 174
内在筋マイナス位 174
内側型変形性膝関節症 223
内側型野球肘 167
内側楔状骨折 273
内側膝蓋大腿靱帯再建術 221
内側側副靱帯 21,164,235
　──損傷 269,311
内軟骨腫 126,127
内反股 216
内反膝 226
内反小趾 230
内反肘 101,165
ナックルベンダ 327
軟骨 17
　──原基 6

──細胞 15
──内骨化 6,7
──肉腫 125,126,127,128,129
──無形成症 110,115,116,200
軟性仮骨 15,243
軟部腫瘍 46,130,131,132,134,136,137,138

に

二関節筋 33,34
肉ばなれ 234,240,308
二次骨化核 44
二次性変形性関節症 102
二次性変形性股関節症 210,217
二次痛 13
二重造影法 43
日常生活動作・活動 322
二分靱帯 227
二分脊椎 216
乳児股関節健診 207
乳幼児股関節 43
乳幼児側弯症 193
尿酸 30
認定産業医制度 342

ね

ネコひっかき病 72,178
ねじ込み運動 21,238
粘液腫 131
捻挫 236,240
粘弾性体 17

の

囊腫様変化 47
脳性麻痺 112,113,216,326,340
脳卒中 153,322
ノーマンズランド 169

は

バーナー症候群 308
バイオフィルム 55
バイオメカニクス 17
肺血栓塞栓症 67
背側橈骨手根靱帯 237
排尿筋反射 189
破壊性脊椎関節症 182,191
薄筋 33
白鳥のくび変形 174
バケツ柄状断裂 240

跛行 25,104,199
破骨細胞 5
　──分化因子受容体 124
波状縁 5
破傷風 74,78,241,245
発育期腰椎分離症 201
発育性股関節形成不全 41,215,217
発育性股関節脱臼 41
発育性脊柱管狭窄 200
発汗テスト 180
バックハンドテニス肘 165,303
抜釘後再骨折 21
ばね靱帯 25,227
ばね指 171
ハバース系 4
馬尾腫瘍 197
馬尾症候群 25,196
馬尾症状 199
ハムストリング 19
パラフィン浴 320
針生検 132
破裂骨折 256
ハングマン骨折 254,255,257
半月 10,21,32,238,239
　──損傷 238,239
　──様線状透過陰影 107
バンコマイシン 66,77
反射 12,26,34,333
　──異常 259
反応性関節炎 91
反復性肩関節前方脱臼 161,266,267
反復性肩関節脱臼 32,261,262
反復性膝蓋骨脱臼 238
反復性脱臼 261
反復性肘関節脱臼 270
ハンマートウ 229
半膜様筋 33

ひ

ヒアルロン酸 9,15
非外傷性関節血症 99
非外傷性膝関節血症 99
皮下血腫 260
引き抜き損傷 150,151
被虐待児症候群 111
引き寄せ鋼線締結法 249,289
非骨化性線維腫 126
腓骨神経 227,299
　──麻痺 37
膝運動中心 21
膝折れ 329,330
膝靱帯損傷 309

膝前十字靱帯損傷　309,312,313
膝継手　324,329
皮質骨　4,17
皮疹　33
非ステロイド性抗炎症薬　50
ビスフォスフォネート　120,121,124
ひずみ　16
肥大軟骨細胞層　7
ビタミンD　5,119,120,121
　──欠乏症　119
　──欠乏性くる病　122,125
　──中毒　123
引っぱり強度　58
非定型大腿骨骨折　296
非特異的腰痛　202
ヒト免疫不全ウイルス　63
被曝　337
皮膚感覚受容器　145
腓腹神経　315
表層感染　78
ヒラメ筋　33
平山病　183
疲労骨折　248,304,305,307,308,315
ピロリン酸カルシウム沈着症　97
ピロリン酸カルシウム二水和物　179
貧血　84

ふ

ファイター骨折　307
風棘　178
フェンタニル　61
フォルクマン管　4
負荷緩和　17
副甲状腺機能亢進症　29,119,121,123,
　125
副甲状腺ホルモン関連蛋白　7
複合性局所疼痛症候群　152
副作用　59
副神経損傷　145,301
副神経麻痺　145,300
副靱帯　235
副腎皮質ステロイド　88,91,92,120
腹壁外デスモイド　134
腹壁反射　34
腹壁ヘルニア　200
腐骨　70
腐食防止対策　53
ブシラミン　87
普通型車椅子　325,326
物理療法　322
ふまずしん　324
フルルビプロフェン　61

プレドニゾロン　91
プロテオグリカン　8,9
プロポフォール　61
分娩麻痺　113
分裂膝蓋骨　225,310,311

へ

閉経　120
閉鎖的運動連鎖　18
ヘイロー装具　323
ペニシリン　65
ヘルシンキ宣言　346
変形性関節症　15,16,80,95,102,175
変形性股関節症　211,212,213,217,
　218
変形性膝関節症　100,219,220,221,
　223
変形性手関節症　175
変形性脊椎症　195
変形性足関節症　230
変形性肘関節症　105,164,168
変性側弯症　195
変性腰椎すべり症　197
片側骨盤切除　330
ペンタゾシン　61
扁平足　117,230,293,326

ほ

傍関節骨萎縮　45
傍骨性骨肉腫　126,127
放射線照射　128
　──後肉腫　128
放射線療法　130,205
胞巣状軟部肉腫　131,132,134,136
ボクサー骨折　304,305,307
ボクサーズナックル　308
保険医　336
保健師　336
保健所　340
保険診療　340
歩行　321,333
　──解析　20
　──周期　20,333
　──速度　333
　──補助杖　323
母指CM関節症　95,175
母指CM関節変形性関節症　175
母指MP関節橈側側副靱帯　237
母指MP関節背側脱臼　279
母趾種子骨障害　228
母指多指症　172

ポジトロンエミッション断層撮影法
　43
母指内転拘縮　171
ホスホマイシン　66
ボタン穴変形　246
歩調　333
ポリエチレン摩耗　53,55
ポリメタクリル酸メチル　57

ま

マイクロ波　322
膜性骨化　7
麻酔薬　61
末梢神経　35
　──障害　153,180
　──損傷　142,143,148,301
　──損傷分類　142
　──断裂　143
　──伝導速度　13
　──反復刺激試験　142
マトリックスメタロプロテアーゼ　9
麻痺性股関節障害　216
マレット指　306
慢性区画症候群　235
慢性腎臓病　122
慢性痛　15
慢性労作性下腿区画症候群　314

み

ミエログラフィー　42
ミオゲニン　46
ミオシン　11
水治療法　320
未分化多形肉腫　128,135,136,138
民事裁判　339
民事訴訟　338

む

ムチランス型関節リウマチ　174
ムピロシン　77
無腐性壊死　229

め

明細胞肉腫　133
メスナ　130
メチシリン　77
　──耐性黄色ブドウ球菌　77
メトトレキサート　87,88,92,130
メナテトレノン　124

メロレオストーシス　102
免疫染色　46
免疫組織化学的マーカー　46,47

も

モザイク構造　121
モバイルベアリング人工膝関節全置換
　術　56
モルヒネ　61

や

野球肘　167,302

ゆ

有鉤骨鉤骨折　275,304,305,307
有痛性分裂膝蓋骨　310,311
誘発試験　104
指関節脱臼　247,279
指腱鞘　169

よ

要介護　155
要支援　155
陽性鋭波　37
陽性造影法　43
腰椎　256
　——機能解剖　198
　——固定術　200
　——すべり症　197,198
　——前方固定術　200
　——椎間板ヘルニア　195,196,197,
　　198,199,200,202
　——分離症　197,198,199,201,202
　——変性側弯症　195
腰痛　20,197,201,202
腰部脊柱管狭窄症　104,199,202
腰部隆起　193

腰方形筋　195
溶連菌感染　72
翼状肩甲　300
横止め髄内釘法　288
予防的抗凝固療法　103

ら

ラガージャージ損傷　169,305,307,
　308
ラロキシフェン　120,123
ランダム化比較試験　345
ランナー膝　309

り

リウマチ性多発筋痛症　91
リウマチ熱　28
リウマトイド因子　28
リウマトイド血管炎　345
理学療法　321
リクライニング式車椅子　325
梨状筋症候群　150
離断性骨軟骨炎　25,105,304,313
リドカイン　59
利尿筋　332
リハビリテーション　89,347
　——評価　333
リフト式車椅子　325
リモデリング　16
流体潤滑　17
良性軟部腫瘍　131
リン酸三カルシウム　56
臨床研究　346
輪状靱帯　235
倫理指針　347

る

類骨骨腫　126,127,203,205
涙痕　219

類上皮肉腫　133
ルースショルダー　161
ルブリシン　8

れ

裂離骨折　308
連鎖球菌　72

ろ

労災保険　343,344
老人介護　340
　——支援センター　340
労働安全衛生法　342
労働衛生教育　343
労働者災害補償保険　343,344
ロコチェック　154
ロコモ25　155,156
ロコモーショントレーニング　154
ロコモティブシンドローム　154
ロコモ度　156
　——テスト　155
ロコモ認知度　155
肋骨　58
　——骨折　260,261
　——隆起　193

わ

和解　339
若木骨折　273
ワルファリン　124
腕神経叢損傷　150,151,152
腕神経叢麻痺　37,151
腕橈関節　163
腕橈骨筋　18

欧文索引

3 T's 316,317
5 P's 234,260
25-ヒドロキシビタミンD 5
25(OH)D 119

A

A群連鎖球菌 72
A帯 10
ABI(ankle brachial index) 103,199
Adams 弓 19
Adams bending test 193
ADI(atlantodental interval) 81,186
ADL(activitiy of daily living) 322
Adson テスト 34,104,159,162
AHI(acetabular head index) 212
Albright 症候群 27,118
Allen テスト 26,103,104,180
Allis 徴候 28,33,215
ALVAL(aseptic lymphocyte-dominated vasculitis-associated lesion) 54
anisotropy 17
Anthonsen 撮影 293
AO 分類 263
apophysis 107
ARMD(adverse reactions to metal debris) 54
ASIA impairment scale 333
ASIA(American Spinal Cord Injury Association) 258
ATP 11,12

B

B型肝炎ウイルス 63
B細胞 10
β-TCP 56
Babinski 反射 27,197
Baker 囊胞 225
balanced forearm orthosis(BFO) 327
Bankart 修復術 262
Bankart 損傷 32,265,266,268

Bankart 法 161
Barton 骨折 273,274
Barton 脱臼骨折 273
Becker 型筋ジストロフィー 141
Bennett 骨棘 306
Bennett 損傷 301,302
Bennett 脱臼骨折 273,305
Blount 病 106,107,108,226
Böhler 角 297
Boston 型装具 323,327
Bosworth 法 267
Bouchard 結節 95,175
Bragard テスト 27
Bristow 法 161,262
Brodie 骨髄瘍 74
Brown-Séquard 症候群 189,191
Brunnstrom ステージ分類 333
Bryant 牽引 252

C

C4/C5 高位椎間板ヘルニア 191
C5 神経根障害 191
C6 神経根障害 185
CA19-9 128
Calvé 扁平椎 126,204
Capener 徴候 24,33,38
capillary refill time 317
Carroll 法 152
Catterall 分類 108
CD34 46
CD68 80
CD99 46
CE(center-edge)角 24,212
Chance 骨折 255,256
Charcot-Marie-Tooth 病 25,321
Charcot 関節 167
chauffeur 骨折 273
Chiari 奇形 184,206
Chiari 骨盤骨切り術 214
Chopart 関節 25,226
—— 脱臼骨折 297
—— 離断 328,330

claw toe 229
—— 変形 181
closed kinetic chain(CKC) exercise 18
Clostridium tetani 241
co-contraction 17
Cobb 法 193
cock robin position 255
Colles 骨折 273,274
complex regional pain syndrome(CRPS) 152
containment 療法 208
cortical ring sign 173
COX-2 86
crescent sign 38,107,114
CT 39,41,81

D

Dダイマー 29,102
DAS(disease activity score) 82
de Quervain 病 170
Denis Browne 副子 327
die-punch fragment 273
DISI(dorsal intercalated segment instability) 173,278
DMARDs(disease-modifying antirheumatic drugs) 87,90
Down 症候群 186
Drehmann 徴候 24,33
Duchenne 型筋ジストロフィー 137,141,142
Dunlop 牽引 251
Dupuytren 拘縮 176
Duverney 骨折 283
DXA(dual energy X-ray absorptiometry)法 119
dystrophin 蛋白質 141

E

Eden テスト 34,104,158
Ehlers-Danlos 症候群 192
Eichhoff テスト 27,170,180

EMA（epithelial membrane antigen）　46
Essex-Lopresti 分類　292
Evans 分類　286
Ewing 肉腫　47, 126, 127, 129, 130, 134, 135, 138, 205
extrinsic 靱帯　236

F

F 波　34
^{18}F-FDG　43
FAI　308
Fanconi 症候群　121
FDG　42, 43
FDG-PET　132
FDG-PET/CT　42
FGF（fibroblast growth factor）　83
FGF23　6
fovea sign　173
Frankel 分類　259
FRAX®　254
Freiberg 病　107, 109, 229
Frohse のアーケード　148
Froment 徴候　28, 164, 180
functional brace　327

G

^{67}Ga　43
　──クエン酸塩　42
Galeazzi 脱臼骨折　276
Garden 分類　285
Gd-DTPA　39, 40, 41
Glisson 頸椎牽引　252
Glisson 係蹄　251
Guillain-Barré 症候群　139
Gurd の（臨床）診断基準　105, 316
Gustilo 分類　246
Guyon 管　147
　──症候群　146, 147

H

H 帯　10
H 波　34
HAGL（humeral avulsion of the glenohumeral ligament）　265
hallux rigidus　229
hammer toe　229
hanging cast　250
Hawkins 徴候　292
Hawkins の手技　161

Heberden 結節　95, 175
Hilgenreiner 線　38, 215
Hill-Sachs 損傷　265, 266, 268
Hippocrates 法　265
HIV　63
HLA-B27　90
HLA-DR4　79
Homans 徴候　28, 102, 103
Horner 徴候　113, 150, 151
Howship 窩　5
Humphry 靱帯　238
Hunter 管症候群　150

I

I 帯　10
^{131}I　43
IL-1β　83
IL-6　83
intrinsic healing　169
intrinsic（内在）靱帯　236
IP 関節　19

J

Jefferson 骨折　254, 255, 257
Jeffery 型骨折　276

K

Kanavel 徴候　28
Keegan 型頸椎症　183, 184
Kienböck 病　106, 179
Klein's line　208
Klippel-Feil 症候群　184
Knight 型装具　323
Kocher 法　161, 261, 265
Köhler 病　107, 108, 109, 229
Kummell 病　192

L

L3/L4 椎間板ヘルニア　196
L4/L5 椎間板ヘルニア　196
L5/S1 椎間板ヘルニア　197
Lachman テスト　239, 310
lamina splendens　7
Langerhans 細胞組織球症　126, 127
Larsen 症候群　116
Larsen 分類　81
Latarjet 法　161, 262
late segmental collapse　207
LDH　136

Lisfranc 関節　25, 226, 227, 240, 293
　──損傷　293
　──脱臼　248
　──脱臼骨折　293, 297, 315
　──離断　330
Lisfranc 靱帯　227, 240, 293
Lisfranc 切断　331
Little Leaguer's elbow　167
Little Leaguer's shoulder　302
Lorenz 法　265

M

M 波　34
Maffucci 症候群　33, 110
Malgaigne 骨折　280, 281, 282, 283
march fracture　294
Marfan 症候群　193
McGregor 法　186
McMurray テスト　238
Meissner 小体　145
Merkel 終盤　145
metaphyseal-diaphyseal angle　226
MIC2　46
Milgram 分類　98
Milwaukee 型装具　323
Monteggia 骨折　280
Monteggia 脱臼骨折　247, 275
Moore 進入法　213
Morley テスト　34, 104, 158, 162
Morton 病　149, 150, 228
MP 関節　19, 85, 170, 279
　──脱臼　294
　──ロッキング　170
MRI　39, 40, 41, 45, 81, 82, 131, 238
MRSA　76, 77

N

Nash & Moe 法　193
Neer 分類・新分類　263
Neer の手技　160
neurapraxia　142
Neviaser 法　267
no man's land　169
NSAIDs　50, 92

O

O'Donoghue の分類　236
OA（osteoarthritis）　95
Ollier 進入法　213
Ollier 病　110

open book 型骨折　281,283
open kinetic chain(OKC) exercise　18
Ortolani クリック徴候　24
Osgood-Schlatter 病　108,109,310,311
osteolysis　55
Otto 骨盤　99
Oudard-神中法　262
owl winked sign　76

P

Pacini 小体　145
Panner 病　105,108,109,164
Parkinson 病　141,153
Patrick テスト　27,28,211
Pavlik 装具　216
Perthes 病　44,106,107,108,114,207,208
Perthes 病用装具　327
Perthes 様変化　207
PET　43
Phalen テスト　27,180
Phemister 法　267
Philadelphia カラー　324
piano key sign　173,180,263,269
PIP 関節　85,279
pivot shift test　239
platelet-derived growth factor (PDGF)　83
PMMA(polymethyl methacrylate)　57
Poisson 比　16
Ponseti 法　228
Pott 麻痺　75
PTB(patellar tendon bearing) 義足　330
PTB(patellar tendon bearing) 装具　327
PTH(parathyroid hormone)　5,124
Putti-Platt 法　161

Q

Q 角　38

R

Ranawat 法　81
RANKL(receptor activator of nuclear factor-kappa B ligand)　6,124
Red man syndrome　77

Riemenbügel 装具　327
Riemenbügel 治療　216
rigid dressing 法　328
Risser 徴候　193
RI シンチグラフィー　43
Rockwood 分類　264,267
Rolando 骨折　305
Roos test　34
Roos テスト　104,159
Ruffini 終末　145
rugger jersey appearance　183
Rumpel-Leede テスト　99
Russel 牽引　251

S

S-100 蛋白　46
S-100 蛋白質　46
Salter-Harris 分類　244
Sanders 分類　292
SAPHO 症候群　93
sarcolemma　10
sarcomere　10
Saturday night palsy　26
Saupe 分類　225,310
Scarpa 三角　211
Scheuermann 病　108
Schwann 細胞　143
screw-home movement　21,238
Segond 骨折　296
semi-rigid dressing 法　328
Semmes-Weistein monofilament test　180
Sever 病　108,109
Sharp 角　24,212
Shenton 線　38,212
short femoral nail　286
Silence 分類　109
Sinding Larsen-Johansson 病　308,311
Sinding-Larsen-Johansson 病　310
skier's thumb　304
SLAC(scapholunate advanced collapse)wrist　236,278
SLAP(superior labrum anterior and posterior)損傷　32,302
SLAP 損傷　301
SLE(systemic lupus erythematosus)　208,210
sleeve 骨折　289
sliding hip screw　286
Smith-Peterson 進入法　213
Smith 骨折　273,274

SNAC(scaphoid nonunion advanced collapse)　236
soft dressing 法　328
SOMI 装具(sterno-occipital mandibular immobilizer brace)　323
spina ventosa　178
squeezing test　314
SSI(surgical site infection)　63,78
static locking　288
Steinbrocker 分類　81
Steindler 法　152
Stimson 法　247,261
straddle 骨折　281
streptococcal toxic shock syndrome (STSS)　72
Stryker 撮影法　266
Sudeck 骨萎縮　244,293
sulcus sign　268
Sunderland 分類　143
Syme 切断　328,331

T

T 管　11
T1 強調像　39
T2 強調像　40
tear drop sign　173
Terry-Thomas sign　173
TFCC(triangular fibrocartilage complex)　173
THA(total hip arthroplasty)　217
Thomas テスト　211
Thompson test　314
Thompson-Simmonds スクイーズテスト　27
Thomsen テスト　165
three column theory　259
tidemark　7,8,15
Tietze 症候群　26
Tinel 徴候　180
Tinel 様徴候　13,180
TKA(total knee arthroplasty)　223
TKA 線　329
^{201}Tl　43
TNF-α　83
transverse tube　11
Trendelenburg 現象　211
Trendelenburg 徴候　19,24,33
Trendelenburg 歩行　196,321
Trethowan 徴候　25,33,215
two-point discrimination test　180

U

UKA(unicompartmental knee arthroplasty) 223
unhappy triad 310

V

V 靱帯 237
VISI(volar intercalated segment instability) 278
Volkmann 拘縮 171, 235, 244, 260, 274, 316
von Recklinghausen 病 134

W

Waldenström 徴候 107, 114
Wartenberg 徴候 26
Westhues 法 247
Williams 型装具 323
Williams 体操 20
winking owl sign 76, 203
WNT シグナル 6
Wolff's の法則 17
Wollenberg 線 38, 215
wrap around flap 181
Wright テスト 34, 104, 158
Wrisberg 靱帯 32, 238

X

X 線 44
　——Rosenberg 撮影 219
　——撮影 337

Y

Y 軟骨 24
Young 率 16

Z

Z 帯 10
Z 変形 175

整形外科卒後研修 Q&A（改訂第 8 版）―解説編		2 分冊（分売不可）	

1985年 4 月10日　第 1 版第 1 刷発行	編集者　日本整形外科学会 Q&A 委員会
2011年 9 月 1 日　第 6 版第 1 刷発行	発行者　小立健太
2016年 5 月25日　第 7 版第 1 刷発行	発行所　株式会社　南 江 堂
2020年11月10日　第 7 版第 4 刷発行	〒113-8410 東京都文京区本郷三丁目 42 番 6 号
2021年 6 月 5 日　第 8 版第 1 刷発行	☎（出版）03-3811-7236　（営業）03-3811-7239
2022年12月25日　第 8 版第 2 刷発行	ホームページ https://www.nankodo.co.jp/
	正誤表を作成した場合はホームページに掲載予定
	印刷・製本　三報社印刷
	装丁　渡邊真介

Q & A for the Postgraduates in Orthopaedic Surgery, 8th Edition
©The Japanese Orthopaedic Association, 2021

定価はケースに表示してあります．
落丁・乱丁の場合はお取り替えいたします．
ご意見・お問い合わせはホームページまでお寄せください．

Printed and Bound in Japan
ISBN978-4-524-22809-6

JCOPY〈出版者著作権管理機構　委託出版物〉
本書の無断複写は，著作権法上での例外を除き禁じられています．複製される場合は，そのつど事前に，出版者著作権管理機構（TEL 03-5244-5088，FAX 03-5244-5089，e-mail: info@jcopy.or.jp）の許諾を得てください．

本書の複製（複写，スキャン，デジタルデータ化等）を無許諾で行う行為は，著作権法上での限られた例外（「私的使用のための複製」等）を除き禁じられています．大学，病院，企業等の内部において，業務上使用する目的で上記の行為を行うことは私的使用には該当せず違法です．また私的使用であっても，代行業者等の第三者に依頼して上記の行為を行うことは違法です．